O ÚLTIMO JULGAMENTO

Scott Turow

O ÚLTIMO JULGAMENTO

Tradução
Ângelo Lessa

1ª edição

EDITORA RECORD
RIO DE JANEIRO • SÃO PAULO
2021

EDITORA-EXECUTIVA
Renata Pettengill

SUBGERENTE EDITORIAL
Mariana Ferreira

ASSISTENTE EDITORIAL
Pedro de Lima

AUXILIARES EDITORIAIS
Júlia Moreira
Beatriz Araujo
Juliana Brandt

COPIDESQUE
Adriana Fidalgo

REVISÃO TÉCNICA
Tainá Brito

REVISÃO
Mariana Oliveira
Renato Carvalho

DIAGRAMAÇÃO
Abreu's System

TÍTULO ORIGINAL
The Last Trial

CIP-BRASIL. CATALOGAÇÃO NA PUBLICAÇÃO
SINDICATO NACIONAL DOS EDITORES DE LIVROS, RJ

T858u
    Turow, Scott, 1949-
        O último julgamento / Scott Turow; tradução de Ângelo Lessa. – 1ª ed. – Rio de Janeiro: Record, 2021.
        23 cm.

        Tradução de: The Last Trial
        ISBN 978-65-55-87241-5

        1. Ficção americana. I. Lessa, Ângelo. II. Título.

21-73228
                CDD: 813
                CDU: 82-3(73)

Camila Donis Hartmann – Bibliotecária – CRB-7/6472

THE LAST TRIAL by Scott Turow. Copyright © 2020 by S.C.R.I.B.E. Inc.
Publicado mediante acordo com o proprietário.

Texto revisado segundo o novo Acordo Ortográfico da Língua Portuguesa.

Todos os direitos reservados. Proibida a reprodução, no todo ou em parte, através de quaisquer meios. Os direitos morais do autor foram assegurados.

Direitos exclusivos de publicação em língua portuguesa somente para o Brasil adquiridos pela
EDITORA RECORD LTDA.
Rua Argentina, 171 – Rio de Janeiro, RJ – 20921-380 – Tel.: (21) 2585-2000, que se reserva a propriedade literária desta tradução.

Impresso no Brasil

ISBN 978-65-55-87241-5

Seja um leitor preferencial Record.
Cadastre-se no site www.record.com.br e receba informações sobre nossos lançamentos e nossas promoções.

Atendimento e venda direta ao leitor:
sac@record.com.br

Para todos os meus netos — aqueles aqui,
aqueles por vir

PRÓLOGO

Uma mulher grita. Estridente e desolado, o som breve reverbera através do burburinho solene dos corredores do velho tribunal federal.

Dentro da enorme sala de julgamento da presidente do tribunal, todos estão de pé. O caso em julgamento ali, a ação criminal proposta contra um médico mundialmente famoso, vem aparecendo no noticiário nacional, e a galeria tem estado completamente abarrotada todos os dias. Agora, a maioria das pessoas está se esticando para ver o que acabou de acontecer do outro lado do cercado de madeira de nogueira, que limita a área reservada para os participantes do julgamento.

O advogado principal do réu, um homem de muita idade, mas ainda bastante renomado, desfaleceu na mesa da defesa. Seu cliente, o médico acusado, que é quase da mesma idade do advogado, se ajoelha e segura pelo pulso a mão flácida do homem caído.

— Sem pulso — grita o médico. — Alguém ajude, por favor!

Com isso, a jovem ao lado dele, a primeira pessoa que gritou, parte em disparada. Ela é assistente e neta do velho advogado, e sai correndo pelo corredor central em direção à porta. Ao lado do médico, a filha do advogado — sua sócia no escritório de advocacia há décadas — está completamente paralisada de aflição. Desde o início, ela encarou com mau pressentimento esse julgamento, seu último caso com o pai. Ela está chorando copiosamente em silêncio, as lágrimas escorrendo por trás dos óculos. Os dois promotores de justiça — o procurador da república e seu assistente, um homem mais jovem — se levantaram da cadeira e correram para o outro lado do tribunal. Juntos, eles seguram o corpo da pessoa caída no chão.

Com sua toga, a presidente do tribunal, que é a juíza do caso, desceu rapidamente da bancada para tentar controlar a situação, mas acaba parando subitamente quando se dá conta de que o júri ainda está ali. Assim como os outros espectadores, os jurados estão de pé, todos com expressão de pânico. A juíza aponta para a oficial de justiça posicionada atrás deles e grita:

— Retire o júri, por favor!

Só então se aproxima.

De blazer e com um fone de ouvido da cor da sua pele, o segurança do tribunal atravessa a sala para ajudar, e, com o auxílio dele, os promotores conseguem erguer lentamente o corpo do velho advogado e o colocam deitado de costas na mesa de nogueira, enquanto a filha dele afasta papéis e equipamentos para abrir espaço. O velho médico rapidamente abre o paletó do advogado e rasga a blusa branca por baixo para expor o tórax do homem. O advogado e o médico são amigos há décadas, e há um quê de afeto quando, por um breve instante, o médico pressiona o ouvido no coração do advogado, e depois encosta a base da mão no esterno do corpo inerte e começa a pressionar com as mãos em intervalos regulares.

— Alguém faça respiração boca a boca nele! — implora o médico.

A juíza, que conhece os advogados de ambos os lados há muitos anos, é a primeira a reagir, separando com os dedos os lábios pálidos do homem, colocando a boca sobre a dele e soprando o ar com força. Ao ver a cena, a filha parece voltar a si e, após a juíza fazer respiração boca a boca uma dezena de vezes, assume o comando.

Os promotores e o segurança recuaram. Talvez com a intenção de abrir espaço para o médico, ou talvez, assim como todos os outros no tribunal, achem a visão do velho advogado imóvel na mesa — como um espartano caído disposto sobre o escudo — sombria e terrível. Embora seja um homem franzino, o advogado sempre teve uma presença dominante no tribunal. E agora ali está ele, tristemente exposto. Alguns pelos brancos salpicados pelo tórax, a pele com um tom acinzentado de leite desnatado. O lado esquerdo do peito parece mais fundo na parte em que uma cicatriz de cirurgia começa logo abaixo do mamilo e segue até as costas. Por mais contraditório que pareça, sua gravata vermelha, branca e azul, ainda amarrada no colarinho, está pendurada sobre seu flanco nu.

A jovem que gritou e depois correu acaba de voltar. É uma pessoa estranha — não só por causa do prego de três centímetros que usa atravessado no nariz, mas também pela forma um tanto raivosa e indiferente com que lida com as pessoas.

— Saiam, saiam da frente — grita ela, conforme avança pelo corredor se desviando das pessoas.

Ela carrega uma maleta vermelha de plástico com a mão direita, e as juntas de seus dedos estão sangrando. O fecho da caixa com o desfibrilador, que ficava no corredor, estava emperrado, e, após várias tentativas desesperadas, a neta do advogado simplesmente deu um soco na proteção de vidro.

Enquanto ela passa pela primeira fileira de espectadores, um dos muitos jornalistas comenta com um colega ao lado:

— Isso, sim, que é se matar de trabalhar.

Imediatamente após entregar o equipamento ao médico, a jovem vira para trás, aponta a mão ensanguentada para o repórter e diz:

— Porra nenhuma, Stew. Ele não vai morrer nem a pau.

I. DEBATES ORAIS

5 DE NOVEMBRO DE 2019

1. O FIM

—**S**enhoras e senhores do júri — diz o Sr. Alejandro Stern.
Durante quase sessenta anos, foi assim que ele cumprimentou os jurados ao iniciar a defesa do réu, e com essas palavras, hoje, uma névoa de melancolia invade seu coração. Mas ele está aqui. Nós vivemos no eterno presente. E de uma coisa o Sr. Stern tem certeza: ele teve sua oportunidade.

— Este é o fim — continua. — Para mim. — Encarando o júri, ele leva as mãos ao tronco e, sem olhar, abotoa o paletó, como sempre fez após as primeiras palavras. — Sem dúvida, os senhores estão pensando: "Esse advogado de defesa é muito velho..." E, sim, os senhores têm toda a razão. Enfrentar o governo quando a liberdade de um homem bom, como o Dr. Kiril Pafko, está por um fio, não é uma tarefa para alguém da minha idade. Esta será minha última vez.

Atrás dele, na tribuna, a presidente do tribunal, Sonya Klonsky, emite um som ininteligível, parecido com um pigarro. Por conhecer Sonny há trinta anos, o advogado entende o sinal tão bem como se ela tivesse falado com todas as palavras. Se ele continuasse discursando sobre sua vida pessoal, a juíza o cortaria educadamente.

— Mesmo assim, não pude recusar este caso — acrescenta ele.

— Sr. Stern — interrompe a juíza Klonsky —, talvez o senhor devesse se ater às provas.

Stern ergue a cabeça, olha para a juíza, que está atrás da bancada de madeira de nogueira, e faz uma pequena reverência com a cabeça, assentindo. É um gesto que ele cultiva desde a infância, na Argentina, país que também deixou em sua fala um leve sotaque do qual ele se envergonha até hoje quando ouve sua voz gravada.

— Sim, Meritíssima — responde ele e se vira para o júri outra vez. — Marta e eu sentimos orgulho de estar representando o Dr. Pafko nesse momento crucial de sua vida longa e honrada. Marta, por gentileza.

Lentamente, Marta Stern se levanta da mesa da defesa e cumprimenta os jurados com um sorriso simpático. Para seu pai, Marta é uma daquelas poucas pessoas que ficam mais bonitas ao atingir a meia-idade do que quando jovens — o corpo em forma, o cabelo com um belo penteado e uma postura relaxada. Stern, por outro lado, definhou com a idade e a doença. Mas, mesmo assim, ele não precisa nem dizer que ela é sua filha. Os dois são baixos e atarracados, e têm a mesma combinação estranha de traços faciais largos. Marta assente com a cabeça e se senta de volta à mesa da defesa ao lado da assistente, Pinky, que é neta de Stern.

Stern ergue a mão em direção ao seu cliente.

— Kiril, por gentileza.

O Dr. Pafko também se levanta, o corpo está enrijecido pela idade, mas ele permanece alto e cuidadoso com a aparência. Há um lenço branco de seda no bolso de seu blazer transpassado, acima de uma fileira de botões dourados. Seu cabelo grisalho, com mechas loiras e praticamente ralas no alto da cabeça, está penteado para trás com elegância. Ele tenta abrir um sorriso charmoso com seus dentes pequenos e tortos.

— Quantos anos o senhor tem, Kiril? — pergunta Stern.

— Setenta e oito — responde Pafko de pronto.

A pergunta de Stern, feita em um momento em que só os advogados deveriam falar, é inadequada, mas ele sabe, por experiência própria, que o advogado principal do governo, o procurador da república Moses Appleton, evitará fazer objeções sem importância para não transmitir ao júri a sensação de que está tentando omitir informações. Stern quer que a voz de Kiril esteja entre as primeiras impressões dos jurados, para que se sintam menos decepcionados caso ele não chegue a depor em defesa própria, o que Stern espera que aconteça.

— Setenta e oito anos — repete Stern, jogando a cabeça para trás, fingindo perplexidade com bom humor. — Um jovem — acrescenta, e os catorze jurados sorriem, incluindo os dois suplentes. — Permitam--me falar um pouco sobre o que as provas mostrarão a respeito de Kiril Pafko. Ele chegou aos Estados Unidos vindo da Argentina para terminar sua formação médica cerca de meio século atrás, acompanhado de sua mulher, Donatella, que está logo atrás dele, na primeira fileira.

Donatella Pafko, um ou dois anos mais velha que Stern, tem uns oitenta e seis ou oitenta e sete anos, está sentada exibindo uma expressão majestosa, totalmente tranquila, o cabelo branco preso em um coque, o rosto carregado de maquiagem e erguido com coragem.

— Ele tem dois filhos. A filha, Dara, está sentada ao lado da mãe. Mais adiante os senhores conhecerão o filho dele, Dr. Leopoldo Pafko, também conhecido como Lep. Ele é testemunha do caso. Lep e Dara deram cinco netos a Donatella e Kiril. Por incrível que pareça, os netos de Kiril também serão citados nas provas que os senhores irão ouvir.

"Lógico que a maior parte das provas estará ligada à vida profissional de Kiril. Os senhores descobrirão que Kiril Pafko não só é médico, como também PhD em bioquímica. Há mais de quatro décadas, ele é um professor respeitado da Faculdade de Medicina de Easton, aqui no condado de Kindle, onde coordenou um dos laboratórios de pesquisa sobre o câncer mais avançados do mundo. Nesse meio-tempo, também fundou uma empresa, a Pafko Therapeutics, que põe suas pesquisas em prática, produzindo medicamentos para o câncer que salvam vidas.

"Neste momento devo pedir desculpa a vocês, pois neste caso os senhores vão ouvir falar um bocado sobre câncer. Conforme aprendemos durante o voir dire, muitos de nós temos experiências traumáticas com a doença, seja testemunhando o sofrimento de um ente querido ou até — Stern toca a lapela do paletó em um gesto intencional — o de nós mesmos. Se a luta contra o câncer pode ser comparada a uma guerra mundial, Kiril Pafko tem sido um dos generais mais importantes da espécie humana e, conforme as provas atestarão, um dos heróis mais condecorados desta guerra."

Apoiando-se em sua bengala com punho de marfim, Stern se aproxima dos jurados.

— Apesar de um ou dois comentários mais bem-humorados de minha parte — prossegue Stern —, tenho certeza de que os senhores entendem que para o Dr. Pafko este caso não tem nada de engraçado. Os senhores ouviram um excelente debate oral feito pelo meu amigo Moses Appleton.

Stern aponta para a mesa da acusação, que está lotada. Nela, Moses, um homem corpulento com um terno comprado em loja, faz uma careta desconfiada, contorcendo a boca e o bigode fino e ralo. Certamente considera que o elogio de Stern é uma tática — e de fato é —, mas também é sincero. Após meia dúzia de casos contra Moses ao longo dos anos, Stern sabe que o jeito impassível e objetivo do procurador da república transmite a todos os jurados — menos os nitidamente racistas — a visão de um homem confiável.

— O Sr. Appleton fez um breve resumo das provas, segundo o ponto de vista do governo. De acordo com ele, durante quase uma década a Pafko Therapeutics, que também chamaremos de PT, trabalhou em um medicamento maravilhoso contra o câncer chamado g-Livia. Isso é verdade. O que não é verdade é a alegação do Sr. Appleton de que o medicamento só recebeu uma aprovação rápida da Food and Drug Administration, a FDA, porque o Dr. Pafko adulterou dados do ensaio clínico para ocultar uma série de mortes inesperadas. Os senhores descobrirão que Kiril Pafko não fez nada do tipo. No entanto, o Sr. Appleton mantém a afirmação de que essa "fraude" imaginária fez com que as ações que o Dr. Pafko possuía da PT se valorizassem em centenas de milhões de dólares, enquanto sete pacientes com câncer citados na denúncia acabaram tendo o tempo de vida encurtado.

"Em consequência disso, a promotoria acusou este cientista de setenta e oito anos, um homem aclamado ao redor do mundo, como se ele fosse um chefão da máfia. Na primeira acusação da denúncia, o governo o indiciou por extorsão, combinando uma série de fraudes estaduais e federais sob diversos nomes diferentes, alegou que ele vendeu ações ilegalmente com base em informações privilegiadas e, como se tudo isso já não bastasse, que cometeu homicídio. *Homicídio.*" Repete Stern, ficando em silêncio logo depois por um segundo, antes de completar: "De fato, não tem graça nenhuma."

Stern faz uma pausa dramática, e em seguida olha de relance para Marta, querendo uma avaliação de como está se saindo. Se os Stern tivessem seguido sua longa tradição, seria Marta quem estaria se dirigindo ao júri no debate oral. Mas, como um gesto nobre, ela deu a oportunidade a seu pai, entendendo que ele merecia o maior tempo possível no palco central em sua última atuação. A verdade, suspeita Stern, é que Marta não simpatiza muito com o cliente e enxerga o caso como uma última extravagância do pai, um erro de julgamento provocado pela idade, pela vaidade ou por ambas as coisas, e, além de tudo, um teste que Stern talvez não tenha mais condições de encarar.

Marta diria que esse caso já quase o matou uma vez. Oito meses atrás, em março, um carro acertou em cheio a lateral do automóvel dele em uma estrada interestadual de alta velocidade enquanto ele voltava da PT, após conversar com testemunhas. Com a pancada, o Cadillac de Stern foi parar em uma vala, e ele ainda estava inconsciente quando a ambulância chegou ao hospital, onde se constatou que havia um hematoma subdural — sangue no cérebro —, que exigiu uma neurocirurgia imediata. Stern ficou confuso durante dias, mas atualmente o neurologista diz que os exames de imagem estão normais "para uma pessoa de oitenta e cinco anos". A idade do pai preocupa Marta, mas Kiril, que apesar de tudo é médico, continua insistindo que seu velho amigo o represente. No tribunal, Stern sempre deu o melhor de si. Contudo, ele sabe que ali a verdade emerge após uma batalha feroz entre os dois lados, batalha essa que o fará atingir o próprio limite.

Por cinquenta e nove anos, porém, Stern tratou cada caso quase como se ele próprio estivesse sendo julgado. Todo dia exaure suas forças; as testemunhas invadem seus sonhos, tornando suas noites de sono desreguladas. O pior momento, como sempre, chegou nesta manhã, o primeiro dia de julgamento, quase como a noite de estreia de uma peça. A ansiedade era um roedor mastigando seu coração, e o escritório virou um manicômio. Pinky, sua neta, estava reclamando de problemas nos slides que seriam exibidos por Stern durante o debate oral. Marta entrava e saía apressada da sala de reunião dando instruções de última hora sobre análises jurídicas a quatro jovens advogados emprestados para a Stern & Stern. Vondra, assistente de Stern, invadia a sala do chefe de cinco em cinco minutos para checar a bolsa que ele levaria para o tribunal enquanto, nos corredores, a impressão era de que toda a equipe de apoio estava construindo as pirâmides do Egito, enchendo um carrinho de carga com caixas enormes de documentos e equipamentos de escritório que seriam necessários no tribunal. Nos poucos instantes em que esteve sozinho, Stern se concentrou em tentar memorizar sua fala no debate oral — esforço interrompido quando Kiril e Donatella chegaram para uma última reunião, a qual exigiu que Stern exibisse um ar despreocupado.

Apesar de tudo, essa é a vida que ele está relutante em abandonar. Não é por ego ou dinheiro — a versão tabloide de suas motivações — que ele continua trabalhando. Os motivos são mais pessoais e complexos. Por mais que a prática jurídica seja frequentemente frustrante, a verdade é que o Sr. Alejandro Stern adora cada mínimo detalhe: a correria, os telefonemas, os pequenos momentos de luz em um emaranhado de egos e regras. Os clientes, os clientes! Para ele, o canto de nenhuma sereia seria mais tentador do que um telefonema angustiado de alguém em apuros. No começo da carreira, era um vândalo preso na delegacia, ou, como costuma acontecer com mais frequência atualmente, um empresário com um agente federal na porta de casa. Ele sempre atendeu aos chamados com a calma imponente de um super-herói. "Não fale com ninguém. Estarei aí já, já." O que era isso? O que era essa devoção insana a canalhas que esperavam evitar a todo custo uma punição que até mesmo Stern sabia que mereciam, que se esquivavam dos honorários, que mentiam rotineiramente e que o desprezavam assim que perdia o caso? Essas pessoas precisavam dele. Precisavam! Essas criaturas fracas, feridas e até ridículas requeriam a assistência legal do Sr. Alejandro Stern para conseguir o que queriam. Sua existência cambaleava à beira do abismo da destruição. No escritório dele, essas pessoas choravam e juravam que iam matar os traidores. Mas, quando recuperavam a sanidade, secavam as lágrimas e esperavam, patéticas, que Stern lhes dissesse o que fazer. "Bem...", começava ele em voz baixa. O trabalho de seis décadas reduzido a algumas palavras.

Se algumas das pessoas mais importantes de sua vida — sua primeira mulher, Clara, mãe de seus filhos, que cometeu suicídio em 1989; ou Peter, seu filho mais velho; ou, raras vezes, Helen, que morrera havia dois anos e o deixara viúvo novamente — estivessem presentes para ouvi-lo falar de seus clientes, elas perguntariam com todas as letras: "E quanto a nós?" Para essa acusação implícita, Stern, ironicamente, não tinha defesa. A verdade nua e crua era que, em geral, sua energia e atenção eram totalmente consumidas no tribunal, deixando menos do que ele gostaria para as pessoas que alega amar. Tudo o que ele pode oferecer em resposta é a franqueza: "Esta é a vida que eu precisei viver." Aos oitenta e cinco anos, ele tem certeza de que, sem ela, jamais teria conhecido seu verdadeiro eu.

2. AS TESTEMUNHAS

Linha do tempo dos principais acontecimentos

09/12/2014
A FDA dá ao g-Livia o status de Terapia Inovadora

01/04/2015
Começa o ensaio clínico do g-Livia, com duração de dezoito meses

15/09/2016
Kiril Pafko fica sabendo das mortes súbitas entre os pacientes que participam dos estudos clínicos do g-Livia; a base de dados do ensaio é alterada, de modo a omitir as mortes

27/10/2016
A Pafko Therapeutics envia à FDA a base de dados alterada do g-Livia para a aprovação do medicamento

16/01/2017
O g-Livia é aprovado para venda pela FDA

07/08/2018
K. Pafko diz a uma jornalista que nunca ouviu falar de casos de mortes súbitas entre usuários do g-Livia; vende o equivalente a vinte milhões de dólares em ações da PT

12/12/2018

Kiril Pafko é indiciado

Em seu debate oral, Moses agiu como sempre: uma pessoa metódica, mas breve. Seu grande dom, em se tratando de júris, é se ater ao básico. E o fato é que ele fez um bom trabalho ao explicar um caso complicado, apresentando sua "Linha do Tempo" em um monitor de sessenta polegadas colocado à frente do banco das testemunhas. Moses iniciou o relato com o ano de 2014, quando a Pafko Therapeutics enviou à FDA os resultados dos testes preliminares do g-Livia. Os pacientes com carcinoma de pulmão de células não pequenas que tinham utilizado o medicamento mesmo que por apenas alguns meses haviam apresentado uma melhora impressionante em comparação com os pacientes das terapias-padrão atuais. O tratamento com o g-Livia retardava o avanço da doença, e em muitos casos os tumores podiam até regredir.

A FDA deu ao g-Livia o status de Terapia Inovadora, o que poderia acelerar os testes e o processo de aprovação do medicamento. Após reuniões com especialistas da agência, a PT planejou um ensaio clínico com duração de dezoito meses. Caso, mais uma vez, apresentasse os mesmos benefícios e estendesse vidas, o produto seguiria para a aprovação final da FDA e seria disponibilizado para prescrição médica anos antes do normal.

Dias antes do fim do período de ensaio clínico, em setembro de 2016, Lep, filho de Kiril e diretor médico da PT, apresentou ao pai relatos preocupantes. Após o décimo terceiro mês de testes, cerca de doze pacientes ao redor do mundo tinham morrido de repente por motivos inexplicáveis, que pareciam não ter conexão alguma com o câncer. Em vez de apresentar o caso a um painel de especialistas externos que, segundo o protocolo, deveriam investigar os relatos, Kiril estudou os casos por conta própria. Segundo Lep, Kiril lhe disse que tinha entrado em contato com a empresa taiwanesa que estava conduzindo o ensaio, a qual rapidamente constatou que não havia ocorrido nenhuma morte súbita. Um simples erro de código havia marcado equivocadamente os pacientes que tinham saído do estudo — algo que sempre acontece — como mortos.

A base de dados foi alterada — corrigida, diria Kiril — e, logo em seguida, enviada à FDA. Em janeiro de 2017, a FDA aprovou a comercialização do g-Livia para a população. O valor das ações da PT disparou, em especial após surgir uma guerra de lances entre duas gigantes farmacêuticas interessadas em comprar a empresa. No entanto, em agosto de 2018, antes de a aquisição por parte da Tolliver, a empresa vencedora, ser completada, uma jornalista do *Wall Street Journal* telefonou para Kiril e fez perguntas a respeito de uma matéria em aberto. O jornal estava prestes a publicar uma matéria investigativa afirmando que, após usar o g-Livia por mais de um ano, alguns pacientes estavam morrendo subitamente em decorrência, suspeitava-se, de uma reação alérgica. Kiril disse à jornalista que não tinha conhecimento de nenhum caso de morte súbita, mas, momentos após encerrar a ligação, ordenou em segredo a venda de cerca de vinte milhões de dólares em ações da PT. Assim que a matéria do *Wall Street Journal* foi publicada, o valor das ações da Pafko Therapeutics despencou, e semanas depois chegou praticamente a zero, quando a FDA questionou publicamente os dados do ensaio clínico do g-Livia. Pouco depois, Kiril Pafko foi denunciado pelo Ministério Público do condado de Kindle.

Para apresentar esse resumo, Moses utilizou apenas quarenta dos cinquenta minutos que a juíza Klonsky concedeu a cada lado. Ao ser breve, Moses quis sinalizar para os jurados que, embora a testagem de medicamentos seja um assunto complexo e específico, o crime é incontestável. No entanto, as simplificações do Ministério Público Federal criam algumas oportunidades para a defesa. Stern pede que Moses coloque a Linha do Tempo de volta no monitor, pedido esse que o procurador não pode se negar a atender, mas que nitidamente causa uma consternação na mesa da acusação, onde há nove investigadores e advogados. Além de Moses, a única outra pessoa da acusação que se dirigirá ao júri é um promotor jovem e magro, de cabelo volumoso e brilhoso, chamado Daniel Feld, que no momento está digitando em seu laptop com a voracidade de um pianista durante um concerto.

— Como sempre — diz Stern ao júri, após elaborar sobre a presunção de inocência de Kiril e sobre o fardo pesado que era para o governo apresentar provas —, existem dois lados nessa história, e o Sr. Appleton escolheu não contar alguns fatos fundamentais aos senhores. No cerne das acusações que o governo deve provar sem deixar margem para dúvidas... — Stern sempre fala as últimas cinco palavras lentamente, para dar peso a elas. — Está a alegação de que Kiril Pafko é o responsável por alterar os resultados do ensaio clínico do g-Livia em setembro de 2016, apagando as provas de doze mortes súbitas inexplicáveis. Apesar de todo o espalhafato, o depoimento dos colegas do Dr. Pafko, a análise forense do computador da sala de Kiril, as gravações dos telefonemas dele, no fim os senhores verão que — Stern faz outra pausa, desta vez para enfatizar as próximas palavras — *o Dr. Kiril Pafko não alterou nada.* Nem em setembro de 2016, nem em qualquer outro momento. Nada.

Ao dizer isso, Stern acena para Pinky, que, de seu laptop, projeta slides no monitor gigante, enfatizando os pontos principais apresentados por Stern. A Linha do Tempo desaparece gradualmente e a frase "Kiril não alterou nada" surge na tela. Pinky, que às vezes também passa um tempo na casa do avô, costuma ser uma funcionária irritante. Marta já teria demitido a filha da irmã há muito tempo, mas Stern ainda tem esperanças. Mesmo assim, ele se sentiu aliviado pelo fato de Pinky ter aparecido para trabalhar nessa manhã, e agora, por ela ter, ao que parece, mantido os slides na ordem correta.

— Mas o Sr. Appleton não disse que os resultados foram alterados? Sim, disse. Porém, não por Kiril. As mudanças foram feitas em Taiwan, pela Dra. Wendy Hoh, que trabalha para a empresa que conduzia o ensaio para a PT. Os senhores verão a Dra. Hoh como testemunha e terão a oportunidade de ouvir o que ela tem a dizer. As provas mostrarão que as razões que ela teve para alterar a base de dados *não* são as que o governo descreve.

"Na verdade, os senhores verão que os motivos imaginados pelo governo são, com frequência, apenas isso: imaginários. Por exemplo, o Sr. Appleton sugeriu que o Dr. Pafko cometeu essa alegada fraude para se tornar multimilionário. Sim, o valor das ações da PT disparou quando o g-Livia foi aprovado pela FDA. O g-Livia é um medicamento extraordinário, e não foi surpresa nenhuma que algumas grandes empresas farmacêuticas tenham imediatamente demonstrado interesse em comprar a PT. Mas, desde o dia em que a FDA considerou o g-Livia uma Terapia Inovadora até agora, Kiril Pafko não ficou um centavo sequer mais rico vendendo ações da PT. O Sr. Appleton não achou importante revelar esse fato aos senhores."

Pinky põe na tela uma frase reiterando que Kiril não ganhou dinheiro nenhum, enquanto Stern, acompanhado pelo baque sólido de sua bengala, se aproxima outra vez dos jurados, satisfeito por parecer ter a atenção do grupo. Eles representam a grande maioria dos americanos: pessoas de todas as cores, metade são de bairros afastados da cidade, sete deles do condado de Kindle, e de todas as idades: da Sra. Murtaugh, uma viúva cheia de vida de oitenta e dois anos, a Don, um jovem com rabo de cavalo que quer ser professor do ensino médio. Don, aliás, já está de olho em Pinky. Pessoas da idade dele a consideram uma mulher atraente, embora seu avô enxergue apenas as bizarrices, como as tatuagens com cores vibrantes nos braços e o prego no nariz.

— Mas o Sr. Appleton não disse que o Dr. Pafko foi acusado de fraude no mercado de ações, que vendeu ações da PT logo após receber o primeiro telefonema da jornalista do *Wall Street Journal*? Sim. No entanto, com base no resumo do Sr. Appleton, não sei se ficou evidente para os senhores que as ações vendidas eram, na verdade, dos *netos* do Dr. Pafko.

Stern diz a palavra *netos* com um ar triunfante, embora saiba muito bem que, de acordo com a lei, o fato de os netos de Kiril terem lucrado, e não o próprio Kiril, seja irrelevante. Os jurados só saberão disso daqui a semanas, quando a juíza Klonsky os instruir a respeito das leis aplicáveis no caso, e a verdade é que, no momento, Marta e Stern não sabem ao certo o que mais podem alegar para defender o réu dessa acusação.

— O ponto que acabei de ilustrar, de que as provas vão mostrar o outro lado da história, é algo que os senhores precisam ter em mente ao longo do julgamento. Embora o governo esteja tentando provar que as acusações são fundamentadas, é ele quem vai decidir quem serão as testemunhas e será o primeiro a interrogá-las. Só depois é que Marta e eu poderemos fazer perguntas, num processo conhecido como "inquirição cruzada". Por favor, todas as vezes que isso acontecer, procurem esperar Marta e eu fazermos nossas perguntas antes de tentarem criar uma impressão definitiva. Com frequência, uma parte, às vezes até uma grande parte do depoimento dado à acusação, na verdade, é favorável à defesa.

"Outro ponto: assim como acontece em qualquer outro caso, os senhores têm que pensar que as testemunhas são como vendedores que acabaram de bater à porta da sua casa. Os senhores precisam se perguntar se essa pessoa tem algo a ganhar ao dizer algo. Por exemplo, pelo menos dois deles, ambos ex-colegas do Dr. Pafko na PT, receberam garantias do governo e não serão processados pelo papel que desempenharam nos acontecimentos sobre os quais vão depor. Os senhores verão que o governo, e só o governo, tem o poder de decidir se uma pessoa é acusada de um crime. Ninguém mais tem esse poder: nem o juiz, nem eu, nem os senhores. As provas vão deixar evidente que esses ex-colegas do Dr. Pafko compreendem que o depoimento deles deve satisfazer os promotores.

"Por incrível que pareça, embora esses dois executivos da PT só tenham concordado em depor caso o governo se comprometesse a não os denunciar, ambos vão dizer que, em sua opinião, não fizeram nada de errado. Kiril concorda com esse ponto de vista, lógico. Ele também acredita que nenhum crime foi cometido neste caso, que não houve fraude intencional, nem dele nem de nenhuma outra pessoa, sobretudo porque, como os senhores verão, uma dessas duas testemunhas é Lep, o filho mais velho de Kiril e Donatella.

"Lep é médico e PhD, assim como o pai, além de ser diretor médico da PT. Bem, é uma situação muito estranha e difícil quando o próprio filho testemunha contra o pai. No entanto, as provas mostrarão aos senhores que Lep ama seu pai, e a recíproca é verdadeira. Os dois compreendem que essa é uma situação que o governo lhes impôs."

— Protesto — diz Moses pela primeira vez, sentado em sua cadeira. Sonny reflete por um segundo, então balança a cabeça.

— Indeferido.

Stern para um segundo, se vira para o júri e abre um sorriso satisfeito, de quem tem razão.

— Enfim... além de Lep, a segunda testemunha que concordou em depor para não ser denunciada é outra pessoa extremamente talentosa, também médica e PhD. A Dra. Innis McVie é a ex-vice-presidente executiva e diretora de operações da PT. Assim como Lep e Kiril, ela ajudou a fundar a Pafko Therapeutics e trabalhou ao lado do Dr. Pafko durante trinta e dois anos, primeiro como pesquisadora no laboratório dele em Easton, e mais tarde como seu braço direito na empresa. Quando o g-Livia recebeu a aprovação para ser comercializada em janeiro de 2017, ela deixou a PT. Como é muito comum acontecer após décadas trabalhando lado a lado, a Dra. McVie e o Dr. Pafko tiveram desentendimentos, mas os detalhes não nos dizem respeito.

Stern faz um gesto com a mão, dando a entender que se trata de algo sem importância. O que o júri não ficará sabendo, como resultado de um pedido feito pela defesa e aceito pela juíza Klonsky em sua sala antes do início do julgamento, é que, durante a maior parte desses trinta e dois anos, Innis foi amante de Kiril, sua "esposa no trabalho", como alguns a chamavam, fato que Stern só descobriu após começar a preparação para o julgamento. Ao que parece, Innis passou os últimos vinte meses na PT em um constante estado de fúria após Pafko começar a ter um caso com uma funcionária muito mais jovem, a diretora de marketing Olga Fernandez.

— Seja como for, a Dra. McVie e o Dr. Pafko não estavam mais de acordo, o que ficará evidente para os senhores, porque em agosto de 2018, após receber o telefonema da jornalista do *Wall Street Journal*, Kiril ligou para a Dra. McVie em busca de um conselho, e, estranhamente, ela decidiu gravar a conversa. O Sr. Appleton disse que os senhores vão ouvir a gravação. Caso ele mude de ideia, não se preocupem, pois a defesa vai reproduzi-la para os senhores. Uma coisa que ficará óbvia é que foi a Dra. McVie, e não o Dr. Pafko, quem sugeriu primeiro que ele vendesse as ações da PT. Ainda assim, o governo decidiu não a processar.

Stern franze a boca e semicerra os olhos, dando a entender que a decisão do governo é inexplicável, absurda.

— Os senhores sabem o que estou querendo dizer. Conforme forem ouvindo as testemunhas, perguntem a si mesmos, por favor: o que essa pessoa tem a ganhar dizendo isso? Outro exemplo: os senhores ouvirão depoimentos de agentes e oficiais da FDA e do FBI. Lembrem-se de que eles estão literalmente depondo a favor do próprio chefe, o governo dos Estados Unidos, que também está processando Kiril. Imagino que todos eles queiram manter seus empregos.

"Alguns depoimentos, como os dos banqueiros de investimentos e dos corretores da bolsa, serão dados por pessoas que talvez tenham um interesse financeiro no que estão dizendo. Os senhores também descobrirão que foram abertas várias ações civis públicas por danos materiais contra Kiril e a PT, pelos mesmos motivos que constam na denúncia deste julgamento. Acontece que algumas testemunhas, que comparecerão para depor sobre as lamentáveis mortes de seus entes queridos, estão buscando, e em alguns casos já conseguiram, milhões e milhões de dólares pagos pela PT nessas ações judiciais."

— *Protesto!*

Do outro lado da sala de julgamento, Moses se levantou da cadeira como um foguete e exclamou a plenos pulmões. Fez-se um segundo de silêncio. Pelo comportamento de Moses, fica evidente que ele é um homem que raramente reage com fúria.

— Meritíssima — prossegue ele —, já discutimos esse assunto, e a sua decisão foi clara.

A juíza lança um olhar duro na direção de Stern e responde:

— De fato, foi clara. Protesto deferido. O júri desconsiderará a última alegação do Sr. Stern.

Por um instante, a demonstração de raiva, tanto do promotor quanto da juíza, contamina a atmosfera da enorme sala de julgamento, onde todos os assentos estão ocupados.

— Na verdade — complementa a juíza Klonsky —, pensando melhor sobre suas últimas falas, Sr. Stern, acho que é uma boa hora para um intervalo. Vamos fazer uma pausa de dez minutos.

Em seguida, Sonny explica ao júri que até o fim do caso eles não podem conversar entre si sobre o que ouviram na sala de julgamento. Por fim, com um gesto, pede à oficial de justiça que conduza o grupo até a sala secreta, onde eles se reunirão diariamente e, em algum momento, chegarão ao veredicto. Após a saída dos jurados, os advogados ficam de pé enquanto a juíza, obviamente ainda aborrecida, ordena que os advogados de ambos os lados se reúnam com ela em seu gabinete.

Nesse meio-tempo, Marta se aproxima de Stern e sussurra:

— Que *diabo* foi isso?

3. AMIGOS

O gabinete de um juiz é seu escritório particular. O de Sonny — um espaço impressionante oferecido ao presidente da Corte Distrital dos Estados Unidos — consiste em vários cômodos que ocupam quase um quarto do último andar de um antigo e grandioso tribunal federal. Além da área de recepção, existem três pequenos escritórios dos assessores da juíza, que a ajudam a redigir suas jurisprudências, além do escrivão, Luis, que gerencia cerca de quatrocentas e cinquenta ações cíveis e criminais presididas por Sonny. O restante da área é reservado para o presidente do tribunal. Uma mesa enorme de madeira com dois gaveteiros, e que lembra a mesa do presidente dos Estados Unidos, está posicionada perto das janelas. Prateleiras de livros de direito com lombada dourada — pouco mais que objetos de decoração na era dos computadores — circundam o perímetro, e há uma mesa longa de madeira escura rodeada por cadeiras executivas com assento de couro, em que a juíza faz suas reuniões. Em destaque nas paredes, veem-se fotos de família dos netos de Sonny, além de ilustrações de alguns tribunais de justiça em que ela trabalhou no começo da carreira, entre elas uma em que Sonny, na época promotora federal, é retratada diante dos jurados com um dedo em riste. No segundo plano da aquarela, é possível reconhecer seu parceiro naquele caso, Moses Appleton, mais jovem e magro, assim como a juíza.

As reuniões que ocorrem no gabinete podem ser conduzidas sem a presença do júri — e da imprensa. Mesmo assim, Minnie Aleio, taquígrafa de Sonny, sentou-se no canto da sala com sua máquina que transforma taquigrafia em texto transcrito. Enquanto Moses passa por trás da cadeira de Stern para se sentar do outro lado da mesa, o promotor federal, ainda irritado com o que acabou de acontecer na sala de julgamento, sussurra:

— Cara, eu pensei que não levaríamos o caso desse jeito.

Moses sempre enxergou os Stern como uma classe superior, advogados de defesa que, ao contrário de tantos outros, não se valem desse tipo de malandragem para defender o réu, e Stern considera preocupante essa repreensão.

A juíza, que não se deu o trabalho de tirar a toga, como costuma fazer ao entrar no gabinete, escolheu permanecer em pé à cabeceira da mesa enquanto os advogados estavam sentados. É uma forma de reforçar sua autoridade.

— Concluí que é um bom momento para ter uma palavra com o grupo. Todos nós sabemos que meu longo relacionamento com ambos os advogados deste caso é um tanto incomum. Somos todos amigos aqui. E continuaremos amigos após o fim deste caso. Mas não vou permitir que nenhum de vocês se aproveite da minha amizade durante o julgamento. — Em seguida, Sonny fixa os olhos castanho-escuros em Stern. — Semana passada conversamos exaustivamente sobre como lidar com o assunto delicado que são as várias ações cíveis em curso contra a PT e o Dr. Pafko.

A ação criminal contra Kiril foi um prato cheio para os advogados autores dos processos. Dois dias após a publicação da primeira matéria do *Wall Street Journal*, o escritório jurídico dos Neucriss, localizado no condado de Kindle, tinha realizado sua mágica de sempre e ajuizado processos multimilionários por homicídio culposo em nome de cinco famílias dos Estados Unidos, processos esses que foram seguidos por dezenas de ações cíveis abertas pelos próprios Neucriss e por outros advogados de danos pessoais de uma costa a outra do país. Além dessas ações, várias ações coletivas foram ajuizadas em favor de acionistas da PT, alegando violações das leis de valores mobiliários e prejuízos de centenas de milhões de dólares.

Muitas vezes, pessoas leigas não entendem a diferença entre as ações cíveis, ajuizadas por cidadãos comuns que buscam compensação financeira por suas perdas, e as ações criminais, iniciadas pelo governo, em geral com o objetivo de mandar o réu para a cadeia. Espera-se que nesse grupo de leigos também estejam os jurados, que talvez não compreendam que, para condenar alguém por um crime, as provas apresentadas não podem deixar qualquer dúvida da culpa do réu, algo que não necessariamente precisa acontecer em uma ação cível. Por esse motivo, Sonny estava inicialmente inclinada a proibir qualquer menção às ações cíveis, mas, enquanto tomava decisões sobre o caso antes do início do julgamento, aceitou o argumento dos Stern de que, para ser imparcial, é preciso que o júri saiba que algumas testemunhas têm a lucrar com o próprio depoimento. Apesar disso, a juíza disse que decidiria quais perguntas eram apropriadas, de acordo com a testemunha.

— Dando o benefício da dúvida — diz Sonny agora, de pé à cabeceira da mesa, lançando um olhar duro para Stern —, acho que consigo entender, Sandy, porque você interpretou mal minha decisão e achou que não havia problema nenhum em mencionar as ações cíveis *en passant*. Mas eu fui bem objetiva quando disse que não poderia haver menção a qualquer valor monetário que qualquer uma das testemunhas estava pleiteando ou havia conseguido. Na verdade, Sandy, lembro perfeitamente que você mesmo disse que o júri poderia enxergar acordos indenizatórios entre as partes das ações cíveis como uma confissão de culpa do Dr. Pafko. Estou errada?

Stern hesita por um breve instante, apenas para demonstrar que percebeu a ira da juíza.

— Certamente não está, Meritíssima, mas, na hora, mudei de ideia.

Na sala de julgamento, encarando os jurados e a perspectiva de depoimentos deprimentes de pessoas que tinham perdido entes queridos após tomar o g-Livia, ficou óbvio para Stern que Kiril teria mais chances se o júri soubesse que eles não precisavam condenar Pafko para garantir que as famílias de luto receberiam uma compensação pelas mortes. No entanto, pela expressão da juíza, Stern percebe que essa explicação a deixou espantada. Ela endireita a postura.

— Sim, Sandy, mas *eu* não mudei de ideia. — Ela apoia os punhos cerrados na mesa, a toga farfalhando, e aproxima seus olhos dos de Stern. — Se você ou qualquer outro advogado desobedecer às minhas ordens novamente, seja um velho amigo ou não, vou lidar com a situação da maneira apropriada.

A ameaça é assimilada em silêncio.

A longa amizade da presidente do tribunal com ambos os advogados do caso é um fato complicado. Ela e Stern se conheceram trinta anos atrás, quando Sonny era a promotora federal que estava investigando um cliente de Stern — o próprio cunhado dele. Era uma época difícil para ambos. Clara, mulher de Stern, havia cometido suicídio semanas antes, e o casamento de Sonny desmoronava enquanto ela estava nas últimas semanas de gravidez. Com ambos os advogados emocionalmente em frangalhos, em uma noite confusa, eles se encantaram um pelo outro. O sentimento se dissolveu à luz do dia seguinte, como um sonho não consumado. Agora o corpo de Stern está em decadência, e, embora a beleza robusta de Sonny ainda seja visível, hoje seu cabelo ganhou um tom grisalho, e o corpo, alguns quilos. Para Stern, porém, a importância desse tipo de ligação nunca desaparece completamente.

Atualmente, é Marta quem tem uma ligação mais próxima com a juíza. As duas compartilharam uma babá, Everarda, durante anos. Elas se consideram melhores amigas. Respeitando um acordo de longa data, nunca falam sobre trabalho, o que reforça a intimidade entre as duas, já que conversam rotineiramente sobre os maridos, os filhos, as provações da vida em família, ou seja, assuntos íntimos e pessoais.

Devido à afinidade dos Stern com a juíza, nos vinte e cinco anos em que Sonny trabalhou como juíza estadual e depois federal, nem Sandy nem Marta jamais advogaram em um caso presidido por ela. Foi a promoção de Moses a procurador federal que complicou as coisas. Conforme mostra a ilustração pendurada na parede do gabinete de Sonny, Appleton e ela foram promotores juntos, parceiros de tribunal talentosos que forjaram elos na batalha. Sonny e seu marido, Michael, provavelmente são os melhores amigos que Moses e sua mulher, Sharon, têm fora da Igreja Batista Rio de Sião, onde Moses prega com frequência. Quando a filha de Moses e Sharon, Deborah, se formou em direito, trabalhou dois anos como assistente de Sonny — um desses anos com Dan Feld.

Além do mais, Sonny não pode simplesmente se negar a julgar os casos de Moses. O procurador federal é o único representante oficial do governo na corte distrital federal, o que significa que quase 70% dos casos de Sonny são de ações criminais e, às vezes, cíveis indiretamente trazidas por Moses. A reputação dele está em jogo em cada um desses casos, quer ele esteja ou não presente no tribunal. Caso se negasse a julgar os casos de Moses, Sonny estaria deixando de fazer a maior parte de seu trabalho. E o pior: isso sobrecarregaria os outros juízes, que herdariam os casos, um desdobramento bastante inconveniente, tendo em vista que a função do presidente do tribunal é estimular os outros juízes distritais a se manter em dia com seus casos.

Assim, quando este caso foi aleatoriamente enviado à juíza Klonsky, ela mandou um e-mail para Moses, Stern e Marta. "Conversem entre si e em seus respectivos escritórios. Se, considerando todos os fatos, preferirem outro juiz, mandem um e-mail para o Luis", o escrivão dela, "e peçam um novo sorteio. Sem ressentimentos, prometo". Moses foi o primeiro a clicar no botão Responder a Todos e disse: "De minha parte, sem objeções." Marta estava menos inclinada a concordar, mas Stern pontuou que manter o caso com Sonny era melhor para os interesses de Kiril. Sonny é uma excelente juíza de primeira instância, mais justa com a defesa do que muitos dos outros ex-promotores que poderiam ser escalados, além de ser um pouquinho menos rigorosa nas sentenças.

Agora os quatro chegaram à primeira encruzilhada. Diante do olhar ameaçador de Sonny, não resta alternativa a Stern, senão dizer a verdade.

— Meritíssima, eu me confundi — diz ele. As palavras são sinceras, mas a explicação não convence. Um segundo depois, Stern se dá conta de que o que disse pode ser interpretado como uma referência à sua idade. A juíza tem uma leve reação de surpresa, e Stern continua se atrapalhando. — Achei que, como a Meritíssima tinha concordado com a nossa objeção, poderíamos ir contra ela se quiséssemos. — A explicação não faz sentido nem para ele mesmo, e no fim das contas só lhe resta pedir desculpas humilhantes e prometer que o fato não se repetirá.

O olhar profundamente humano, que sempre fez parte da Sonya Klonsky que Stern conhece, trava uma batalha com dúvidas mais profundas, mas ela decide não falar mais nada. Apenas diz aos advogados que os verá na sala de julgamento em cinco minutos.

4. G-LIVIA

No outro lado do corredor que dá para as portas da sala de julgamento, na pequena Sala de Advogados e Testemunhas, Stern relata rapidamente a Kiril e Donatella, com uma indiferença meticulosa, o que foi falado no gabinete da juíza. Em seguida, volta para a mesa da defesa, onde se encontra momentaneamente sozinho, tentando absorver a grandeza da sala de julgamento da presidente do tribunal para se acalmar.

Construído originalmente no começo do século XX no estilo *beaux-arts*, o fórum estava em processo de expansão quando a bolsa quebrou em 1929. Os intricados detalhes arquiteturais do edifício — que foi finalizado durante a Grande Depressão por artesões contratados pela WPA, a maior e mais importante agência de contratação de obras públicas do país à época — exigiam manutenção constante, por isso, durante um breve período há cerca de quarenta anos, o edifício foi abandonado e o fórum, transferido para uma torre de vidro e aço construída na calçada oposta ao quarteirão de prédios federais. Mas os sistemas mecânicos da nova sede se mostraram um desastre. Stern se lembra de um dia de inverno em que era possível ver a respiração das pessoas dentro do prédio, e também do juiz Carrier sentado em sua cadeira de sobretudo e luvas.

Assim, os juízes voltaram para o Antigo Fórum, que hoje é um estimado ponto de referência da cidade, um local muito retratado em cartões-postais, com fotos glamorosas da escadaria central com corrimão de ferro forjado e degraus translúcidos de alabastro em espiral sob o teto de vidro abobadado. Dentro da sala de julgamento de dois andares ocupada por Sonny, pilastras inclinadas de nogueira emolduram janelas amplas arqueadas e murais naturalistas representando cenas lendárias da justiça. Diretamente acima, os artesoados são gravados em ouro, com candelabros belíssimos instalados nos cantos, obeliscos invertidos de cobre esverdeado. Por um segundo, Stern reflete, admirado, sobre a beleza, que supostamente é eterna, porém muitas vezes julgada de forma diferente ao longo das gerações.

A juíza entra na sala de julgamento de repente, e os espectadores e advogados voltam às pressas para seus assentos. Quando os jurados retornam para a bancada, Sonny se dirige a eles:

— Senhoras e senhores, de vez em quando, conforme o avanço do julgamento, os senhores verão os advogados protestarem. Pode parecer que eles estão sendo técnicos demais ou até que estão tentando omitir certas questões dos senhores, mas o objetivo, na verdade, é apenas garantir que este caso seja decidido de acordo com as regras de um julgamento justo. Essas regras têm sido seguidas há séculos e dão bons resultados, e é minha tarefa decidir se os protestos são válidos ou não. Quando eu defiro um protesto, como foi o que aconteceu no protesto da acusação contra a declaração do Sr. Stern pouco antes da nossa pausa rápida, os senhores devem fazer o possível para tirar da cabeça o que ele disse. Trata-se de algo que eu concluí que não cabe mencionar aqui, de acordo com nossas regras tradicionais.

Ao ouvir o nome de seu pai, Marta dá um chute forte na canela dele por baixo da mesa. Stern, por sua vez, está feliz de ver que a filha recuperou o senso de humor, tendo em vista que, quando estava no gabinete da juíza, Marta parecia preocupada e alarmada. E ele aceita a reprimenda dada com a ponta do sapato: em qualquer julgamento, é fundamental que o advogado caia nas graças do juiz, pelo menos na presença do júri. Os jurados sempre adoram os juízes, a quem enxergam como guias confiáveis que vão ajudá-los a atravessar a estranha terra da lei.

— Sr. Stern, por favor, prossiga — diz a juíza. — Salvo engano, o senhor tem mais vinte minutos de fala.

Ele responde com um aceno obediente e se levanta com dificuldade.

— Senhoras e senhores — começa ele —, no restante do tempo que tenho do meu debate oral, quero tratar da acusação mais dramática do Sr. Appleton, a de que Kiril Pafko, médico e PhD, visando apenas o lucro pessoal, supostamente colocou um medicamento no mercado com o intuito de provocar a morte inoportuna de alguns pacientes. As provas mostrarão que, se não fosse tão trágica, essa acusação seria cômica.

Apoiando-se na bengala e mancando, Stern se aproxima do júri.

— Bem, vamos admitir o óbvio. Infelizmente é verdade que alguns pacientes que estavam tomando o g-Livia faleceram, e essas mortes foram um golpe devastador para seus entes queridos. Todos nós lamentamos o luto dessas pessoas. Mas você não toma o g-Livia como tomaria uma aspirina. Você toma o g-Livia porque está muito doente, porque tem um câncer sério que está evoluindo e porque sabe que, sem ele, tem grandes chances de morrer rapidamente. Ainda assim, a acusação não será capaz de constatar, muito menos provará sem deixar margem para dúvidas, quanto tempo cada uma dessas pessoas citadas na denúncia teria sobrevivido caso *não* estivesse tomando o g-Livia.

— Protesto — interrompe Moses.

A artrite no pescoço de Stern não lhe permite olhar para trás sem virar o corpo todo, mas ele gira suavemente e encara Moses. Isso é outra coisa da qual vai sentir falta. A idade o deixou mais lento e até mais atrapalhado. Um joelho já não tem mais conserto, e as dores da artrite irradiam pela coluna. Seu equilíbrio é frágil. Apesar de tudo, quando está no tribunal, alguma mágica o faz se movimentar graciosamente.

— Não é isso que o governo é obrigado a mostrar — continua o procurador.

Pela calma de Moses, Stern tem certeza de que essa é uma objeção feita por motivos táticos. Mas, em sua bancada, Sonny balança a cabeça.

— Pelo que ouvi, ele está apenas descrevendo as provas, Sr. Appleton. Indeferido.

— Obrigado, juíza Klonsky — agradece Stern, assentindo educadamente, torcendo para que os jurados concluam que ele e a juíza estão de bem novamente. — No entanto, a resposta mais óbvia às acusações de homicídio é a vida de Kiril Pafko. Ao longo de cinquenta anos este homem fez contribuições imensas para a pesquisa sobre a cura do câncer, talvez as maiores contribuições que qualquer outro ser humano vivo já tenha feito.

"Para entender, os senhores precisam conhecer só um pouquinho a pesquisa de Kiril, que é incrivelmente complexa. Mas não tenham medo, por favor: eu não entendo bem o que Kiril faz, então, de minha parte, os senhores não vão ouvir palestras longas e confusas."

Todos os jurados sorriem. Stern sente que já ultrapassou o primeiro obstáculo. Por instinto, os jurados costumam antipatizar com a pessoa que fala em nome de alguém que cometeu um crime grave.

— O câncer, como os senhores sabem, ocorre quando as células de uma área do corpo deixam de se submeter ao ciclo normal de nascimento, crescimento, morte e, eventualmente, substituição por novas células. Em vez dessa sequência, as células cancerosas crescem descontroladamente. Na maioria dos casos, elas formam uma massa enorme dentro do corpo. São os chamados tumores.

Stern toca no tórax outra vez, na altura dos pulmões, que já foram acometidos por um câncer. Ele está longe de ser o único sobrevivente da doença na sala. Uma das juradas, uma contadora pública corpulenta e taciturna, revelou, durante o voir dire, que teve câncer na bexiga duas vezes, e Sonny, quando ainda jovem, perdeu um seio. O sentimento de gratidão da juíza pela boa saúde de que dispõe desde então é mais um motivo para Stern achar que Kiril teve sorte de ela ter sido sorteada para o caso.

— Desde o início das pesquisas sobre o câncer, médicos e cientistas têm buscado a chamada bala de prata, o fármaco capaz de impedir os avanços da doença. Em 1982, Kiril Pafko foi um dos primeiros três cientistas a descobrir que grande parte dos cânceres, incluindo três dos quatro mais letais, que são o de pulmão, o de cólon e o de pâncreas, surgem em consequência de uma mudança genética em uma única família de proteínas presente em todas as células do nosso corpo, as chamadas proteínas RAS. Esta é a imagem de uma molécula RAS.

Pinky exibe na tela a imagem de um conjunto de círculos azuis, cor-de-rosa e roxos que mais parecem um cacho de uvas. Stern sabe que falar sobre a proteína RAS, da qual tem um conhecimento bastante limitado, pode desnortear os jurados, mas também vai ilustrar a genialidade de Kiril Pafko, ponto fundamental de sua defesa.

— As proteínas RAS são o interruptor do crescimento celular. A descoberta de Kiril foi de que, no câncer, essas moléculas esquecem seu código genético inicial, permitindo um crescimento celular descontrolado. Essa foi uma descoberta extremamente importante, porque significou a primeira oportunidade concreta de parar ou até de curar a doença.

"Os senhores não precisam acreditar em mim quando falo sobre a importância da descoberta do Dr. Pafko", prosseguiu Stern, caminhando lentamente até se posicionar atrás de seu cliente e, em seguida, colocar a mão no ombro de Kiril. "Acontece que em 1990 o Dr. Kiril Pafko recebeu a maior honraria concedida a um médico, fisiologista ou pesquisador médico do mundo. Kiril Pafko, este homem sentado diante dos senhores, foi chamado à Suécia e recebeu o prêmio Nobel de Medicina", diz Stern, enfatizando as quatro últimas palavras. "Esse é um prêmio que no passado foi dado a médicos que descobriram a penicilina, curaram a tuberculose e aos Drs. Crick e Watson, que descobriram o DNA. Esse é o nível das companhias que Kiril Pafko mantém como cientista."

Moses tinha feito um pedido para impedir qualquer menção ao Nobel de Kiril, alegando que o prêmio é irrelevante para o caso, mas Sonny decidiu que, em um caso de fraude, o réu sempre deve ter o direito de provar sua reputação ilibada, o que fica implícito com o prêmio. Diante disso, em seu debate oral, Moses mencionou o Nobel de passagem, mas, com a explicação detalhada de Stern, a impressão é de que o advogado de defesa de repente abriu as cortinas da sala para revelar o sol.

— Quando a descoberta de Kiril foi feita, a comunidade científica imaginou que logo depois também descobriríamos como reverter o processo letal que ocorre quando a proteína RAS esquece como cumprir sua função. No entanto, por mais de trinta e cinco anos, a proteína RAS tem se mostrado "imedicável", ou seja, apesar dos enormes esforços de milhares de cientistas inquestionavelmente brilhantes, não se descobriu nenhum produto ou processo farmacêutico capaz de fazer as moléculas RAS em tumores funcionarem da suposta maneira saudável.

"Apesar disso, Kiril, um homem obcecado, estudou a proteína RAS década após década. Até que, em 2010, Kiril e Lep publicaram uma descoberta quase tão importante quanto a primeira. Durante o câncer, a proteína RAS se inverte ao se conectar com a membrana." No monitor, a proteína RAS se movimenta no espaço até ligar sua parte de trás a um globo maior, do qual é separada por uma fina linha vermelha.

"E é aqui que a PT entra na história. Kiril, em parceria com a Universidade de Easton e um fundo de capital de risco, decidiu, há quase vinte anos, tentar colocar essas incríveis descobertas teóricas em prática, formulando medicamentos. Em 2012 e 2013, a PT desenvolveu um anticorpo monoclonal, também chamado mAB, um produto que imita nosso sistema imune natural. Essa mAB tem um nome científico longo, que eu vou tentar pronunciar agora pela primeira e única vez. Gamalimixizumab."

Stern se esforça para mostrar como é difícil pronunciar a palavra.

— Graças a Olga Fernandez, diretora de marketing da PT, esse mAB recebeu o nome de g-Livia. O que o g-Livia faz, basicamente, é girar a proteína RAS do lado avesso.

Na tela, uma nuvem cerca um lado do cacho de uvas.

— Com o lado errado incapacitado, as proteínas RAS mutantes se ligam às células corretamente e voltam a enviar os sinais normais. Os tumores param de crescer e, às vezes, até começam a regredir.

Na animação, a proteína RAS vira pelo avesso, e a tela brilha por um breve instante.

— O g-Livia é a bala de prata. Embora tenha sido testado inicialmente contra o câncer de pulmão, para ser mais preciso, contra o carcinoma de pulmão de células não pequenas. Esses nomes... — diz Stern, mais uma vez balançando a cabeça, mostrando desprazer com a nomenclatura complicada. — Enfim, Kiril e muitos, muitos outros cientistas acreditam que o g-Livia não só vai impedir o crescimento do tumor numa ampla gama de cânceres de pulmão, como também nos cânceres de cólon, pâncreas e bexiga. — Os olhos dele apontam brevemente para a contadora pública no júri. — Literalmente falando, até 40%, o que representa duas em cada cinco pessoas amaldiçoadas pelo câncer, poderiam ser beneficiadas, ou até curadas, pelo g-Livia.

Moses se levanta mais uma vez.

— Meritíssima, já não nos desviamos demais de um debate oral apropriado?

Sonny estava prestando tanta atenção a Stern que toma um susto ao perceber que Moses está no recinto.

— Acho que estou vendo aonde isso vai chegar, Sr. Appleton. Sr. Stern, o senhor está fazendo um resumo das provas que fazem parte da alegação dos motivos feita pelo Sr. Appleton?

— Exatamente, Meritíssima. — Stern se inclina para fazer sua maior reverência à juíza até o momento, vira-se para os jurados e prossegue: — A Meritíssima me entendeu perfeitamente. Meu objetivo é simples. O potencial para salvar milhões e milhões de vidas explica a pressa para fazer com que o g-Livia fosse aprovado pela FDA e chegasse às mãos dos médicos e pacientes. Deus sabe que o objetivo maior, pura e simplesmente, era estender vidas, e não acabar com elas, nem lucrar centenas de milhões de dólares, como supõe o Sr. Appleton. Ao longo do julgamento os senhores descobrirão que Kiril já tem dinheiro suficiente.

— Protesto — diz Moses. — A riqueza do Dr. Pafko não prova a inocência dele contra as acusações.

Sonny faz cara de desconfiada. Parece perceber que os protestos de Moses, estranhamente frequentes, são uma tentativa de desconcentrar Stern.

— Imagino que a partir daqui o senhor vai prosseguir com seu debate oral, certo, Sr. Stern? — pergunta a juíza.

— Certamente — assegura Stern, então fica a centímetros do júri para ter novamente a atenção total dos jurados. — O que as provas vão mostrar aos senhores, sem deixar margem para dúvidas, é que, durante toda sua vida, Kiril Pafko teve um único objetivo: vencer o câncer e poupar vidas. Praticamente todos os seus dias no laboratório em Easton e em seu escritório na PT foram dedicados a salvar os senhores e a mim.

Essas últimas palavras, um apelo aos interesses pessoais dos jurados, são impróprias, mas, embora tenha dificuldades de mexer no próprio celular, Stern ainda é capaz de fazer cálculos complexos e instantâneos na sala de julgamento. Ele sabe que Moses está encurralado e não pode protestar, do contrário vai parecer uma criança birrenta.

— Portanto, esta é a tarefa fundamental que as senhoras e os senhores têm pela frente, a de decidir se as provas vão convencê-los, sem deixar margem para dúvida, de que uma pessoa que alcançou o ápice das conquistas científicas, um médico reverenciado ao redor do mundo, um pesquisador que será lembrado muito tempo depois de ele e muitos de nós nesta sala morrermos, um médico, um professor, um líder, um inovador extraordinário, um *vencedor do prêmio Nobel* que trabalhou por cinco décadas para dar um fim à maldição do câncer e prolongar milhões e milhões de vidas, que nos últimos anos esse mesmo homem tenha se tornado, se é que é possível e sem deixar margem para dúvida, uma fraude e um assassino.

Stern encara o júri por um segundo em silêncio total, então balança a cabeça com vigor suficiente para sentir a papada balançar.

— Afirmamos que isso não poderia acontecer. Afirmamos que isso *não* aconteceu. Afirmamos que os senhores considerarão Kiril Pafko inocente.

5. INOCENTE

Para Stern, os momentos que sucedem o fim de uma audiência sempre pareceram os instantes após o fim de uma peça, conforme o silêncio total dá lugar abruptamente a um burburinho. Na sala de julgamento de Sonny, os espectadores se dirigem até as portas enquanto os repórteres, ansiosos por conseguir a matéria, avançam, abrindo caminho pela multidão. Os assistentes da juíza sobem a escada da bancada para levar as mensagens à Meritíssima. Nesse meio-tempo, uma manada de advogados que estava esperando no corredor do lado de fora da sala entra aos poucos para o próximo caso na agenda de Sonny.

Stern guia seu cliente pelo corredor, em direção à sala reservada para advogados e testemunhas. O objetivo é informar brevemente a Kiril o que acontecerá amanhã e esperar os advogados bisbilhoteiros, que estão perambulando pelo corredor, se dispersarem. É nessa sala que as pessoas que vão depor esperam até serem chamadas à sala de julgamento, e onde os advogados podem conversar rapidamente com os clientes. Os preservacionistas que cuidam tão bem das áreas públicas do fórum não dão a mínima para essa sala. A mesa é antiga e cheia de farpas nas quinas, e as cadeiras de madeira arredondadas estão com as pernas bambas. Um pôster de viagem para a região de Skageon, ao norte, pende torto na parede, ao lado de uma persiana desbotada.

Assim que ficam a sós, Kiril segura a mão de Stern entre as suas. A pele manchada pela velhice de Pafko está adornada por ouro — um anel do tamanho de um dobrão e um Rolex pesado no pulso.

— Olhei de relance para o júri várias vezes, e eles não conseguiam tirar os olhos de você — diz Pafko sobre o debate oral de Stern.

Stern fica satisfeito com o elogio do cliente, mas sabe que Kiril jamais abandonou seu jeitão argentino e muitas vezes exagera nos elogios.

Stern informa a Kiril o que esperar de amanhã quando os depoimentos começarem, e em seguida abre a porta. Donatella está sentada em um banco em frente à sala com Dara, filha do casal. Atraente e de pele escura, Dara lembra muito a mãe. Mesmo sem saber, Dara mostra o que fez Kiril correr atrás de Donatella implacavelmente décadas atrás em Buenos Aires — Donatella que, para piorar, já era casada. Hoje, mesmo já idosa, ela ainda tem um rosto com traços marcantes e olhos castanho-escuros penetrantes. Apesar do cabelo grisalho, as sobrancelhas grossas continuam completamente pretas, como se alguém tivesse espalhado graxa acima dos olhos dela.

Stern leva os três Pafko até a escadaria central de alabastro do fórum. De bengala, Stern precisa dar um passo de cada vez. Já do lado de fora, conduz Kiril, Donatella e Dara por entre a multidão de repórteres que gritam perguntas e de câmeras que avançam como rinocerontes para conseguir imagens em close. Kiril sorri e acena, como se aquelas pessoas estivessem ali para saudá-lo, até que Stern coloca os Pafko em segurança dentro de uma van preta que tinha se aproximado do meio-fio, tão furtiva quanto um tubarão. Desde a aprovação do g-Livia, um dos maiores presentes que Kiril tinha dado a si mesmo fora um Maserati conversível marrom-avermelhado, que ele usa para ir a qualquer lugar. Stern convenceu o cliente de que, para um homem acusado de um crime cometido por ganância, não é uma boa ideia ser fotografado dirigindo um carro que custa mais que uma casa em certos bairros da cidade. Sonny pediu aos jurados que evitassem assistir à cobertura da mídia sobre o caso, mas essa é uma instrução difícil de seguir para qualquer um que chegue perto de qualquer tipo de tela. Em questão de poucos dias, assim que as agências de notícias conseguirem vídeos e fotos para o arquivo, Kiril poderá voltar a dirigir.

Stern é cercado pelos repórteres no meio-fio, cumprimenta vários deles, mas não diz nada até chegar a seu Cadillac. O carro é conduzido por um empregado antigo do escritório, Ardent Trainor, um homem alto e magro de sessenta e tantos anos, que sai do carro para ajudar Stern a se sentar no banco traseiro. O automóvel ainda tem aquele cheiro de novo, o que, para Stern, em seu desejo incessante de ser um legítimo americano, sempre foi o cheiro do sucesso.

A experiência de quase morte de Stern na estrada, em março, teve várias consequências desagradáveis. Seu Cadillac, um CTS coupe 2017 cinza, sofreu perda total. A boa notícia, como costumam dizer, é que o seguro cobriu a maior parte do valor do outro carro. A má notícia, por outro lado, é que seus filhos não o deixam mais dirigir. Liderados por Peter, filho médico de Stern, os três fizeram o pai prometer que limitaria seu tempo atrás do volante a uma rápida ida ao mercadinho local ou à lavanderia a seco no bairro afastado da cidade onde ele mora.

Assim que a porta do carro bate, faz-se um silêncio absoluto, e Stern finalmente pode assimilar os acontecimentos do dia. No geral, ele diria que até agora tudo está correndo bem, tirando a parte em que ele fez besteira e falou sobre os acordos judiciais, o que para ele ainda é algo confuso. Todo advogado perde o fio da meada de vez em quando durante a fala, não é? Lapsos assim, porém, não costumam acontecer com ele.

No entanto, a principal preocupação de Stern é com seu cliente, que já parece velho e cansado, e o pior: estranhamente confuso. Como a maioria dos clientes de Stern, durante as investigações e os meses que antecedem o julgamento, Pafko tentou evitar falar sobre o caso. Ele tem quatro telefones — de casa, do escritório, o celular pessoal e o celular de trabalho —, e muitas vezes Stern tinha que deixar várias mensagens em todas as linhas para que o cliente retornasse. Mas, agora que precisa encarar o que está à sua frente, Kiril tem demonstrado um tipo de otimismo forçado. Considerando sua idade, alguém poderia até temer que ele estivesse nos estágios iniciais de demência, mas Stern sabe que provavelmente esse comportamento é o efeito devastador da acusação pública. Para réus de colarinho branco como Kiril, pessoas acostumadas ao poder da riqueza ou da proeminência, os meses após a acusação são um inferno. O acusado se depara com o desprezo no olhar de praticamente todas as pessoas que ouvem seu nome e, ao mesmo tempo, é consumido por uma ansiedade implacável com relação ao futuro, um futuro cuja única certeza é de que não terá nenhuma semelhança com o passado.

Sendo assim, Stern temeu que Kiril estivesse a caminho dessa estrada triste e tormentosa, quando leu a matéria do *Wall Street Journal* em agosto de 2018. Kiril ligou para Stern semanas depois para pedir que Sandy o representasse, minutos após receber a intimação para comparecer diante de um tribunal do júri. Os documentos procurados pelo governo deixavam evidente que os promotores já acreditavam que o ensaio clínico do g-Livia tinha sido adulterado. Stern sentiu a inevitável *schadenfreude* de sua profissão. Lamentava por Kiril, mas estava empolgado por si mesmo. Um advogado convocado a salvar toda a existência social de uma pessoa, existência essa que antes era extremamente estimada, é como um mago sendo convocado a fazer voltar o tempo. Aos oitenta e cinco anos, as oportunidades para demonstrações de magia eram muito mais raras, mesmo para Sandy Stern. Mas, dias depois, quando Kiril se sentou na poltrona que costuma ser ocupada pelos clientes de Stern, um assento de couro vermelho de frente para a mesa de Stern, o bom senso prevaleceu. Ele disse a Kiril que seria melhor escolher um advogado mais jovem, alguém com mais chances de estar ao lado dele para tudo o que viria pela frente.

— Você se sente incapaz? — perguntou Kiril. — A meu ver, Sandy, você continua o mesmo homem que conheci quarenta anos atrás.

— Bem, Kiril, então nossa primeira tarefa é encontrar alguém para examinar sua visão.

Kiril riu da piada, mas insistiu. Saber que seu caso estava nas mãos de Stern o faria dormir bem à noite pela primeira vez em semanas.

Stern continuou resistindo, mas sabia que, ao dizer não, estaria violando seu senso profundamente enraizado de lealdade. A verdade podia ser reduzida a algumas palavras: ele deve sua vida a Kiril Pafko.

Em 2007, Stern foi diagnosticado com carcinoma de pulmão de células não pequenas. O lobo esquerdo do pulmão foi removido, e ele fez quimioterapia. Em 2009, havia um ponto do outro lado, e ele fez químio outra vez. Em 2011, outra recorrência, e tratamento com outro medicamento. Em 2013, a metástase tomou conta. Al, seu médico, que fazia parte do quadro de funcionários do Easton Hospital e sabia da amizade entre Sandy e Kiril, insistiu que ele falasse com o Dr. Pafko. Até onde soube, Stern foi o primeiro ser humano a receber o g-Livia, muitos meses antes de a FDA aprovar o início do uso experimental do medicamento em pacientes. Foi um ato de misericórdia de Kiril perante um amigo prestes a morrer, um ato que, se viesse a público, deixaria Pafko em maus lençóis tanto com a universidade quanto com o governo.

Para Stern, assim como para milhares de pacientes de câncer depois dele, o g-Livia foi um milagre. Embora o câncer não tenha sumido por completo, as lesões diminuíram em todo o seu corpo. Por esse motivo, Stern sente que tem uma forte obrigação para com Kiril — e também para com o grande universo de pacientes de câncer. A FDA anulou a aprovação do g-Livia. O produto foi retirado do mercado nos Estados Unidos, preso a um turbilhão de ações judiciais e atos administrativos, ao passo que a FDA se recusa a estabelecer condições para disponibilizar o medicamento mesmo para pacientes que não têm qualquer outra esperança. O resultado do julgamento de Kiril certamente fará a agência tomar uma decisão. Enquanto isso, o suprimento de g-Livia de Stern vem de uma fábrica na Índia e entra no território americano dentro de uma caixa de sapatos embrulhada em papel pardo.

Portanto, ele disse sim a Kiril. Nesse momento, Pafko, cujo rosto tem a textura de uma noz, quase chorou.

— Sandy, Sandy... — disse Pafko e contornou a mesa para abraçar o amigo. Vinte centímetros mais alto que Stern, Kiril segurou Sandy pelos ombros, olhou-o nos olhos e completou: — Estou sendo sincero, Sandy. De verdade. Você precisa acreditar. O que os promotores pensam, que eu alterei o resultado desses testes... sinceramente, não sei nada sobre isso.

Assim como um médico que precisa encarar o fato de que qualquer corpo pode ser vencido pela doença, a experiência de Stern lhe ensinou que quase todas as almas são passíveis de cometer infrações. No caso de Pafko, existe um monte daquilo que advogados de defesa chamariam de "fatos negativos". A afirmação de que não sabia nada sobre o surto de mortes súbitas causadas pelo g-Livia é refutada por uma captura de tela da base de dados do ensaio clínico, antes de ser alterada, que foi encontrada no computador da sala de Kiril. Na verdade, ele enviou essa imagem por e-mail para Olga Fernandez, diretora de marketing da PT com quem, em 2016, estava tendo um caso. Também tem um fato que Kiril não mencionou a seus advogados por meses: ele havia vendido vinte milhões de dólares em ações da PT em nome de seus netos praticamente assim que encerrou a ligação com a jornalista do *Wall Street Journal* em agosto de 2018.

Sendo assim, muito tempo atrás, Marta descartou o caso — e também Kiril. Seu julgamento pessoal se provou correto quando os Stern submeteram o caso a um exercício de pré-julgamento — algo que hoje é familiar a litigantes endinheirados — e o apresentaram a três diferentes júris falsos compostos por desconhecidos contratados. Supervisionado por uma equipe de consultores jurídicos, Stern interpretou a si mesmo enquanto Marta assumiu o papel de Moses. Os dois fizeram debates orais imaginários para ambas as partes. Todas as vezes, Kiril foi condenado por fraude e uso ilegal de informações privilegiadas — e até por homicídio pelo primeiro júri simulado.

Com base nesses resultados, Stern — e talvez até o próprio cliente — sabe que tem poucas chances nesse julgamento. Se o júri real der o mesmo veredicto dos júris falsos, Stern sabe que Kiril provavelmente morrerá na cadeia. Ainda assim, ele sempre relembra aquele primeiro encontro no escritório, quando Kiril o abraçou e, com lágrimas escorrendo daqueles olhos melancólicos, afirmou que não tinha feito o que os promotores alegavam. Apesar das lições que aprendeu com a lógica e a experiência, um sopro de esperança tomou conta do coração de Stern, como uma nascente brotando da terra. E Stern respondeu da maneira que o hábito e o distanciamento profissional lhe ensinaram muito tempo atrás a não fazer. Mas, na hora, falou cada palavra de coração.

Stern disse a Kiril:

— Eu acredito em você.

6. MARTA

Durante os trinta anos de vida da Stern & Stern, Marta e Sandy mantiveram o escritório no trigésimo oitavo andar das Morgan Towers, que no passado já foram os edifícios mais altos de toda a região metropolitana. Por inúmeras vezes ele fez uma pausa para meditar, admirando a paisagem pelas janelas enormes de sua sala, observando o rio Kindle, que dali de cima é uma faixa prateada que corta a região, rio esse que era chamado pelos caçadores franceses que se assentaram ali como "La Chandelle", em inglês, "The Candle" — a Vela. Com o tempo, a palavra "candle" foi corrompida pelos habitantes e se transformou em "Kindle", de onde vem o nome do condado. A região metropolitana de três milhões de pessoas também costuma ser chamada por esse nome.

O horário de verão terminou no fim de semana anterior, e Stern ainda sentia a diferença no relógio. Agora, às 16h30, só há um resquício de sol, e Stern pode ver o próprio reflexo no vidro laminado, algo que se esforça para evitar. Ali ele confronta o rosto marcado pelo tempo de outros homens idosos que viu ao longo da vida. A aparência robusta, com a qual tinha se conformado na meia-idade, se foi. Com o câncer, doze anos antes, ele perdeu uma quantidade de peso alarmante, peso esse que, por algum motivo, não recuperou. De acordo com a balança, ele deveria estar tão em forma como quando era jovem e magro, sessenta anos atrás. Apesar disso, após décadas fracassando em fazer uma dieta saudável e regular, Stern sente um desgosto ao saber que parece, na verdade, pior. Suas bochechas estão encovadas, dando a ele um ar sombrio e uma aparência de doente. A pele está flácida e pálida como um pudim, e depois da quimioterapia ele só recuperou alguns tufos de cabelo branco atrás das orelhas.

Chafurdado nas lembranças, como de costume, Stern se força a voltar para a mesa a fim de checar o correio de voz, que foi transformado em texto na tela do computador. Antigamente, após retornar do tribunal, ele recebia um monte de mensagens no telefone, as quais retornava tarde da noite. As ligações de hoje não são sobre nenhum caso. Ambas são convites sociais, um de uma viúva que conhece há muitos anos. Aos oitenta e cinco anos, após dois casamentos, Stern decidiu sair de campo vencedor. Não se sente minimamente inclinado a aceitar companhia ou qualquer alcunha usada hoje em dia para denominar um relacionamento amoroso na sua idade.

No exato momento em que Stern está erguendo o telefone, Marta entra de repente na sala sem sequer encostar na porta. Ele não precisa perguntar o que a incomoda, e, seja como for, ela não perde tempo em falar.

— Que merda foi aquela no seu debate oral sobre as ações cíveis? Você não sabe como fiquei aliviada ao ver Moses se levantar para protestar, porque eu estava prestes a fazer a mesma coisa.

Ele não tem uma resposta para dar. Diz a Marta, assim como disse a si mesmo, que se deixou levar pelo momento.

— Pai, você viu quando Sonny me segurou na hora em que estávamos saindo do gabinete? Ela queria saber se você está ficando gagá.

Stern sente como se houvesse um espinho cravado em seu coração ao pensar que Sonny, que por anos brincou dizendo que queria ser como Sandy Stern quando crescesse, agora o vê como um velho gagá.

— Meu Deus do céu! — exclama ele.

— Eu garanti que você está bem, mas pelo amor de Deus, pai.

Desde a época em que Marta fazia faculdade, os dois sempre tiveram uma rotina em que ela o criticava regularmente, às vezes de maneira agressiva, e ele aceitava com toda a calma do mundo. O inverso jamais aconteceu, mesmo agora, que Marta já está perto de completar sessenta anos. Em relação às censuras do pai, Marta continua tão frágil quanto vidro.

Stern preferia que eles tratassem o último caso em um clima de comemoração, mas sabe que, do ponto de vista sentimental, sua expectativa é tão irrealista quanto um cartão de parabéns com uma frase brega. A verdade é que Marta está incomodada com esse caso, por diversos motivos. Quando Kiril telefonou pela primeira vez, Stern não resistiu: foi direto para a sala de Marta e contou a novidade com um ar triunfante. Mas foi confrontado por uma expressão de choque e apreensão no rosto da filha.

— Pai, você ficou doido? Um caso desses pode acabar te matando. Faz anos que você não trabalha num julgamento que demore mais de dois dias. Esqueça o câncer. É o seu coração que não vai aguentar o tranco.

— Meu coração está ótimo — respondeu ele, num tom áspero.

— Ah, é mesmo? É por isso que Al vem aqui fazer um eletrocardiograma seu a cada três meses? — Al Clemente, médico de Stern, é amigo íntimo de Marta desde o ensino médio. É um profissional extraordinário, mas não resiste aos pedidos de Marta para revelar informações supostamente confidenciais. — Além do mais, pai, você é o advogado errado para Pafko. Nós dois já vimos esse filme uma centena de vezes. Um figurão acusado de crime de colarinho branco se vê em apuros e pede ajuda a um amigo próximo para não ter que trabalhar com um advogado que o obrigue a encarar o fato de que é culpado. Kiril quer alguém para quem possa mentir.

Stern ficou visivelmente desanimado. A empolgação de ser reavivado profissionalmente o cegou para os riscos que Marta reconhecia. Ao perceber a reação do pai, ela amoleceu. Apontou uma poltrona para Stern e se sentou ao seu lado. Ele tinha certeza de que ela repetiria os mesmos argumentos em um tom mais brando.

— Pai, você precisa saber de uma coisa: Solomon e eu tomamos uma decisão. Nós vamos nos aposentar. Quero começar a diminuir o ritmo até o fim do ano.

Na hora, a sensação de Stern foi de que Marta estava contando que estava prestes a morrer. Ele ficou perplexo demais para responder. Ela se inclinou na direção dele com as mãos juntas, em sinal de apelo.

— Eu amo trabalhar com você, pai. Sou uma das pessoas mais abençoadas que conheço. Mas Sol e eu temos muito tempo de vida pela frente e queremos fazer outras coisas.

— Então, para que eu tenho trabalhado? — perguntou ele por fim, gaguejando.

Stern sempre presumiu que Marta seria a beneficiária dos anos de trabalho duro, das noites e dos fins de semana perdidos que, para Stern, estavam de algum modo refletidos nos painéis de madeira escura que davam à sua sala um ar de opulência. Mas ele percebeu que suas palavras eram um erro assim que terminou de falar.

— Caramba, pai! — exclamou Marta, indignada. — Que manipulador!

Stern ergueu as mãos, agora ele fazia o sinal de apelo.

— Marta, me desculpe. Eu não devia ter dito isso. Nem era o que eu queria dizer. Essa notícia requer alguns ajustes.

— Metade dos advogados de defesa desta cidade ficaria feliz em vir trabalhar neste escritório. Nós dois sabemos disso. Meu afastamento provavelmente será positivo para você — explicou Marta, referindo-se ao preço que outro advogado pagaria para se tornar sócio do escritório de advocacia de Sandy Stern e herdar o fluxo de clientes que continuará existindo por anos e anos.

— Não é questão de dinheiro, Marta — respondeu Stern.

Essa frase soou como um *touché* na conversa e compensou a gafe que ele tinha cometido um minuto antes. Ainda assim, no silêncio que se formou em seguida, ele fez pouco mais que balançar a cabeça.

— Eu não fazia ideia — comentou.

— Nem nós — disse Marta, mas ela explicou a lógica do casal, e fazia sentido.

Já havia muito tempo que o dinheiro não era mais uma questão para ela e Solomon. O filho mais novo do casal, Hernando — apelidado de Henry em homenagem ao avô de Marta —, estava prestes a se formar na faculdade. Agora haveria um intervalo no qual eles poderiam viajar à vontade até que Clara, filha deles, presumivelmente começaria a formar família, o que os faria ficar mais tempo por ali. Os olhos semicerrados de Marta estavam carregados de determinação enquanto ela detalhava o raciocínio do casal.

— Não é que eu esteja rejeitando você — acrescentou Marta.

Mas estava. Não de forma inapropriada. Mas ela estava rejeitando o que era mais importante para Stern, aquilo que definia quem ele era. Marta era uma advogada notável, mas estava admitindo que não tinha a mesma fé na lei que Stern, fé essa que, nele, se comparava ao que muitas pessoas sentem em relação à religião.

Naquela noite, Stern dormiu pouco, tentando entender a situação. No dia seguinte, assim que chegou às Morgan Towers, ele entrou na sala de Marta, que era tão grande quanto a dele — por insistência do próprio Stern. Apesar do tamanho, o espaço dela era bem menos formal que o do pai. Para Marta, a sala de Stern lembra uma churrascaria de luxo — um cômodo com pouca luz, poltronas de couro vermelho pregueado e abajures de vidro colorido. A sala de Marta nunca está organizada. Há pilhas de papéis e caixas espalhadas por todo o espaço, e as paredes são abarrotadas de fotos de família e obras de arte abstratas. Stern sempre tem a sensação de que os móveis de madeira teca da sala de Marta, em um estilo "anos 1950 moderno", foram doados por uma instituição de caridade.

— Marta, dividir minha profissão com a minha filha, trabalhar com você lado a lado... isso me deu um prazer tão profundo e fundamental quanto o próprio ato de respirar. Mas nós dois sabemos que eu não tenho mais a mesma energia de antes. Sou grato por você ter estado presente durante todo esse tempo. Quando você se aposentar, vou fazer o mesmo.

Marta ficou imóvel por um segundo.

— Você não vai me chantagear para ficar — disse ela, por fim, em um tom frio.

— "Chantagear"? — Ele tinha passado a maior parte da noite compondo as palavras. Incrédulo e estupefato, ele afundou na poltrona de frente para a mesa da filha.

Ao longo dos anos, às vezes se tem a impressão de que, entre os dois, existe uma disputa para saber quem é mais esquisito, mais obtuso, mais tosco. Um segundo depois, Marta se deu conta de que era a vencedora do dia. Levantou-se da mesa de repente e deu um abraço no pai. Por ser uma pessoa que chora com qualquer coisa, ela tirou os óculos de leitura para secar as lágrimas.

— Pai, eu odiaria pensar que estou forçando você a fechar o escritório.

— Longe disso. Como você mesma disse, eu poderia facilmente aceitar um sócio mais jovem. É uma escolha minha, Marta.

— Pai, e o que você vai fazer se parar de advogar? Eu nunca sequer considerei a hipótese de você parar.

— O que as outras pessoas fazem? Eu posso ler. Viajar, se minha saúde permitir. Talvez comece a meditar ou prestar consultoria. Posso ir ao Fórum Central e me oferecer para trabalhar em casos gratuitamente.

Fazia anos que Stern tinha essa visão: tirar um defensor público sobrecarregado de um caso e defender algum garoto problemático de algemas e macacão de presidiário. Em sua imaginação, o choque na sala seria tão palpável quanto se o Super-Homem tivesse aparecido de capa, anunciando que estava ali para defender a Verdade, a Justiça e o Estilo de Vida Americano. Óbvio que, atualmente, a realidade é que, se havia alguém que reconheceria seu nome, provavelmente seria só o juiz ou algum funcionário mais antigo do fórum — certamente não seu suposto cliente.

Assim, Marta e seu pai fizeram o anúncio em conjunto. Marta concordou em adiar a aposentadoria até a conclusão do julgamento de Pafko. Depois disso, a Stern & Stern fecharia as portas. Os colegas de Stern encararam a notícia com ceticismo. Não era ele quem sempre perguntava por que uma pessoa saudável pararia de fazer a única coisa na vida na qual sempre quis ser bem-sucedido? Nos piores momentos da quimioterapia, uma década antes, mesmo quando muitas vezes se sentia fraco e enjoado demais para se levantar da cadeira, Stern ficava no escritório.

Após a morte de Helen, todos lhe disseram que nos dois primeiros anos o sobrevivente de um casamento feliz ou morre ou decide seguir em frente. Mas seguir em frente não significa seguir na mesma direção, certo? Um período de redefinição poderia ser revigorante. Stern costuma dizer coisas do tipo. Mas à noite tem a sensação de que está dando um salto em direção a um vazio tão aterrorizante quanto a morte. Mesmo assim, em momento algum ele hesitou publicamente. Para Marta e ele, o caso *Estados Unidos contra Pafko* será o fim. O que elevou as apostas de diversas maneiras.

— Pai, você precisa ter cuidado — diz Marta agora. — Se eu lesse a mente de Sonny, diria que ela está mais inclinada a acreditar que você está jogando ao alegar que está velho e confuso. Ela o conhece bem o suficiente para saber o quanto adoraria que seu último veredicto fosse "inocente", sobretudo num caso que ninguém acredita que você seja capaz de vencer.

Stern quer retrucar, mas se contém, permanecendo calado. A verdade é que vencer é como sexo: a pessoa sempre está doida pela próxima oportunidade.

— Mas não é nada bom fazê-la pensar que você está disposto a trapacear para alcançar esse resultado — continua Marta. — Você vai acabar estragando uma relação que significa muito para nós dois. E se Sonny parar de tratá-lo com o respeito enorme que tem por você, vai ser ruim para Kiril.

Só resta a Stern assentir, concordando. Durante sessenta anos, ele exerceu a advocacia acreditando que seu dever para com a lei é ainda maior que seu dever para com os clientes. Seria catastrófico para a visão que ele tem de si mesmo se seus últimos atos profissionais o levassem a ultrapassar os limites que ele sempre respeitou religiosamente.

II. HOMICÍDIO

7. DIA DOIS: AS VÍTIMAS

O governo começa a apresentar seu caso contra Kiril na quarta-feira pela manhã, ouvindo o depoimento da Sra. Aquina Colquitt, de Greenville, Mississippi. Com uma fala lenta e sempre educada, a Sra. Colquitt é a típica vovó — um pouco rechonchuda e grisalha, com as bochechas vermelhas de blush e um cabelo cacheado que sugere que ela dorme com bobes na cabeça até hoje. Com detalhes mórbidos, ela descreve a morte do marido, Herbert. O Sr. Colquitt tinha começado o tratamento com g-Livia praticamente no dia em que o remédio chegou, tendo em vista que seu oncologista considerava o medicamento a melhor chance de Herbert. Mas, certa noite, após catorze meses tomando duas injeções por mês, ele começou a apresentar febre e taquicardia, e deu entrada no hospital. A Sra. Colquitt estava com o marido na manhã seguinte, quando ele teve uma morte violenta: corpo enrijecido, engasgos e vômitos descontrolados. Herbert ficou roxo de tanto esforço que fez para respirar. A equipe médica tentou de tudo para salvar a vida do Sr. Colquitt, mas não conseguiu.

— Foi como se Satanás tivesse segurado Herb com as próprias mãos e puxado meu marido para as profundezas — diz ela.

Além de ser uma pessoa cativante, existe outro motivo para os promotores terem escolhido a Sra. Colquitt como a primeira testemunha: completamente desnorteados pelos sintomas repentinos do Sr. Colquitt, os médicos pediram permissão à família dele para que um estudante de medicina que estava trabalhando com eles gravasse um vídeo curto do que estava acontecendo. A gravação tem apenas cerca de vinte segundos, mas é aterrorizante.

Em sua primeira fala diante do júri, o promotor federal Dan Feld conduz a inquirição. Quando a tela finalmente fica preta, Feld encara a Sra. Colquitt com um olhar agoniado, sussurra um "obrigado" e volta a se sentar. A sala faz um silêncio em respeito enquanto Marta se aproxima do pódio.

Ela se apresenta para a Sra. Colquitt como um dos advogados de Kiril, aponta para a mesa da defesa e diz:

— Sra. Colquitt, queremos oferecer nossas mais profundas condolências.

Os Stern concordaram em fazer o que se esperava deles, e concluíram que era mais provável que os jurados aceitassem a necessária demonstração de empatia se fosse feita por uma mulher.

— Obrigada, senhora — responde a Sra. Colquitt.

— Bem, Sra. Colquitt, permita-me fazer algumas perguntas sobre o tratamento do seu marido com o g-Livia antes desses momentos finais. O g-Livia parecia estar fazendo bem ao seu marido?

— Protesto — diz Feld.

Sonny vira o rosto para o promotor lentamente e pergunta:

— Com base em quê?

— É irrelevante se o g-Livia funcionou ou não durante um tempo. A questão é apenas se o remédio o matou.

— Srta. Stern? — pergunta a juíza, pedindo um argumento à advogada de defesa.

— Entre outras coisas, Meritíssima, os efeitos positivos do g-Livia são relevantes para a hipótese de dolo do réu, algo que a acusação deve provar sem deixar margem para dúvidas.

Sonny reflete.

— Protesto indeferido.

— Meritíssima, podemos falar? — pergunta Feld.

— Após a testemunha, Sr. Feld. A Srta. Stern pode prosseguir agora.

Marta pede à taquígrafa que leia a pergunta feita à Sra. Colquitt.

— Os médicos e enfermeiros disseram que ele estava melhor.

— Os exames de imagem mostravam que os tumores do Sr. Colquitt estavam diminuindo?

— Sim, senhora. Foi exatamente o que eles disseram.

— E ele parecia melhor, na sua opinião?

— Pela primeira vez, sim, senhora. Muito melhor. Herb vinha sofrendo tanto com a químio e tudo o mais... Ele estava muito melhor.

— Até onde pôde ver como esposa, Sra. Colquitt, a senhora diria que o g-Livia melhorou a qualidade de vida de Herbert?

— Ah, sim, senhora. Mas acabou matando ele. Na minha opinião, eu não chamaria isso de melhora, sabe? — Ouve-se uma risada isolada na sala, e a Sra. Colquitt parece sem jeito. — Não estou tentando dar uma de engraçadinha nem nada. Mas Herbie... ele estava mais feliz, isso eu admito. Tinha começado a ficar mais otimista. Ele queria viver, sabe?

A Sra. Colquitt vinha segurando as lágrimas até o momento, mas agora leva aos olhos o lenço bordado que estava segurando.

Na reinquirição, Feld faz a pergunta certa: se ela pudesse fazer tudo de novo, permitiria que seu marido fosse tratado com o g-Livia?

— Não, senhor. De jeito nenhum. Ele não viveu o tempo que os médicos esperavam.

Após a resposta, a Sra. Colquitt é dispensada. Stern percebe que todos os jurados a observam sair da sala de julgamento acompanhada pelo filho e pela nora. Ao incluir as acusações de homicídio na denúncia contra Kiril, os promotores marcaram um gol de placa nesse início.

Foi Marta, que tem uma relação menos formal com Moses que Stern, quem apareceu meses antes com a notícia estarrecedora de que o promotor federal ia incluir acusações de homicídio na denúncia contra Kiril. Parecia um exemplo clássico de acusação excessiva — chamar um joanete de tumor —, o que acaba prejudicando a credibilidade do promotor.

Mas, conforme preparavam a si mesmos e também a Kiril para o caso, os Stern começaram a entender a lógica de Moses. Em primeiro lugar, a lei é muito mais favorável ao governo do que Stern havia imaginado, considerando-se o fato de que nunca tinha sido aplicada em um contexto semelhante. Homicídio em primeiro grau nesse estado significa matar alguém de forma ilegal e sabendo, de acordo com a lei, que "os atos que causam a morte [...] criam uma alta probabilidade de morte ou de grandes danos físicos ao indivíduo ou a outro". Os promotores afirmam que, ao manter o g-Livia no mercado após descobrir que o remédio poderia causar uma reação letal, Pafko estava ciente de que havia uma grande chance de alguns pacientes irem a óbito.

Ao lidar com Moses, nunca se deve deixar de lado a influência da moralidade que o Velho Testamento exerce sobre ele. Ele considera Kiril um homem mau que fez uma coisa ruim, não só mentindo para lucrar, mas também submetendo milhares de pessoas a um perigo que interrompeu muitas vidas. Para Moses, o fato de Pafko ir a julgamento por isso é uma simples questão de justiça.

Enquanto criavam uma estratégia com os movimentos e contra-movimentos que se sucederiam durante o julgamento, Marta e Stern reconheceram que Moses também conseguiu vantagens táticas importantes ao acusar Pafko de homicídio. Um caso limitado a fraude e venda ilegal de ações da bolsa de valores seria entediante, com muitos depoimentos burocráticos. E o pior para o governo: na alegação de fraude cometida por Kiril, constava que ele havia enganado a FDA para conseguir a aprovação do g-Livia, escondendo circunstâncias — as supostas fatalidades — que exigiam mais investigações. Mas, do limitado ponto de vista da lei, sem a acusação de homicídio não faria diferença se alguém morreu ou não por utilizar o g-Livia, e o júri seria instruído a não especular sobre isso.

Com as acusações de homicídio, porém, o governo pode provar os efeitos letais do g-Livia em pacientes específicos e começar os trabalhos com o depoimento dramático dos familiares que assistiram à morte de seus entes queridos. Em seguida, é a vez do depoimento dos médicos desses pacientes, que vão dizer que não foram capazes de salvar os pacientes porque não tinham sido alertados para a possibilidade de uma reação alérgica — o atual consenso sobre o que estava dando errado. No duelo de impressões que ocorre em todos os julgamentos, Kiril precisa aguentar uma surra impiedosa logo de cara.

Apesar disso, as acusações de homicídio também aumentaram as poucas chances de absolvição. Para o júri, essas alegações — e não as de fraude — se tornarão o cerne da acusação, e o fato é que existem muitos obstáculos, tanto legais como factuais, para provar, sem deixar margem para dúvidas, que Kiril cometeu homicídio. Se os Stern mostrarem que essa acusação é ridícula, é possível que o júri dê as costas para a denúncia de Moses como um todo.

Após o fim do depoimento da Sra. Colquitt, Sonny pede um recesso para permitir que Feld argumente sobre seu protesto ao pedir que a defesa seja proibida de perguntar às pretensas vítimas se o g-Livia, de fato, tinha melhorado a qualidade de vida dos pacientes antes de falecerem.

— Esse depoimento da "vítima" — diz Feld, utilizando a palavra que não para de falar — só serve para mostrar que o g-Livia, de fato, matou essas pessoas, conforme consta na lei que tipifica o homicídio. É irrelevante se o g-Livia funcionou por um tempo.

No fim das contas, essa é a maior fragilidade da acusação de homicídio: o g-Livia funciona. Sim, a lei se aplica a um criminoso que atira em alguém de uma gangue rival e mata um transeunte sem querer, mas será que o criminoso pode ser condenado por homicídio se, ao atirar, como em um passe de mágica, ele tornasse as outras na rua invulneráveis às balas? As analogias são imperfeitas, mas os questionamentos são óbvios.

Parecendo perceber que os efeitos positivos do g-Livia podem aliviar a gravidade do crime, o governo foi cuidadoso ao escolher as vítimas citadas na denúncia. Todos tinham carcinoma de pulmão de células não pequenas no estágio 2, em que a doença evoluiu apenas até os gânglios linfáticos do mesmo lado do tumor. Assim, com as terapias-padrão utilizadas antes do g-Livia, a expectativa era de que todos esses pacientes sobreviveriam mais do que entre treze e dezoito meses, que foi o tempo que, de fato, tiveram de vida. Mesmo assim, é inevitável que o júri ouça a respeito dos benefícios do g-Livia, tendo em vista que os mesmos fazem parte dos ensaios clínicos que são fundamentais para a acusação do governo. O que Feld está defendendo agora é uma questão jurídica — de que o bem que o g-Livia fez a alguns pacientes não serve como defesa contra uma acusação de homicídio.

Em vez de apontar essa questão antes do julgamento e deixar a decisão para a juíza Klonsky, os promotores de justiça parecem ter concluído que se sairiam melhor com a remota possibilidade de pegarem Stern — e a juíza — desprevenidos. Porém, não conseguiram. Marta está munida de vários argumentos e casos que dão suporte à defesa, e é sua última alegação que parece convencer a juíza.

— Meritíssima — diz Marta —, o governo precisa provar, de acordo com a lei, que existe uma "alta probabilidade" de que os atos do Dr. Pafko foram os responsáveis pelas mortes e que ele estava ciente de tudo. Portanto, não resta dúvida de que o réu tem direito a apresentar os efeitos benéficos do medicamento, tendo em vista que, da perspectiva dele, isso afetava as probabilidades.

— Isso é um engodo, Meritíssima — retruca Feld. — Existia uma grande probabilidade... na verdade, uma probabilidade enorme de que alguém morreria tomando o medicamento, mesmo que ele ajudasse algumas pessoas, ou mesmo a maioria delas.

— Juíza — diz Marta —, a participação do Dr. Pafko e os efeitos prováveis do g-Livia são questões que o júri deve decidir, não o Sr. Feld. E, para isso, os jurados devem ter conhecimento de todos os possíveis resultados, não só dos exemplos ruins, que o governo quer escolher a dedo.

Os casos escolhidos pelo governo lançam pouca luz sobre o que constitui uma "alta probabilidade", sobretudo porque a lei que tipifica o homicídio jamais foi aplicada em uma circunstância semelhante a essa. Sonny deixa a bancada por dez minutos para estudar a questão rapidamente. Ao voltar, diz apenas:

— O protesto do governo foi indeferido. O réu tem direito a apresentar os resultados positivos do tratamento com o g-Livia, e isso vale também para os casos das pessoas que o governo alega terem sido mortas pelo medicamento. Vamos ter que discutir as minúcias da lei ao final deste caso, quando chegarmos às instruções ao júri.

Essa é a primeira vitória concreta dos Stern em nome de Kiril.

* * *

As oitivas continuam com o filho de uma mulher que morreu pouco mais de um ano após começar o tratamento com o g-Livia. Para os Stern, a única estratégia que faz sentido é acabar o quanto antes com a parte dos depoimentos das vítimas. Após a decisão de Sonny, Feld altera o interrogatório do filho da vítima e inclui uma pergunta sobre se o g-Livia melhorou a qualidade de vida de sua mãe por um tempo. Assim, quando Feld termina a inquirição, Marta fica de pé e diz:

— O senhor tem as nossas mais profundas condolências. A defesa não tem perguntas a fazer.

O próximo a ser inquirido é o Sr. Horace Pratt, do Maine. Feld está nitidamente apelando nesta parte do julgamento, e o Sr. Pratt está no banco das testemunhas parecendo o fazendeiro que segura o forcado no quadro *American Gothic*, usando uma calça cáqui e uma camisa de flanela abotoada até a garganta.

Antes de o júri ser conduzido à sala de julgamento pela manhã, Marta voltou à questão que deixou seu pai em apuros com a juíza. Os espólios das sete vítimas citadas na denúncia ajuizaram ações cíveis contra a PT por homicídio culposo. Apesar dos protestos da acusação, a juíza determinou que, nos cinco casos ainda em curso, era preciso haver uma inquirição cruzada para estabelecer se o parente em questão tinha algo a receber da quantia que a PT deveria pagar. Obviamente, é importante para a credibilidade das testemunhas descobrir se elas têm algo a ganhar com o que estão dizendo. Por outro lado, a juíza barrou qualquer inquirição com as duas famílias — incluindo o filho da vítima que tinha acabado de deixar o banco das testemunhas — que já haviam chegado a acordos multimilionários com a PT, tendo em vista que essas testemunhas não terão mais nenhum benefício financeiro ao depor. Antes do julgamento, Sonny disse que queria avaliar as testemunhas caso a caso, motivo pelo qual ficou tão irritada quando Stern se adiantou sem a permissão dela e piorou a situação ao mencionar os acordos indenizatórios.

No que se refere ao mesmo assunto, Feld decidiu, em jargão de tribunal, "tirar o ferrão da defesa" e perguntar aos parentes das vítimas sobre as ações cíveis durante sua própria inquirição. A Sra. Colquitt tinha respondido: "Não sei muito desse assunto porque é meu filho quem vem falando com o advogado Neucriss." O Sr. Pratt dá uma resposta semelhante, dizendo que o caso está nas mãos do advogado que cuida do espólio da mulher.

— Bem, Sr. Pratt — diz Marta, na sua vez de fazer a inquirição —, o senhor é o herdeiro do espólio de sua mulher, certo?

— Certo — responde Pratt, econômico nas palavras.

— E o senhor sabe que no espólio dela há uma ação por homicídio culposo contra a Pafko Therapeutics, não sabe?

Feld se levanta para protestar.

— Ele acabou de dizer que o advogado está cuidando do assunto.

A juíza olha de soslaio para Feld. Assim como os Stern, é nítido que ela suspeita de que Feld ensaiou o depoimento das vítimas antes do julgamento, para que evitem revelar o que têm a ganhar por estarem ali.

— A Srta. Stern está perguntando o que o Sr. Pratt sabe. Protesto indeferido.

— Sim — responde Pratt. — Sei disso.

— E o senhor está sendo representado neste caso pelos Escritórios Neucriss.

— Anthony Neucriss. O filho.

— E o senhor sabia que os Neucriss pediram uma indenização de cinco milhões de dólares da PT?

O valor causa um burburinho no tribunal.

— Sei.

— E o senhor sabia que os Neucriss recusaram em seu nome uma indenização de dois milhões de dólares oferecida pela PT?

Feld protesta, indignado. A pergunta beira o limite e Sonny titubeia. Nesse meio-tempo, Pratt responde.

— Para mim não são dois milhões. Os Neucriss ficam com 40%, então para mim sobra pouco mais de um milhão.

Stern percebe a careta feita pela Sra. Murtaugh, a viúva idosa que faz parte do júri. O luto do Sr. Pratt ganhou outra cara.

— Nas próximas inquirições, limitarei as perguntas ao *ad damnum* — diz Sonny, usando um termo específico para que o júri não entenda.

Com as próximas testemunhas das vítimas, Marta só poderá perguntar o valor da indenização que as famílias estão tentando obter.

Mesmo com essa limitação, Marta consegue deixar evidente que três das cinco testemunhas "vítimas" podem se beneficiar da ação judicial em curso. Duas das famílias também são clientes do escritório de advocacia dos Neucriss, cujos primeiros processos foram abertos menos de quarenta e oito horas após a publicação da matéria do *Wall Street Journal*. Como os Neucriss conseguiram encontrar esses pacientes e fazê-los abrir processo antes de outros advogados é um mistério que os Stern e os grandes escritórios que representam a PT nessas ações cíveis não conseguiram solucionar. Mas Pete, o pai, um homem de quase noventa anos, ainda é conhecido entre os advogados do condado de Kindle como o Príncipe das Trevas e tem encontrado formas ardilosas de conseguir casos de danos pessoais polpudos desde a época de seu primeiro casamento, quando seu sogro, tenente da Divisão de Trânsito da cidade, instruía todos os guardas sob seu comando a dar cartões do escritório de Neucriss a pessoas envolvidas em acidentes. Stern se lembra das fotos de agências de notícias, exibindo um Neucriss já idoso, andando pelas ruas de Bhopal, na Índia, após o infame derramamento de produtos químicos ocorrido na cidade, ele com a mala cheia de procurações judiciais e uma máscara de gás do exército no rosto.

Após as "vítimas", o governo chama ao banco das testemunhas vários dos médicos que atenderam a seus familiares mortos. No depoimento, eles afirmam que não faziam a menor ideia do que estava acontecendo com seus pacientes. Existem algumas questões a serem levantadas pela defesa, mas todas podem ser dirigidas à patologista que o governo convocará em seguida. Stern e Marta sabem por experiência própria que terão a chance de ganhar terreno com a Dra. Rogers, e a esperança deles é que o governo seja obrigado a convocá-la antes de Sonny suspender o julgamento ao final do dia. Mas a juíza adia o depoimento da patologista após o último médico deixar o banco das testemunhas. O primeiro dia de julgamento do caso *Estados Unidos contra Pafko* termina com a acusação em larga vantagem.

8. TINTA

Encarando seu primeiro julgamento longo em anos, Stern tinha certeza de que não contava mais com a mesma energia de antes, mas, mesmo assim, fica chocado ao perceber como está exausto após um dia de tribunal. Ele praticamente só assistiu ao julgamento, mas, ainda assim, o foco extremo exigido pelo tribunal, somado ao drama da véspera, o deixou exaurido. Suas sinapses, seus neurônios — seja lá o que forme seus pensamentos — estão cansados demais para funcionar. Ele sente até alguns leves sintomas da taquicardia da qual é acometido vez ou outra e que tanto preocupa Al, seu médico. Stern prometeu a Marta e a si mesmo que não ia bancar o herói quando estivesse esgotado. Após uma conversa rápida com Kiril, e depois com Marta, Stern chama Arden e logo depois já está no Cadillac a caminho de casa, na margem oeste. Sente-se bem preparado para as inquirições de amanhã e pode revisar qualquer material necessário de casa, pelo acesso remoto. É melhor descansar antecipadamente.

Após Helen e Stern se casarem em 1990, ambos venderam suas casas, que ficavam a menos de dois quilômetros de distância uma da outra e onde tinham criado seus filhos com seus primeiros cônjuges. Juntos, compraram este imóvel, uma casa no campo de tijolinhos vermelhos com telhado de madeira. O imóvel tem uma excelente suíte master, uma cozinha moderna, uma ala de hóspedes — para estimular a visita dos filhos que moram fora da cidade — e um jardim enorme do qual Helen adorava cuidar. Embora fosse algo tácito, era lógico para os dois que provavelmente ambos morreriam ali. Agora a missão já está 50% cumprida.

Como já havia ficado viúvo uma outra vez, Stern sente uma familiaridade perturbadora sempre que entra na casa vazia. Ele sabe ligar várias TVs para que sempre tenha um burburinho ao fundo e superar a sensação, que vez ou outra o assola, de que é apenas um fantasma espreitando o mundo dos vivos. A partida de Helen, assim como a de Clara, tinha acontecido inesperadamente. Certo dia, acordou um homem casado e, à noite, estava sozinho. Helen morreu de aneurisma cerebral elíptico na academia de ginástica do bairro. Será que é mais fácil por ele já ter passado por isso antes? Talvez, em algum grau, ele tenha aceitado o caráter efêmero implícito em qualquer segundo casamento. Após o suicídio de Clara, ele ficou destruído. Mas aquilo foi suicídio. Dessa vez, a sensação de luto parece mais prolongada. Com o surgimento do câncer houve um período de luto, de despedida, entre Helen e Stern, mas então o g-Livia fez seu milagre. Agora só resta a ele torcer para que Helen tenha sentido sua enorme gratidão por ela ter trazido alegria e luz para sua vida.

Assim que entra na casa, Stern mal tem forças para cambalear até a sala de estar. Quando Helen se casou com Stern, trouxe para a família um cachorrinho mal-educado, um Jack Russell terrier chamado Gomer, e, quando o totó morreu, foi rapidamente substituído por Gomer II, que, por sua vez, foi sucedido por Gomer III. Ao contrário dos antecessores, Gomer III não rosnava quando Stern se aproximava de Helen, mas o cachorro era tão dono de sua segunda esposa quanto os outros dois eram. A única vez que Stern reconheceu a possibilidade de Helen morrer primeiro foi quando, antes de Gomer III chegar do canil, ele insistiu para que sua mulher conseguisse outra pessoa para cuidar do cachorro caso ela se fosse antes dele. Mas Gomer III é estressado e ativo demais para ficar perto dos netos de Helen. Assim, para seu eterno desgosto, Stern acabou mantendo o animal, que, ao que tudo indica, o culpa pelo desaparecimento de Helen. Ele alimenta Gomer III todas as manhãs e noites, e, com a ajuda de Pinky, continua contratando pessoas para passear e tosar o animal. Em troca, não recebe praticamente nenhuma gratidão. Neste momento, Gomer III está abanando o rabo, mas só porque está esperando a ração da noite.

Stern larga a maleta e se serve de um pouco de uísque, depois afunda na poltrona Herman Miller preta que dá vista para o jardim de Helen, que este ano está uma bagunça de novo, sem os cuidados dela. Ele não sabe há quanto tempo estava dormindo quando Pinky o acorda fazendo barulho na cozinha.

— Quer jantar, vô? Você já comeu?

Ainda desorientado após acordar, ele precisa de um momento para voltar a si.

— Sopa?

As habilidades culinárias de Pinky são limitadas, mas dificilmente Stern sente fome à noite. A sopa enlatada o ajuda a manter uma conversa com a neta.

Stern ainda não sabe dizer ao certo se Pinky mora ali ou não. Na família, Pinky costumava ter dois defensores principais: Stern e Helen. O amor de Stern pela neta vai além de sua compreensão. Ela simplesmente tem um lugar em seu coração, e Helen, sendo uma companheira que sempre entendeu o que era essencial a ele, também abraçou a causa de Pinky. Por muitos anos, Helen encorajou Pinky a usar a ala de hóspedes como um refúgio quando, o que sempre acontecia mais ou menos a cada seis meses, terminasse com o namorado ou a namorada com quem estivesse morando na época. Em segredo, Stern sempre ficava eufórico quando ela aparecia sem avisar. Também sem aviso, ela surgia na cozinha oito e meia da manhã, pegava alguma coisa na geladeira e lhe informava que queria carona para o trabalho. Considerando esse padrão, Stern ficou chocado quando, alguns meses antes, no escritório, entreouviu Pinky dizer:

— Atualmente estou meio que cuidando do meu avô.

Os filhos de Stern fizeram questão de demonstrar apoio a Pinky. Talvez ela não tenha muitas habilidades práticas, mas pode ir ao mercado ou à lavanderia e sabe ligar para a emergência caso encontre seu avô caído no chão da cozinha — algo que acabará acontecendo um dia. Mas, sendo quem é, às vezes Pinky desaparece por dias sem avisar.

Os dois tomam sopa juntos na cozinha, enquanto Pinky olha as mensagens no celular. Gomer III, que obviamente gosta mais dela que de Stern, se deita a seus pés.

— O que você achou dos procedimentos de hoje? — pergunta Stern quando Pinky parece descansar os dedos. Ela nem sempre escuta o que lhe dizem, mas desta vez balança a cabeça, desanimada.

— Acho que você arrasou ontem, vovô, mas hoje... — Ela faz uma pausa. Uma excelente atleta como o próprio pai, que é um ex-jogador de futebol americano, Pinky participava de competições de snowboard até que uma vértebra fraturada deu um fim abrupto à esperança de conseguir uma bolsa de estudos na faculdade. É por isso que, às vezes, ela usa gírias. — Hoje acho que eles acabaram com Pafko. Vai ser assim todo dia?

— Eu espero que não, Pinky. Acho que temos muito a dizer em defesa de Kiril.

— Que bom. Mas ele é culpado, né?

Stern se sente ofendido por seu cliente. Será que Pinky vem dando ouvidos à sua tia Marta?

— Por que você está dizendo isso? — Pinky não costuma fazer uma avaliação rigorosa das provas.

— Não, quer dizer, o réu é sempre culpado. Bem... pelo menos *eu* sempre era culpada.

Quando Pinky estava no ensino médio, Stern aparecia com tanta frequência no tribunal após sua neta ser pega com drogas — algo que passou a acontecer mais vezes após a fratura na vértebra — que fazia uma piada depressiva sobre ter que abandonar todos os outros casos para só cuidar dela. No fim, aprendeu com Pinky uma lição a duras penas: na vida existem aqueles que se safam e os que não se safam dos problemas. A rebeldia inata de Pinky a colocava no segundo grupo.

Por um tempo, as interações de Pinky com os policiais pareceram surtir um efeito positivo. Assim como acontece com tantos jovens que têm problemas com o sistema judiciário, tempos depois ela decidiu que queria entrar para a polícia. Demorou quase seis anos para se formar em ciências policiais; em seguida, chocou a todos — exceto Helen — ao gabaritar a prova de admissão para a FPUCK, Força Policial Unificada do Condado de Kindle. Mas dias antes de começar no trabalho, Pinky perdeu a vaga na academia de polícia. Ao contrário do que Stern havia suspeitado inicialmente, não foi por causa da ficha criminal de sua neta, pois delitos cometidos durante a juventude são desconsiderados na admissão. Acontece que seu exame toxicológico havia dado positivo para ecstasy e cannabis. Conversando com o avô, ela manifestou espanto ao descobrir que a maneira infalível de enganar os testes antidrogas que encontrou na internet não funcionava. Aparentemente, a abstinência nunca foi uma opção.

— Ah, isso me lembrou de uma coisa — diz Pinky. — Eu trouxe uma carta que chegou ao escritório para você. — Ela vai até a bolsa, que deixou na bancada da cozinha, e volta com um envelope dobrado. — Leia. É interessante.

O cabeçalho e o logotipo no alto da página são de uma empresa chamada Elstner Labs, uma empresa respeitada nos ramos da química e da engenharia forenses. A Elstner tinha realizado uma análise química em algo chamado "amostra de referência". Seguem-se dois parágrafos densos, cheios de palavras que ele não compreende. "Difratometria de raios X em pó"; "Espectrometria no infravermelho com transformada de Fourier". Por fim, ele entende que Elstner analisou uma amostra de tinta. Uma faixa de teste confirmava os componentes cristalinos da tinta, e a outra apresentava a conclusão de que a tinta era orgânica. No penúltimo parágrafo da carta, Elstner conclui que existe uma grande chance de a tinta pertencer a um Chevy Malibu 2017 de cor branco Vanilla.

Embora Stern não gostasse de admitir para Marta, há momentos em que ele se sente completamente desorientado, em que seu cérebro parece se esforçar, mas não consegue estabelecer qualquer conexão com o mundo ao redor. Em geral, o fenômeno passa em questão de segundos, mas, desta vez, não passou. Stern coloca a carta na bancada de quartzo e olha fixo para o papel com as pontas dos dedos na testa, como se sua mão fosse uma antena à espera de um sinal. Mas o gesto é em vão.

— Pinky, me desculpe, mas não estou entendendo o que isso tem a ver com o caso de Kiril.

— Kiril? Essa carta é sobre o seu acidente.

— Em março?

— Isso. Eu peguei a tinta do seu carro.

Stern olha fixo para ela.

— Pinky, meu carro era cinza.

Ou será que seu carro novo é que é cinza? Por um momento, ele sente um medo desolador sobre o que acabou de revelar. Mas não. Não. Ambos são cinza, tanto o Cadillac novo quanto o antigo. Só o tom da cor era diferente.

— Vô, eu estou falando da cor do carro que bateu no seu.

— Ah — diz ele, aliviado, agora que entendeu.

O motorista que bateu a 130km/h no carro de Stern não parou. Só havia uma testemunha no local para falar com o delegado do departamento de polícia, e ela, que Deus a abençoe, estava muito mais preocupada com a vida de Stern do que em tentar se lembrar de detalhes do veículo do agressor. No depoimento, a mulher confirmou que a colisão não tinha sido culpa de Stern, mas não era capaz de dizer a marca e o modelo, mesmo que o carro estivesse na frente dela. Sua única lembrança era que ele tinha uma cor clara.

Isso não foi surpresa para Stern. Ele tinha apenas uma lembrança do acidente, à qual se ateve com todas as forças no hospital: a de ver um sedã branco com um adesivo de estacionamento da Pafko Therapeutics na parte inferior direita da janela traseira. Stern tinha exigido que a polícia investigasse e, conforme seu cérebro foi se recuperando, perseverou, pedindo pelo menos uma vez por hora permissão para informar esse dado a um detetive. Por fim, quando já estava em melhores condições, uma investigadora da delegacia do condado de Greenwood lhe fez uma visita, acompanhada de uma residente da neurocirurgia. Ambas tinham trinta e poucos anos, e, juntas, explicaram pacientemente a Stern que seu relato era muito inconsistente.

A última lembrança nítida de Stern foi de quando estava saindo do estacionamento da PT no condado de Greenwood, em um bairro afastado da cidade de brancos de baixa renda. Segundo a residente, quando saiu do estacionamento, Stern certamente viu à sua frente um carro com um adesivo oval da PT.

— Quando o cérebro sofre esse tipo de lesão, as lembranças ficam emaranhadas de maneiras peculiares na memória, é mais ou menos como um sonho — explicou a Dra. Seau. — Sei que o senhor se lembra disso...

— Vividamente — completou Stern.

— Certo — disse a policial, intervindo. — O problema é que isso não é possível. A frente do carro acertou bem perto da porta do motorista do seu automóvel. Não tinha como o senhor ver a janela traseira desse outro carro. O senhor já estava derrapando a quarenta e cinco graus em direção à vala de escoamento.

Em grande parte, como uma cortesia a Stern, os policiais foram ao estacionamento da PT dias após o acidente, mas, como tinham previsto, não encontraram nenhum carro com marca de batida na parte da frente.

Quando a detetive e a residente fizeram a visita, Stern já estava totalmente lúcido. Ele entendeu. Mas, mesmo assim, se sentiu como Galileu após lhe dizerem que devia aceitar que o Sol girava em torno da Terra. Ele sabia a verdade. E ainda havia tinta branca em seu carro.

— Foi o que eu vi — disse ele a Pinky, que na época o visitava diariamente.

— E a polícia não vai investigar?

Stern explicou. Pinky fez que sim com a cabeça inúmeras vezes, do jeito que os millenials fazem, antes de terminar dizendo:

— Está bem, então eu mesma vou continuar essa investigação.

Com ou sem lesão cerebral, Stern sabia que isso era improvável. Qualquer que fosse o nível de instrução de Pinky, ela não tinha nem os recursos nem o nível de atenção para conduzir uma investigação policial. Mesmo assim, Stern ficou comovido com o fato de ela levá-lo a sério, em um momento em que ninguém parecia acreditar no que ele dizia.

Até onde Stern se lembrava, a afirmação de Pinky, dizendo que seguiria a partir dali, foi o fim do esforço de sua neta. Em se tratando de Pinky, "continuar" era uma palavra sem muito significado. Mas, aparentemente, ela tinha ido ao ferro-velho onde o Cadillac estava esperando a seguradora avaliar o automóvel e declarar perda total. Lá, raspou o que restava das longas linhas de tinta branca feitas pelo veículo infrator na parte destruída do Cadillac de Stern. E, em seguida, enviou o material para a Elstner Labs.

Stern olha outra vez para a correspondência.

— A data desta carta é de julho, Pinky.

— Pois é.

Pinky baixa seus lindos olhos verdes, e aquela expressão de "fiz besteira", tão familiar a quem a conhece, toma conta de seu lindo rosto.

— Sei. A carta estava na sua mesa?

— Segundo Vondra, sim. Ela encontrou a carta um dia desses, porque recebemos um aviso de atraso no pagamento da conta da Elstner.

— Sei. Esses testes são caros, Pinky.

— No hospital, você me disse que eu podia gastar mil dólares.

Sem chance de Stern se lembrar disso. Na época, sua cabeça estava uma bagunça.

— Mil dólares seria um preço muito razoável para esse tipo de teste, Pinky.

— Pois é... foi mais que isso.

Não adianta perguntar quanto foi a mais. Já está feito, e o fato é que seu pão-durismo nunca se aplica a seus netos. De qualquer forma, Marta, que raramente deixava os equívocos de Pinky passarem em branco, lhe mostraria a conta em algum momento.

— E você já pensou no que vai fazer, agora que tem essa informação? — questiona Stern.

— Vou perguntar à policial de Greenwood se ela pode checar no departamento de veículos quantos Chevy Malibus 2017 existem registrados lá.

Stern assente. Apostaria que existem centenas, senão milhares, de Malibus 2017 registrados na região, o que tornaria a investigação impraticável. Mas, em se tratando de Pinky, o fracasso é tão frequente que ele guarda o pensamento para si.

— Bem, estou ansioso para saber o que eles vão dizer — comenta Stern.

Pink sorri, nitidamente feliz por ter escapado da bronca pelo gasto exagerado na análise da tinta. Stern segura a mão da neta por um breve instante, termina a tigela de sopa e vai para o quarto com o laptop a fim de estudar para amanhã até ser vencido pelo sono.

9. DIA TRÊS: PERITOS

A Dra. Bonita Rogers é a próxima a ser convocada pelo governo. Feld faz as perguntas necessárias para qualificá-la como perita em patologia, e, em seguida, ela afirma que examinou os relatórios *post mortem* e o histórico médico completo das sete vítimas arroladas na denúncia. Baseado neles, a Dra. Rogers concluiu que todos morreram por reação alérgica grave ao g-Livia.

Stern já confrontou a Dra. Rogers antes. Ela tem quarenta e poucos anos, um corpo bonito e o cabelo tão alaranjado quanto o de um orangotango, além de olhos verdes grandes que se destacam em sua pele extremamente clara. Testemunhas de boa aparência — assim como advogados de boa aparência — costumam ter vantagem, pois prendem a atenção do júri. Porém, ao longo dos anos, Stern percebeu que patologistas, cujo trabalho se concentra nos mortos, geralmente se mostram pessoas socialmente inábeis, e, no caso da Dra. Rogers, a boa impressão causada pela aparência não dura muito tempo.

— Dra. Rogers... — diz Stern, levantando-se com dificuldade para começar a inquirição.

Por causa da idade de Stern, Sonny ofereceu a ele a possibilidade de inquirir as testemunhas sentado à mesa da defesa. Apesar das risadas que ouviu, Stern falou sério quando disse à juíza que achava que seu cérebro não trabalhava tão bem se ele estivesse com as costas pressionadas em uma cadeira.

— Sr. Stern... — diz a Dra. Rogers.

Rogers sorri, mas o fato de ela saber seu nome sem que ele precise se apresentar sinaliza para os membros do júri que eles estão prestes a assistir a mais um episódio de um embate antigo.

— Dra. Rogers, não existe tratamento médico para casos de reação alérgica aguda?

— Existem opções de tratamento, sim, mas o médico precisa saber o que está acontecendo. Sem as advertências sobre a possibilidade de reação alérgica causada pelo g-Livia, fica muito mais difícil.

Este era o objetivo dos promotores ontem, ao chamarem os médicos que atenderam aos pacientes: fazer cada um deles dizer que não tinha a menor ideia do que estava acontecendo.

Com o depoimento da Dra. Rogers, ambos os lados estão caminhando por uma ponte bem estreita sobre águas perigosas. A promotoria citou apenas sete mortes na denúncia, embora, no momento em que o g-Livia foi retirado do mercado, já houvesse mais de cem óbitos cuja causa suspeita era a anafilaxia — ou seja, choque anafilático, ou choque alérgico. Na denúncia, Moses selecionou apenas os casos em que não havia a menor dúvida de que as mortes foram precoces, em que os pacientes tinham expectativas reais de viver mais tempo, e em que os médicos e familiares das vítimas impactariam mais os jurados. (Kiril não é acusado de homicídio no caso das mortes súbitas ocorridas durante o ensaio clínico, pois na época ele não tinha recebido nenhum sinal de alerta para os problemas potencialmente letais do medicamento.) Qualquer depoimento da Dra. Rogers referindo-se às mortes ocorridas após a aprovação do g-Livia por parte da FDA levará a um pedido de anulação do julgamento por parte dos Stern, alegando que Kiril está sendo julgado por crimes pelos quais não foi acusado. Durante sua inquirição, portanto, a defesa não deve fazer nada que justifique a acusação se referir a essas muitas outras fatalidades.

— Dra. Rogers, a senhora não é alergista, certo?

— Não.

— Bem, Dra. Rogers, se alguma das próximas perguntas estiver além de sua competência, por favor, me avise.

Ao ouvir a palavra "competência", a Dra. Rogers fica furiosa.

— A senhora, na posição de perita, conduziu uma pesquisa sobre outras alergias que esses pacientes poderiam ter em comum?

— Eu li o histórico médico delas.

— Mas, para formar sua opinião, a senhora não fez nenhuma investigação além dessa?

— Não.

— Certos alimentos provocam reações alérgicas graves, que costumam surgir de repente já na vida adulta?

— Pode acontecer.

— Frutos do mar, por exemplo, podem causar esse tipo de reação alérgica?

— Já ouvi falar disso, mas, como o senhor mesmo disse, Sr. Stern, não sou alergista — responde ela, com um sorrisinho irônico.

— A senhora sabe se alguma das sete pessoas que alega terem morrido por causa do g-Livia, por exemplo, comeu mariscos menos de vinte e quatro horas antes de morrer?

Rogers força um sorriso.

— Duvido.

— A senhora duvida que saiba ou que eles tenham comido frutos do mar?

— Frutos do mar.

— Baseada em quê?

— No fato de que isso não consta no histórico médico das vítimas.

— No entanto, todo o seu depoimento se baseia na ideia de que os médicos socorristas não perceberam que estavam lidando com uma reação alérgica. Então não teriam nenhuma base para perguntar sobre o que o paciente comeu, certo?

— Pode ser. Mas seria uma baita coincidência se todos os sete tivessem comido frutos do mar.

— Mas existem muitos outros agentes conhecidos por causar reações alérgicas repentinas e letais, certo? Nozes, pesticidas... A lista é longa, não é? E a senhora não sabe ao certo se essas sete pessoas desenvolveram alergias já na vida adulta a outra coisa além do g-Livia, correto?

A Dra. Rogers concorda, relutante.

— Bem, a senhora nos disse que não havia advertências apropriadas sobre a possibilidade de uma reação alérgica ao g-Livia. A senhora se lembra de ter dito isso agora há pouco?

— Lembro.

— O que é uma bula, então, Dra. Rogers? A senhora está familiarizada com esse termo?

— Óbvio — responde a Dra. Rogers. Ela contrai um lado do rosto, numa careta irônica. — A bula é aquela folhinha impressa que vem junto do medicamento dentro da caixa.

— Posso lhe mostrar a bula do g-Livia? É a Prova de Defesa-1. — Após algumas preliminares, Stern pede à Dra. Rogers que leia em voz alta a frase que está destacada na bula.

— O g-Livia é um anticorpo monoclonal. Anticorpos monoclonais são conhecidos por causar reações alérgicas graves em alguns pacientes.

Por incrível que pareça, foi Pinky quem encontrou essa frase. Ela não consegue organizar algumas folhas na ordem correta, mas, tal qual um gênio disfuncional, é capaz de absorver páginas e mais páginas de texto em uma fonte minúscula com uma velocidade impressionante.

— Portanto, havia uma advertência apropriada sobre possíveis reações alérgicas no g-Livia, certo?

— Não estou muito certa disso.

— É mesmo? Tem algo de inapropriado nessa advertência?

— É uma advertência padrão, Sr. Stern. São as advertências sobre os efeitos colaterais citados nos comerciais de TV, nas quais ninguém presta a menor atenção.

— Mas, certamente, se a senhora tivesse um paciente sofrendo uma reação que não estivesse entendendo, a bula seria um bom lugar para procurar uma possível explicação, certo?

— Se o paciente está no meio de uma crise, acho que não é hora de tentar ler oito páginas com letras microscópicas.

— Sim ou não, Dra. Rogers? Um bom médico olharia na bula se tivesse a mínima noção de que um medicamento poderia estar causando a crise alérgica do paciente?

— Talvez um bom médico olharia. Mas, a meu ver, não olhar não faz de mim um médico ruim.

— Dra. Rogers, a senhora me disse há pouco que existem tratamentos caso o médico perceba que o paciente está tendo uma reação alérgica grave. Por favor, descreva essas opções.

Ela menciona doses cavalares de anti-histamínicos e epinefrina.

— Se tivessem sido administrados, esses tratamentos poderiam ter salvado a vida de algum dos sete pacientes citados na denúncia?

— Não há como saber, Sr. Stern.

— Eu não perguntei afirmando que salvariam, Dra. Rogers. Eu perguntei se "poderiam ter salvado". — Quanto menos cooperativa se mostra a Dra. Rogers, e ela está totalmente na defensiva neste instante, melhor para a defesa. — Na literatura médica, existem casos em que pacientes com esses sintomas foram tratados com anti-histamínicos, epinefrina ou estimulantes e sobreviveram?

Stern toma o cuidado de perguntar sobre a literatura médica, e não sobre outros casos em que o paciente estava tomando g-Livia. Médicos atentos salvaram a vida de centenas de pacientes que estavam tomando g-Livia, mas, se mencionar isso, Stern abrirá as portas para falar sobre outras mortes também.

Rogers responde que existem casos de pacientes que se recuperaram.

— E, caso esses tratamentos sejam administrados, é verdade que a probabilidade de morte por reação alérgica diminui?

— "Probabilidade." — A Dra. Rogers obviamente não sabe que esta é uma palavra-chave. Para se convencer de que Kiril cometeu homicídio, o júri precisará concluir que ele sabia que havia uma "alta probabilidade" de haver mortes. — As probabilidades são reduzidas, sim.

Stern para e vira o rosto para o lado, para que os jurados saibam que essa é uma resposta importante. Em seguida, volta para sua cadeira.

A acusação fez uma escolha mais sábia com a próxima testemunha, o Dr. Bruno Kapech. Ele é um oncologista e epidemiologista qualificado para depor sobre as chances de sobreviver ao câncer e sobre a chance de cada um dos sete pacientes citados na denúncia viver mais tempo, caso não estivesse sendo tratado com o g-Livia. Em uma infeliz coincidência para a defesa, Kapech é — assim como Kiril — catedrático na Faculdade de Medicina de Easton. Seu depoimento dá a entender que aqueles que conhecem bem Kiril viraram as costas para ele. Pafko disse aos Stern que, como era de esperar, ele e Kapech não se bicam, embora a rusga não tenha nada a ver com julgamentos médicos, mas com uma disputa entre chapas pela escolha do atual reitor da Faculdade de Medicina de Easton.

Apesar de tudo, Kapech sorri rapidamente para Kiril ao ocupar o banco das testemunhas. Kapech é um homem obeso de cinquenta e poucos anos, cabelo grisalho e cavanhaque preto. Com seu sotaque israelense carregado que transforma as vogais curtas em longas, e os erres, em um rosnado fraco, Kapech detalha seu extenso passado no ramo da educação e seus certificados em três diferentes áreas. Em seguida, Feld solicita uma descrição concisa sobre como se calculam as chances de sobrevivência a um câncer. Entre os pacientes de carcinoma de pulmão de células não pequenas no estágio 2, as chances variam de acordo com a idade, a etnia, o sexo, o tamanho do primeiro tumor descoberto, a localização, se está dentro do pulmão, o número de gânglios linfáticos afetados e até a data do diagnóstico, tendo em vista que as chances de sobrevivência, felizmente, vêm aumentando. Em seguida, Feld pede que Kapech explique a terapia-padrão antes do g-Livia: cirurgia, depois quimioterapia com um de vários agentes — o regime ao qual o próprio Stern se submeteu.

Feito isso, Kapech começa a falar sobre as chances de sobrevivência das sete "vítimas" citadas na denúncia. Os dados mais recentes dos Institutos Nacionais de Saúde dos Estados Unidos indicam que 52% dos pacientes no estágio 2 teriam vinte ou mais meses de vida; 36% teriam sobrevida de cinco anos. Repassando as variáveis que já havia listado, Kapech prevê que o tempo médio de sobrevivência para cada um desses pacientes seria ainda mais longo que o indicado pelos dados gerais.

Em geral, Marta é melhor para lidar com testemunhas técnicas, mas os Stern concordaram que Sandy pode ter uma vantagem ao inquirir Kapech, com quem já se encontrou em alguns eventos em Easton. Desde que começou a se tratar com o g-Livia, Stern fez várias doações vultosas para a faculdade de medicina. Ele já conversou com Kapech, que é vice-reitor, em alguns eventos beneficentes, conversas que inevitavelmente trataram da condição do próprio Stern. Quando Stern se levanta, Kapech abre um sorriso caloroso.

— Sandy — diz ele. — Fui informado de que hoje devo chamá-lo de Sr. Stern.

— E eu devo chamá-lo de Dr. Kapech.

Kapech assente e dá uma breve risadinha.

— Permita-me perguntar a respeito da primeira dessas mortes sobre as quais ouvimos. Sr. Herbert Colquitt, o cavalheiro do Mississippi. Quanto tempo exatamente o Sr. Colquitt teria vivido, se não tivesse sido tratado com o g-Livia, mas, sim, com uma das terapias tradicionais descritas pelo senhor?

Kapech, que não se importa nem um pouco em ouvir a própria voz, repete as respostas sobre o cálculo do tempo médio de sobrevivência do Sr. Colquitt — trinta e sete meses.

— Isso significa que, de acordo com os estudos, e levando-se em conta todas as variáveis que o senhor identificou, se tivéssemos, digamos, mil pessoas iguais ao Sr. Colquitt, metade viveria mais de 36 meses e metade viveria menos que isso.

— Sim.

— Mas vamos falar sobre o Sr. Colquitt, por favor. Quanto tempo *ele* teria vivido?

Kapech responde com um sorriso paciente.

— Não sei dizer nem quanto tempo eu vou viver — Kapech pronuncia "fifer" —, tampouco o senhor, Sr. Stern. Só posso lhe dizer o que os estudos mostram.

— Está dizendo que o senhor não sabe quanto tempo o Sr. Colquitt teria vivido?

— Eu já lhe dei a minha resposta.

— Resposta de que o senhor não sabe, correto, doutor?

Feld protesta, alegando que a pergunta de Stern foi respondida. Para evitar que os julgamentos se arrastem indefinidamente, um advogado só pode fazer determinada pergunta uma vez.

A juíza intervém.

— O senhor sabe exatamente quanto tempo o Sr. Colquitt teria vivido se não tivesse sido tratado com o g-Livia?

— Óbvio que não — responde o Dr. Kapech e em seguida, vira de frente para o Sr. Stern outra vez.

— Dr. Kapech, quantos pacientes que recebem uma das outras terapias-padrão vivem *menos* do que os catorze meses que o Sr. Colquitt sobreviveu?

— Não sei ao certo. Posso pesquisar, se o senhor quiser.

— Faça isso, por gentileza.

Até Kiril reconhece a expertise de Bruno, mas Kapech não costuma testemunhar como perito e não está familiarizado com as encenações típicas de um julgamento. Em vez de consultar uma pilha de livros e artigos que levou para o tribunal, Kapech enfia a mão no bolso interno do paletó, pega o celular e mexe no aparelho por algum tempo. Nesse intervalo, Stern olha para os jurados e percebe que dois deles, que parecem se dar bem, trocam um olhar. Os dois, um homem negro de meia-idade e o rapaz mais jovem de rabo de cavalo, dão uma risadinha um para o outro, aparentemente achando graça do fato de um suposto perito não precisar fazer nada mais que mostrar o que aparece na tela de seu celular.

Enquanto Kapech mexe no celular, de repente Stern percebe como é estranho falar sobre carcinoma de pulmão de células não pequenas no estágio 2 como algo que acontece com outras pessoas. Na verdade, ele faz parte dessas estatísticas. Quando a palavra "câncer" saiu da boca de Al Clemente, foi como se o monstro de uma revistinha em quadrinhos tivesse baforado uma névoa escura e venenosa. Stern sentiu uma pontada no coração e perdeu o ar. Ali estava o que os escritores tinham em mente quando se referiam a uma "terrível doença". O câncer, descobriu Stern, era tanto ansiedade quanto os sintomas físicos. O que parecia ser o pior de tudo, conforme o diagnóstico foi se assentando em sua mente ao longo dos dias seguintes, foi não só o fato de que ele estava morrendo, mas de que não morreria bem. O tratamento contra tumores malignos não era muito melhor que as torturas praticadas pela CIA. Quimioterapia, enjoo insuportável, cirurgia, desfiguração. Stern lamentou por Helen, que, sendo tão corajosa e leal, teria que lidar com tudo isso. Queria que ela o tratasse como um idoso espartano e o atirasse da encosta de uma montanha. Mas talvez o pior disso tudo fosse encarar o fato de que não tinha coragem suficiente para fazer isso por vontade própria. Assim como a maioria dos seres humanos, ele tentaria seguir em frente, imploraria pela própria vida, por assim dizer.

— O Instituto Nacional do Câncer diz que, de todos os pacientes de câncer de pulmão e dos brônquios, 47% vivem um ano.

— Então 53% não vivem?

— Sim, mas o percentual de sobrevida é maior em carcinoma de células não pequenas do que em câncer de células pequenas. E oito a cada nove cânceres de pulmão são de células não pequenas. Desses, cerca de 30% são diagnosticados no estágio 2. Com base nos dados disponíveis, eu diria, por alto, que menos de 30% dos pacientes no estágio 2 morrem antes de catorze meses.

— Bem, voltando ao Sr. Colquitt, o cavalheiro do Mississippi. Havia uma chance de 30% de ele não sobreviver aos catorze meses como sobreviveu tomando o g-Livia. É por aí?

— É por aí. Mas vamos ser honestos com todos e dizer que a chance é de 25 a 30%.

Kapech pretende ser imparcial, mas sua disposição para estipular a verdade é mais um fato que pode inspirar os jurados a duvidar dele.

Do outro lado do tribunal, Stern para e observa Kapech minuciosamente. Está nítido que Bruno gosta de ser reconhecido como a grande autoridade no assunto, mas, seja lá qual for sua rixa com Kiril, certamente não parece estar distorcendo os dados. Stern tem a sensação de que, se pedir as opiniões de Kapech, em vez de contestar as que ele já deu, o perito continuará respondendo em tom amigável. Os advogados são ensinados a, durante uma inquirição cruzada, não fazer perguntas cujas respostas não conheçam de antemão, mas a intuição de Stern lhe diz que diante dele há uma boa oportunidade para a defesa.

— Como epidemiologista, Dr. Kapech, o senhor diria que existe uma alta probabilidade de o Sr. Colquitt ou qualquer outra pessoa diagnosticada com carcinoma de pulmão de células não pequenas no estágio 2 viver mais de catorze meses?

Kapech faz uma careta.

— Eu não diria "alta probabilidade". Uma boa chance, sim. Uma alta probabilidade, não. É questão de semântica, lógico, mas para mim uma alta probabilidade é algo perto de 85 a 90%.

Os jurados ainda não compreendem, porque não foram instruídos com base na lei. Neste momento, esse vai e vem entre Stern e Kapech provavelmente lhes parece um detalhe desnecessário. Mas o fato é que, se não havia uma alta probabilidade de as vítimas citadas na denúncia terem vivido mais do que viveram, Kiril não pode ter cometido homicídio. Não se pode matar um fantasma. Resumindo, o principal perito em epidemiologia do governo acaba de atestar que Kiril não é culpado. Stern vira o corpo por um breve instante e vê Marta levando a mão à boca para esconder um sorriso.

Após marcar um gol de placa como esse, Stern sabe que deve se sentar. Mas ele tem aquele rompante que já vivenciou tantas vezes durante uma inquirição cruzada.

— Só para deixar claro, Dr. Kapech, os pacientes diagnosticados com carcinoma de pulmão de células não pequenas sofrem de uma doença muito séria que, infelizmente, tem grande chance de matá-los em algum momento, qualquer que seja o tratamento.

— Não posso discordar.

— E, no seu depoimento, o senhor está simplesmente contrastando o que aconteceu com esses pacientes em particular com o que se poderia prever que aconteceria, caso eles tivessem se valido das terapias-padrão antes de o g-Livia ficar disponível.

— Correto.

— Mas o senhor concorda que as taxas de sobrevida do g-Livia mostram que ele *é* uma escolha melhor para o primeiro ano, mesmo em se considerando essas reações isoladas?

Feld protesta, alegando que a pergunta não tem relevância, mas Sonny indefere e olha para a mesa da acusação com cara de poucos amigos.

— Sim, Sr. Stern, os dados de um ano são muito melhores. Mas, como o senhor sabe, julgamos com base nas taxas de sobrevida de cinco anos. Como o g-Livia foi retirado do mercado, não temos nenhum dado de longo prazo nem relatos isolados. Portanto, não sabemos quantos pacientes teriam desenvolvido uma reação alérgica letal nesse período mais longo.

Stern fica imóvel. Tem algo de errado com o que Kapech acaba de dizer.

— Por "relatos isolados", o senhor se refere a relatos sobre o que aconteceu com pacientes específicos, e não num estudo rigoroso?

— Exato.

— Mas o senhor tem conhecimento de relatos isolados sobre o uso prolongado do g-Livia, não tem?

— Não que eu saiba.

Stern sabe que isso não é verdade. Ele e Kapech conversaram não só sobre seu caso, mas também sobre os de outros cinco pacientes que começaram a tomar g-Livia depois dele, entre o fim de 2013 e o começo de 2014. Incluindo Stern, cinco continuam vivos.

— Bem, doutor, o senhor tem conhecimento de pelo menos um relato de paciente de carcinoma de células não pequenas que sobreviveu mais de cinco anos graças ao g-Livia, não tem?

— Não. — Kapech balança a cabeça com firmeza.

— O senhor não conhece o *meu* histórico médico, Dr. Kapech?

Do outro lado da sala de julgamento, Feld grita "Protesto!" e, atrás dele, Moses berra a mesma palavra, no mesmo tom furioso de quando Stern mencionou as ações cíveis durante os debates orais.

Stern olha para trás. Existe uma regra inviolável que proíbe o advogado de se tornar testemunha diante dos jurados. Ele percebe o que fez, abana a mão para Kapech e diz:

— Retiro a pergunta. Sem mais perguntas.

— Sr. Stern! — vocifera Sonny.

Só agora, ao olhar para a juíza, é que ele percebe que não entendeu a gravidade da situação. Sonny o encara furiosa.

— Retire o júri — ordena ela, gesticulando para Ginny Taylor, a oficial de justiça em seu uniforme azul.

Os jurados saem rapidamente. Stern se dá conta de que perdeu a noção das coisas. Por causa das lembranças do trauma de seu diagnóstico e do fato de conhecer Kapech fora do tribunal, ele acabou se deixando levar pelo momento.

— Peço desculpas, Meritíssima.

Ele começa a se explicar, mas a juíza está balançando a cabeça grisalha com veemência.

— Não, Sr. Stern. Eu já avisei que não vou tolerar mais nenhuma infração. O senhor sabe muito bem que sua condição médica não tem importância neste caso. Se não é capaz de seguir as regras, então lhe digo neste exato momento que vou ordenar que a Srta. Stern conduza a defesa do réu sozinha.

Parte do trabalho dos advogados de defesa é entrar em conflito com os juízes, mas a rispidez da repreensão, especialmente vinda de Sonny, a quem considera uma boa amiga, faz Stern se sentir como se alguém tivesse atravessado uma lança em seu corpo. Perder o caso de Kiril é um risco aceitável. Ser retirado do caso por ser considerado fora de controle, porém, é uma humilhação que ele terá que carregar para o túmulo. De repente, Stern sente uma fraqueza provocada pela confusão e pela tristeza e cai em uma cadeira da mesa da defesa, deixando para Marta a tarefa de se aproximar da bancada da juíza, seguida por Feld e Moses. Feld fala enquanto o procurador da república, extremamente irritado, olha para trás e encara Stern, que de repente se dá conta de que pode ter estragado esse relacionamento também.

Embora Marta considere Moses um amigo, a ligação de Stern e Moses é, acima de tudo, profissional. Apesar disso, sempre pareceu haver um profundo respeito de ambas as partes. Assim como todos os procuradores, Moses é uma pessoa extremamente crítica, mas ao mesmo tempo se esforça para ser justo e sempre se mostrou disposto a ouvir os argumentos de Stern em defesa de seus clientes. Em entrevistas coletivas, Stern elogiou Moses após ele ser nomeado procurador da república dois anos antes, após quase uma década como primeiro assistente. Stern foi um dos poucos na comunidade legal a não se mostrar surpreso ao saber que Moses sempre foi um republicano de carteirinha.

Moses cresceu no conjunto habitacional da rua Grace, em circunstâncias tristemente comuns. Foi criado pela mãe e pela avó, enquanto seu pai, a quem jamais conheceu de verdade, cumpria trinta anos de cadeia na Penitenciária Rudyard. Entre as histórias mais horripilantes da infância de Moses estão as vezes que sua mãe o colocou deitado com sua irmã dentro da banheira para protegê-los do tiroteio no corredor do andar. A Sra. Appleton trabalhava dois turnos na linha de montagem de uma fábrica para pagar a escola católica dos dois filhos, embora eles passassem o fim de semana ao lado dela na Igreja Batista Rio de Sião. Moses foi um dos apenas doze garotos de sua turma a terminar o ensino médio. Em seguida, alistou-se nos Fuzileiros Navais. Ao voltar, se valeu de uma lei de benefício a veteranos de guerra e se inscreveu na faculdade de direito, a qual frequentava à noite, após dirigir um furgão de entrega da UPS o dia inteiro. Ao longo desse caminho, Moses desenvolveu pontos de vista fixos sobre o que é mais justo para pessoas como ele, que começaram do nada: estabilidade. Regras seguidas por todos. Um sistema igualitário de recompensas. Além das demandas do seu cargo de procurador da república, uma vez por semana, Moses dá aulas na St. Gregory, escola onde cursou o ensino fundamental.

Esse mesmo código pessoal também faz de Moses um cavalheiro fora da média. Quando a juíza Klonsky disse a Stern que ele poderia inquirir as testemunhas sentado, Moses disse que, se Sandy escolhesse essa opção, a acusação faria o mesmo. A conclusão aparente de Moses — de que, com a idade, Stern se tornou um homem desonrado — faz com que o advogado de defesa se sinta uma criança repreendida, completamente envergonhada.

Nesse meio-tempo, sabendo como esse momento se tornou doloroso para seu pai, Marta o defende com veemência.

— Meritíssima — diz ela. — Eu insisto que a senhora deve questionar o Dr. Kapech sem a presença do júri. Não tenho a menor dúvida de que descobrirá que o Dr. Kapech *sabia* que as respostas que estava dando eram falsas.

Inesperadamente, Feld ergue a mão para interromper.

— Enquanto eu preparava Bruno para o depoimento, ele me disse que conhecia o Sr. Stern e que sabia da condição médica de Sandy, e eu disse a ele que nada disso deveria ser mencionado. Não vi como essa informação poderia ter qualquer relevância. É óbvio que ele não entendeu bem. Mas eu ia pedir ao Dr. Kapech que corrigisse o depoimento na reinquirição.

Sonny fecha os olhos para absorver todas as informações. Em seguida, gesticula, se levanta e, já de costas, olha por cima do ombro e declara:

— Preciso de cinco minutos.

Marta volta para a mesa da defesa e sussurra alguma coisa rapidamente para Kiril. Em seguida, segura o pai pelo cotovelo e o leva para fora, passa por duas salas de audiência vazias até ficarem a sós sentados em um banco de nogueira ao fim do corredor de mármore branco.

A essa altura, o ânimo de Stern já seguiu um curso previsível, indo da culpa à indignação, sobretudo à luz do que Feld acabou de explicar. Para Stern, a repreensão da juíza está relacionada, acima de tudo, à sua idade. Se ele fosse quarenta anos mais jovem, a juíza saberia que algo não estava cheirando bem na história do Dr. Kapech.

— Eu juro, Marta. Se Sonny tentar me remover, eu vou apelar.

— Isso não vai acontecer, pai. Ela ficou puta com o que estava acontecendo na sala. Acho que ela odiou as acusações de homicídio. Quando Kapech deu aquela resposta sobre "alta probabilidade", ela olhou para Moses parecendo que queria *matá-lo*. Eu quase soltei uma gargalhada.

Stern se dá conta de que foi nesse momento que viu Marta escondendo o sorriso. Mas por ora ele está mais preocupado com o próprio destino do que com o de seu cliente.

— Eu não estou ficando doido e fico ressentido com o simples fato de ela presumir isso.

— Pai, você não está doido. Eu teria construído uma barricada nas portas daquela sala se achasse que estivesse. Sua capacidade de julgamento, seu raciocínio, sua inteligência no geral... Tudo isso continua intacto. Mas seu autocontrole em uma situação dessas, quando Kapech de repente o irrita, não é mais o mesmo. Você chorou em público dez vezes mais quando Helen morreu do que quando a mamãe morreu. Eu fiquei feliz de ver que você não era mais uma pessoa tão fechada, mas agora é diferente, e você precisa me prometer, me prometer de verdade, que, quando sentir algum tipo de inspiração inesperada, vai parar e checar comigo antes. Basta olhar para mim.

Stern assente. Pode aceitar isso. Em meio a todos os outros choques, nenhum deles é mais profundo do que o fato de que seu apreço pelas regras, que para ele sempre foi como uma segunda pele, falhou conforme sua incredulidade diante de Kapech foi aumentando.

Quando eles voltam para a sala, Ginny, a oficial de justiça, está com a mão na porta dos fundos, o que significa que a juíza está pronta para voltar.

— Bem — começa Sonny, de volta à tribuna. — Pedi que a taquígrafa me acompanhasse e lesse a transcrição para mim, e devo dizer que culpo os dois lados. Sr. Feld, acredito que o senhor teria tentado remediar a situação na reinquirição, mas, sabendo que as respostas do Dr. Kapech sob juramento não eram verdadeiras, sobretudo porque ele não entendeu corretamente as *suas* instruções, o senhor devia simplesmente ter pedido para falar comigo ou se levantado e o corrigido. Sr. Stern, compreendo que estava em uma situação difícil, mas o senhor também deveria ter se aproximado para falar comigo antes de fazer uma pergunta que, em uma situação normal, está totalmente fora dos limites.

— Concordo — diz Stern rapidamente e, em seguida, faz um leve gesto com a cabeça. — Não acontecerá de novo.

— Tenho certeza disso. E para ser franca, ouvindo a transcrição, nem sequer tenho certeza sobre a relevância dessa parte do depoimento do Dr. Kapech, mas vamos deixar isso de lado e seguir para a reinquirição.

Quando uma pessoa está no banco das testemunhas, ela não pode discutir seu depoimento com os advogados de nenhum dos lados. Portanto, os esforços de Feld para se recuperar dependem da capacidade de Kapech de perceber as dicas nas próprias perguntas. Kapech se sai bem, considerando sua falta de experiência no tribunal.

— Quando o senhor respondeu ao Sr. Stern sobre "alta probabilidade"... essa é uma expressão bem definida no ramo da epidemiologia?

— Não. Longe disso. Só respondi com base nas minhas impressões.

— E o senhor certamente não estava usando esse termo no sentido estrito da lei.

— Não, de jeito nenhum. Afinal eu sou médico, não advogado.

Quando Kapech deixa o banco das testemunhas, a juíza lembra aos jurados que eles não devem discutir o caso com ninguém e suspende o julgamento até a próxima semana. Segunda-feira foi o dia do sorteio do júri, um processo complexo, considerando que o caso de Kiril teve muita notoriedade. Sonny não julga casos na sexta, dia reservado para avaliar os pedidos dos advogados das centenas de outros casos em seu calendário.

Ao fim da sessão, Stern segura Kiril pela manga e pede para conversar com ele em seu escritório.

— Sozinho — acrescenta, em voz baixa.

Pafko acena rapidamente com a cabeça, como se já soubesse o assunto, e diz que vai providenciar um transporte para levar Donatella para casa, e depois vai de carro até o escritório de Stern.

Stern se encontra com Ardent na calçada do fórum. Mais uma vez, está completamente exausto, por causa do atrito que aconteceu entre ele e Sonny. No fim das contas, Stern acha que a crítica da juíza foi mais direcionada a Feld do que a si mesmo. Mas isso não importa, porque ele sabe que o Sandy Stern das antigas, o advogado de reputação esplêndida, teria pensado em uma reação mais habilidosa às respostas falsas de Kapech, em vez de violar uma regra centenária que proíbe advogados de se tornarem testemunhas nos casos em que estão trabalhando. Na privacidade do carro, Stern pode encarar a desconfortável verdade que vem se avolumando como uma névoa triste em seu coração: ele não tem mais condições para exercer seu ofício. Marta estava certa. Ele nunca devia ter aceitado representar Kiril.

Mas agora ele já está sentado nesse trem que não para de acelerar. Pelo bem de Kiril, e pelo dele próprio, Stern precisa dar tudo de si — reforçar a disciplina mental, redobrar a determinação. Chega de cometer erros bobos, de incompetências, de dançar à beira do abismo da catástrofe. Stern nunca mais será a mesma pessoa que já foi, mas ele deve a todos — a Sonny, a Marta, a Moses, a si próprio e, acima de tudo, a Pafko — sua melhor imitação do Stern do passado.

10. KIRIL

Como Stern conheceu Kiril Pafko? Conforme o caso *Estados Unidos contra Pafko* foi ganhando notoriedade, as pessoas começaram a fazer essa pergunta a Stern, mas a verdade é que ele não tem certeza absoluta. Foi há mais de quarenta anos. Ambos eram imigrantes argentinos, ambos tinham famílias jovens, ambos estavam começando a decolar em suas respectivas áreas profissionais; também havia o fato — que não precisa ser mencionado por questão de educação — de que ambos tinham sido astutos o suficiente para se casar com mulheres ricas. Na época, mais de uma pessoa havia sugerido que eles se encontrassem, mas tudo de que Stern se lembra de quando conheceu Kiril era a visão de um homem alto, educado e bonito caminhando por um salão, com um sorriso confiante e a mão estendida, pronunciando o cumprimento informal típico de Buenos Aires: "*Che, pibe.*" Oi, garoto.

Na época, Kiril tinha chegado ao condado como um jovem professor universitário de medicina formado em Harvard e já renomado. Stern também estava se estabelecendo. Seus anos batalhando por casos nos corredores do Superior Tribunal de Justiça do Condado de Kindle — recurso do qual se valeu após deixar a confortável posição no escritório do sogro — já tinham ficado no passado, ao contrário da constante ansiedade típica de imigrantes, sobre se vão ser bem-sucedidos ou não na carreira. Como seus sogros e cunhados sempre suspeitaram de seus motivos para se casar com Clara, Stern implorou à mulher que não aceitasse nem um centavo sequer dos pais, mas essa decisão fez com que o desafio de provar o próprio valor se tornasse bem mais difícil. Nos momentos mais cruciais dos julgamentos, Stern ainda esquecia certas palavras em inglês, e ele sabia que o sotaque do qual não conseguia se livrar provocava a desconfiança de juízes, policiais e, pior, de possíveis clientes. Sempre que tinha a sensação de fracasso iminente, Stern tomava plena consciência dos três filhos em casa que dependiam dele. Assim como outros seres humanos necessitavam de comida, água, abrigo, Stern desejava se sentir seguro.

Kiril, por outro lado, já era um homem imponente. De início, Stern teve a impressão de que os dois tinham quase nada em comum. Por todo o ressentimento que ainda sentia pelo próprio pai, Stern evitava a companhia de médicos. Pafko também era um excelente atleta. Ano após ano, Kiril reinava como campeão de tênis dos torneios simples nas quadras do clube do qual os sogros e cunhados de Stern eram integrantes, ao passo que ele próprio mal sabia segurar uma raquete. Mas talvez o mais irritante de tudo era a certeza de Kiril de que todos o adoravam, já que ele deslumbrava a todos com aquele irresistível charme estrangeiro.

Nem o fato de Alejandro e Kiril serem argentinos os unia, tendo em vista que eles vinham de estratos sociais completamente diferentes. Os distúrbios que eclodiram na Europa na década de 1880 e culminaram nas Guerras Mundiais levaram centenas de milhares de europeus à Terra da Prata, na época vista como um país de oportunidades que rivalizava com os Estados Unidos. Os Pafko, viticultores donos de vinhedos próximos a Bratislava, deixaram a Eslováquia rumo à Argentina em 1919, quase uma década antes de os Stern fugirem da Alemanha diante da crescente onda de antissemitismo. Os Pafko prosperaram como produtores de vinhos em Mendoza. Os Stern passaram dificuldades. O pai de Stern, um médico incompetente e irresponsável, vivia se mudando, levando a família de um lugar para outro. Quando morreu, ainda jovem, deixou-os na pobreza.

Foram as esposas, Clara e Donatella, que formaram o elo inicial. As duas se pareciam em tudo: ambas haviam nascido em berço de ouro, ambas tinham estudo, ambas eram mentes pensadoras e extremamente discretas. Eram musicistas habilidosas. Ansiavam pelas tardes, que aconteciam uma vez por mês, em que almoçavam e assistiam a uma sinfonia. Muitas vezes as famílias se reuniam nos meses de verão, quando os Stern eram convidados frequentes no clube privativo. Por mais que tivesse certo pé-atrás no início, Stern começou a apreciar Kiril por seu raciocínio rápido, seu senso de humor e suas habilidades como contador de histórias.

E então, de repente, ambos foram atingidos por um raio, unidos por aquilo que, na região, era considerado fama. A amizade se fortaleceu, porque poucas pessoas sabiam o que era montar em um foguete rumo à estratosfera do reconhecimento. Em 1986, Stern defendeu o caso do subdelegado contra o Ministério Público do condado de Kindle, um homem casado acusado de assassinar uma promotora que alegadamente era sua ex-amante. O caso se emaranhou com uma campanha de eleição local para promotor público e, com seus aspectos tórridos, ganhou notoriedade de uma costa à outra do país. Stern passou a ver fotos suas em revistas como a *Time* e a *People*, carregando pastas cheias de documentos enquanto caminhava desajeitadamente em direção ao tribunal. Em pouco tempo, descobriu o *modus operandi* da mídia americana, no qual atenção gera atenção. Com isso vieram clientes importantes — executivos de corporações, depois o arcebispo católico do condado de Kindle, que Stern conseguiu manter longe da cadeia apesar das inúmeras fraudes para tentar esconder um filho fruto do relacionamento de Vossa Excelência Reverendíssima com uma menina de catorze anos. Para Stern, tornou-se rotina ser apresentado a desconhecidos como "um advogado famoso". Às vezes, se esse novo conhecido parecia ter senso de humor, e Clara — ou mais tarde Helen — estivesse presente, Stern acrescentava: "Por favor, não fique impressionado. Não tenho fãs correndo atrás de mim por aí."

O grande momento de Kiril foi em 1990, quando ele recebeu o prêmio Nobel. Stern ficou empolgado por Kiril, por Easton e pelo condado de Kindle, que sofria com sua fama de "cidade de segundo escalão". Kiril aceitou a fama sem o menor sinal da hesitação que Stern demonstrava sob os holofotes. Se a atenção é uma droga, Kiril a injetava na veia. Durante meses recontou a história da vez em que, um dia após o anúncio em Estocolmo, entrou no Matchbook, um restaurante estiloso no centro da cidade, e todos os clientes ficaram de pé para aplaudi-lo. O g-Livia tinha gerado outra rodada de aclamação nacional a Kiril — até que o *Wall Street Journal* o retratou como uma fraude.

Não muito tempo depois de Stern chegar ao escritório, após seu momento de decisão no Cadillac, Kiril aparece. Pafko, como sempre, fala com imponência.

— Sandy, se você vai se explicar sobre a juíza, por favor, nem se dê o trabalho. Sei que ela é sua amiga, mas está óbvio para mim e para Donatella que ela tem pavio curto.

Embora soubesse que Kiril estava muito errado, Stern não levou em consideração como os jurados enxergaram seu entrevero com Sonny. Kiril podia ter razão ao dizer que ela parecia ter pavio curto, mas não é sobre a juíza que Stern quer conversar.

— Kiril, chamei você aqui sem Donatella para conversar um pouco sobre Innis. — Stern se refere à Dra. Innis McVie, uma mulher que foi amante de Kiril durante muito tempo e que deixou a PT em janeiro de 2017, após o g-Livia ser aprovado pela FDA e Kiril começar a ter um caso com a diretora de marketing, Olga Fernandez, de quarenta anos.

— Entendi — diz Pafko, um pouco ressabiado. — O que tem ela?

— Ela finalmente aceitou conversar comigo. Amanhã viajo à Flórida para vê-la. Queria que você soubesse. Pinky ficou de ir à PT para pegar a ficha do RH sobre ela, para que eu consiga me preparar.

— Ah — diz Pafko, com um sorriso sarcástico. — Não se esqueça de levar protetores de ouvido. Você vai ouvir coisas horríveis sobre mim. E a verdade não será um obstáculo. Como diz Shakespeare: "Não há no inferno ferocidade como a de uma mulher desprezada".

— É melhor saber o que está por vir, Kiril.

— Concordo — responde Kiril, sucinto.

No ano passado, quando Kiril implorou para que Sandy aceitasse defendê-lo, Stern podia tê-lo alertado — e a si mesmo — que ser o advogado criminal de defesa de alguém raramente faz com que se passe a ter uma opinião melhor sobre o réu. Com o passar dos anos houve exceções, lógico, clientes que exibiram uma coragem ou uma honestidade impressionante. Mas, em geral, o que você descobre é decepcionante. Stern não fazia a menor ideia de que, aparentemente, Kiril tinha uma amante de longa data. Óbvio que isso é comum em se tratando de homens poderosos. Mesmo assim, tendo sido um marido rigorosamente fiel às suas duas mulheres, Stern não vê o comportamento de Kiril com bons olhos. E a verdade é que Sandy gosta demais de Donatella para considerar as atitudes de Pafko totalmente inofensivas, embora não tenha a menor ideia do que ela sabe de fato.

Mas, se Kiril se importa com o longo relacionamento que teve com Innis, hoje não dá o menor sinal disso. Obviamente prefere não falar sobre ela, e, percebendo isso, Stern o dispensa logo em seguida. Após levar Kiril à porta, Stern volta para a sala, ocupa seu posto de observação na janela e reflete, não pela primeira vez, sobre como considera seu cliente um homem enigmático — sentimento que se estende para o relacionamento entre eles.

No dia em que Stern aceitou trabalhar no caso, Kiril o abraçou e, chorando, se disse inocente. Depois, quando já estava a caminho da porta, parou para abraçar Stern outra vez.

— Obrigado, Sandy — agradeceu ele. — Obrigado. Considero do fundo do meu coração que você é o melhor amigo que eu tenho.

A declaração foi surpreendente, porque Stern jamais diria algo parecido. Stern tem um afeto genuíno por Kiril e Donatella. Para ele, ao longo das décadas, os Pafko se mostraram pessoas de valores íntegros e com ótimas qualidades. O jeito polido de Kiril, no entanto, também funciona como uma barreira. No fundo, Stern sabe muito pouco sobre ele.

Mas a verdade é que essa limitação não preocupa Stern. Ele teria dificuldade para citar um homem — pelo menos um homem vivo — com quem tem laços profundos. Sim, ao longo dos anos houve homens por quem sentiu fortes afinidades profissionais, estabelecidas no decurso de casos difíceis, e sempre houve homens com quem ele jogava cartas ou assistia aos jogos do Trappers. Mas a verdade, verdade essa que ele passou a aceitar na velhice, é que seus elos mais íntimos sempre foram com mulheres — com sua mãe e sua irmã, com Helen e Marta, e até com Clara, nos primeiros anos do casamento.

Apesar disso, na última década Kiril se tornou um personagem importante na vida de Stern, uma pessoa com quem Stern sente uma conexão instintiva. Hoje, após reviver no tribunal a sensação de angústia causada pelo seu diagnóstico e o terror que viveu por vários anos, de repente Stern se dá conta da forte gratidão que nutre por Kiril. Pafko não foi apenas o médico responsável por Stern receber o medicamento que salvou sua vida. O que Kiril ofereceu a Stern, com o g-Livia, pode ter sido algo muito mais importante.

Quando Kiril estava avaliando o caso de câncer de Stern em 2013, Sandy se encontrou com ele em uma salinha de exames na Faculdade de Medicina de Easton. Pafko estava de jaleco e à vontade. Na época, atendia poucos pacientes, mas se mostrou impressionantemente acostumado a essas ocasiões. A essa altura Stern já havia se consultado com vários oncologistas. Alguns se sentiam na obrigação de animá-lo a qualquer custo, enquanto outros eram pessimistas e se limitavam a citar os fatos desanimadores. Mas, no papel de médico, Kiril tinha uma magia inegável que se valia de seu carisma natural. Stern se sentou na ponta da mesa de exame, e Kiril colocou as mãos nos ombros de seu paciente, se inclinou para a frente e o encarou, olho no olho.

— Sandy, eu acredito no medicamento. Mas também acredito em você. Sabe, nós descrevemos a resposta ao tratamento como uma curva de sino. Na extremidade da curva, sempre há pacientes que ultrapassam as expectativas. E por quê? A determinação por si só não é capaz de vencer a doença, Sandy. Mas querer viver e ter uma razão para isso... Todo oncologista vai lhe dizer que isso é importante, embora nenhum deles saiba dizer exatamente o motivo. Você, Sandy, é o tipo de paciente que vive, que vence a batalha por muito, muito mais tempo do que a maioria das pessoas.

Kiril manteve o olhar fixo no dele, segurando Stern quase como se encarasse um filho, com uma pegada notável pela força e pelo efeito reconfortante. Meses depois, antes mesmo de Stern começar a ver os resultados do tratamento, ele se lembrou desse momento como o marco em que começou uma transformação fundamental em sua atitude. Ele parou de se preparar para a morte e voltou a seguir em frente — a ansiar pelo prazer de estar em casa com uma mulher que o amava incondicionalmente, a querer ver seus netos desabrocharem como flores, a absorver o legado de uma vida que, considerando todos os fatos, sentia que tinha sido bem vivida. E, por isso, Stern tinha uma enorme dívida com Kiril — não só pelo tempo de vida que o g-Livia lhe deu, mas pelo fato de Kiril ter renovado, de algum modo, seu prazer de viver.

Agora Pafko pediu que Stern retribuísse o favor de alguma forma, que evitasse que os poucos bons anos de vida que lhe restam lhe sejam tirados. A verdade é que provavelmente ninguém neste planeta seja capaz de tal façanha. Conforme o próprio Stern acabou aceitando hoje, o tempo em que era capaz de proezas certamente já ficou para trás. Mas ali, em pé, diante da janela após a visita de Kiril, Stern enxerga com uma clareza que nunca teve antes os motivos que o levaram a aceitar o caso e as consequências emocionais disso.

11. INNIS

Do ponto de vista restrito de um advogado criminal de defesa, *Estados Unidos contra Pafko* é um caso ideal. As acusações requerem uma defesa cheia de nuances. A atenção da mídia nacional, atraída pela combinação do prêmio Nobel de Kiril com a ampla publicidade e propaganda do g-Livia organizada por Olga Fernandez, aumentaram exponencialmente o nível de empolgação. Além disso, o caso promete render excelentes honorários — algo longe de ser por acaso. Em vez da típica queda de braço para fazer os clientes pagarem pelos serviços — nem os mais abastados veem muita utilidade nas contas recebidas após serem condenados —, o estatuto da PT obriga que os custos judiciais de Kiril sejam, pelo menos por ora, pagos pela empresa.

Além de tudo, o vespeiro de ações cíveis contra a empresa e contra Kiril tiraram parte da carga dos ombros dos Stern. Eles fizeram acordos de defesa conjunta com os megaescritórios de advocacia que estão cuidando das ações cíveis, o que lhes rendeu a permissão para utilizar esses recursos para pesquisas, consultas a peritos e até gráficos criados para serem exibidos no tribunal, como a animação da molécula RAS que Stern apresentou em sua abertura. Do ponto de vista da PT, todo esse dinheiro é bem gasto, levando em consideração que a condenação criminal de Kiril praticamente decidirá o resultado da maioria das ações cíveis. No tribunal, os Stern preferem manter uma aparência humilde, em que apenas Marta, Pinky e um velho de bengala encaram a colossal máquina burocrática do governo representada por nove pessoas sentadas à mesa da acusação. Mas, no escritório dos Stern, quatro advogados e dois assistentes jurídicos nomeados por uma empresa nacional com escritório no condado de Kindle podem ser chamados para prestar assistência a qualquer momento — o que é uma bênção, já que muitos funcionários da Stern & Stern já encontraram novos empregos e saíram do escritório porque as portas vão se fechar em breve.

Em certo escopo, porém, Stern sempre preferiu fazer ele próprio o trabalho. Mesmo na época em que ele e Marta contavam com dois investigadores particulares a postos, ele gostava de ver as testemunhas cara a cara antes de confrontá-las no tribunal. A decisão de deixar Stern a cargo de entrevistar as possíveis testemunhas se deu quando os filhos de Marta eram pequenos, para evitar que ela tivesse que viajar para fora da cidade ou fazer reuniões até tarde da noite.

Apesar disso, Marta inicialmente foi contra a viagem de Stern à Flórida para entrevistar a Dra. McVie, pois considerava que o peso de um julgamento, somado à viagem de avião, seria demais para seu pai. Stern acalmou a filha prometendo que, após a conversa com Innis McVie, uma limusine o pegaria e atravessaria o estado para que ele pudesse descansar sexta à noite e sábado na mansão de Silvia, irmã de Stern, de frente para o mar, em West Palm Beach. Marta considera a tia uma pessoa confiável, capaz de cuidar de seu pai.

Stern pousa no aeroporto de Fort Myers pouco depois da uma da tarde de sexta-feira. A Dra. McVie, uma tenista ávida, só pode vê-lo após as três e meia, porque está participando de um torneio. O motorista da limusine, um imigrante cubano recém-chegado ao país chamado Cesar, leva Stern a um restaurante especializado em caranguejos, e Stern o convida para almoçar. A luz do sol é um alívio após uma semana repleta de emoções, sobretudo agora, que o outono chegou e fechou o tempo do condado de Kindle, onde, pelos próximos meses, a sensação será de viver dentro de um congelador. Após uma conversa hesitante em espanhol sobre as lindas paisagens que Cesar vê no país, eles aceleram pela Interestadual 75 rumo a Naples, onde a Dra. McVie foi morar após sua conturbada saída da PT.

Ao longo das últimas duas décadas, Stern e Helen viram amigos se mudarem para a Flórida a fim de fugir dos impostos sobre renda e herança do norte. Para Stern, porém, não há dinheiro no mundo que valha essa mudança. Com pântanos e jacarés pelo interior, além de condomínios fechados e shoppings nas cidadezinhas com trânsito parado ao longo das costas, o estado da Flórida mais parece uma colônia penal gigante para os idosos americanos, onde, tal qual os personagens de uma peça famosa, os moradores foram cegados pelo sol e não se deram conta de que estão no inferno.

O carro já está quase chegando a Naples quando Stern recebe uma mensagem de texto e um e-mail de Pinky. Primeiro Stern lê o e-mail, pelo qual estava esperando. Há um scan do arquivo de RH de Innis em anexo. O documento tem algumas surpresas, mas Kiril — dono de uma generosidade da qual Stern já tinha ouvido falar — sabiamente despachou Innis com uma generosa indenização, que se somou lindamente às opções de compra de milhares de ações da PT que ela havia recebido.

A mensagem de texto, por outro lado, provocou um leve sobressalto em Stern. "Olha o que eu vi na PT quando fui pegar o arquivo de Innis!" Anexada à mensagem havia uma série de fotos tiradas por Pinky, tanto do andar de cima quanto do térreo, de um carro no estacionamento da Pafko Therapeutics. É um Chevrolet branco do ano, um Malibu, de acordo com a plaquinha de identificação de aço inoxidável na mala do veículo. Pinky até tirou uma foto do adesivo oval de estacionamento da PT na janela traseira. As imagens provocam uma sensação esquisita em Stern, algo parecido com um déjà-vu.

Isso é uma coincidência ou um mau sinal? Stern precisa de mais tempo para refletir. Ele manda uma mensagem para Pinky: "Bravo! Mas não faça mais nada até conversarmos." Entre outras coisas, ele precisa pensar sobre como falar a respeito do Malibu branco com Kiril.

A casa de Innis McVie fica em um bairro de Naples chamado Port Royal, um refúgio dos super-ricos. As estruturas imponentes que Stern vê ao passar no carro conduzido por Cesar lembram castelos europeus, com jardins de cem metros na frente das propriedades e, nos fundos, o golfo do México com suas praias de areia branca como açúcar. A casa da Dra. McVie, de estuque laranja com detalhes brancos, está situada no fim de uma rua sem saída e não é tão grandiosa quanto as mansões pelas quais eles passaram. Apesar disso, como a residência dá diretamente para o mar, Stern acredita que, mesmo não sendo tão grande, deve valer mais de dez milhões de dólares, uma compra que Innis McVie poderia fazer sem dificuldade após vender as ações da PT assim que o g-Livia entrou no mercado.

Ao contrário do filho de Kiril, Lep — com quem os Stern tiveram duas reuniões tensas acompanhados de seus intrometidos advogados de Chicago —, Innis McVie dispensou seu advogado, Rex Halsey, pouco depois de fechar com o governo um acordo de não persecução. Ela mesma retornou as ligações de Stern, dizendo que não tem nada a esconder e acrescentando que, como filha de escoceses regrados, considerava honorários advocatícios um desperdício de dinheiro. Apesar disso, até pouco tempo ela vinha se esquivando do pedido de Stern de que se encontrassem. Aconselhada por Rex, com quem ainda se consulta vez ou outra, Innis finalmente concordou em conversar com Stern —, mas desde que ele aparecesse sozinho, para depois não surgir ninguém afirmando em depoimento que Innis não está falando a verdade durante o julgamento. Como as testemunhas que fazem acordo de não persecução com o governo geralmente tomam todo o cuidado para evitar desagradar o governo — incluindo-se aí encontros com advogados de defesa —, Stern aceitou as exigências sem pestanejar.

Stern telefonou do carro para avisar que estava chegando, e a Dra. McVie o recebeu com um sorriso no rosto sob o enorme pórtico arqueado de mogno da entrada de sua casa. A frente da propriedade tem largas pilastras decorativas brancas e venezianas de aço inoxidável meio fechadas atrás de janelas enormes. Innis o chama de Sandy e segura a mão dele com um aperto forte, que ele esperaria de alguém que jogasse tênis em nível competitivo.

Dentro da casa, Stern vê que os fundos da propriedade têm uma parede de vidro, janelas que se dobram como um leque, desaparecendo completamente. Do lado de fora, é possível ver uma piscina grande e um pátio coberto, tudo protegido por uma tela que permite a entrada do sol e evita insetos ou a queda de folhas. Enquanto caminha, Stern não poupa elogios à casa que, só entre eles, Helen teria descrito como "decorada demais", uma mistura de estampas ousadas e antiguidades francesas do século XVIII. Fica nítido que seus netos não fazem visitas. Na sala de estar, todos os objetos valiosos estão em seu devido lugar. Os terríveis tons pastel que tomam conta da decoração da maioria das casas da Flórida — inclusive a da irmã de Stern — não têm vez ali. Em vez disso, há muito vermelho.

Quanto à Dra. McVie em si, a primeira impressão que ela passa é de uma pessoa animada, de risada fácil, certamente o oposto da megera amargurada descrita por Kiril. A poucos dias de completar setenta anos, ela continua atraente, com um corpo esbelto típico das mulheres do norte europeu, a aparência que há mais de um século é considerada o ideal americano de beleza. Aparentemente, ela deu um mergulho no mar ao chegar em casa após a partida de tênis, pois está com o cabelo úmido e usando um top de natação, saída de praia florida e sandálias de cortiça. Stern percebe que ela mantém a forma atlética. O cabelo, grisalho e naturalmente cacheado, tem um corte curto, evitando que ela tenha trabalho no dia a dia. Em contraste com a pele, seus olhos azuis se destacam como faróis.

A Dra. McVie aponta para uma mesa à sombra. Ao se sentar, Stern agradece a ela por recebê-lo.

— Eu não tenho um lado nessa confusão, Sandy. E, para ser franca, estava curiosa para conhecê-lo. Você é um cara famoso.

— Ah, duvido. E o que quer que eu tenha sido, ficou no passado.

Stern nunca ligou para a grande notoriedade que o cercava no passado — na verdade, não era ele quem era famoso, e sim seus clientes. Apesar disso, não o surpreende que a Dra. McVie considere a fama algo interessante. Kiril já havia abalado as estruturas das pesquisas contra o câncer quando ela o conheceu trinta e dois anos atrás. Stern supõe que a posição e a reputação de seu cliente faziam parte do charme dele.

— Quando eu era nova, achava que ficaria famosa jogando tênis — confessa Innis. — Até que joguei contra Chris Evert. Ela tinha treze anos, e eu, dezenove. Só ganhei três pontos naquela partida. Foi quando decidi trocar de carreira e virar médica.

Stern dá uma risada alta, o que agrada Innis.

— Kiril falava muito a seu respeito — continua ela. — Você é viúvo?

— Pela segunda vez.

— Ah, sim, Kiril adorava sua segunda mulher. Diz que ela tinha um senso de humor maravilhoso.

— Já Clara era um pouco mais reservada, mas tinha uma relação muito próxima com Donatella.

Stern se pergunta se a menção a Donatella talvez tenha sido um erro, mas a Dra. McVie parece não se abalar, além de mencionar o nome de Kiril com naturalidade. Stern sentiu uma necessidade instintiva de defender Clara. Mesmo já mortas, ele não compara as duas ex-mulheres. Seus amigos costumam lhe dizer que ele era uma pessoa mais bem-humorada quando estava casado com Helen, o que era inevitável, uma vez que Clara vivia profundamente deprimida. Mas cada mulher marcou um longo período de sua vida, que ele contempla com muito mais satisfação do que dúvida; cada uma lhe deu algo que parecia essencial à época.

A empregada da Dra. McVie aparece com uma jarra de limonada e enche copos para os dois.

— E você começou a tomar o g-Livia logo depois dos cachorros e ratos, certo?

Quando ela pergunta sobre o estado de Stern, ele responde que a metástase continua sob controle.

— Cheguei à bendita situação em que meu médico agora prevê que vou morrer de outra coisa — explica ele. — Por outro lado, nessa idade, isso pode acontecer a qualquer momento.

— Ah, mas você parece ótimo! Aposto que vou ver você fazer noventa anos, Sandy. É daqui a quanto tempo? Mais ou menos uma década? Você é mais novo que Kiril, não é?

— Bem mais velho.

É ridículo se sentir lisonjeado por acharem que você é só cinco anos mais novo. Além do mais, basta se olhar no espelho para Stern saber que esses elogios beiram o cômico.

— O que só prova que eu estou certa — argumenta a Dra. McVie.

Ela está flertando com ele? Stern teve essa impressão quando ela perguntou se ele era viúvo. Apesar das tantas promessas que fez, os elogios de Innis provocam nele uma fagulha de interesse. Uma das descobertas da velhice é que esse aspecto do ser humano é indelével. Os instintos perdem força, mas nunca desaparecem por completo. O sexo importa. Sempre. Durante os anos em que fez a cirurgia e a quimioterapia, a paixão física se tornou mais rara entre ele e Helen, mas ainda estava ali, no cerne daquilo que os unia. Stern nunca viu o sexo como a única força motriz da vida. Ganância, glória, o amor dos filhos e Deus significam tanto ou até mais para algumas pessoas. Mas o sexo é o maior segredo dos nossos desejos mais profundos, revelado apenas na privacidade total. Existe um bom motivo para que a Bíblia se refira ao ato sexual como "conhecer" alguém.

Mas a verdade é que Innis provavelmente não tem segundas intenções. Pela experiência de Stern, existem homens e mulheres atraentes que, se não cegos, são indiferentes ao próprio poder sexual. No entanto, o inverso é mais comum. Innis provavelmente é dessas pessoas que flertam inocentemente desde os doze anos. Apesar disso, Stern decide que é melhor ir direto ao ponto. Pergunta se Moses sabe do encontro deles.

— Eu contei a ele — revela a Dra. McVie. — O Sr. Appleton obviamente preferia que eu não aceitasse. Disse que a única consequência é que eu vou dar a você uma chance maior de me fazer passar vergonha quando eu for depor. Isso é verdade?

Stern ergue a mão para ganhar tempo.

— Minha primeira lealdade deve ser a Kiril. Os promotores têm razão quanto a isso. Mas a defesa raramente se dá bem ao tentar mostrar que todas as testemunhas estão mentindo. Na minha cabeça, o motivo de uma conversa como essa é descobrir o que você tem a dizer que possa beneficiar Kiril. São perguntas que eu ficaria relutante em fazer sem saber as respostas de antemão. É por isso que os promotores preferem que a gente não converse antes do grande dia.

— Ah, certamente tenho muitas coisas positivas a falar sobre Kiril. E eu vou falar, embora ainda esteja muito irritada com ele. Furiosa, para ser sincera. E tenho certeza de que você sabe o porquê.

Innis encara Stern por cima dos óculos.

— Sei, sim — confirma Stern, que já imaginava que o longo relacionamento de Innis e Kiril seria um ponto delicado.

Assim como Lep, ela foi sócia de Kiril na fundação da PT. Com o passar dos anos, quando viajavam para os encontros científicos, eles pararam de se importar com o teatro de reservar dois quartos de hotel. Na verdade, vários cientistas com quem Stern conversou ano passado admitiram o choque ao descobrir que Kiril era casado com outra mulher.

— Mas não vamos tratar disso no tribunal, certo? — pergunta ela.

— Fizemos um pedido à juíza, e ela aceitou. As partes só podem dizer que você deixou a PT após um desentendimento com Kiril.

— Rex me disse isso. Francamente, foi por isso que decidi conversar com você. Parece que os promotores queriam expor todos os detalhes humilhantes.

Não é bem assim. Moses é adulto e aceita a existência do que acredita ser um pecado, mas, em geral, ele fica sem graça ao falar de sexo. Embora os promotores tenham se oposto ao pedido de Stern, Moses parecia mais interessado em garantir que, durante sua inquirição, Sandy não retrataria Innis como uma mulher rejeitada cheia de ódio. Com Donatella sentada na primeira fileira dos bancos todos os dias, as atividades extraconjugais de Kiril provavelmente causariam um estrago na imagem dele aos olhos do júri, e Sandy ficou mais que feliz ao concordar em evitar o assunto.

— Se eu soubesse o que sei agora, talvez não tivesse me sentado para falar com os promotores para começo de conversa. Nunca imaginei que eles tentariam mandar Kiril para a cadeia pelo resto da vida como um assassino. Isso é ultrajante.

— E eu concordo, lógico, mas quero ouvir seu ponto de vista.

— Sandy, não existe remédio sem efeitos colaterais nocivos. Tem gente que morre de overdose de Tylenol. O g-Livia é um medicamento extraordinário. Você é a prova viva disso. E a FDA vem sofrendo uma forte pressão para permitir a comercialização novamente, pelo menos em alguns casos. Eles ficaram alvoroçados porque, aparentemente, no início, não havia um consenso sobre o que estava causando essas mortes isoladas. Mas agora já se sabe que era uma reação alérgica, um problema que pode ser resolvido em qualquer enfermaria. A essa altura, a FDA já devia ter chegado a um consenso sobre a administração do g-Livia nos casos mais graves.

— Ah, imagino que Moses e o Departamento de Justiça devam ter mexido seus pauzinhos. Fica muito mais difícil conseguir a condenação por fraude se Kiril mentiu para ter a aprovação de um produto que está de volta ao mercado. Faz parecer que a suposta fraude foi irrelevante.

— Que ótimo — diz Innis, sendo sarcástica. — Então pacientes morrem para o governo conseguir prender Kiril?

— Garanto a você que eles têm desculpas para isso. Mas não é à toa que as ações criminais são vistas como um esporte sangrento, Dra. McVie.

— Parece que sim. Pelo que eu li, toda a denúncia contra Kiril é grosseiramente exagerada.

— De que forma?

— Francamente, esses médicos que depuseram dizendo que não perceberam que os pacientes estavam tendo uma reação alérgica eram idiotas. Nesses casos, mesmo quando não tem certeza da reação alérgica, você medica o paciente.

— Você diria isso sob juízo?

— Lógico que não — responde Innis, com um leve sorriso. — Olha, Rex pediu que eu ficasse neutra desde o começo. Eu respondi às perguntas dos promotores de forma simples e direta, e o que tiver de ser será. Mas não me esforcei para defender Kiril, nem vou fazer isso.

Stern a observa em silêncio por um segundo, refletindo.

— Eu seria um convidado ingrato se a desafiasse só um pouco? — pergunta ele, por fim.

— Óbvio que não.

— Eu diria, Dra. McVie...

— Innis.

— Innis, então. Acho difícil acreditar que você não quer o mal de Kiril tendo em vista que gravou a conversa telefônica quando ele ligou após falar com a Srta. Hartung.

Hartung é a jornalista do *Wall Street Journal* que entrou em contato com Kiril em 2018.

É por causa dessa gravação que Innis é uma testemunha tão valiosa para o governo. Ela praticamente condena Kiril na acusação de uso ilegal de informações privilegiadas. Ela também irá depor sobre as acusações de fraude, mas, nesse caso, seu depoimento é apenas uma versão mais branda do que Lep dirá no tribunal. A essa altura, mesmo após passar décadas escutando conversas gravadas, Stern sempre fica estupefato ao se dar conta de como as pessoas enganam as outras com frequência. A impressão é de que os diálogos se dão entre pessoas em trincheiras em um campo de batalha.

— Sim, mas eu gravei pensando que Kiril poderia *me* prejudicar.

— Como?

— Dê uma olhada nos registros do celular de Kiril.

Stern já fez isso e está intrigado.

— Até onde me lembro, ele não falava com você fazia um bom tempo.

— Sim, mas por quê? Veja os registros de dezoito meses antes, quando eu saí da empresa. Ele não me deixava em paz. Toda vez que bebia um pouco, pegava o telefone e começava a me implorar para voltar para a empresa, voltar para ele. Vivia dizendo: "Não entendo por que as coisas precisam mudar." Eu me sentia insultada, Sandy. E, para ser honesta, aquilo me doía. — A audácia de Kiril parecia não ter limites, em especial quando ele ficava bêbado. A esperança dele era que Innis aceitasse o rebaixamento de A Outra para Uma das Outras, agora que Olga estava em segundo lugar, atrás de Donatella. — Por fim, eu avisei a ele que, se continuasse me ligando, ia pedir uma ordem judicial.

— Uma ordem judicial está bem longe de uma gravação de áudio.

— Não. — Ela balança a cabeça. — Eu não queria que ele alegasse que estava me ligando só a trabalho. E achei que avisar que estava gravando era a forma mais simples de fazê-lo largar o telefone imediatamente. Sei que você já escutou a gravação. Eu disse de cara que estávamos sendo gravados.

Era verdade. Logo no começo ela disse:

"Kiril, estou gravando esta ligação. Já pedi para você parar de me telefonar."

"Então desligue o gravador." Respondeu ele. "Preciso conversar uma coisa com você." Kiril alega que ouviu o estalo de um botão sendo pressionado e presumiu que Innis havia parado de gravar. E dá para ouvir esse som na gravação. Mas Innis diz que Kiril se confundiu com o som de quando ela colocou o celular no viva-voz, pois Kiril tinha ligado quando ela estava na pia, com as mãos molhadas. Seja como for, a impressão equivocada de Kiril não tem qualquer relevância jurídica.

Na gravação, Kiril disse que tinha acabado de saber de relatos de pessoas tratadas com o g-Livia sofrendo mortes súbitas, talvez por reação alérgica, após um ano de uso do medicamento. Houve alguns segundos de silêncio, cujo significado seria objeto de uma disputa feroz no tribunal. Kiril não disse: "Como isso é possível?", "Você sabe alguma coisa a respeito?", "Fiquei chocado ao saber disso" ou qualquer frase que um advogado de defesa o teria feito falar. Mas até uma pessoa cética como Marta admite que Kiril parecia surpreso e confuso ao relatar essa informação.

Na gravação, Innis respondeu:

"Lamento saber disso. Mas por que está me ligando?"

Kiril gaguejou uma ou duas vezes.

"Bem, o que devo fazer?" Perguntou ele, por fim.

"Vender suas ações?"

Ouve-se uma risadinha após a sugestão de Innis, enquanto Kiril respondia com as palavras que o incriminariam:

"Eu não posso fazer isso, posso?"

"Sei lá, Kiril. Ligue para um advogado. Não tenho nada a ver com isso." Ela finalizou e desligou.

Stern pergunta a Innis agora, ao lado da piscina:

— Você concordaria que ele parecia surpreso quando lhe contou sobre a matéria que o *Wall Street Journal* ia publicar?

A Dra. McVie balança a cabeça levemente, ponderando.

— Ele certamente parecia em estado de choque. Você pode ouvir o que está na gravação.

— Mas ele parecia surpreso com o que Hartung, a jornalista, havia falado sobre o medicamento?

— *Eu* fiquei surpresa — declara Innis. — Mas minha principal reação, Sandy, foi de que isso não tinha mais nada a ver comigo. — Ela se inclina para a frente na sua cadeira outra vez. Com o movimento, a saída de praia acaba subindo pelas coxas, revelando suas pernas torneadas, sem sinais de idade. Ela passa a mão no tecido, mas não se esforça para arrumá-lo. — Olha, você não precisa de mim para reinterpretar o que está na gravação. Pode ouvir por conta própria. — Mais uma vez, provavelmente um conselho de Rex: não faça conjecturas que possam minar o trabalho dos promotores ou irritá-los. — Só estou lhe dizendo que não fiz a gravação para me vingar de Kiril.

— Embora tivesse o direito, certo?

— Ah, sim, lógico que tinha. Por trinta e poucos anos, eu passei mais tempo com Kiril do que com qualquer outra pessoa. Eu dormia com ele, trabalhava ao lado dele, escutava o que ele tinha a dizer e o corrigia quando podia. Dei ideias a Kiril e permiti que ele ficasse com o crédito. Fiz todas as idiotices que mulheres da minha época faziam pelos homens que amavam. Ou achavam que amavam. Ou por quem achavam que eram amadas. — Depois desse último comentário, ela baixa a cabeça, olha para a mesa redonda de vime entre eles e, por um breve instante, se perde em um devaneio do qual demora para sair. — Onde eu estava mesmo? — pergunta ela, depois de um tempo.

— "Amor", acho — responde Stern, simplesmente.

A resposta provoca um sorriso amargo.

— Certo. Amor. Mas, na verdade, qual é o propósito dessas palavras? Eu era ligada a Kiril. Ele foi o homem da minha vida? Sim. Mas não se deixe enganar. Era um relacionamento bem complicado. Por anos, ele contratou para o laboratório mulheres mais jovens que tinham a beleza como principal qualificação. Tenho certeza de que ele foi para a cama com algumas delas. E eu não criei caso porque havia outros homens na minha vida também. E como poderia ser diferente, se todas as noites ele ia para casa dormir com Donatella? Eu realmente me interessei ou me senti atraída por alguns desses homens. Com outros eu só fiquei por despeito mesmo. — Ela põe os óculos na mesa e balança a cabeça, como um boxeador se recuperando de um soco. — Vamos falar de outra coisa, Sandy. O que mais posso lhe contar?

Stern passa para as perguntas que dizem respeito ao cerne da acusação do governo, a alegação de fraude contra Kiril perto do fim do período de dezoito meses do ensaio clínico que supostamente aceleraria a aprovação do g-Livia. A PT, assim como a maioria das empresas farmacêuticas, tinha contratado uma empresa terceirizada, a Global International, para conduzir o teste. Nos últimos meses do ensaio, a Dra. Wendy Hoh, uma estatística da Global, percebeu que havia ocorrido recentemente um surto de mortes súbitas e alertou o vice-diretor médico da PT, que rapidamente levou o caso ao Dr. Lep Pafko.

Na versão de Lep, ele informou o pai imediatamente. Os dois concordaram que, quando Lep reaparecesse segunda-feira na empresa após uma conferência em um fim de semana em Seattle, os relatórios seriam enviados a um comitê de especialistas externos que atuavam como monitores de segurança para o ensaio e poderiam destrinchar os dados da maneira apropriada para descobrir se as mortes tinham relação com o g-Livia. Em vez disso, na segunda-feira, Kiril disse a Lep que, com os códigos de acesso da PT para casos de emergência, ele mesmo fez a quebra do cegamento, uma nítida violação às regras estabelecidas no início do ensaio. Kiril então explicou que tinha telefonado para Wendy Hoh, e os dois concluíram que as mortes súbitas eram apenas um erro do sistema, que estava considerando mortos os pacientes que haviam saído do estudo. A Dra. Hoh corrigira a base de dados.

O depoimento de Innis foi mais inócuo que o de Lep, mas, mesmo assim, ela corroborou a versão de Lep em detalhes importantes. Contou a Stern que, em dado momento, em setembro de 2016, Kiril lhe disse que estava preocupado com os dados do ensaio clínico do g-Livia. Semanas depois, quando Innis lhe perguntou sobre o assunto novamente, Pafko disse que o problema tinha sido resolvido. Ela diz que nunca mais pensou nessas conversas, até que a promotoria começou a questioná-la.

— Ele lhe disse que achava que havia um erro do sistema de dados? — pergunta Stern.

— Foram poucas palavras, Sandy. Sinceramente, na época nós praticamente não nos falávamos. — Por causa de Olga, sem dúvida. — Foi uma conversa rápida, e eu lembro que só fiz a pergunta porque tinham nos deixado a sós por um segundo e eu estava procurando um assunto para falar. Foi o mesmo que perguntar sobre o tempo.

— Mas nada do que ele disse conflitou com a alegação de ter descoberto que o problema todo se resumia a um simples erro de código?

— Acho que não. Mas não sei a que exatamente ele se referiu quando disse que o problema tinha sido resolvido.

— Bem, Innis, permita-me fazer uma pergunta: ao longo dos anos em que trabalhou ao lado de Kiril, alguma vez você o viu falsificar dados?

— Não, não posso afirmar isso. Mas sabe que, quando conheci Kiril, ele já era um figurão... e o fato é que adorava interpretar esse papel. Milhares de pessoas trabalhavam para ele no laboratório. Ele presidia as reuniões. Mas o verdadeiro trabalho científico, de observação e registro, em geral era feito por outros.

— Mas você o considera um grande cientista, não é?

— Eu o considero grandioso... — responde Innis. — Como cientista, ele tinha visão. E só Deus sabe como ele é bom de lábia. Para conseguir verbas, ele é o melhor. Mas um *grande* cientista? Não tenho certeza do que isso significa. Uma pessoa capaz de teorizar como Kiril é excepcional, mas nem de perto tão excepcional quanto um cientista capaz de teorizar *e* imaginar como provar sua teoria. Essa pessoa sabe como pensar grande e pequeno. Kiril é excepcional na primeira parte, mas não na segunda. A prova, o esboço experimental, costuma entediá-lo. O melhor cientista com quem trabalhei durante todos esses anos foi Lep.

— Lep?

— Lep é um grande cientista. Óbvio que Kiril jamais permitirá que Lep receba o crédito que merece, mas, na verdade, o g-Livia é muito mais um trabalho dele do que de Kiril.

No entendimento limitado de Stern, Lep tinha encurtado o processo normal de desenvolvimento de um medicamento, o que é mais ou menos uma versão documentada do processo de tentativa e erro. Em vez disso, porém, ele usou uma modelagem de computador de alto nível para identificar a molécula que acabou se tornando o g-Livia.

— O que Lep fez vai mudar a pesquisa farmacêutica para sempre — afirma Innis.

— Já ouvi mais de uma pessoa dizer isso, Innis, mas Lep se recusa a aceitar o crédito.

— Digamos que Lep é um filho leal. Ou que aprendeu qual é o seu lugar. Ele sempre teve o cuidado de não pisar no calo de Kiril.

— Você gosta de Lep?

— Sempre gostei. Adoro. Ele é muito tranquilo. Sarcástico. Durante alguns anos o sentimento não foi mútuo. Sempre fomos educados um com o outro, mas Lep ama a mãe, e sei que ele se ressentia de mim. Eu entendia isso. Mas com o tempo ele foi se acostumando comigo. O irônico foi que, quando Olga entrou em cena, nós nos tornamos mais amigáveis um com o outro.

— Vocês ainda se falam?

— Muito raramente. Faz meses que não nos falamos. Mas tivemos algumas conversas bem francas antes de eu deixar a empresa. Chegamos a um entendimento, eu diria. Conhece o ditado "O inimigo do meu inimigo..."? — Ela ergue a mão, como se estivesse terminando o ditado.

— E Kiril era seu inimigo em comum com Lep?

— Ele era o desafio que tínhamos em comum.

Innis olha para trás e vê que o sol já está baixando.

— Podemos parar a conversa para ver o pôr do sol? É uma forma local de adoração. É realmente espetacular. Você não pode perder. Consegue subir uma escada?

— Consigo, mas bem devagar.

O andar de cima tem uma sacada com uma vista desobstruída para o litoral, que está a cem metros de distância e onde não há vivalma. A areia é extraordinária, macia e clara.

— Nossa, é como uma praia particular — diz Stern.

Innis explica que é época de maré alta, o que limita o acesso das pessoas à praia. Enquanto olham em direção ao mar, que está relativamente calmo hoje, a governanta leva uma taça de vinho branco para Innis. Stern pede mais limonada. Esse tipo de esplendor natural o deixa um pouco triste. O sol se ergueu e se pôs ao longo das eras e, em breve, vai continuar esse movimento sem que ele possa apreciar. Ainda assim, ele aprecia a simples beleza do pôr do sol, observando a grande esfera ficar cada vez mais rosada e brilhante enquanto desce por entre algumas nuvens e, logo depois, ganhar um tom fúcsia que não se vê em mais nenhum lugar na vida. Conforme Innis prometeu, a vista é memorável — existe algo de puro no céu. No fim, quando o sol está prestes a desaparecer, Stern vê um lampejo de luz verde, por um instante incrivelmente breve. A princípio, pensa que são os pontos de luz que as pessoas veem após olhar para o sol por muito tempo, mas então Innis pergunta, empolgada:

— Você viu?

— O flash verde?

— Sim, sim. Incrível! — Por um segundo, os dois olham em silêncio para o ponto onde o sol estava. — Não sei como a ciência explica o fenômeno ou por que aquela parte do espectro aparece desse jeito; acho que tem a ver com o reflexo da luz na água. Mas é muito especial, não acha? Você tem sorte, Sandy. Sou dona desta casa há dois anos e até hoje vi esse flash pouquíssimas vezes. — Eles começam a voltar para dentro de casa. — Você é uma dessas pessoas sortudas por natureza?

Stern não contaria o período após a morte de Clara como anos de sorte, mas, no geral, havia sido sortudo.

— Eu diria que estar vivo agora, tratar meu câncer com o g-Livia logo na fase inicial, é ter muita sorte. Já gastei minha cota de sorte. E você?

— Acho que tive sorte também. Ainda estou tentando descobrir se conhecer Kiril foi uma bênção ou uma maldição. Aqui estou, vivendo de forma esplendorosa. Então, assim como você, Kiril me trouxe coisa boas. Por outro lado... — Ela faz uma pausa no momento em que entram na casa por uma larga porta com tela. — Eu nunca me incomodei de verdade em ser A Outra. Ainda era independente, tinha menos responsabilidades, mas nunca me dei conta de que, depois de eu me contentar com muito menos do que a maioria das pessoas deseja, ele tiraria até isso de mim.

Innis olha rapidamente para Stern. A emoção é a mais perceptível que ela tinha se permitido demonstrar até então.

Stern conclui que é um bom momento para terminar a conversa. Já tem informações suficientes e está ansioso para o jantar na casa da irmã. Procurando outro assunto enquanto caminham pela casa, ele diz:

— Não cheguei a perguntar sobre sua partida de tênis. Você ganhou?

— Quase, mas não deu. Joguei contra uma das seis melhores. Mês que vem vou subir uma divisão, e aí vou colecionar troféus por anos e anos.

Innis sorri com uma evidente energia competitiva. Stern percebe que, na quadra ou no tribunal, não seria sábio esperar piedade por parte dela.

Ele avisa a Innis que precisa ir embora, e os dois vão juntos até a porta.

— Posso ligar para você outra vez, se pensar em alguma outra coisa? — pergunta ele.

— Sim, com certeza.

Stern a observa por um instante, e é quando a grande questão surge inesperadamente. Ele faz a pergunta tanto por si mesmo quanto por seu cliente.

— Na verdade, acho que tenho mais uma pergunta agora mesmo. Mas é importante. Você foi íntima desse homem durante décadas. Acha que ele fez isso?

— Ele nega tudo, presumo eu.

Stern jamais revela suas conversas com clientes. A confidencialidade é um direito inviolável deles. Sobre a acusação de venda ilegal de ações com base em informações privilegiadas, Kiril nunca responde de forma direta, afirmando que estava confuso após a ligação da jornalista. Mas quanto ao que alegadamente aconteceu três anos antes, no fim de setembro de 2016 — a acusação de que ele acessou o ensaio clínico que deveria ser inviolável e de que teria pedido a Wendy Hoh que alterasse os dados —, ele continua negando tudo, apesar das gravações telefônicas e das análises forenses no computador que corroboram as alegações do governo, isso sem falar da captura de tela que ele enviou para Olga antes da alteração dos dados.

— Então prossiga com essa presunção — diz Stern.

— E você vai me fazer essa mesma pergunta no tribunal?

— Prefere que eu não faça?

— Prefiro.

— Então prometo que não vou fazer.

Stern sabe que isso não é bem uma concessão. Sonny jamais permitiria que essa pergunta fosse feita. Pelo menos, não dessa forma crua e direta.

— Se eu acredito que Kiril fez tudo isso? — pergunta-se Innis, olhando para as vigas no teto alto da entrada da casa. — Sinceramente, tenho muita dificuldade em acreditar nas acusações de fraude. Quanto à venda das ações? Não tenho dúvida de que ele fez isso.

— Você disse a ele que fizesse isso — argumenta Stern. Ele abre um leve sorriso para ver até que ponto ela refutaria dividir essa culpa. Innis revira os olhos azul-claros.

— Eu estava sendo sarcástica.

— E, apesar de tudo, ele não vendeu as próprias ações.

O comentário a faz parar para pensar por um segundo. Será que Stern acabou de lhe dizer algo que ela não sabia? Ela recua com a cabeça inclinada antes de voltar ao assunto principal.

— Eu jamais acusaria Kiril de ser uma pessoa motivada por dinheiro. Quer dizer, ele estava empolgado por entrar para o grupo dos super-ricos. Nós quase não nos falávamos, e, mesmo assim, ele mencionou o fato diversas vezes. Mas tenho certeza de que isso é apenas mais uma forma de prestígio, que era o que o motivava de verdade. E controle também. Ele precisa estar no comando.

— Mas da fraude você duvida? De ter feito a quebra do cegamento do ensaio e depois enganar Wendy Hoh para alterar os dados?

Innis dá uma pequena risada.

— "Enganar"? Se tapear os outros fosse um esporte, ele poderia competir nos Jogos Olímpicos, mas fazer a quebra prematura do cegamento do ensaio é outra história. Duvido muito que ele tenha essa capacidade técnica. Óbvio que ele é inteligente o bastante para descobrir como fazer isso por conta própria, se tivesse acesso aos dados. Mas Kiril é como qualquer outra pessoa de setenta e oito anos. Não tem familiaridade com tecnologias. Suspeito que, se Kiril fez isso mesmo, ele teve ajuda.

— De quem?

— Vou perguntar de novo: isso fica entre nós dois? — Quando Stern assente, ela diz: — Olga é uma mulher muito esperta. Ela se reportou diretamente a mim por muito tempo. Nesta vida, Sandy, você vai conhecer pouquíssimas pessoas tão ambiciosas quanto ela. As opções de compra de ações dela valiam uma fração ínfima comparadas às do restante de nós, mas, se Olga visse um obstáculo para a aprovação do g-Livia, não havia a menor chance de ela permitir que milhões de dólares escapassem por entre os dedos. Pelo menos ela não se vendeu barato — acrescenta Innis. — Você jamais vai me ouvir criticar qualquer mulher por querer tirar o máximo proveito de uma situação. Dou crédito a ela por isso.

É difícil dizer se Innis está falando de coração qualquer sílaba do que acabou de confessar.

— Você faz ideia do motivo que faria Kiril enviar para Olga um e-mail com uma cópia dos dados antes de a alteração ser feita, os dados de setembro de 2016 que ainda mostravam as mortes?

A boca de Innis se abre levemente. Ao que parece, ela também não sabia desse detalhe.

— Óbvio que não. O que ela disse?

Para evitar qualquer ação que um promotor possa chamar de "corrupção da testemunha", Stern evita a todo custo passar informações entre possíveis testemunhas. Sem querer, é provável que já tenha falado mais do que deveria, por isso ele balança a cabeça de leve.

— Como você reagiria se eu lhe dissesse que Olga não sabe interpretar os dados de um ensaio clínico? — pergunta ele, por fim.

Innis solta um "rá" e dá um tapa na coxa.

— É *isso* que ela alega? Óbvio que ela sabe interpretar os dados. Ela está nessa indústria há vinte anos. É sério, Sandy: não acredite em nenhuma palavra do que essa mulher diz. Nem uma palavra sequer. Ela é uma mentirosa descarada. Sei que parece maldade da minha parte, mas dê uma boa olhada no currículo dela. Faça as contas. Reflita sobre o histórico de empregos dela, veja quando ela se formou numa faculdade noturna em Nova York. Isso sem contar que ela tem três filhas. Veja se descobre como essa mulher pode afirmar que tem menos de quarenta anos.

Stern sabe que não deve dizer a Innis que está surpreso por Olga não ser ainda mais jovem. Innis está apontando para ele com a unha pintada de um vermelho bem aberto.

— Se você chegar ao fundo disso, Sandy, garanto uma coisa: encontrará Olga Fernandez.

Innis abre a porta para Stern. Cesar, invisível em meio à escuridão e atrás do vidro fumê da limusine, liga o motor, e os faróis iluminam o cascalho da entrada de automóveis.

— Eu estava um pouco receosa, Sandy, mas, no fim das contas, foi muito bom conhecer você. — Ela estende o braço com o cotovelo reto, como fazem muitas mulheres profissionais de carreira para evitar qualquer risco de maior proximidade.

— O prazer foi todo meu — responde Stern, sentindo outra vez a pegada forte de Innis. Ele usa a bengala para descer um único degrau, depois vira para trás e acena.

As lâmpadas halógenas de chão perto da porta dão a Innis uma aura diáfana, quase transparente. Será que ela sabe disso? Provavelmente. Ela está linda.

Innis retribui o aceno, começa a passar pela porta, mas então dá meia-volta.

— Volte aqui quando tudo isso acabar, Sandy — diz ela, e por fim entra em casa.

III. FRAUDE

SEMANA DOIS

12. CAPITAL DE RISCO

Após aplicarem vários golpes bem dados ao chamarem Kiril de assassino, na manhã de segunda-feira Moses e Feld continuam os trabalhos em uma linha mais familiar para promotores federais: pintam Pafko como um homem desonesto e ganancioso. Crimes do colarinho branco quase sempre envolvem alguém infringindo a lei para fazer fortuna. Após décadas do mesmo, Stern tende a enxergar a ganância como um rótulo impreciso para motivações mais complexas, um desejo por alcançar poder ou fama, o que por sua vez esconde grandes inseguranças. A maioria dos jurados sofre com problemas financeiros, e a promotoria não tem dificuldades para convencê-los da ideia de que os ricos não são como eles e, na verdade, só são ricos porque fazem praticamente tudo por dinheiro.

Para estabelecer tal argumentação a respeito de Kiril Pafko, o governo convoca à sala de julgamento o Dr. Yan Weill, presidente da MedInvest, um fundo de capital de risco criado por um consórcio dos três maiores bancos de investimento do país. O Dr. Weill é um homem magro e bonito, de quarenta e poucos anos, e está com um terno azul impecável e uma camisa tão branca que parece reluzir. É movido por um nível quase insultante de autoconfiança e responde às perguntas com tanta naturalidade e rapidez que muito provavelmente um ou dois homens do júri estão querendo, secretamente, pular o cercado e lhe dar uma boa surra.

Em setembro, Stern passou uma hora no escritório de Weill e saiu de lá até gostando um pouco do homem, que nitidamente é uma daquelas pessoas que acreditam que, na vida, é preciso se esforçar para aproveitar tudo. Sua risada — uma gargalhada estridente — irrompia frequentemente conforme ele parava no meio das respostas a Stern para exibir objetos que considerava hilários: um pedaço de âmbar que caiu dentro de sua bota em uma viagem à Amazônia; várias fotos que tirou em um balão de ar quente; o registro recente na Comissão de Valores Mobiliários de um pedido de acordo com a MedInvest, em que o conselho geral da empresa que a companhia estava comprando era descrito como tendo "larga experiência na prática de corrupção internacional".

Como testemunha, ele não demonstra nem um pouco da sobriedade, do nervosismo ou do constrangimento da maioria das pessoas convocadas a depor em um tribunal federal. Em vez disso, sentou-se na ponta do banco com o corpo inclinado para a frente e dá respostas imediatas a todas as perguntas, sempre com um sorriso de orelha a orelha.

A MedInvest forneceu a maior parte do financiamento inicial da PT em troca de uma participação na empresa, participação essa que foi crescendo com o passar do tempo. Quando o g-Livia chegou ao ensaio clínico, as ações da PT passaram a ser vendidas ao público para bancar os custos. Kiril continuou sendo o acionista majoritário, seguido pela MedInvest e pela Universidade de Easton. A grande recompensa que todos esperavam chegaria se o g-Livia fosse aprovado. Quando isso acontecesse, os dividendos gerados pelas vendas do g-Livia fariam os preços das ações subirem, e muito provavelmente a empresa seria comprada por uma gigante farmacêutica com o capital e o *know-how* para comercializar um medicamento vital no mundo inteiro. Tudo estava correndo como o planejado, inclusive a projeção de venda da PT para a Tolliver, até que a matéria do *Wall Street Journal* foi publicada em agosto de 2018.

Weill é inquirido por Dan Feld, que aparentemente conduzirá o depoimento da maioria das testemunhas do governo. Levar um caso a julgamento é um fardo extraordinário para o procurador da república. Quando Moses volta do tribunal toda noite, provavelmente há dez assuntos críticos — questões em uma investigação, conflitos levantados em outros julgamentos — sobre os quais ele precisa tomar decisões. No caso *Estados Unidos contra Pafko*, ele precisa racionalizar seu tempo, o que, na prática, significa que Feld tem que fazer a maior parte do trabalho de rotina.

Feld costuma ser descrito como o mais inteligente dos assistentes de Moses (embora, às vezes, algumas pessoas brinquem dizendo que foi o próprio Feld que se descreveu assim). Quando deixou de ser assistente de Sonny, ele foi ser o chamado escrivão liberal que Antonin Scalia — juiz da Suprema Corte conhecido por estar sempre aberto a debates — costumava contratar. Dan tinha a reputação de ser capaz de resolver problemas jurídicos, sumariar provas ou redigir petições duas vezes mais rápido que a maioria de seus colegas. É um jovem simpático fora do tribunal, mas ali dentro é extremamente rígido. Sua agressividade já o levou a cometer vários equívocos. Stern percebe que Moses está observando Feld com muito mais ansiedade do que no começo do julgamento. Óbvio que Stern sabe que o mesmo provavelmente pode ser dito da forma como Marta o observa.

Tanto Stern quanto Marta concordam que os promotores estão cometendo um erro ao caracterizar o caso como um crime motivado por ganância. Sim, o valor das ações de Kiril na PT dispararam após a aprovação do g-Livia. E, sim, apontar que, no auge, seu patrimônio líquido era superior a seiscentos milhões de dólares só vai colocar mais lenha na fogueira e piorar o descontentamento dos jurados. Mas a teoria dos promotores tem uma vulnerabilidade nítida, e, quando Stern se levanta para arguir a testemunha, ele mira exatamente nesse ponto.

— Como membro da diretoria da PT e investidor-chave, Sr. Weill, o senhor mantém registros das ações vendidas por acionistas funcionários ou da diretoria... esse tipo de pessoas?

— Sim, é minha obrigação — responde Weill.

— E pode explicar em poucas palavras o que é um plano 10b5-1?

— É um plano acordado antecipadamente por funcionários e diretores, no qual cada um deles, individualmente, especifica com exatidão quando e quanto das ações da empresa venderá no futuro. Os planos são feitos quando não há informações não públicas substanciais sobre a empresa e valem por um período pré-acordado. Se você sempre segue o plano à risca, em linhas gerais pode evitar ser responsabilizado por uso ilegal de informações privilegiadas, mesmo que depois desse período venda as ações sabendo que a empresa tem problemas.

— A Pafko Therapeutics adotou um plano 10b5-1 quando as ações da empresa passaram a ser vendidas ao público e os ensaios clínicos começaram?

— Sim.

— E, seguindo esse plano, a MedInvest vendeu quanto das ações que possuía?

— Cerca de 10%. Achamos que era um bom momento para começar a recuperar parte do nosso investimento.

— E, seguindo esse plano, quantas ações Kiril Pafko vendeu durante esse período?

— Nenhuma.

— Nenhuma — repete Stern, acenando lentamente com a cabeça, como se estivesse tentando absorver a informação pela primeira vez.

— E, quando eu falo das ações de Kiril, o senhor está ciente de que o Dr. Pafko doou algumas de suas ações da PT a trustes para os netos.

— Eu sabia disso.

— E essas ações, as ações dos netos, estavam incluídas no plano 10b5-1?

— Não, porque Kiril não era mais o beneficiário dessas ações.

— Obrigado — diz Stern. — E o plano 10b5-1 sofreu alguma emenda quando a PT anunciou que tinha recebido da FDA sinais preliminares de que o g-Livia seria aprovado?

— Sim.

— E, nesse novo plano, quantas ações da PT a MedInvest concordou em vender ao longo dos dois anos seguintes?

— Metade.

— Com um lucro substancial?

— Bastante substancial.

— E quanto à pessoa que era a número dois na PT, a Dra. Innis McVie? Quantas ações ela planejava vender?

— Praticamente todas as ações, assim que a Comissão de Valores Mobiliários retirasse as restrições.

Stern faz a mesma pergunta sobre vários outros executivos e membros da diretoria, inclusive Lep e seu braço-direito, Hiro Tanakawa, e todos planejavam vender uma grande parte de seus ativos logo após a aprovação da FDA. Olga Fernandez tinha a menor parte e ganhou quase cinco milhões de dólares. Foi uma bonança para todos.

— E quanto a Kiril Pafko? Quantas ações ele vendeu com base no plano 10b5-1 válido mais ou menos na época em que o g-Livia foi aprovado pela FDA?

— Nenhuma.

— Nenhuma? — No intuito de deixar evidente para o júri, Stern lança um olhar desconfiado na direção de Weill, como se não fosse capaz de entender. — Zero? O Dr. Pafko não ganhou nada dos milhões de dólares estimados em ações da PT sobre os quais o Sr. Feld lhe perguntou há pouco?

Feld protesta, alegando que a pergunta já foi feita e respondida, mas Sonny indefere, porque, dessa vez, Stern perguntou sobre valores, não sobre ações.

— E após a aprovação da FDA, o valor das ações subiu novamente quando surgiram rumores sobre a possível compra da PT por uma empresa farmacêutica muito maior?

— Sim.

— E com isso a MedInvest planejou vender o restante das ações que possuía?

— Uma oferta pública para comprar todas as ações da PT extinguiria o plano 10b5-1 e eliminaria todas as restrições para a venda de ações de funcionários e diretores da empresa. Como o mercado fica ansioso, quase sempre é melhor vender assim que a oferta é aprovada do que quando o negócio é fechado, porque pode haver complicações. Então, sim, a MedInvest vendeu toda a sua parte após a diretoria aceitar a oferta da Tolliver.

— E quanto a Kiril?

— Não. Mesmo assim ele não vendeu. Ia segurar as ações até o último minuto.

— O senhor chegou a perguntar a Kiril por que ele não planejou vender nenhuma ação?

— Sim. Mais de uma vez.

Feld protesta, alegando que Weill deve dizer quando e onde essas conversas aconteceram e quem estava presente.

— Bem, a conversa da qual me lembro melhor aconteceu quando Kiril foi me pegar no aeroporto. Isso foi no segundo semestre de 2017. Fazia um dia lindo, a capota do automóvel dele estava abaixada e estávamos indo de carro para a sede da PT, no condado de Greenwood.

— E o que ele e o senhor disseram na época?

— Protesto — interrompe Feld. — Prova testemunhal indireta.

A regra que impede o uso de provas testemunhais indiretas é bastante simples por si só. Um fato — como de que o céu é azul, por exemplo — não pode ser provado oferecendo-se como prova a descrição de que o céu é azul feita por outra pessoa fora do tribunal. Para estabelecer a cor, a testemunha deve estar ali para dizer que viu a cor e depois ser submetida à inquirição da parte contrária. Mas essa suposta regra tem cerca de trinta exceções reconhecidas que tornam sua aplicação uma verdadeira bagunça. Stern estima que cerca de um terço dos juízes que presidiram seus casos não entende bem a regra que veda provas testemunhais indiretas. Stern invoca uma exceção que chama de "estado de consciência" — segundo a qual a frase de Kiril não está sendo citada para provar que o céu é azul, mas para dizer que Kiril achava que era azul. E, com base nisso, a juíza aceita o pedido de exceção de Stern.

— Bem, resumidamente ele disse que... — começa Weill.

— Protesto de novo — diz Feld.

Com os protestos incessantes, é como se Feld ligasse uma placa de neon dizendo "O que está por vir é ruim para o governo".

— Dr. Weill, o senhor se lembra exatamente do que o Dr. Pafko disse?

Sempre feliz, Weill solta outra risada, que mais parece um grito.

— Lembro, mas é só para maiores de idade.

— Todos aqui somos adultos — responde Sonny.

— Bem, o preço das ações estava nas alturas. A proposta de compra da Tolliver tinha sido anunciada, e Kiril estava livre para vender. As ações dele provavelmente valiam cerca de meio bilhão de dólares naquele momento. Eu avisei que a maioria das pessoas venderia logo, mas ele simplesmente desdenhou do que eu disse. Nós estávamos muito descontraídos, contando piadas, e, em determinado momento, Kiril disse: "Yan, eu estou cagando para dinheiro. Não ligo a mínima para isso há anos. Me casei com uma mulher rica."

Stern, que nunca tinha ouvido a citação literal, percebe que ficou boquiaberto, enquanto o tribunal cai na gargalhada. Esse é o ponto alto do depoimento, e, sabendo disso, ele volta para a mesa da defesa. Apesar dos inúmeros pedidos de Stern e Marta para que não reagisse às provas, Kiril baixa a cabeça e leva as mãos ao rosto, envergonhado, enquanto atrás dele Donatella, a mestre das reações socialmente apropriadas, se junta às gargalhadas. Por um breve instante ela leva uma das mãos aos olhos sob aquelas sobrancelhas pretas e balança a cabeça branca de um jeito que dá a entender que essa é apenas mais uma de uma longa lista de gafes de Kiril.

13. O PLANO DELA

O restante da segunda-feira é preenchido por uma lenta imersão no complicado processo plurianual da FDA para a aprovação de novos medicamentos. A testemunha do governo é o Dr. Maithripala Jayasundara, que, animado, diz que é conhecido como Dr. Mat. Por mais simpático que seja, o Dr. Mat também é entediante e rapidamente perde a atenção da maioria dos jurados conforme descreve as várias fases de testes e a enorme documentação exigida pela FDA. O processo começa com testes em animais, depois em um pequeno número de humanos, com o objetivo de descobrir uma dose eficaz do medicamento. Em seguida, começam os ensaios clínicos, que culminam nos ensaios duplos-cegos, que são considerados o padrão-ouro do processo. Cada um desses passos é orientado por um marco regulatório, que o Dr. Mat explica com excesso de detalhes, sobretudo levando-se em conta que muitas dessas regras não se aplicam ao pequeno número de medicamentos que, como o g-Livia, recebem o status de Terapia Inovadora e chegam ao mercado com antecedência por meio de um programa conhecido como "aprovação acelerada".

Após o Dr. Mat finalmente sair do banco das testemunhas, a secretária particular de Kiril na PT, Janelle Morris, é convocada pela acusação. Janelle trabalhou para Pafko desde que a PT foi fundada e continua até hoje, embora atualmente Kiril não apareça no escritório com frequência após ser suspenso da empresa sem direito a salário, o que aconteceu próximo à época da denúncia. Janelle também tem sido a pessoa responsável por todos os pedidos de documentos e o envio de intimações a funcionários da empresa. Os Stern a enxergam como uma pessoa incrivelmente eficiente.

Feld pede a Janelle que identifique a assinatura de Kiril no requerimento de aprovação de novos medicamentos submetido pela PT à FDA no fim de 2013 para começar o processo de testagem. Embora o texto esteja no monitor, Feld pede que Janelle leia em voz alta a promessa que tanto Lep, no cargo de diretor médico, quanto Kiril, no papel de presidente, fizeram ao assinar o documento:

— "Eu me comprometo em conduzir a investigação em concordância com todas... as exigências regulatórias aplicáveis."

Quando Janelle — uma mulher alta e imponente — é dispensada, faz questão de passar pela mesa da defesa e põe a mão no ombro de Kiril, que põe a mão sobre a dela e a aperta carinhosamente. Kiril é descrito pelos funcionários como um bom chefe, que sempre pergunta sobre a família deles e se lembra dos detalhes de suas vidas. Com uma visão cética a respeito de Pafko, Marta talvez diga que ele sempre adora ter alguém em quem jogar seu charme, mas os funcionários da PT consideram genuíno o afeto dele e de Donatella.

Sonny suspende o julgamento. Após levar os Pafko até o lado de fora do fórum, Stern volta ao escritório rapidamente para trocar ideias com Marta. Ela será a responsável pela inquirição de amanhã com a principal testemunha da FDA, inquirição essa que será decisiva. Marta vem estudando há meses para esse momento.

— Pai, parece que o fim de semana na Flórida com a tia Silvia fez bem a você. Como foi com a Dra. McVie?

— Innis é uma pessoa interessante.

— Ah... "Innis" — repete Marta, então sorri e faz cara de desconfiada.

— Por favor... — responde o pai, embora a verdade é que Innis voltou aos pensamentos de Stern com mais frequência do que ele imaginaria. — De qualquer maneira, ela não parece tão ansiosa para cravar uma faca em Kiril.

Stern desce o prédio e entra no Cadillac conduzido por Ardent. Marta tem razão ao pensar que ele aproveitou o fim de semana com a irmã. O amor de Stern por Silvia é diferente dos seus sentimentos, por mais profundos que sejam, por qualquer outra pessoa — é um sentimento mais puro e menos sobrecarregado. Silvia tinha dezessete anos quando a mãe deles morreu, e Stern, cinco anos mais velho, presumiu que passaria a ter um papel de pai com relação à irmã, mas a verdade é que as necessidades de ambos se mostraram menos previsíveis. Um passou a cuidar do outro. Stern e sua irmã se falam todos os dias, hábito de toda uma vida. De vez em quando, ficam ao telefone por uma hora, mas, em geral, as conversas mal duram um minuto. "E aí, muita coisa por fazer?" "Sim, várias. E você?" Silvia também já enviuvou duas vezes.

Como nunca teve filhos, Silvia é muito próxima dos filhos e netos do irmão. Isso significa que muitas vezes Stern fica sabendo de certos detalhes por Silvia, os quais não foram confidenciados a ele, sobretudo a respeito de seu filho. Peter está morando com o marido e uma filha pequena em San Francisco, e geralmente trata o pai com sarcasmo e agressividade.

Em casa, Pinky avisa a Stern que vai sair à noite, o que fica óbvio ao olhar para suas roupas. Muitas vezes ela usa cores chamativas, como rosa-shocking e verde-neon, para combinar com as tatuagens, mas esta noite adotou um visual mais "dark": os cílios carregados de camadas de rímel e dois piercings de argola no nariz, um em cada narina. Pinky está com uma saia de couro, uma meia-calça preta por baixo, um cinto grosso com uma corrente prateada pendurada, um top insinuante e um colete preto incrustado com o que parecem ser pontas de projéteis capazes de perfurar blindagens. Em seu pescoço, há uma coleira de cachorro preta de couro.

Pinky faz um inventário completo de todas as refeições congeladas e põe no forno uma de que Stern gosta. Está nitidamente ansiosa por sair, mas de repente se lembra de uma coisa e estala os dedos.

— O Malibu! Que coisa, hein? O que achou dessa história?

— Não sei bem o que achar, Pinky. Você entrou em contato com o delegado de Greenwood para descobrir quantos Malibus 2017 brancos estão registrados no condado?

Se fossem milhares, a importância do que ela viu diminui, mas, conforme Stern já previa, Pinky ainda não contatara o delegado de Greenwood.

— Mas eu ainda não terminei de contar a história inteira — diz ela. — Como eu já falei, eu vi um Malibu branco pela janela. Assim que peguei o arquivo da Dra. McVie, corri para o estacionamento para tirar umas fotos e mandar para você. Assim que terminei, apareceu um segurança num carrinho de golfe e perguntou se eu precisava de alguma coisa.

— Espero que você não tenha explicado a ele — comenta Stern. Ele detestaria que Kiril descobrisse esse caso por meio de um funcionário da própria PT, em vez de ficar sabendo por seu próprio advogado.

— Eu só disse que tinha esquecido onde tinha estacionado o carro. — Pinky sorri. — Sou boa em enganar pessoas, vô.

Provavelmente isso é verdade, pensa Stern, mas em grande parte porque Pinky é tão excêntrica que a maioria das pessoas teria dificuldade para adivinhar o que ela está pensando.

— Aí ele estava me levando de volta para o estacionamento de visitas e bum!, vi outro Malibu branco. Eu perguntei a ele, aliás, o nome dele é Oscar, se todo mundo ali tinha um Malibu de 2017. Ele deu uma risada e disse que são carros comunitários.

— Carros comunitários?

— A PT é dona deles. Estão tentando ser ecológicos e politicamente corretos, por isso a empresa paga o vale-transporte para os funcionários pegarem o trem até lá, mas, se um vendedor tem que visitar um cliente, ou se os pesquisadores têm uma reunião em Easton, eles retiram um carro. Oscar disse que a PT tem seis Malibus. Híbridos.

Pinky tem certeza de que está prestes a descobrir algo. Mas ao mesmo tempo está colocando o carro na frente dos bois.

— Pinky, você se lembra do que disse a nossa amiga detetive Swanson? Ela andou pelo estacionamento da PT enquanto eu estava no hospital e não viu nenhum carro muito avariado.

— É, vô, sempre achei isso meio bizarro. Mas, se alguém praticamente passa o carro por cima de você e foge, não vai levar o carro detonado de volta para o estacionamento da PT, certo? Oscar certamente faria perguntas. Acho que quem acertou você levou o Malibu para uma oficina logo depois. Que tipo de detetive é a Swanson para não pensar nisso?

Uma detetive que estava tentando acalmar um velho, poderia responder Stern.

— Certo, Pinky, mas com certeza alguém deve manter registro desses veículos. Eles notariam se um deles sumisse por muitos dias, não acha?

— Talvez. Mas talvez eles possam retirar os carros por uma semana. Quer dizer, a gente devia investigar um pouco essa história, não acha?

Stern se pergunta se sua convivência com Pinky está fazendo-o dar menos crédito do que o devido às suspeitas dela. Ele achava que tinha visto um adesivo de estacionamento da PT na janela traseira do carro que o acertou. E a tinta em seu Cadillac, segundo a análise da Elstner Labs, era de um Malibu branco.

— Vô, eu estava pensando se poderia pedir a Janelle para ver se eles têm o registro de quem retirou os carros comunitários na semana em que bateram no seu.

— Pinky, sou obrigado a mencionar isso a Kiril primeiro. Antes de tentar provar que alguém da PT cometeu um crime, precisamos contar a ele.

— Tá bem, mas você vai pedir a ele para ver o registro, né?

— Essa é a ideia.

Como sempre, Pinky fica feliz por fazerem sua vontade. Ela lembra Stern sobre o jantar no forno e, em seguida, sai de casa, provocando no avô aquela confusão de sentimentos que geralmente desperta. Stern poderia perguntar aonde ela estava indo — sobretudo tão cedo em uma noite de segunda-feira —, mas provavelmente ela não responderia. Nas vezes em que respondeu, Stern teria ficado mais feliz se não soubesse. Sadomasoquismo hoje à noite? É bem provável, a julgar pela roupa, mas ele prefere nem imaginar. E não adianta perguntar com quem ela vai se encontrar, porque possivelmente ele não reconheceria os nomes. Pinky não tem amigos de longa data. A maioria dos colegas de escola de Pinky, com quem ela vivia se metendo em problemas, tomou jeito, se casou e até formou família. Muitos provavelmente veem Pinky como uma relíquia de uma época complicada para a qual não querem voltar. Quando Pinky sai, em geral parece que vai se encontrar com um grupo em uma boate. Pinky é curvilínea — não é nenhuma modelo de moda praia, mas é uma jovem bonita e atraente, e tem olhos lindos. Quando sai à noite parece não ter a menor dificuldade para encontrar alguém com quem ir para a cama. Por mais que Stern ache que devesse ser o contrário, parece que, para Pinky, o sexo é a principal maneira de formar laços com outras pessoas.

Pinky foi batizada — literalmente para agradar a família luterana do pai — de Clarice em homenagem a Clara, mas Kate, filha de Stern, ainda estava de luto e não suportava chamá-la por um nome tão parecido com o da mãe. Então, enquanto Kate ainda pensava em um apelido melhor, a avó gagá de seu marido, uma mulher de 96 anos que nunca lembrava o nome do bebê, começou a chamá-la de "Pinky" por causa do seu tom de pele.

Pinky, de fato, era um lindo bebê de pele rosada, mas desde o começo se mostrou difícil — vivia com cólicas, não dormia à noite, estava sempre abrindo o berreiro. Anos depois, foi um problema na escola, onde tinha tendência a se isolar. Dentro da família, as pessoas sempre conversam sobre o que há de errado com ela. A palavra "errado" nunca é dita em voz alta, mas, ao longo dos anos, todos já admitiram terem ficado furiosos com a jovem em algum momento. Kate, que coexistiu por décadas em um silêncio rancoroso com John, aquele marido idiota e inútil que ela finalmente chutou para escanteio uma década atrás, sempre comenta que sua filha mais velha é o único ser humano neste planeta com quem já discutiu aos berros. Após anos e anos de psicólogo, Kate passou a chamar Pinky de "opositora". O filho de Stern, Peter — uma pessoa que, às vezes, é bastante severa —, certa vez chamou Pinky de "tapada". Marta se refere a Pinky como uma pessoa "em algum ponto do espectro do autismo". Até Stern às vezes se mostra incapaz de encontrar palavras para descrevê-la. Menos de um ano antes, ficou sabendo que Pinky estava causando furor no escritório ao postar fotos de seus encontros sexuais no Snapchat. Pinky, diga-se de passagem, tem uma maneira bem própria de explicar seus frequentes deslizes sociais.

— Depois de um tempo, eu simplesmente começo a achar todo mundo um saco — disse ela ao avô certa vez.

Stern teme que Pinky, agora perto de completar trinta anos, esteja prestes a se tornar para sempre uma alma perdida. Mas essa preocupação, assim como tantas outras, é controlada pelo fato de ele saber que não estará ali para ver o desenrolar dessa história.

Stern jamais esteve tão distante da realidade ao imaginar como seria envelhecer. Ele previu muitas coisas — os dedos que mais parecem pedra, a forma como se tornou o velho que atrasa todo mundo. Mas Stern não imaginava que se retirar do mundo lhe proporcionaria uma sensação tão natural. Você continua se cuidando, mas aceita cada vez mais que seu tempo é limitado e, portanto, seu impacto no o mundo também é. Suas conexões com o presente vão minguando quando vê pessoas da sua idade morrendo, quando perde sua esposa. Você fica distante de tudo e precisa se esforçar mais para entender o que todos estão dizendo — no caso de Stern, também porque mal consegue escutar mais, mesmo com um aparelho auditivo em cada ouvido. (Semana passada ele olhou para Marta parada na porta de seu escritório e perguntou: "Por que você quer deixar a cidade?" Ela respondeu imediatamente, já exaltada: "Eu falei 'A gente devia aproveitar a oportunidade!'")

Enquanto estudava os aspectos científicos do julgamento de Kiril, Stern de repente se deu conta, assustado, do plano da Natureza: nós nos misturamos e procriamos como parte do objetivo dela, que é combinar e redistribuir DNA. A Natureza está em eterna busca de um conjunto de cromossomos mais aprimorado. Para ela, os humanos são basicamente uma raça de seres em metamorfose que vivem por certo tempo antes de deixarem seu material genético para trás. Somos feitos de bobos pela Natureza, ludibriados pelo instinto a acreditar na importância do Eu.

14. FDA

A titulação da Dra. Alexandra Robb praticamente exala a palavra "burocrata" — diretora do Departamento de Produtos de Hematologia e Oncologia no Centro de Avaliação e Pesquisa de Medicamentos da FDA. Sentada no banco das testemunhas, porém, ela é a imagem da competência profissional. Perto dos cinquenta anos, a Dra. Robb é uma mulher bem cuidada; está com um terninho risca de giz e usa o cabelo castanho-escuro com um ondulado natural na altura dos ombros. Observando-a do outro lado do tribunal, Stern tem a impressão de que ela tem ascendência africana ou algum avô do subcontinente indiano. Felizmente, hoje em dia a aparência da Dra. Robb é considerada simplesmente "americana".

Como sinal de sua importância para a acusação, a Dra. Robb é inquirida por Moses. Primeiro o procurador da república pergunta sobre o passado profissional dela. Seus estudos, assim como o de todos os outros profissionais que já depuseram, parece ter levado uma eternidade. Ela é médica, tem mestrado em saúde pública e é certificada em oncologia por um painel de especialistas. Passou anos como professora universitária antes de entrar para a FDA. Após fazer mais algumas perguntas, Moses pede que o tribunal qualifique a Dra. Robb como perita, o que dará a ela permissão para opinar sobre o processo de ensaio clínico para tratamentos contra o câncer.

— Dra. Robb — diz Moses —, a FDA faz algum teste farmacêutico por conta própria?

— Não. Esse processo é muito caro. Os fabricantes dos medicamentos são os principais responsáveis por testar os próprios produtos.

— Qual é o papel da FDA na testagem?

— Nós estabelecemos os padrões para garantir que os testes sejam objetivos e completos. Em seguida, analisamos os resultados para determinar se o medicamento é seguro e eficaz.

— Nos Estados Unidos, algum produto farmacêutico pode ser vendido sem a aprovação da FDA?

— Nenhum medicamento ou produto biológico pode ser transportado através das divisas estaduais sem a aprovação da FDA. Na prática, isso significa que eles não podem ser comercializados para o público americano sem o nosso consentimento.

Um produto biológico, conforme aprendeu Stern, é um medicamento derivado de materiais vivos e naturais, em vez de algo sintetizado em um tubo de ensaio. O g-Livia é um produto biológico, tendo em vista que o medicamento é originado a partir do anticorpo de um camundongo. Esse anticorpo foi manipulado por bioengenharia para ser idêntico às proteínas criadas por seres humanos para combater células estranhas.

— A senhora está familiarizada com o medicamento de nome comercial g-Livia?

— Certamente que sim.

— Qual foi seu primeiro contato profissional com o produto?

— Eu compareci a uma reunião em agosto de 2014.

— Quem estava nela?

Ela cita três médicos da PT, entre os quais Kiril e Lep, além de uma equipe da FDA, incluindo-se aí o gerente de projeto; o médico-chefe que avalia os dados do ensaio; um estatístico; uma farmacologista; um profissional de farmacocinética, que investiga a forma como o medicamento é absorvido pelo corpo; um químico; e uma microbióloga. Já na época o burburinho sobre o g-Livia crescia entre os especialistas em câncer e também em Wall Street, graças, mais uma vez, a Olga Fernandez.

— E quando a senhora se refere a Kiril Pafko, vê aqui nesta sala o cavalheiro que esteve na reunião naquele dia?

— Estipulado — diz Marta imediatamente, sem sequer tirar os olhos de suas anotações.

É ela quem fará a inquirição da Dra. Robb em nome da defesa. A maioria dos juízes defende que só o advogado que vai inquirir a testemunha pode perguntar sobre as questões que surgem no depoimento. Neste caso, Marta está tentando evitar uma situação desagradável para seu cliente. Segundo o costume, Kiril teria que se levantar e ser apontado pela Dra. Robb, só para ter certeza de que ele é a pessoa de quem ela está falando. Os Stern consideram que esse ato de apontar o dedo é degradante para o réu. Para evitar isso, Marta concordou — estipulou — que Kiril é a pessoa de quem a Dra. Robb está falando.

Sonny não permite que Moses responda e acrescenta:

— Que os autos consignem que foi feita a identificação estipulada do réu Pafko.

Por sua vez, Moses parece um pouco incomodado, mas segue em frente e pergunta sobre o conteúdo da reunião ocorrida em Washington em 2014.

— Bem — começa a Dra. Robb —, o gerente de projeto redigiu um memorando que, eu sei, os dois lados têm, mas, resumidamente, nele nós aprovamos o requerimento de aprovação de novos medicamentos no fim de 2013. O pessoal da PT queria nos dizer...

— Com licença — interrompe Marta, levantando-se rapidamente. — Podemos saber quem falou?

— Ah, desculpe — responde a Dra. Robb. — O principal porta-voz da PT foi o diretor médico, Dr. Lep Pafko, embora o Dr. Kiril Pafko tenha dito algumas palavras no início da reunião. O Dr. Lep contou que, mesmo nos primeiros estágios dos ensaios clínicos com animais, e também em estudos com dosagem bem limitada em humanos, eles tinham visto o que consideravam resultados notáveis.

Stern sabe que foi sobre o câncer dele, assim como sobre alguns outros casos, que Kiril e Lep falaram nessa reunião na capital do país. Nos documentos, ele é descrito como um "advogado renomado". Por um segundo, mais uma vez ele é arrastado de volta para a época de sua vida em que uma morte bem ruim parecia muito próxima.

— E a equipe da Pafko Therapeutics fez alguma requisição? — pergunta Moses.

— Sim. Eles iriam protocolar um pedido adicional, para que o g-Livia fosse considerado uma Terapia Inovadora.

— E o que significa a designação de Terapia Inovadora?

— Significa que a FDA concorda em estabelecer um processo para acelerar o desenvolvimento e a revisão de um medicamento.

— E o que é preciso para que um medicamento seja designado uma Terapia Inovadora?

— O medicamento ou produto biológico precisa tratar uma condição grave, e as evidências clínicas preliminares devem indicar que ele pode constituir uma melhoria substancial em relação às outras terapias disponíveis.

— E como o processo de aprovação de uma Terapia Inovadora é agilizado, ou melhor, acelerado, como disse a senhora?

— Os funcionários da FDA vão trabalhar mais de perto com o fabricante para delinear, por exemplo, os ensaios clínicos que atendam os nossos critérios. Além disso, o medicamento ou produto biológico é habilitado a sofrer uma revisão acelerada, incluindo um processo chamado "aprovação acelerada".

A pedido de Moses, a Dra. Robb começa a explicar o que é o processo de aprovação acelerada, no qual a FDA permite que um medicamento entre no mercado antes dos três ou quatro anos de ensaios clínicos que costumam ser exigidos. Em vez disso, o tratamento é aprovado com base no que é denominado desfecho substituto, um período mais curto em que, geralmente, é possível saber os benefícios de um medicamento semelhante ao que está sendo testado.

A Dra. Robb provavelmente é a testemunha mais requintada e eficaz que o governo convocou até o momento, destrinchando um grande volume de material técnico de forma objetiva, e o júri parece compreender tudo o que ela fala. Isso não é bom para Kiril, mas, do ponto de vista de Stern, é algo positivo. Existe um ditado que diz que um júri estúpido é um júri que decide a favor da acusação. Jurados que não entendem as provas naturalmente acabam decidindo os casos com base em seus preconceitos, entre os quais geralmente está o de que os réus são, por extensão, culpados. Por outro lado, Stern já viu casos em que a confusão do júri levou a dúvidas razoáveis. Mas teorias não vêm ao caso. Nas últimas seis décadas, Stern aprendeu que você só pode ser você mesmo. Um júri que prefere estilo em vez de conteúdo provavelmente não vai se impressionar com Sandy Stern. Para ele, a melhor estratégia sempre foi apelar para a inteligência inata dos jurados. A essa altura, após uma semana e meia de julgamento, em geral ele tem uma boa noção do que está acontecendo na bancada dos jurados, embora evite ao máximo observá-los de forma prolongada, pois sabe que ao fazer isso alguns deles se sentem como animais enjaulados em um zoológico. Este grupo de jurados parece extremamente alerta, e muitos deles sorriem quando ele se levanta. Ou gostam dele... ou o acham ridículo.

— E após o g-Livia receber a designação de Terapia Inovadora, a FDA e a PT elaboraram um plano para um ensaio clínico que favorecesse a aprovação acelerada?

— Sim, elaboramos.

— Pode explicar o que é um ensaio clínico duplo-cego?

— Sim. A maneira mais objetiva de testar um medicamento é compará-lo com outra terapia cuja eficácia já tenha sido bem documentada. Nesse tipo de ensaio comparativo, algumas pessoas vão receber a nova terapia que está sendo avaliada, enquanto outros vão receber o medicamento que faça parte da terapia-padrão. Um ensaio é duplo-cego quando nem os pacientes nem os médicos e sua equipe sabem qual medicamento cada paciente está recebendo. Para garantir que esse véu de ignorância seja mantido, em geral o fabricante do novo medicamento e outras pessoas diretamente envolvidas no processo de testagem também não sabem o que cada paciente está recebendo.

Em seguida, a Dra. Robb detalha uma série de reuniões entre ela e sua equipe de um lado, e Lep e seus vice-diretores do outro. Kiril não participou de nenhuma delas, ponto que Marta enfatiza ao se levantar todas as vezes e pedir à Dra. Robb que cite o nome de quem compareceu às reuniões. Como resultado dessas discussões, a PT e a FDA concordaram com um ensaio clínico duplo-cego que duraria dezoito meses e contaria com duzentos pacientes recebendo o g-Livia, e outros duzentos recebendo uma forma consagrada de quimioterapia. O protocolo do teste tem o tamanho de um dicionário e está catalogado como prova por Moses.

— Com relação ao ensaio clínico em si, a PT pretendia conduzir o teste por conta própria?

— Não, eles contrataram uma empresa terceirizada, a Global International, que é uma organização que realiza essas pesquisas, uma empresa especializada em conduzir ensaios clínicos.

— É comum que a empresa fabricante de produto farmacêutico contrate uma organização representativa de pesquisa clínica, que chamaremos de ORPC para encurtar?

— Na FDA, não lidamos diretamente com as ORPCs, mas a maioria dos ensaios clínicos que revisamos hoje em dia é conduzida por esse tipo de organização. Posso explicar?

— Por favor — responde Moses, como se não tivessem ensaiado o depoimento da Dra. Robb várias vezes.

— Um ensaio clínico precisa ser conduzido respeitando totalmente o plano de testes, o protocolo, aprovados pela FDA. Então, a terapia é administrada por especialistas da área, que são os assim chamados investigadores. Por questão de objetividade, isso acontece em dezenas de lugares diferentes, muitas vezes no mundo inteiro. Pouquíssimas farmacêuticas têm recursos para fazer isso por conta própria.

— E como os pacientes são monitorados?

— Em geral, os investigadores e suas equipes examinam os pacientes regularmente e também realizam vários testes e exames de imagem.

— E o que acontece com essas informações?

— A equipe de investigação insere relatórios codificados de cada paciente numa base de dados mantida pela ORPC.

— E os resultados dessa base de dados são públicos?

— Durante o teste, não. Como eu disse, para que o ensaio clínico seja duplo-cego, os resultados geralmente são mantidos em segredo até o fim, exceto por um monitoramento de segurança que é feito para evitar o acesso do patrocinador do ensaio e de todos os participantes.

— O que significa "realizar a quebra do cegamento"?

— Significa olhar todos os dados, inclusive a parte mais sigilosa, que são os códigos que mostram qual medicamento os participantes do estudo estão recebendo.

— E a quebra deveria ser notificada à FDA?

— Como eu disse, existe o monitoramento de segurança. Mas, tirando isso, de acordo com nossos regulamentos, qualquer quebra prematura do cegamento que aconteça fora do protocolo do teste deve ser notificada a nós.

— E, tanto em setembro de 2016 quanto em qualquer momento posterior, a senhora foi informada de que o Dr. Kiril Pafko havia feito a quebra do cegamento do ensaio do g-Livia?

— Protesto — intervém Marta. — A pergunta presume um fato que não foi provado.

— Reformule a questão, Sr. Appleton — diz Sonny.

— Em algum momento, informaram a FDA sobre a quebra do cegamento antes da conclusão do ensaio clínico?

— Não. Nunca. Fiz uma busca nos meus registros e nos da agência, e em momento algum fomos notificados de qualquer quebra do cegamento durante o ensaio, nem dos monitores de segurança, que aparentemente não teriam motivos para fazer isso.

— E o que é um "evento adverso"?

— É um evento que ocorre ao longo do ensaio clínico que afeta negativamente a saúde de um paciente que faz parte do estudo. Supostamente, eventos adversos sempre devem ser documentados na base de dados do ensaio.

— E o que é um "evento adverso grave"?

— Um evento adverso grave é aquele que pode pôr em risco a vida do participante de um ensaio.

— Morrer é um evento adverso grave? — pergunta o procurador da república. Moses é tão impassível no tribunal que é capaz de fazer uma pergunta desse tipo sem parecer um mafioso. A Dra. Robb, porém, não consegue conter um leve sorriso.

— Definitivamente, é.

— Segundo o regulamento, os eventos adversos graves devem ser informados à FDA?

— Com certeza.

Moses faz uma pausa. Em seguida, mostra à Dra. Robb uma prova intitulada "Pafko Computador-A", que ele pede para mostrar aos jurados. Os Stern poderiam protestar, porque uma prova não pode ser formalmente aceita até que os peritos forenses do FBI expliquem como obtiveram a captura de tela da base de dados da Global International do computador de Kiril. Mas a verdade é que não há muito a ganhar com essa tática, já que, como perita, a Dra. Robb pode dar seu depoimento sobre a prova de qualquer modo. No tribunal, às vezes o melhor que a defesa pode fazer é fingir indiferença.

— Dra. Robb, quero chamar sua atenção para Pafko Computador--A. O que ela lhe parece?

— Parece ser uma tabela de resultados da base de dados do ensaio clínico do g-Livia. Houve a quebra do cegamento, e os dados foram organizados para agrupar todos os eventos adversos graves nos seis meses anteriores, período que seria de 15 de março de 2016 até 15 de setembro de 2016, dia em que essa base de dados foi criada.

— E quando a senhora diz que houve uma "quebra", significa que os dados foram organizados para mostrar quais pacientes estão recebendo o g-Livia?

— Isso.

— E entre os pacientes do g-Livia existe alguma fatalidade listada?

— Sim. É possível ver no canto direito da página. São catorze, doze delas codificadas para mostrar a causa da morte como sendo "não relacionada à doença". Dessas doze, dez aconteceram no trimestre anterior.

— E, olhando para Pafko Computador-A, o que mais a senhora pode nos dizer sobre essas mortes?

— Os investigadores inseriram dados incrivelmente parecidos sobre cada uma dessas doze mortes: febre alta, rigidez muscular, pressão alta. Pela descrição, todas aconteceram subitamente, com o óbito em menos de 36 horas após a hospitalização, em geral muito antes disso.

— E, na sua posição de perita, que conclusões pode tirar observando essa base de dados?

— Para mim, está óbvio que doze pacientes que vinham sendo tratados com o g-Livia por mais de um ano morreram nos últimos seis meses por motivos que não têm nenhuma relação evidente com o câncer. A frequência dessas mortalidades parecia estar aumentando até pouco tempo.

— E esses são eventos adversos graves que deveriam ter sido informados à FDA?

— Isso, sem dúvida.

— E se a senhora tivesse visto Pafko Computador-A ou recebido um relatório contendo informações semelhantes, o que teria feito?

— Teria suspendido o processo de aprovação do g-Livia imediatamente para investigar mais a fundo.

— Agora quero lhe mostrar uma prova intitulada "Global-A". O que ela lhe parece?

— É uma tabela semelhante à anterior, refletindo a base de dados dos pacientes de g-Livia no ensaio nos seis meses anteriores, mas esta está datada de 16 de setembro de 2016.

— É semelhante à Pafko Computador-A?

— Sim, muito semelhante à Pafko Computador-A, mas não é igual.

— E no que elas diferem?

— Em Global-A, as doze mortes súbitas foram totalmente omitidas.

— Qual teria sido sua reação se a senhora tivesse visto esses dados, em vez dos dados em Pafko Computador-A, a captura de tela tirada um dia antes?

— Eu não teria feito nada. Tudo parece bem.

Em seguida, Moses mostra um pedido formal da PT para comercializar o g-Livia, um documento intitulado requerimento de licença de produto biológico, enviado à FDA em outubro de 2016. O documento está marcado como Prova do Governo-1.

— E o que a senhora pode nos dizer ao comparar os dados em Global-A com os dados apresentados em Prova do Governo-1, que é o requerimento de comercialização da PT?

— São iguais. Na Prova do Governo-1 há mais dados, muito mais dados, que foram incorporados a um documento chamado Relatório de Estudo Clínico. Mas todos os dados em Global-A estão contidos na Prova do Governo-1.

— E, com relação à Prova do Governo-1, o requerimento de comercialização da PT, a senhora compareceu à reunião ocorrida na FDA com representantes da Pafko Therapeutics em 27 de outubro de 2016?

— Compareci.

— E quem da PT estava presente?

Compareceram Kiril, Lep e Tanakawa, responde Robb, além da mesma equipe da FDA.

— E os dados estavam no relatório do ensaio clínico que faz parte da Prova do Governo-1?

— Sim. Os números pareciam mostrar que o g-Livia representava um grande avanço em comparação com as terapias existentes no mercado.

— E a senhora chegou a conversar com o réu, Kiril Pafko?

— Sim. Perto do fim da reunião, eu apertei a mão dele e disse: "Parabéns, parece que o senhor conseguiu novamente."

— E o que quis dizer com esse cumprimento?

— Quis dizer que o g-Livia parecia ser um avanço no tratamento do câncer, avanço tão importante quanto a descoberta das proteínas RAS, pela qual o Dr. Pafko recebeu o prêmio Nobel.

— Quando a senhora fala sobre a aprovação de um medicamento, quem toma essa decisão na FDA?

— Em se tratando de tratamentos contra o câncer, os requerimentos de comercialização, como a Prova do Governo-1, vêm parar na minha mesa com a recomendação dos meus colegas e de um painel externo de especialistas, que chamamos de Comitê de Aconselhamento sobre Medicamentos. Em geral, faço minha recomendação ao comissário e a meus outros superiores com base nas opiniões de dentro da agência e também na minha própria avaliação das provas.

— E quantos tratamentos de câncer foram aprovados pela FDA sem sua recomendação nos últimos seis anos?

— Nenhum.

— Dra. Robb, se estivesse ciente dos dados em Pafko Computador-A, a senhora teria apoiado a aprovação acelerada do g-Livia em janeiro de 2017?

— De jeito nenhum.

Moses se aproxima da mesa da acusação para checar com Feld se abordou todos os pontos. Feld menciona alguma coisa, Moses assente com a cabeça e volta para seu lugar de costume no pódio.

— A senhora examinou a bula do g-Livia?

— Sim.

— Nela existe uma advertência sobre possíveis eventos adversos dos anticorpos monoclonais. Essa advertência é adequada, na sua opinião?

— Totalmente inadequada. A advertência na bula do g-Livia é um texto-padrão. Quando um determinado medicamento oferece um risco identificável de complicação letal ou efeito colateral, exigimos uma advertência numa caixa de texto preta.

— E o que é isso?

— Exatamente o que parece: uma caixa de texto com uma borda preta grossa descrevendo o possível problema. O objetivo da caixa de texto preta é evitar que o médico e o paciente a ignorem.

Como prova ilustrativa, Moses apresenta uma página da bula de outro produto com advertência em uma caixa de texto preta e depois a mostra no monitor. A caixa de texto ocupa mais da metade da página e chama a atenção.

Com isso, Moses se vira para Marta e diz:

— A testemunha é sua.

Por mais humilde que seja, Moses abre um leve sorriso presunçoso. A Dra. Robb deu uma surra em Kiril.

Marta se levanta. Na opinião de seu pai, ela é uma excelente advogada de julgamento, sempre mantendo a compostura e sempre perspicaz. Ela é mais competente que Stern tanto em relação à argumentação jurídica quanto em relação ao conhecimento técnico para confrontar uma perita. Além de tudo, é especialmente boa em fazer a inquirição cruzada com certos homens — incluindo-se aí policiais mais velhos — que tendem a ficar irritados diante de mulheres fortes. Mas, com o passar dos anos, ambos os Stern aceitaram, de maneira praticamente implícita, que Marta não tem o instinto do pai no tribunal. Para uma inquirição cruzada, Stern se prepara freneticamente — fazendo anotações, selecionando provas, planejando a ordem das perguntas —, mas quando se levanta da mesa, segue a intuição. Marta prefere se ater ao roteiro. Os dois têm um acordo tácito de que os momentos de destaque geralmente ficam a cargo de Stern, mas veem Robb como uma testemunha melhor para Marta por dois motivos: primeiro, que a essa altura Marta conhece muito melhor os regulamentos complexos da FDA. Segundo, que uma mulher confrontando outra pode passar uma imagem mais positiva para o júri, tendo em vista que a Dra. Robb vai passar por maus bocados, o que fica evidente assim que Marta se apresenta.

— Dra. Robb, quero ler para a senhora uma citação tirada do *New England Journal of Medicine*, de um artigo da área de saúde publicado dezesseis anos atrás. "Se o estado de Massachusetts anunciasse amanhã que vai permitir que as pessoas conduzam algo tão potencialmente perigoso quanto um veículo motorizado com base num teste que os motoristas aplicam a si mesmos, a reação seria, quase certamente, um furor nacional. No entanto, com bilhões de dólares e, mais importante, centenas de milhões de vidas em jogo, permitimos que a indústria farmacêutica americana teste a segurança e a eficácia de seus produtos destinados ao mercado geral por si própria, com uma supervisão limitada por parte do governo. Assim, não podemos nos declarar surpresos quando esse processo produz resultados duvidosos, quando não letais."

Moses se levanta balançando a cabeça.

— Protesto. Meritíssima, o processo de testagem farmacêutica não está em julgamento aqui.

Marta intervém.

— Antes de decidir, Meritíssima, posso terminar a pergunta?

Sonny ergue a mão meio a contragosto.

— A senhora sabe quem escreveu essas palavras, Dra. Robb?

Desde que Marta começou a ler, Robb abriu um sorriso sem graça.

— Sei. Foi o Dr. Jason Cardenal.

— E quem é o Dr. Cardenal?

— Atualmente, é o comissário da FDA.

— O chefe da agência?

— Sim.

— Mesmo protesto — diz Moses. — Isso é irrelevante.

Sonny encara Marta com um olho fechado, e esta responde.

— Primeiro, Meritíssima, o Sr. Appleton perguntou por que a FDA não conduz os testes farmacêuticos. A Dra. Robb respondeu que são caros demais, como se o assunto se encerrasse aí. Segundo, a Dra. Robb é a principal testemunha do governo para atestar que a FDA supostamente sofreu uma fraude. É relevante se o chefe da agência veio a público avisar que a natureza do sistema faz com que as informações recebidas pela FDA sejam inerentemente suspeitas.

Sonny abre um ligeiro sorriso.

— Não sei quanto à sua segunda razão, Srta. Stern, mas aceito a primeira. Protesto indeferido.

— O Dr. Cardenal já afirmou publicamente diversas vezes que mudou de opinião — interpõe a Dra. Robb.

— Peço a remoção dos autos — diz Marta.

— Concedido. — Sonny se vira para a Dra. Robb e acrescenta: — Dra. Robb, por favor, não faça comentários por conta própria. Espere os advogados lhe fazerem as perguntas.

Sentindo-se reprimida, Robb assente. O artigo de Cardenal propunha um sistema em que o governo testaria novos medicamentos e produtos biológicos, sistema esse que seria pago pelo acréscimo de um pequeno imposto sobre cada produto farmacêutico vendido nos Estados Unidos. A indústria farmacêutica se opôs veementemente, assim como muitos congressistas em Washington, que acharam que isso criaria uma burocracia federal monstruosa. Outros temiam que o sistema proposto seria ainda mais vulnerável à influência de lobistas.

Apesar de contar com o apoio da comunidade médica, a ideia de Cardenal não deu em nada.

Nesse meio-tempo, Marta começa a percorrer o caminho principal de sua inquirição, que já tinha repassado com seu pai.

— Dra. Robb, seria justo resumir seu depoimento à acusação dizendo que hoje, aqui no banco das testemunhas, a senhora não recomendaria a aprovação do g-Livia se tivesse visto a base de dados do ensaio clínico existente em 15 de setembro de 2016, conforme consta na prova Pafko Computador-A?

— Correto.

Com essa pergunta Marta quer enfatizar que Robb mantém a mesma opinião a respeito do g-Livia. Marta explicou a Stern que Robb não pode dizer nada diferente, pois essa posição é essencial para a FDA cancelar a aprovação do medicamento.

— E o critério para que a FDA aprove um medicamento, ou seja, que permita a sua comercialização em território americano, é que o medicamento se mostre seguro e eficaz, certo?

— Certo.

— Então, ao decidir ou não aprovar um medicamento, a senhora não está fazendo um julgamento moral, correto?

— Não entendo.

— Hipoteticamente, caso concluísse que um medicamento é seguro e eficaz de acordo com os critérios da FDA, a senhora recomendaria a aprovação, mesmo que houvesse erros ou omissões graves ou mesmo que descobrisse mentiras evidentes no pedido de aprovação, certo?

— Não sei bem como essa hipótese é possível... não sei como eu poderia ter certeza de que um medicamento é seguro e eficaz se o patrocinador tivesse mentido para nós. Preciso pensar a respeito disso. Mas, sim, não fazemos julgamentos morais.

— Mas fraudes são irrelevantes no que diz respeito à opinião que a senhora emite a respeito das aprovações?

— Acho que não são irrelevantes para ninguém dentro da agência. Como a senhora sabe, a FDA declarou...

— Com licença — intervém Marta rapidamente com a mão erguida.

A Dra. Robb estava prestes a se referir à medida administrativa que a FDA propôs para anular a aprovação do g-Livia, alegando que ela se baseava em uma fraude. Essa é mais uma parte do processo cível sobre o qual, segundo determinação de Sonny, o júri não deveria ouvir.

— Só estou fazendo as perguntas sobre a senhora, Dra. Robb, não sobre os outros funcionários da agência. Você é a pessoa que está aqui para depor.

— Compreendo.

— E a senhora está dizendo aqui, hoje, que o único motivo pelo qual não apoiaria a aprovação do g-Livia é o fato de essas doze mortes registradas em Pafko Computador-A fazerem a senhora se perguntar se o medicamento é de fato seguro e eficaz?

Robb franze os lábios por alguns instantes para ponderar.

— É o que estou dizendo, sim — responde ela, por fim.

— E nesse julgamento também não importa se essas mortes deveriam ter sido reportadas como eventos adversos graves, importa?

— Bem, não sei se posso dizer que não importa.

— A senhora pode nos citar uma situação, Dra. Robb, em que a FDA tenha se recusado a aprovar um medicamento somente com base numa violação das regras?

Robb titubeia, então responde:

— Preciso pensar.

Marta vai à mesa da defesa e pega um livro do tamanho da lista telefônica do condado de Kindle.

— Esta é uma cópia do Código de Regulamentos Federais que contém a maioria das regras que sua agência estabeleceu formalmente para ensaios clínicos?

Na verdade, trata-se de uma edição do código em letras grandes, um exemplar bem mais imponente do que a edição comercial, mas Robb parece se lembrar da diretiva de Sonny para que não faça comentários não solicitados e simplesmente responde que sim.

— Dra. Robb, com que frequência acontece de uma empresa patrocinadora, como uma fabricante farmacêutica, não cumprir com cada uma dessas regras durante um ensaio clínico?

— Eu diria que isso acontece todo dia, mas nem todas as regras têm a mesma importância.

Pela segunda vez, Marta pede a exclusão de uma declaração imprópria dos autos, e Sonny concorda. Em seguida, vira-se para a Dra. Robb e acrescenta:

— Dra. Robb, novamente, peço que não faça comentários não solicitados. Ouça e responda à pergunta. Não me force a colocá-la de castigo.

Apesar do momento tenso, Robb dá uma risada, e, com isso, grande parte dos presentes faz o mesmo.

Sonny continua.

— O Sr. Appleton é um excelente advogado e, se ele achar que há outros fatos que o júri deve saber, vai perguntá-los após o fim da inquirição da Srta. Stern.

— Certo — concorda Robb.

Marta está a poucos metros de Robb, ainda segurando a cópia do regulamento.

— Na verdade, Dra. Robb, voltando à pergunta que acabei de fazer, a maioria dos medicamentos não seria aprovada pela sua agência caso as violações ao regulamento fossem critério de exclusão.

Robb franze o cenho enquanto reflete sobre a questão.

— *Touché* — diz ela, por fim.

— Não estou esgrimando com a senhora, Dra. Robb.

— Eu sei. Acho que o que a senhora disse está mais ou menos correto.

— Aliás, Dra. Robb, a senhora sabe quantos CEOs de empresas que não relataram eventos adversos da forma correta foram processados?

— Protesto — interrompe Moses, e Sonny defere rapidamente. O fato de alguém ter se safado ao agir errado não tem relevância para a culpa do réu em questão.

— Mas o ponto, Dra. Robb, com base no seu depoimento, é que sua opinião de que não endossaria a aprovação do g-Livia é baseada numa falha de notificação?

— Isso já foi perguntado e respondido — diz Moses.

— A pergunta não é exatamente igual, mas acho que todos nós já entendemos o argumento, Srta. Stern — diz a juíza. — Tudo o que importa para a aprovação é se o g-Livia é seguro e eficaz. Por favor, prossiga com a inquirição.

Como é típico em muitos casos de colarinho branco, os Stern estão tentando conduzir uma defesa que lembra uma velha piada sobre o homem que é processado após seu cachorro morder o vizinho. No julgamento, o homem se defende de três maneiras: (1) Eu sempre deixo meu cachorro preso em uma corrente. Ele não poderia ter mordido o vizinho. (2) Meu cachorro é muito velho e não tem dentes. Não poderia ter mordido meu vizinho. (3) Eu não tenho cachorro.

Stern espera que, ao fim do julgamento, as provas lhe permitam argumentar que Kiril jamais pediu que Wendy Hoh alterasse os dados do ensaio. Mas, se o júri concluir o contrário, os Stern querem poder dizer que a alteração não tem importância, que não foi "relevante", no jargão jurídico. E Marta está se movimentando metodicamente em direção a esse objetivo, ao fazer Robb concordar que nem o ato de mentir em si nem o fato de não seguir os regulamentos são determinantes para decidir se o g-Livia segue os critérios da FDA.

— Com relação a ser seguro e eficaz, como a FDA define "segurança"? — pergunta Marta.

— Bem, nós aprovamos um medicamento após determinar que os benefícios superam os riscos conhecidos e potenciais à população-alvo pretendida.

— Então, mesmo que um medicamento mate um certo número de pacientes, ainda assim ele pode ser seguro o suficiente a ponto de receber a aprovação da FDA?

— Na teoria.

— E na realidade, não acha? Tanto o seu centro quanto os centros de seus colegas que lidam com produtos biológicos e dispositivos aprovam a comercialização de itens sabendo que existe uma alta probabilidade de alguém ir a óbito, não é?

Não à toa, Marta está repetindo o termo "alta probabilidade", que consta na lei que tipifica o homicídio.

— E muito mais vidas serão salvas, mas sim.

— Durante sua preparação para o depoimento, Dra. Robb, a senhora teve permissão para revisar a transcrição do depoimento dado pelo Dr. Kapech?

Moses protesta com relação à palavra "permissão". A regra geral de que as testemunhas não devem ter acesso ao que outras disseram no tribunal não se aplica a peritos. Assim, Sonny pede que Marta reformule a pergunta, e Robb diz que não sabe o que Kapech disse aos jurados.

— A senhora conhece a reputação do Dr. Kapech como epidemiologista oncológico?

— Muito bem.

— É uma figura de renome na área?

— Sem dúvida.

— Bem, para discutir suas opiniões, vou lhe mostrar uma parte da transcrição do depoimento do Dr. Kapech. Está vendo ali?

Após alguns instantes, duas páginas de transcrição digitadas surgem no monitor.

— O Dr. Kapech disse a todos nós que entre 25% e 30% dos pacientes com carcinoma de pulmão de células não pequenas em estágio 2 morrem de câncer em menos de catorze meses.

— Certo — diz Robb.

— Agora, quero voltar à prova Pafko Computador-A, que é a base de dados do ensaio clínico do g-Livia em 15 de setembro de 2016. — Pinky põe a imagem de volta na tela. — São dezessete meses após o começo do estudo, certo?

Robb assente, mas a juíza pede que ela responda em voz alta. Ela responde que sim.

— Não falamos muito sobre o outro braço do ensaio, envolvendo a quimioterapia, que foi considerada a terapia-padrão, à qual o g-Livia estava sendo comparado. A senhora lembra qual era o índice de fatalidade no outro braço?

Moses protesta, alegando que os resultados no outro braço do ensaio clínico do g-Livia são irrelevantes, mas Sonny indefere. Pela regra de utilização das provas, se parte de determinado documento foi exibida ao júri, ele pode ser exibido em sua integridade.

— Eu já soube de cabeça. Se minha memória não me falha, os números do g-Livia eram significativamente melhores. Eu chutaria que no outro braço o índice de mortalidade era superior a 20%.

— Bem, não vamos chutar — diz Marta.

Ela apresenta a outra parte da base de dados, que mostra que 49 dos pacientes que começaram o estudo na terapia-padrão tinham morrido até aquele momento. Considerando que oito pacientes tinham saído desse braço do estudo — uma ocorrência rotineira, concorda Robb —, pouco mais de 25% dos pacientes recebendo a terapia-padrão morreram até aquele momento.

— Agora, para contrastar, Pafko Computador-A mostra que 6% dos pacientes no estudo tinham morrido desse fenômeno súbito, correto?

— Sim.

— Mas apenas outros 5% morreram por motivos aparentemente relacionados ao câncer.

Robb hesita, o que permite que Marta comece a ler linha por linha da base de dados. Após uns bons cinco minutos disso, Robb concorda que 5% — dez pacientes — pareciam ter morrido de causas relacionadas ao câncer.

— Portanto, até esse momento, cerca de dezessete meses após o início do estudo, 11% dos pacientes do g-Livia tinham morrido, contra mais de 25% dos que estavam recebendo a terapia-padrão. Correto?

— É o que os números mostram.

— O que significaria que o g-Livia é "seguro", de acordo com o que a senhora explicou sobre o critério de segurança e eficácia?

Robb está sorrindo como se Marta fosse uma garota travessa. A doutora olha para Sonny e pergunta:

— Posso explicar?

— Responda à pergunta, por favor, Dra. Robb.

— Sim, se o mundo parasse de girar após dezessete meses, o g-Livia seria mais seguro que a terapia-padrão.

— Isso incluindo essas mortes súbitas?

— Sim, mas essas mortes começaram após os treze meses de tratamento com o g-Livia. O que ninguém sabe com base nesses números é se 80% dos pacientes vão sofrer uma morte súbita se continuarem tomando o g-Livia ao longo do próximo ano. Essa é a questão que se levanta com base nessas mortalidades. E, por causa disso, eu não poderia nem posso afirmar que o g-Livia é seguro.

— O g-Livia não poderia ser considerado seguro porque a senhora não sabia o que aconteceria com o passar do tempo?

— E porque eu não sei qual é a causa da morte. Os pacientes estavam morrendo de forma misteriosa. A maioria dos investigadores atribuía as mortes a infarto do miocárdio...

— Ataque cardíaco.

— Ataque cardíaco, porque eles viam esses casos de forma isolada. Mas, quando você se dá conta de que é um problema mais generalizado, existem muitas outras possibilidades a serem investigadas. Os pacientes de câncer tomam um monte de medicamentos, então as mortes poderiam estar ligadas a uma interação letal entre eles. Poderia haver um problema de fabricação com o g-Livia. Se a senhora me desse tempo, eu poderia citar muitas outras possibilidades.

— Mas considerando que estamos aqui hoje, doutora, *hoje*, o consenso médico é de que o que estava causando essas mortes era uma reação alérgica, certo?

— De modo geral, sim. Os patologistas que observaram os sintomas chegaram a essa conclusão de modo praticamente análogo. É muito, muito incomum que um medicamento só venha a causar uma reação alérgica após um ano de uso. Espera-se ver essas manifestações em alguns pacientes muito antes disso. Portanto, mesmo agora, eu tenho dúvidas. É possível que algo adicionado ao medicamento, digamos, um excipiente, esteja causando essa reação. E, francamente, pode ser até que, com o passar do tempo, o próprio g-Livia, sozinho, provoque uma mudança fundamental na química corporal e cause essa reação alérgica.

— Mas do ponto de vista da segurança, Dra. Robb, o que se avalia não é *por que* existe uma reação alérgica, mas se ela pode ser contida, certo?

— Bem, em geral uma coisa anda de mãos dadas com a outra, mas eu diria que isso é verdade.

— Dra. Robb, a FDA já aprovou medicamentos que são conhecidos por causar reações alérgicas em pacientes?

— Sim.

— Muitos?

— Muitos.

— Alguns que podem causar reações muito graves, até letais?

— Sim.

— E ao aprovar esses medicamentos, a FDA exige que o fabricante coloque uma caixa preta de advertência na bula, que a senhora mencionou anteriormente?

— Sim.

— E, às vezes, a FDA também exige algo chamado estratégia de avaliação e mitigação de risco, que pode exigir que o g-Livia só seja administrado em circunstâncias específicas? A FDA pode determinar que as injeções só sejam aplicadas num hospital e que o paciente deve ficar internado por setenta e duas horas após a injeção?

— É possível.

— A FDA já fez isso antes no caso de medicamentos que podem causar choque anafilático?

— Tenho certeza de que a senhora tem exemplos à mão, Srta. Stern — diz Robb, com um sorriso forçado.

Marta também sorri. Tem Robb sob controle.

— Mas a questão, Dra. Robb, é que existem métodos estabelecidos para lidar até com reações alérgicas graves, procedimentos que reduzem em grande parte a possibilidade de óbito do paciente, correto?

— Eu diria que no geral isso é verdade, mas não sabemos até que ponto essas medidas são eficazes para tratar a reação provocada pelo g-Livia.

— Mas, considerando seu conhecimento médico, a senhora pode dizer, aqui, hoje, que essas medidas *provavelmente* reduziriam o número de reações letais?

— "Provavelmente"? Sim, mas eu gostaria de ver os resultados num ensaio para ter certeza.

— Certo. E a outra preocupação que a senhora mencionou diz respeito a não saber até que ponto as reações alérgicas dos pacientes do g-Livia seriam generalizadas, certo?

— Certo.

— Bem, o que é um estudo confirmatório?

— É um estudo a que a farmacêutica patrocinadora ou o fabricante do medicamento precisa se submeter após a FDA conceder a aprovação acelerada. Em outras palavras, como a aprovação acelerada se dá após ensaios clínicos mais curtos, pedimos que o fabricante monitore por um período mais prolongado uma população-alvo que esteja sendo tratada com o medicamento.

— E a senhora está ciente de que a Pafko Therapeutics concordou com as exigências da FDA e conduziu um estudo confirmatório do g-Livia com mil pacientes, entre os quais mais de cem tinham feito parte do ensaio duplo-cego original?

Moses já está de pé. Protesta ao ouvir qualquer referência ao estudo confirmatório. Após chamar os advogados para tentar resolver o assunto ali mesmo na sala de julgamento, Sonny pede que o júri seja retirado. A promotoria obviamente sabia que em algum momento o estudo posterior seria citado, e tem vários argumentos para que a juíza proíba qualquer referência a este. Ele foi planejado para ter três anos, mas durou apenas vinte e três meses, até que o g-Livia foi retirado do mercado. Por causa disso, os dados coletados não foram "depurados", como diriam os cientistas, para esclarecer as anomalias estatísticas. E o mais importante, diz Moses, é que a acusação de fraude na denúncia já estava completa quando Pafko adulterou os dados e permitiu que fossem enviados à FDA, portanto acontecimentos posteriores não deveriam ter qualquer relevância.

Na maioria dos casos, o argumento de Moses prevaleceria. No entanto, a Dra. Robb recebeu permissão para depor como perita. Seu depoimento é menos circunscrito do que o de uma testemunha leiga, portanto a inquirição cruzada tem mais liberdade para explorar a base de suas opiniões como perita.

— A Dra. Robb afirmou diversas vezes que ainda hoje considera que o g-Livia não é seguro nem eficaz — alega Marta. — Portanto, o Dr. Pafko tem direito a contestar essa opinião e o conhecimento dela usando quaisquer dados que tenham surgido até o momento.

Após mais algumas argumentações de lado a lado, Sonny concorda com Marta. Moses pode questionar o valor dos dados não processados do estudo confirmatório durante a reinquirição.

A Dra. Robb é conduzida de volta à sala de julgamento, e um resumo do estudo confirmatório surge na tela.

— Dra. Robb, permita-me lembrá-la de que o Dr. Kapech nos disse que de 25 a 30% dos pacientes com carcinoma de pulmão de células não pequenas no estágio 2 morrem em cerca de catorze meses. Bem, olhando os dados ainda não depurados do estudo confirmatório, qual é o percentual de pacientes do g-Livia que morreu após vinte e três meses, considerando os que faleceram do que, no momento, chamamos de mortes por reação alérgica?

— Ainda parece ser cerca de 13%.

Por incrível que pareça, as mortes por reação alérgica estagnaram no estudo confirmatório. A comunidade oncológica é bem pequena, portanto, a notícia dessas mortes súbitas se espalhou, e alguns especialistas aparentemente começaram a tratar os pacientes contra a reação alérgica por conta própria, mesmo sem o aviso na bula.

— E presumindo-se que a depuração estatística confirme esses números, essa é uma diferença importante?

— Da forma como vemos as coisas no mundo da oncologia, é uma diferença muito significativa. Presumindo-se que esses números sejam precisos, seria um aumento muito importante nos índices de sobrevida.

— Então, Dra. Robb, presumindo-se que houvesse uma estratégia bem-sucedida de mitigação de risco para as reações alérgicas, e presumindo-se também que os dados do estudo confirmatório fossem atestados pelos estatísticos... a senhora ainda concluiria que o g-Livia não é seguro e eficaz?

Por um instante, Robb parece aflita.

— Não posso falar por toda a FDA.

— Como já dissemos antes, Dra. Robb, é a senhora, e não seus outros colegas, quem está no banco das testemunhas. Presumindo-se que as suposições que fiz anteriormente sejam verdadeiras, sua opinião de perita, hoje, ainda é a de que o g-Livia não é seguro e eficaz?

— Isso é presumir muita coisa. Também posso presumir que as pessoas vão parar de ter câncer.

Sonny interrompe.

— Chega de enrolar, Dra. Robb. A Srta. Stern tem direito a uma resposta para a pergunta.

Embora Stern não previsse essa reação da juíza, tendo em vista a Sonny que ele conhece em particular, Kiril estava certo ao dizer que ela tem pavio curto no tribunal. Após mais de vinte anos como juíza, sua paciência para as travessuras típicas de advogados e testemunhas se reduziu bastante, algo comum entre juízes de longa data. Mas o fato é que a bronca da juíza parece intimidar Robb novamente. Ela se endireita, embora sua expressão ainda parecesse perturbada e sombria.

— Nesse caso estaríamos presumindo muita coisa. Mas, se tudo isso fosse verdade, então acho que provavelmente eu hesitaria ao expressar a mesma opinião hoje. Mas, sabe, sentada aqui, respondendo a perguntas hipotéticas, parece que estou participando de um experimento mental. E o que nós fazemos, o que eu faço, não é imaginário. Lidamos com a vida das pessoas. Na prática, se eu estivesse respondendo a essa pergunta na vida real, eu precisaria de muito mais tempo e teria que estudar vários fatores com muito mais cuidado do que estou fazendo aqui agora.

Marta olha para Robb do outro lado da sala, e Stern precisa se conter para não se aproximar e segurar a filha. Robb fez todo o possível para ressalvar a resposta, mas no meio da verborragia está o trecho fundamental: "eu hesitaria ao expressar a mesma opinião hoje". Se Marta continuar a inquirição com Robb, é provável que a doutora volte atrás em parte do que disse, ou mesmo em tudo.

Em pé e em silêncio, Marta chega à mesma conclusão por conta própria. Ela para por um segundo e absorve o ar carregado da sala, o que sugere que todos ali entendem que Robb acabou de fazer uma concessão fundamental. Legalmente, Moses está certo ao dizer que o júri tem direito a concluir que Kiril cometeu fraude em 2016. Mas o que Robb acabou de admitir dá aos jurados margem para decidir se vão mesmo condenar um ganhador do prêmio Nobel de setenta e oito anos por manipular os dados a respeito de um medicamento que demonstrou salvar vidas, e que sabemos que hoje seria aprovado de uma forma ou de outra.

Marta volta à mesa da defesa para deixar as páginas do estudo confirmatório que estava segurando. Parece prestes a se sentar, o que pode ser uma boa ideia, mas por fim ela ergue a mão para deixar evidente que ainda não terminou.

— Mais uma questão, Dra. Robb. A senhora diz que se reuniu com representantes da PT em Washington várias vezes para discutir o g-Livia. Entre o primeiro encontro em 2014, quando a PT demonstrou interesse em obter o status de Terapia Inovadora para o g-Livia, e o último, em outubro de 2016, de quantas reuniões a senhora participou no total?

— Quatro, acho.

— O Dr. Kiril Pafko estava presente em alguma dessas reuniões?

— Na primeira e na última.

— Quem era o principal representante da PT em cada uma dessas reuniões?

— O Dr. Lep Pafko.

— E em outubro de 2016, quando os resultados do ensaio clínico foram apresentados à FDA, quem falou representando a empresa?

— Na maior parte do tempo? Kiril disse algumas palavras, mas foi o Dr. Lep Pafko quem falou na maior parte do tempo.

Marta pede que Pinky ponha na tela a capa do requerimento de comercialização da PT para o g-Livia, a Prova do Governo-1.

— Esta parte do documento, o formulário FDA 356h, tem os campos 30 a 35, em que alguém intitulado Responsável Oficial certifica que a PT seguiu todas as leis e regulamentos aplicáveis. Essa certificação era legítima?

— Não, não no meu ponto de vista.

— E a pessoa que certificou foi o Dr. Kiril Pafko, o réu que está sendo julgado aqui, não foi?

Robb sorri. A assinatura está bem ali na tela.

— Não.

— Quem foi, então?

— O Dr. Lep Pafko, diretor médico e vice-presidente sênior.

— O Dr. Lep?

Marta exibe uma expressão confusa, em seguida declara que não tem mais perguntas.

Sonny anuncia o recesso para o almoço. Assim que o júri sai da sala, Stern se levanta, segura Marta pelos ombros e diz:

— Brilhante! Você nunca esteve tão bem.

Marta sorri, satisfeita com o elogio do pai. Pinky e vários advogados dos grandes escritórios envolvidos nas ações cíveis, assistindo da galeria, se aproximam em silêncio para elogiar o trabalho de Marta. Stern dá as costas para deixar Marta com seus admiradores, e só então percebe que Donatella, sentada no primeiro banco, se inclinou para a frente. Ela tem a mão nas costas da cadeira do marido, e o olhar que lança para Stern por baixo daquelas sobrancelhas pretas grossas é ameaçador o suficiente para gelar seu coração. Então ela se levanta e se inclina na direção de Stern.

— Sandy — sussurra Donatella num tom gentil, totalmente em desacordo com o que Stern acabou de ver no rosto da mulher —, por favor, permita que Kiril e eu levemos você para almoçar.

15. O FILHO DA MÃE

A essa altura, com muito menos fotógrafos na cobertura diária das sessões do julgamento, Kiril começou a ir ao tribunal de carro com Donatella, estacionando no Hotel Gresham, a alguns quarteirões de distância. Enquanto Stern e os Pafko descem lentamente pela escadaria central do fórum, com degraus de alabastro, Kiril liga para o manobrista. O jovem está com o carro dos Pafko parado no meio-fio quando os três idosos chegam. Não é o Maserati de Kiril, mas seu velho Cadillac. Com o passar dos anos, Pafko comprou vários automóveis na mesma concessionária que Stern, que foi quem indicou o lugar a Kiril. Agora o Cadillac CTS cinza é de Donatella.

— Cadê a obra de arte italiana? — pergunta Stern sobre o Maserati.

— Kiril agora tem dois carros — responde Donatella. — O carro dele vive na oficina, então ele passou a pegar o meu três vezes por semana — completa ela, com uma alfinetada de brincadeira.

Nessa idade, Donatella provavelmente não dirige com muito mais frequência que Stern hoje em dia, e Kiril admite que o Maserati é lindo, mas tão delicado que, às vezes, parece que o carro é alérgico a asfalto.

Eles chegam ao University Club em questão de minutos. Por dentro, o lugar tem uma aparência medieval, com um mobiliário que poderia pertencer ao rei Arthur, móveis pesados de carvalho entalhado e couro vermelho combinando com os lambris de madeira. O salão de estilo gótico tem um pé-direito de quase dez metros e botaréus com vitrais entre eles.

Após se sentarem, Donatella começa a conversar de forma amigável, relembrando o recital de violoncelo a que assistiram na noite anterior, estrelado por Steffi, de catorze anos, filha mais velha de Lep. Greta, mulher de Lep, é uma química alemã que ele conheceu na faculdade, mas também uma musicista talentosa. Conforme Donatella fala, mais uma vez Stern se dá conta da impressionante combinação de graça e determinação da mulher de Kiril. Ela sempre está extremamente bem-vestida. Hoje está usando uma saia de tecido leve com textura áspera e cor de lã de carneiro, além de uma jaqueta preta bordada. Sua autoconfiança é radiante. Os diamantes que usa são enormes, e não faz a menor questão de escondê-los, como se fossem medalhas de honra ao mérito. Nas poucas vezes em que compareceu às reuniões com Stern, Donatella se manteve em silêncio, mas hoje, quando o assunto é sobre o julgamento, ela parece totalmente motivada.

— Sandy, essa história de falar de Lep precisa parar de vez — diz ela. — Kiril não vai salvar o próprio pescoço colocando o do filho na forca.

Pafko não diz nada, mas assente de forma empática. Quando acompanhado pela mulher, Kiril, com seu jeitão de cavalheiro à moda antiga, sempre se mostrou condescendente com ela, pelo menos na presença de outras pessoas. Stern concluiu há muito tempo que nenhum relacionamento é tão complexo quanto o casamento, tampouco compreensível para quem olha de fora. E, nesses esquemas tão complicados, muitas vezes o lugar dos filhos é único e cheio de nuances. Esse é mais um dos grandes truques da Natureza. Duas pessoas desenvolvem uma paixão tão intensa uma pela outra que decidem ter filhos que acabam trazendo problemas para a relação. Seja como for, o lugar de Lep na hierarquia emocional de sua mãe é bem óbvio.

— Donatella, minha querida — começa Stern —, uma ação criminal se ganha gerando dúvidas, dúvidas razoáveis. Posso lhe garantir que nem Marta nem eu temos qualquer intenção de argumentar que Lep é responsável por esses crimes. E a verdade é que essa ideia não se sustenta em uma análise mais aprofundada. Mas qualquer razão que os jurados possam encontrar por conta própria para deixar Kiril sair livre daquele tribunal é aceitável, não acha? Sei que Lep está extremamente preocupado com o pai. Muitas vezes, nós semeamos uma ideia e a deixamos de lado. Essa é a nossa única intenção com isso. Donatella, permita-me lembrá-la de que Lep tem imunidade. Não há mal nenhum em apontar para outra direção, não acha?

Donatella parece não aceitar a explicação. Ela balança a cabeça, a pele do rosto, flácida, sacudindo, fazendo-a parecer realmente velha.

— Mas Lep ainda tem décadas de carreira pela frente — argumenta a mulher. — Se ela estiver arruinada após o julgamento, então nenhum de nós sairá vitorioso.

Ela olha para Kiril do outro lado da mesa, que mais uma vez assente, com obediência.

Aconteça o que acontecer, Lep sairá dessa com pelo menos cem milhões de dólares. E, de uma forma ou de outra, em breve passará a controlar a empresa, quer Kiril vá para a cadeia, quer se aposente. Mais especificamente, Lep passará a ser alvo de suspeitas caso o júri conclua que ele passou anos trabalhando lado a lado com um vigarista.

Stern já marcou uma reunião em seu escritório só com Kiril ao fim do dia. Eles vão começar a decidir o que apresentar na defesa, e Stern faz uma anotação mental para acrescentar a advertência de Donatella à pauta. Kiril disse a Stern mais uma vez que não sabe de absolutamente nada que comprometa Lep, embora nunca tenha sido tão enfático quanto Donatella acabou de ser.

— Pode ter certeza de que vou cumprir seu desejo — diz Stern. — Na verdade, duvido que tenhamos muito mais a dizer sobre o assunto em juízo.

O fim da inquirição de Marta provavelmente é a única parte que Stern talvez precise refazer. Ontem à noite ela disse ao pai que mencionaria o nome de Lep de forma bem sutil, mas sutileza nunca foi o ponto forte de Marta.

O almoço acaba rápido. Donatella e Kiril precisam fazer uma breve parada em uma loja ali perto para escolher um presente de aniversário para um dos netos, e Stern volta de táxi sozinho ao tribunal, ainda processando a conversa.

"Foi Lep quem fez isso!" tem sido a linha de defesa mais tentadora neste caso. Era Lep, por exemplo, quem, no papel de diretor médico, estava de posse dos códigos para realizar a quebra do cegamento, caso isso fosse necessário em algum momento, e também era Lep quem mais se comunicava com a FDA. Lep também poderia ter se identificado como "Dr. Pafko" ao telefone com Wendy Hoh. Sempre que Stern se permite ter uma esperança sentimental da inocência de Kiril, sua mente divaga nessa direção.

O problema é que, quando ele e Marta consideraram culpar Lep, bateram de frente com os fatos. Lep não seria tão burro a ponto de tentar ludibriar Wendy Hoh. Peritos concordam que um homem PhD em ciência da computação poderia ter pensado em uma forma muito mais refinada — e sorrateira — de alterar a base de dados e as informações subjacentes a ela. E o mais importante: Lep também tem um álibi sólido. Kiril ainda estava em seu computador, mandando para Olga por e-mail a imagem da base de dados inalterada, quando os registros de voos mostram, de forma inequívoca, que Lep já havia embarcado no avião para Seattle e evidentemente foi até o aeroporto direto de casa, ao passo que os registros da sala de Kiril mostram que ele estava ao telefone com Wendy Hoh.

Por outro lado, o fato de Lep não ser o principal acusado não significa que ele não fazia ideia do que estava acontecendo, posição que ele irá manter a qualquer custo no banco das testemunhas. Marta, em particular, insistiu durante muito tempo — sem ouvir um contra-argumento convincente por parte de Stern — que, se por acaso eles tivessem uma máquina do tempo, veriam Kiril decidindo ligar para Wendy Hoh em pânico, e em seguida, após Lep chegar de viagem, contando ao filho sobre o sucesso que tinha sido o telefonema. Essa foi a ordem na vida dos dois durante décadas, com Kiril inalteravelmente no comando e Lep sempre obediente, vivendo quase cinquenta anos com nada mais essencial do que a aprovação do pai. Conforme Marta apontou de forma ácida, um homem como Kiril, que passou décadas esfregando suas infidelidades na cara do filho, dificilmente passaria a ter vergonha de uma hora para outra e a esconder do filho seus comportamentos reprováveis.

Lep é representado por advogados de Chicago, que fizeram uma negociação dura pela imunidade que, no fim das contas, ele recebeu. Stern não teve permissão para falar com Lep até que ele terminasse seu depoimento diante do júri de acusação. Assim que Lep finalizou o depoimento, os advogados concordaram em que ele desse duas entrevistas, talvez por insistência do próprio Lep. Mas foram momentos tensos, em que Lep contou a história de que o pai era culpado, a mesma que já tinha contado aos promotores, história na qual sua própria responsabilidade era totalmente minimizada.

Para desencorajar os Stern, os advogados insistiram para que os Stern e Lep se encontrassem nos escritórios deles em Chicago, em um arranha-céu com vista panorâmica para o lago. Sentado de frente para Lep ao lado de Marta, em uma sala de reunião imponente com janelas de ponta a ponta, Stern teve dificuldade para estabelecer uma comunicação eficaz, embora conheça Lep desde criança. Desde novo, Lep sempre foi uma pessoa muito educada, como seria de esperar de um filho de Donatella. Sempre chamou Sandy de Sr. Stern, apertava-lhe a mão, encarando-o, e respondia às perguntas de forma educada, embora sucinta. Stern se lembra de Lep sentado a uma mesa de jantar no clube privativo certa noite, fazendo os exercícios de matemática do livro escolar, embora estivesse de férias. O garoto devia ter uns nove anos, e, quando Stern viu o que Lep estava fazendo, exclamou algo como "minha nossa!" em voz alta, porque não era capaz de compreender uma única linha dos cálculos naquela página. Em resposta, Lep deu um sorriso enigmático digno da Mona Lisa. Não era exatamente um orgulho infantil que o garoto exibia ali. Na verdade, ele pareceu reconhecer que Stern tinha descoberto seu segredo, tinha descoberto que a complexidade da matemática lhe permitia se movimentar por um mundo que possui uma privacidade quase impenetrável. Era como se ele estivesse mantendo um diário que sabia que seus pais jamais conseguiriam ler.

Cerca de quarenta anos depois, na sala de reunião de seus advogados, Lep ainda se mostrava uma pessoa rigorosamente autocontida. Apesar de algumas tiradas sarcásticas, na maior parte do tempo ele é tão taciturno quanto Kiril é tagarela. Tirando o comprometimento com a profissão do pai, Lep é o oposto de Kiril em quase todos os sentidos. Usa roupas surradas e calças jeans, ao passo que seu pai é um dos poucos homens que Stern conheceu ao longo da vida que, de fato, parecem à vontade usando uma gravata plastrão. Lep puxou à família de Donatella e tem quase um metro e noventa e cinco de altura, cabelo loiro-escuro começando a ficar grisalho e calvo. Tem uma beleza eslava elegante, com traços faciais bem definidos, mas seus olhos agitados e inseguros dão a ele um ar de fragilidade, como um poeta angustiado. Kiril frequentemente comentava — com certa inveja — que Lep nunca parecia notar as mulheres que se atiravam na sua direção, sobretudo quando era mais jovem.

Todas as pessoas com quem Stern conversou se mostraram extremamente impressionadas com Lep como cientista, sobretudo no que diz respeito a suas capacidades no campo em expansão da pesquisa médica assistida por computador, no qual modelos digitais de doenças são construídos e, em seguida, curados. Stern não faz ideia de como isso é possível, mas Lep criou o composto do g-Livia programando supercomputadores em Easton para que se comportassem como os novos computadores quânticos que nem existiam na época.

Por mais que seus colegas se mostrem maravilhados diante do que ele alcançou, Lep em si é modesto.

— Tudo o que eu fiz foi colocar as informações num cérebro mecânico maior — explicou Lep durante sua primeira conversa com os Stern. — Foi meu pai quem percebeu que os problemas na sinalização da proteína RAS estavam relacionados com o posicionamento da molécula.

Sem fazer alarde, dois cientistas que trabalhavam na PT insistiram que, na verdade, Lep tinha sido o primeiro a teorizar sobre como um anticorpo monoclonal poderia virar a molécula RAS, mas, por hábito, Lep não parece disposto a diminuir as contribuições do pai.

O depoimento de Lep no caso, porém, não tem nada de original: culpar o pai por tudo sempre que possível. Em seu depoimento, Lep vai mencionar conversas que Kiril jura que nunca aconteceram.

— Lep está mentindo? — perguntou Stern quando se encontrou com Pafko uma semana após a conversa com Lep em Chicago.

— Eu jamais diria isso sobre Lep — respondeu Kiril, moderado. — Mas, por algum motivo, é disso que ele se lembra.

— Kiril, se ele não está mentindo, não sei como vamos poder explicar isso.

— Nem eu, Sandy. É por isso que eu estou nessa enrascada.

Stern e Marta têm certeza de que Kiril não vai dizer nada que comprometa Lep. Essa atitude é compreensível, não só como pai, mas também porque Kiril sabe quem é o maior culpado. O que Stern não sabia antes do almoço era o que fortalecia a decisão de Pafko de cair sozinho. Mas agora está evidente.

Donatella.

16. OLGA

De volta à sala de julgamento, a reinquirição de Moses aborda em grande parte o que já se imaginava com base em seus protestos durante a inquirição cruzada de Marta. Robb concorda que o estudo confirmatório feito após a aprovação do g-Livia não foi estatisticamente depurado e explica a importância desse passo em linhas gerais. Também diz que o sucesso de uma Estratégia de Avaliação e Mitigação de Risco do g-Livia ainda não foi comprovado. Apesar disso, como Moses estava proibido de falar com Robb até que ela terminasse de depor, ele decide não correr o risco de perguntar outra vez se hoje ela ainda continua acreditando que o g-Livia não se mostrou seguro e eficaz. De qualquer modo, essa provavelmente é a melhor estratégia para a acusação. Eles montaram esse caso sobre o que aconteceu em 2016. Com base nisso, a última pergunta do promotor, na reinquirição, é se alguma coisa que Marta tenha perguntado ou mostrado fez a Dra. Robb mudar sua opinião de que não teria recomendado a aprovação do g-Livia se tivesse visto os dados corretos na época.

— De modo algum — responde Robb.

A próxima testemunha, Mal Jenkins, é um especialista em computação forense que trabalha para o FBI em Washington. Ele explica que o computador da sala de Kiril foi apreendido após um mandado de busca e apreensão no segundo semestre de 2018, e levado para o laboratório de computação do FBI. Após explicar em detalhes como um perito examina um disco rígido, Jenkins chega ao cerne da questão: a captura de tela sobre a qual Robb depôs, o quadro-resumo com as doze mortes súbitas dos pacientes do g-Livia que foram cadastradas na base de dados como "inexplicadas", ou seja, que aparentemente não tinham relação com o câncer. Jenkins afirma que a captura de tela — Prova do Governo Pafko Computador-A — foi encontrada no disco rígido do computador da sala de Kiril na PT, criada perto de oito da noite do dia 15 de setembro de 2016. Essa é a prova documental mais danosa nos processos contra Kiril, pois ela confirma que ele sabia a respeito das doze mortes.

Stern faz a inquirição cruzada.

— Agente especial Jenkins, tenho certeza de que o senhor, em sua experiência, já lidou com tentativas de remoção de provas incriminatórias de computadores.

— Sem dúvida.

— E é justo dizer que existem inúmeras formas de fazer isso, certo?

— Incontáveis.

— A pessoa pode simplesmente apagar os dados, certo?

— Não é eficaz, mas sim, ela pode fazer isso.

— Existe um processo de formatação do computador para a remoção de dados, não é?

— Existe, sim.

— Também é possível restaurar as configurações de fábrica do computador, o que, em suma, remove todo o trabalho feito no computador?

— Pode-se tentar fazer isso.

— Existem até programas de computador que você pode comprar com o único objetivo de apagar os dados sem deixar nenhum rastro?

— Eles funcionam melhor do que todos os outros procedimentos que o senhor citou antes, mas não são perfeitos.

— E com relação a essa captura de tela, Pafko Computador-A, o senhor encontrou alguma evidência de tentativa de apagá-la, removê-la, escondê-la de alguma forma em 2016?

— Não.

— Mas, após a publicação da matéria no *Wall Street Journal* em 2018 sugerindo problemas com o g-Livia, certamente houve algum sinal de que o Dr. Pafko tentou esconder essa prova, não?

— Não.

— Ele não apagou o arquivo, não tentou fazer uma formatação no computador, nem usou nenhum programa?

— Não, senhor.

— E o que aconteceu após a FDA anunciar, no segundo semestre de 2018, que tinha identificado problemas na base de dados do ensaio clínico do g-Livia? Com certeza havia alguma tentativa evidente de apagar essa imagem, não?

— Se havia, não encontrei nenhum sinal dela.

— Portanto, essa captura de tela, Pafko Computador-A, ficou no computador por quase três anos, parada, esperando o senhor encontrá-la?

Feld protesta, alegando que a pergunta é argumentativa, e Stern retira a pergunta antes mesmo de Sonny decidir se defere o protesto.

— Bem, agente especial Jenkins, além da evidência de que essa captura de tela foi criada em 15 de setembro de 2016, essa imagem foi utilizada de novo?

— Ela foi enviada por e-mail uma vez.

— Quando?

— Na mesma noite, 15 de setembro de 2016. Pouco depois das oito.

— E para quem o e-mail foi enviado?

— Para uma Srta. Fernandez.

— Seria a Srta. Olga Fernandez, diretora de marketing e comunicação da Pafko Therapeutics?

— Sim, senhor.

— E por acaso o senhor estava presente dois anos depois, no segundo semestre de 2018, quando a Srta. Fernandez foi interrogada sobre este e-mail por investigadores do FBI?

— Sim, senhor. Eu fui um dos dois agentes que a interrogaram.

— O que ela disse na época?

— Protesto. Prova indireta.

Stern tomou o cuidado de fazer essa pergunta voltado para o júri e se esforça para parecer chocado pelo protesto. Em seguida, vira o pescoço lentamente e olha para Feld por cima do ombro. Nesse meio-tempo, a caneta de Marta cai no chão, o alerta de que ele está entrando em um terreno perigoso. Quando Stern vira de relance para Sonny, percebe que a juíza o olha de cara feia, reação que ele considera totalmente injusta. Não existe nada de antiético em fazer uma pergunta que desencadeia uma prova indireta. É uma prova admissível, a não ser que seja excluída em consequência de um protesto. O depoimento da Dra. Robb foi praticamente uma fonte de provas indiretas, com todos os relatos que ela fez sobre o que Lep e os outros tinham dito nas reuniões com a FDA, longe da sala de julgamento e também longe da presença de Kiril. Mas Stern sabe que está em Período Probatório para Advogados Idosos e, ao que parece, precisa se submeter a regras diferentes. Ele dá de ombros, tanto por Sonny e Marta quanto pelo júri, e volta para sua cadeira se esforçando para não parecer perturbado.

Olga disse a Jenkins — e também a Stern, com quem conversou — basicamente a mesma coisa: que só percebeu o e-mail com a captura de tela da base de dados inalterada na sua caixa de entrada na manhã seguinte, dia 16 de setembro. Por coincidência, esteve com Kiril minutos depois.

— Eu perguntei a ele por que tinha me enviado aquele e-mail — contou Olga a Stern. — Ele não fazia ideia do que eu estava falando. *Nada.* Eu perguntei três vezes. Ele disse que não se lembrava de ter me enviado nenhum e-mail com arquivo anexado. Então eu simplesmente apaguei o e-mail.

Esse depoimento é tão favorável a Kiril que um advogado de defesa sábio o trataria com muita cautela. O FBI, na verdade, parece encará-lo com total descrença. A pedido de Jenkins, Olga entregou o computador de sua sala. Jenkins o levou a Washington, onde concluiu que Olga estava falando a verdade. O e-mail de Kiril foi recebido, mas jamais aberto, e foi apagado no dia 16 de setembro, logo cedo.

Mas, mesmo com a corroboração forense, existe algo que cheira mal nessa história, como diria Marta. A advogada acha incrível que Olga tenha hesitado em abrir um e-mail enviado pelo presidente da empresa, isso sem contar que era o homem com quem ela mantinha um caso.

— Pai, você sabe muito bem o que aconteceu. Olga já estava de caso com Kiril, por isso ela sabia que o ensaio clínico tinha sido alterado.

E quando ela viu o e-mail, correu até Kiril e disse: "Por que você está me metendo no meio dessa bagunça? Eu só trabalho aqui."

Além disso, há de considerar a teoria de Innis, com a qual Stern tem mais dificuldade de trabalhar, segundo a qual Olga, na verdade, é a Grande Vilã. Nessa versão, o e-mail é fundamental para que Olga convença Kiril a ligar para a Global International e enganar Wendy Hoh, fazendo-a alterar a base de dados.

Qualquer que seja a verdade, a decisão sobre convocar Olga como testemunha deve ser tomada com cuidado, e apenas depois que fizer algumas perguntas a Kiril em particular, perguntas que Stern tinha evitado até agora.

Kiril coloca Donatella em um Uber para casa, enquanto o manobrista estaciona o Cadillac cinza no meio-fio onde Pafko e Stern estão esperando. Desta vez, antes de se submeter ao penoso processo de se sentar, Stern para por um instante e observa o carro.

— O que foi? — pergunta Kiril, já ao volante.

— Estou pensando no meu Cadillac que foi destruído — responde Stern, sem acrescentar mais nada.

Enquanto dirige rumo ao escritório de Stern, Kiril passa a maior parte do tempo ao telefone, mas não parece muito afetado pelo fato de o governo ter apresentado a prova escrita mais prejudicial contra ele. De muitas maneiras, é uma bênção o fato de Kiril estar em um profundo estado de negação. Para Stern, sempre foi fácil imaginar como seria ter as enormes forças do governo pressionando você, inspecionando, julgando, desenterrando seus segredos de uma maneira tão impiedosa que parece que estão rasgando sua pele. Réus de colarinho branco costumam alegar que seriam mais bem tratados em um estado totalitário. O que, óbvio, é o exato oposto do que acontece com as pessoas pobres que Stern já representou, todas acostumadas desde sempre a sentir o poder arbitrário da lei revirando sua vida pelo avesso.

Mas, independente de seus clientes serem ricos ou pobres, Stern jamais conseguiu compreender o raciocínio deles para os crimes que cometeram. Sim, lógico, um homem faminto rouba pão. Mas por que Kiril Pafko teria uma atitude tão imprudente sendo desonesto para conseguir a aprovação de um produto que ele sabia que estava fadado a causar efeitos colaterais letais? Será que ele esperava mesmo que o g-Livia se tornaria menos letal só porque a FDA tinha colocado o selo de aprovação no medicamento? Apesar disso, ao longo das décadas Stern aprendeu que esse tipo de raciocínio, de que as coisas acontecem como em um passe de mágica, é típico dos réus, pelo menos dos que já estiveram à sua frente, sentados na poltrona de couro ocupada por Kiril neste exato momento. No fim das contas, todos os clientes culpados têm uma coisa em comum: no momento em que cometeram o crime, estavam convencidos de que não seriam pegos, apesar de todas as razões para pensar o contrário.

— Kiril — começa Stern assim que os dois estão sentados à vontade —, vou tentar repassar rapidamente com você minha pequena pauta.

O primeiro assunto, obviamente, é o que aconteceu no almoço mais cedo com Donatella. Sendo diplomático, Stern argumenta:

— Sempre é melhor poder apresentar uma hipótese alternativa ao júri.

Mas Pafko balança a cabeça com calma.

— Jurei para Donatella que não haveria mais nada do tipo. Por favor, faça Marta compreender.

Essa instrução dificultará muito a inquirição cruzada de Lep, que pode acontecer já na próxima semana. Mas Stern não se opõe. Se Kiril tivesse talento para tomar boas decisões, não estaria sendo julgado em um tribunal federal por crimes graves.

— Além disso, precisamos começar a pensar nas provas que vamos oferecer como defesa.

— Lógico. Eu vou depor.

Toda vez que esse assunto surgiu, Kiril fez essa sugestão. Não espanta Marta que a primeira coisa que passa pela cabeça de um homem que usou o charme para subir na vida é tentar fazer isso outra vez. Mas o problema é que Kiril não tem explicação para a maioria das provas, além de dizer que não sabe de nada. Como responder à acusação de realizar a quebra do cegamento, algo que o agente Jenkins demonstrou, no depoimento de hoje à tarde, ter sido feito no computador de Kiril? Ele não fez isso.

E quanto à captura de tela? Ele não faz ideia de que estava lá. O depoimento de Lep? Ele não tem nenhuma lembrança das conversas. O plano de Kiril é sorrir e balançar a cabeça, como se não fizesse ideia de nada.

A única corroboração em potencial de qualquer um desses pontos pode vir do depoimento de Olga. O problema é a primeira pergunta que virá da inquirição dos promotores: "Srta. Fernandez, a senhorita e o Dr. Pafko tiveram um relacionamento íntimo durante um tempo, não tiveram?" (Isso presumindo que Moses fizesse a pergunta. Feld ia fingir dificuldade para encontrar uma palavra melhor do que "foder".)

Quando Stern tentou, cheio de dedos, mergulhar no relacionamento de Kiril com Olga anteriormente, o réu fugiu do assunto.

— Isso ficou no passado — disse ele.

— Que passado, Kiril? Ano passado? Noite passada?

Kiril deu uma risada e fez um gesto de desdém com sua mão bem cuidada.

— Você não tem com o que se preocupar.

Se isso fosse verdade mesmo, haveria uma chance de Sonny impedir os promotores de fazer perguntas sobre o caso. Kiril não está sendo julgado por ser mulherengo, e pode-se considerar que um romance antigo não teria qualquer influência no depoimento de Olga. Sonny já tinha chegado a essa conclusão a respeito de Innis, embora as regras sejam muito diferentes no caso de Olga, tendo em vista que a defesa vai pôr em questão a credibilidade da mulher convocando-a para o banco das testemunhas.

— Eu tentei não bisbilhotar, Kiril. Mas esse é um assunto crítico. Seu relacionamento com Olga... digo, a parte íntima do relacionamento... realmente acabou?

Pafko sorri.

— Bem, pelo menos foi isso que eu disse a Donatella. — Ao perceber o desânimo no rosto de Stern, Kiril acrescenta: — Desculpe a brincadeira, Sandy. Sim. Considero Olga uma jovem notável, mas já faz uns dois anos que não temos nada. Foi ela que terminou, se é o que quer saber.

— Não preciso desses detalhes — argumenta Stern, que quer saber o mínimo possível para evitar constrangimentos perto de Donatella.

— Mas com a sua mulher no tribunal, o júri não vai reagir nada bem a provas de sua infidelidade. — Stern explica que necessita ser perfeitamente preciso se disser à juíza que Olga e Kiril não têm mais um caso. — Já estou numa situação complicada com a juíza. Se eu disser a ela algo que depois se prove mentira, é capaz até de ela me remover do caso.

— Não tem com o que se preocupar, Sandy — repete Kiril, ainda longe de dar a garantia absoluta que Stern gostaria de receber.

Mas mesmo desconsiderando as respostas evasivas de Kiril, existe um problema mais fundamental, sobre o qual Marta fala com frequência: Olga não é o tipo de testemunha que provavelmente causará uma boa impressão nos jurados, em especial nas mulheres. Ela irradia força e ambição. Assustaria quem estivesse em seu caminho. Ela fala inglês na velocidade de seu espanhol nativo de Porto Rico e é cheia de energia, mesmo nas raras ocasiões em que está sentada imóvel.

Por outro lado, pode-se dizer muita coisa a favor de Olga. Por exemplo: ela frequentou a escola da vida, então, se o QI fosse algo medido a partir de vivências difíceis, ela seria o Einstein, o que a torna excelente para o cargo que exerce. Sua família é de um vilarejo remoto extremamente pobre em Porto Rico, o que a fez ter que matar um leão por dia para conquistar seu espaço. Divorciou-se três vezes e tem três filhas, as quais criou com a ajuda da mãe.

Na verdade, Stern sente certa afinidade por Olga. Ele já foi um jovem lutando para se estabilizar nesse país enorme e complexo, com dificuldades para falar o idioma. A memória sentimental desses anos é um ciclone de ansiedade e exaustão. Ele sabe o que Olga deve ter passado quando se mudou para o país com seu sotaque e uma ambição tão poderosa que a mantinha acordada à noite. Ele também compreende como a ânsia por estabilidade pode estimular uma paixão gananciosa.

Mas Olga não teve a mesma educação de qualidade que Stern recebeu na elitista Easton College. Ela conseguiu o diploma após cursar a faculdade no período noturno, em Nova York — e, de fato, após os comentários de Innis sobre o currículo de Olga, Stern suspeita de que o diploma jamais tenha sido concedido. Mas, sabe-se lá como, ela foi contratada no condado de Kindle para o cargo de representante farmacêutica e se mudou. E nesse mundo — que na época era famoso pelas táticas ardilosas dos representantes para obter a lealdade dos médicos — Olga aprendeu, como diz o ditado, a usar as armas que tinha. Olga é linda? Não. Ela é, no idioma iídiche que Stern falava quando mais jovem, um pouco *zaftig* — rechonchuda. É baixa, não chega à altura de Stern mesmo de salto alto, tem a pele marrom e sardenta em um país que sempre favoreceu as pessoas brancas, além de um rosto arredondado, um nariz carnudo e olhos pequenos e intensos. E a contradição: ela alisa, dá volume e pinta o cabelo de loiro.

Ainda assim, Stern nunca ouviu ninguém dizer que Olga não é uma mulher atraente. Ela é uma dessas pessoas que emanam o mesmo fascínio e desejo sexual que provocaria se entrasse na sala completamente nua. Usa roupas extremamente justas; provavelmente usa botões e zíperes reforçados para obter o efeito desejado. Mesmo no escritório, usa camisas abertas o bastante para mostrar o colo. Stern não julga esse tipo de comportamento. Será que ele teria andado por aí com o zíper da calça aberto se isso o ajudasse a conseguir mais casos em vez de transformá-lo em alvo de gargalhadas? Provavelmente. Apesar disso, é difícil imaginar jurados como a Sra. Murtaugh ou a contadora pública reagindo bem à figura dela. Agora que Kiril garantiu que seu caso com Olga ficou no passado, cabe a Marta e Stern decidirem se vale a pena correr os riscos consideráveis de convocar Olga a depor, presumindo que a juíza possa ser persuadida a restringir a inquirição cruzada, obrigando a acusação a omitir detalhes do relacionamento íntimo de Kiril e Olga.

— Uma última coisa — diz Stern. — Kiril, lembra que eu sofri um acidente de trânsito quando estava voltando da PT em março?

— Lógico. Fiquei com medo de que você nunca se recuperasse.

— E eu disse a você que minha lembrança mais nítida do carro que me acertou foi o adesivo da PT no vidro traseiro?

Kiril ri.

— Disse a mim? Você falou isso comigo e com todas as pessoas que foram visitá-lo, Sandy. Durante vários dias, a impressão foi de que você só tinha isso na cabeça. Mas, pelo que você me contou, o neurologista e a polícia o convenceram de que essa lembrança era uma alucinação.

Stern, então, descreve a investigação feita por Pinky, ignorando o sorriso de Kiril quando o nome de sua neta é mencionado pela primeira vez. Conforme Stern continua, o rosto cansado de Pafko vai perdendo a tradicional expressão de bom humor. As sobrancelhas grossas apontam para baixo, em nítido sinal de preocupação, quando Stern conclui dizendo:

— Ela quer o registro das assinaturas de retirada de carros da frota.

— Desculpe, Sandy, mas em que isso pesa na minha defesa?

— Estou só fazendo a vontade da Pinky, Kiril. Acho que você pode me entender.

Pafko balança a cabeça.

— Não, não entendo.

Pafko é um desses clientes que dão carta branca para a defesa escolher o caminho que quiser, mas é fácil ser generoso quando é a empresa que está pagando todos os custos.

— Bem, Kiril, pensando na situação de maneira lógica, acho que, se alguém da PT tenta se livrar do seu advogado, isso é algo bastante relevante.

Pafko recua.

— Isso é o que você realmente acha que aconteceu, Sandy?

— Não, Kiril. Tenho certeza de que essa ideia é improvável.

— Então não vejo motivo para atender ao seu pedido.

Os dois se encaram. Stern não consegue pensar em nada para dizer, o que é raro. Seja essa uma atitude sábia ou não, o cliente tem direito a esconder segredos de seu advogado. E, de qualquer modo, Kiril tem razão: seus advogados não precisam de uma distração boba enquanto ele está basicamente passando pelo julgamento de sua vida.

Kiril se levanta, parecendo novamente animado, e vai em direção à porta fechada do escritório. Com a mão na maçaneta, olha para trás.

— Mas até que é uma suposição interessante, Sandy.

— Qual?

— A de que tem alguém lá fora que não quer que você saiba que eu sou inocente.

17. A NOITE

A sessão de quarta-feira é uma daquelas cheias de depoimentos meramente formais que inevitavelmente ocorrem em todo julgamento. A Dra. Hera Peraklites, que era a chefe do Comitê de Monitoramento de Dados do ensaio do g-Livia — os especialistas externos em segurança —, diz em juízo que, se tivesse visto Pafko Computador-A, a base de dados inalterada, teria insistido em que a PT informasse à FDA. No banco das testemunhas, a Dra. Peraklites possui um ar solene — é uma mulher corpulenta, de óculos, na meia--idade e cheia de si. Durante a inquirição de Marta, ela basicamente se desdiz, admitindo que não se sentiria na obrigação de informar sobre as mortes súbitas à FDA se tivesse certeza de que eram apenas um erro do sistema.

Todos ficam presos em uma discussão morosa sobre a prova Global--A, já apresentada à Dra. Robb, pelo restante da quarta-feira. É uma reconstrução forense de como a imagem encontrada no computador de Kiril estaria em 16 de setembro de 2016, após Wendy Hoh corrigir a base de dados do ensaio clínico do g-Livia, supostamente a pedido de Kiril. Marta se preparou para lidar com essa prova desde antes do início do julgamento, pois a Global International não tem nenhum registro de como se encontrava a base de dados naquela data, ao con-trário do dia 30 de setembro de 2016, quando o estudo foi finalizado. Ninguém — nem Wendy Hoh, nem Kiril, nem qualquer funcionário da PT ou da Global International — viu essa tabela em 16 de setembro de 2016. Por isso, Marta considera essa prova uma corroboração fictícia da versão dos fatos que será apresentada por Wendy Hoh.

Para seu pai, Marta está certa, mas ao mesmo tempo está sendo teimosa do ponto de vista jurídico, o que costuma acontecer às vezes. O estudo do ensaio clínico que foi enviado para a FDA em outubro não menciona essas mortes súbitas, e esse é o verdadeiro problema de Kiril e o cerne do crime pelo qual foi denunciado. Para Stern, a prova Global-A é positiva, considerando que é algo que a defesa pode usar para atacar e questionar na argumentação. Ele não fica triste quando Sonny decide indeferir o protesto de Marta, embora pareça que a juíza entendeu o argumento da advogada de defesa um pouco tarde demais. Como costuma acontecer com juízes, ela acabou se encurralando quando permitiu que o júri visse a prova durante o depoimento de Robb. Se revertesse essa decisão agora, Sonny admitiria um erro que a defesa exploraria no recurso.

Perto das três e meia da tarde, a promotoria anuncia que sua próxima testemunha, a Dra. Wendy Hoh, teve problemas com o voo de conexão saído de Chicago. A simples menção ao nome da Dra. Hoh é o momento mais dramático do dia, e Stern sente que todos na sala ficam de orelha em pé. Mas será preciso esperar pela manhã seguinte para ouvir o depoimento dela. Sonny suspende o julgamento mais cedo.

De volta ao escritório, Pinky, que viu Kiril ali no dia anterior, pergunta a Stern quando eles vão receber os registros de retirada de Malibus da frota da PT no fim de março.

— Isso não vai acontecer, Pinky. Kiril não concordou.

Ela responde com um "O quêêê?" dramático.

— Eu fiquei um pouco surpreso, Pinky, mas, pensando bem, eu até entendo. Kiril não quer que sua equipe de advogados se distraia no meio de um julgamento que vai decidir o que vai acontecer com o restante da vida dele.

— Isso é papo furado — rebate ela. — O que ele está escondendo?

— Fala sério, Pinky! Você acha que Kiril teve alguma coisa a ver com o que aconteceu na estrada? Qual o sentido disso? Existem maneiras mais simples de se livrar do seu advogado. Por exemplo: demitindo.

Nem Pinky é capaz de rebater um argumento desses. Em vez disso, ela enxerga o problema por outro ângulo.

— Mas, sei lá, ele pode proibir a gente de pegar os registros? Ele nem é mais o presidente.

— Ele é nosso cliente. Os desejos dele são, literalmente, uma ordem para nós.

Enquanto Pinky reflete desanimada, Stern fala sobre algo relacionado.

— Na verdade, uma outra coisa me chamou a atenção ontem: Kiril ainda dirige o antigo Cadillac de vez em quando.

— O carro parece com o seu?

— Não é idêntico, mas dá para confundir com o meu, sim.

O carro de Kiril é um ano mais velho e tem uma cor bem parecida. Quando Stern comprou o dele, achou curioso que a GM produzisse o Cadillac CTS em três tons de cinza, isso sem contar o prata. A cor da tinta no automóvel de Stern se chamava "Pedra da Lua". O carro de Kiril e Donatella era só um pouco mais claro que o dele.

Nesse momento, Marta entra no escritório de Stern para conversar sobre a inquirição de Wendy Hoh. Por causa da impaciência de sua filha com relação a Pinky, Stern ainda não contou a Marta nada a respeito dos Malibus. Mas, quando finalmente o faz, Marta reage com a irritação típica.

— Pelo amor de Deus. Por que vocês estão perdendo tempo com isso no meio do julgamento?

Pinky parece prestes a começar um de seus frequentes arranca-rabos com a tia, mas vê a expressão do avô e recua, relutante. Com o passar dos anos, Stern fez muitos amigos na profissão e, como resultado, fez muitos favores a eles, mas não tem certeza se, após as portas do escritório se fecharem, alguém se sentiria em débito o suficiente a ponto de contratar Pinky — pelo menos, não por muito tempo. Ele já discutiu o assunto com Rick, filho de Helen, a quem começou a transferir alguns de seus casos. Como retribuição, e por ter uma conexão tênue com a família, pode ser que Rick dê algum cargo a Pinky, mas sabe-se lá se ela será capaz de manter o emprego por muito tempo. Em sua mesa,

Stern sofre com o peso da angústia e da preocupação que sente por Pinky, algo que frequentemente toma conta de seu coração.

Assim, Stern decide aproveitar que o julgamento foi suspendido mais cedo e vai para casa. Ele está mais uma vez exausto e precisa se isolar do mundo quando o estresse e a ansiedade causados pelo julgamento parecem esgotar sua capacidade de se importar com qualquer coisa.

Stern toma sua sopa e, às seis e meia da noite, já está de pijama. Ele tem dificuldade de ler por prazer quando está no meio de um julgamento, pois parece que sua mente sempre acaba vagando para o tribunal. Então liga a TV. A temporada de basquete e hóquei no gelo já acabou, e não há nenhuma partida boa de futebol americano passando quarta à noite, embora a violência desse esporte esteja aos poucos acabando com o interesse de Stern. E ele já desistiu do noticiário. Qualquer coisa a respeito de Trump — desde suas atitudes até a cobertura estridente e supersaturada que os mais diversos canais de TV fazem sobre ele — o deixa irritado.

Em vez disso, ele decide dormir, mais por preferência do que por exaustão. Quanto mais tempo vive, mais misteriosa a noite se torna para Stern, e, mesmo assim, mais ele anseia por ela. O silêncio que surge quando ele tira os aparelhos auditivos é suave, e o mundo onde Stern se recolhe é só seu. Ele tem uma memória física de quando passava a noite inteira dormindo abraçado com Helen, os toques, os afastamentos e as reaproximações — a sua mão na cintura dela conforme ele entrava e saía do inconsciente. A vitalidade vai embora tão lentamente que não dá nem para notar, mas, apesar disso, ele tem certeza de que não sentiu nenhuma perda da sensação fundamental de estar vivo. Muitas vezes ele se pergunta: "Será que eu vivenciava mais as coisas quando criança, quando jovem? Ou será só uma questão de os meus braços e pernas funcionarem melhor naquela época?"

Em seus sonhos, Stern ainda corre como um cervo.

18. WENDY HOH

A quinta-feira começa em um ritmo mais tranquilo porque Sonny precisa resolver uma emergência com um tribunal do júri, o que a mantém em uma reunião de portas fechadas por quase uma hora com vários advogados, entre um deles Moses. Mas às dez da manhã os promotores já convocaram sua principal testemunha sobre a acusação de fraude, a Dra. Wendy Hoh. A Dra. Hoh não tem formação médica — é uma estatística que trabalha como diretora de integridade na Global International Testing Corp. Ela mora em Taiwan, onde existe um centro operacional da Global International, e concordou em ir aos Estados Unidos para depor no julgamento de Pafko — embora não tivesse alternativa caso quisesse manter o emprego. Para a Global — e também para a Dra. Hoh —, é crucial que eles atribuam a Kiril toda a culpa pela alteração da base de dados, na esperança de evitar danos permanentes à sua reputação de integridade científica.

Mais do que qualquer outra testemunha até agora, a Dra. Hoh está visivelmente tensa. Fala em um tom agudo e elevado. Segura a balaustrada de madeira em frente ao banco das testemunhas com as duas mãos, quase como se estivesse com medo de ser atirada em um mar bravio. Também demonstra certa dificuldade com o inglês falado, ou talvez com o sotaque americano. Está com óculos grandes de armação redonda e inclina a cabeça para o mesmo lado toda vez que lhe fazem uma pergunta. Assim que acha que compreendeu, responde de imediato. A inquirição de Feld mais parece um programa de perguntas e respostas de TV, como se a Dra. Hoh estivesse socando a campainha e dando respostas em gritos para o que Feld quer saber. O promotor, por outro lado, a trata com paciência e, em dado momento, a convence a escutar as perguntas até o fim antes de responder.

Embora Stern evite confessar, ele já aceitou há muito tempo que, de diversas maneiras, gostou de passar a vida adulta entre criminosos. Ele desenvolveu uma apreciação pela desonestidade, malícia e pela inteligência egoísta de muitos de seus clientes, admirando a criatividade mesquinha do mau comportamento humano. Em quase todas as ações criminais, há um momento em que a imaginação inspirada e a pura audácia se combinam e deixam Stern sem ar, contemplando de forma perversa uma conduta que ele sabe que jamais teria coragem de tentar reproduzir. No caso *Estados Unidos contra Pafko*, esse momento é a ligação de Kiril para Wendy Hoh.

De acordo com o relato da Dra. Hoh, parte de seu trabalho era auditar a base de dados clínicos do g-Livia de tempos em tempos para garantir que os resultados tivessem sido registrados da maneira correta. Ao fazer a verificação em meados de 2016, ela percebeu que havia um aumento repentino no número de mortes nos últimos meses. Como o ensaio era duplo-cego, a Dra. Hoh não sabia se as mortes estavam ocorrendo entre os pacientes que tomavam o g-Livia ou entre os que recebiam o medicamento usado como base de comparação, mas, depois de um tempo, concluiu que deveria alertar seu contato na PT, o Dr. Tanakawa, braço direito de Lep. Assim, ligou para ele havia mais de três anos, em 14 de setembro de 2016. Naquela mesma semana, pouco depois das nove e meia da manhã de 16 de setembro em Taiwan — sete e meia da noite anterior no condado de Kindle —, ela estava no escritório quando o telefone tocou. A pessoa do outro lado da linha se identificou como Dr. Kiril Pafko e disse que, após a ligação dela para o Dr. Tanakawa, os monitores de segurança da PT decidiram quebrar o cegamento e verificar os códigos dos incidentes que chamaram a atenção dela e concluíram rapidamente que os registros de morte súbita, na verdade, eram um erro do sistema. Pafko disse que, após conversar com os investigadores, ficou evidente que os pacientes listados como mortos, na verdade, tinham apenas saído do estudo em datas anteriores. Conforme algumas testemunhas já admitiram, é normal que pacientes saiam de ensaios clínicos. Alguns não toleram o medicamento por causa dos efeitos colaterais, como náusea. Outros não estão em conformidade com as normas, ou seja, não aparecem nas reuniões nem atendem aos telefonemas de acompanhamento da equipe encarregada de fazer as checagens.

— E o que o Dr. Pafko pediu que a senhora fizesse? — pergunta Feld.

— Mudar os dados — responde a Dra. Hoh.

— E a senhora fez isso?

— Por que não? Ele diz que eles investigam. Deve ser verdade. Dr. Pafko, o ganhador do prêmio Nobel.

Stern faz algumas anotações em seu bloquinho de papel amarelo pautado e abre um sorriso sem graça. Após protestarem, em vão, no começo do julgamento pedindo para proibir a defesa de mencionar que Pafko havia ganhado o Nobel de Medicina, Moses e Feld têm conseguido usar o prêmio contra o próprio Kiril. Na terça, a Dra. Robb deu a entender que a FDA se mostrava muito mais disposta a acreditar na PT pelo mesmo motivo.

O que a Dra. Hoh não mencionou foi o fato de que grandes ensaios clínicos são uma enorme fonte de renda da Global International. Assim, manter o cliente — ou seja, a fabricante farmacêutica — feliz é algo importante. Qualquer que tenha sido o motivo, Wendy Hoh alterou os dados enquanto ela e Kiril estavam ao telefone e, em seguida, enviou um memorando à sua equipe de controle de qualidade para alertar sobre o bug no sistema. A Dra. Hoh explica que um erro do sistema fazia muito mais sentido para ela, uma profissional da área da estatística, do que pensar que 6% dos pacientes tomando g-Livia morreram de uma hora para outra, em um espaço de tempo curto, após passarem um ano usando o medicamento e obtendo resultados positivos.

Não resta dúvida de que o depoimento de Wendy Hoh é a pior prova contra Kiril, e também a mais difícil de Stern conciliar com a alegação de inocência de Pafko. Novamente, Marta foi bastante persuasiva na reconstrução do que provavelmente aconteceu: Kiril fez a ligação como uma última tentativa precipitada para tentar evitar voltar à estaca zero com a testagem do g-Livia. Por mais improvável que sua estratégia parecesse na hora, ao conseguir o que queria ele se deu mal.

Stern começa sua inquirição sentado, esperando dar à Dra. Hoh a impressão de que quer evitar um confronto.

— Dra. Hoh, a senhora disse que falou com o Dr. Pafko, certo?

— Sim, eu falar.

— E quantas vezes a senhora já falou com o Dr. Kiril Pafko?

— Ah, nunca. Nunca, nunca. Muito empolgada. Dr. Pafko grande nome.

— Então a senhora não era capaz de reconhecer a voz dele com base numa conversa telefônica anterior?

— Ah, não. Mas muito empolgada. Vencedor do prêmio Nobel ligando.

— E, até onde a senhora consegue se lembrar, Dra. Hoh, o que ele disse quando ligou?

— Diz: "Aqui Dr. Pafko. Olá, precisamos conversar." Algo assim.

— E seu principal contato na PT costuma ser o Dr. Tanakawa?

— Sim, sim.

— A senhora já conversou com outras pessoas na PT?

— A maioria por e-mail. Ligar difícil. Três da tarde em Taiwan, uma da manhã na PT. Poucas ligações. Também melhor para mim. Escrever inglês melhor que falar.

A resposta da Dra. Hoh sobre o que foi dito no começo da ligação poderia dar a Stern algum apoio para sugerir que era Lep ao telefone. Mas há dois problemas nisso. Primeiro, Stern está consciente das advertências de Donatella e Kiril para que não incrimine o filho do casal. Segundo, e mais importante, ele sabe que a próxima prova a ser apresentada pelo governo é a gravação do telefonema de vinte minutos para Taiwan feito da linha localizada na sala de Kiril.

— Mas, Dra. Hoh, a senhora não tem como saber se a pessoa com quem falou estava lhe dizendo algo em que acreditava honestamente, certo? Ou seja, que as mortes tinham sido registradas por um erro do sistema.

— Protesto.

Sonny balança a cabeça e indefere. Hoh, que já havia admitido que não é boa com as nuances do inglês falado, continua respondendo que acreditava no que lhe estava sendo dito até que, após Stern tentar lhe explicar a pergunta pela terceira vez, finalmente compreende e se recosta na cadeira.

— Como eu saber isso? — pergunta ela, um tanto estupefata.

O nervosismo da Dra. Hoh não precisa de explicação. Ela fez uma besteira enorme ao alterar os dados a partir de uma ligação, sem nenhuma investigação mais profunda. Por mais que seja uma prática amplamente encorajada pela equipe de vendas, sua boa vontade para agradar o cliente é algo que agora deve ser visto com maus olhos pela empresa.

— Dra. Hoh, quando foi a primeira vez que a senhora falou sobre essa conversa por telefone que afirma ter tido com alguém que disse ser o Dr. Pafko... quando foi a primeira vez que discutiu essa conversa após ela ter acontecido?

Ela balança a cabeça.

— A senhora não lembra?

— Não, não.

— Em algum momento, alguém da empresa em que trabalha falou com a senhora sobre uma matéria do *Wall Street Journal* a respeito do g-Livia?

— Ah. — Ela sorri e assente com a energia exagerada de um filhotinho de cachorro. — Sim, sim, sim. Falar com investigador FDA.

— Foi com o Sr. Khan, que está sentado ali, na mesa da acusação?

Ela assente e sorri para Khan, um homem de aparência imaculada, com um cabelo preto reluzente perfeitamente repartido ao meio.

— E a senhora se lembra de descobrir, um tempo depois, que a FDA estava questionando alguns dados do ensaio clínico do g-Livia? A senhora estava ciente dessas notícias?

Hoh assente novamente, seis ou sete vezes de maneira sucessiva, e Sonny diz à Dra. Hoh que ela precisa responder em voz alta, para que Minnie, taquígrafa sentada abaixo do banco das testemunhas, possa fazer o registro. A Dra. Hoh escuta a juíza, mas depois assente com a cabeça do mesmo jeito. Sonny sorri e diz que nos autos constarão que a testemunha indicou que sim.

— Dra. Hoh, no memorando feito pelo agente Khan sobre a reunião que teve com a senhora, há um trecho em que a senhora diz que "agora se lembra" de ter falado com uma pessoa chamada Dr. Pafko. A senhora disse ao agente Khan que *agora* se lembrava de ter falado com esse Dr. Pafko?

— Sim, eu dizer isso.

— Então devo lhe fazer a seguinte pergunta: quando a notícia foi publicada sugerindo que os dados podiam ter sido alterados, alguém na Global International lhe perguntou alguma coisa sobre uma alteração na base de dados?

— Aaaaah... — diz Wendy Hoh, indicando que finalmente entende aonde o questionamento de Stern pretende chegar.

— Isso significa que alguém da Global lhe perguntou sobre isso?

Wendy baixa a cabeça e olha para o colo. Stern a pegou.

— Talvez não.

— Talvez a senhora tenha falado com alguém da Global ou talvez não tenha?

— Eu dizer que talvez não lembro. Que não fazer ideia como os dados mudam.

— Mas isso não era verdade?

A Dra. Hoh está curvada no banco das testemunhas. Parece prestes a chorar. O problema foi, suspeitava Stern, o memorando que ela havia enviado para o Controle de Qualidade, que seus superiores descobriram após ela alegar inicialmente não se lembrar de nada a respeito da alteração dos dados.

— Muito assustada — diz Wendy Hoh. — Muito importante, Dr. Pafko, fazer o que ele manda e agora estar em *Wall Street Journal*.

Sempre ajuda a defesa quando uma testemunha importante do governo admite que mentiu. Apesar disso, Stern não tem muito a ganhar nessa situação. Ele e Marta não faziam ideia do que esperar da Dra. Hoh, que não concordou em falar com eles antes de ela depor no julgamento. Foi Pinky quem focou no trecho "agora se lembra" e, com isso, eles passaram a ter a esperança de pintar Hoh como uma mentirosa. Nesse momento, porém, está evidente que o júri provavelmente não a enxergará como uma conspiradora. Ela parece ser uma nerd com poucas habilidades sociais, além de uma pessoa bastante direta, tendo em vista como está nitidamente assustada. O júri provavelmente não verá com bons olhos qualquer tentativa de humilhá-la ou puni-la.

O outro assunto que Stern deve evitar durante a inquirição é o memorando que a Dra. Hoh escreveu para o setor de Controle de Qualidade em setembro de 2016, logo após falar com Kiril. Antes de o julgamento começar, os Stern tiveram uma grande vitória quando a juíza concordou em excluir o memorando das provas, considerando-o uma prova testemunhal indireta. Não se trata de um registro-padrão da empresa, pois a Global International não costuma alterar dados. Mas, se agora Stern dá a entender que Wendy Hoh está inventando o depoimento para salvar o emprego, então o memorando será considerado uma exceção à regra de prova testemunhal indireta para mostrar que ela está dizendo hoje exatamente a mesma coisa que disse antes de ser acusada de mentir.

Assim, em outra de suas intuições repentinas que Marta diria que ele está velho demais para ter, Stern decide abruptamente seguir em outra direção.

— A senhora disse que estava muito empolgada ao falar com o ganhador de um prêmio Nobel?

— Muito empolgada!

— E era empolgante estar envolvida nos testes de um medicamento potencialmente tão importante quanto o g-Livia?

— Grande medicamento. Muito importante.

Por fim, Stern pergunta a Hoh sobre os substanciais ganhos em potencial para a Global caso o ensaio prosseguisse. Ela assente com entusiasmo a cada pergunta, obviamente querendo agradar, como se isso compensasse a mentira tosca que contou no trabalho.

— Mas, quando falou com essa pessoa que disse ser o Dr. Pafko, a senhora tinha noção de que havia milhões de dólares em jogo para sua empresa em ensaios futuros?

— Sim, sim — responde Wendy Hoh. — Grande negócio, Livia. Grande.

Na reinquirição, Feld parece pensar que Stern estava sugerindo que a Global decidiu alterar os resultados por conta própria para ganhar dinheiro. A Dra. Hoh fica confusa com as perguntas feitas por Feld no intuito de refutar essa ideia, mas no fim das contas nega que seus chefes a tenham instruído a alterar a base de dados.

Em vez de reinquiri-la, Stern se levanta, abre um sorriso simpático e diz apenas:

— Dra. Hoh, muito obrigado por vir de tão longe.

Quando seu pai se senta, Marta está nitidamente transtornada.

— Não sei o que você pensa que está fazendo — murmura ela, entre os dentes.

— Sou só um velho caduco — sussurra ele.

19. ACEITANDO O PRÊMIO

Tanto Stern quanto Marta enxergam a possibilidade de Kiril depor em defesa própria como um prelúdio para o desastre. As negações de Kiril vão soar estúpidas. Por exemplo, ele não está disposto a oferecer uma versão levemente diferente de sua conversa com Wendy Hoh. Em vez disso, apesar da gravação feita no telefone de sua sala, Kiril alega que jamais falou com a mulher.

No entanto, o réu tem todo o direito de prestar depoimento. Na verdade, a prática federal é de que, caso decida não "se levantar", como eles dizem, Kiril precisa avisar à juíza, para que fique registrado nos autos, que ele voluntariamente está abrindo mão da oportunidade dada pela Constituição de contar ao júri sua versão da história. Em seu atual estado mental, Kiril certamente alegará que seus advogados o convenceram a não depor durante a conversa que precisará ter com Sonny.

Assim, Stern e Marta concordaram que a melhor forma de manter Kiril longe do banco das testemunhas é apelando para o seu ego. Em um caso de fraude, o réu sempre pode oferecer provas que mostrem que tem uma reputação ilibada de honestidade e integridade. Se vários cientistas conhecidos forem ao tribunal e disserem basicamente que o Kiril Pafko que conhecem jamais faria algo parecido com o que é alegado na denúncia, talvez seja mais fácil persuadir Kiril de que ele não precisa depor para negar todas as acusações.

Com isso em vista, é muito provável que nenhuma testemunha cause uma impressão melhor ao júri do que os dois pesquisadores com quem Kiril dividiu o prêmio Nobel quase trinta anos antes. Eles eram colegas e adversários, pesquisadores de enorme importância que são autoridades independentes, ao contrário dos funcionários do laboratório de Kiril, que podem ser vistos pelo júri como pessoas em débito com o chefe. Acontece que desses cientistas com quem Kiril dividiu o Nobel, uma, Elena Marchetti, faleceu há uma década. Mas Basem Kateb recentemente voltou a Harvard como professor emérito, após ocupar, durante dez anos, o cargo de reitor da Universidade Rockefeller, uma reconhecida instituição de pesquisa em Nova York. Stern escreveu para Kateb, depois ligou várias vezes para o escritório dele, até que o assistente do doutor disse que Kateb tinha reservado vinte minutos para Stern no fim da tarde de sexta-feira, um dia após o depoimento de Wendy Hoh, quando Sonny, como sempre, não marca audiência.

Stern pega um voo pela manhã e chega a Boston a tempo da reunião no campus principal do Instituto do Câncer Dana-Farber na Brookline Avenue, situado no meio do enorme campus da Faculdade de Medicina de Harvard e do complexo hospitalar Kenmore, não muito longe do Fenway Park. Stern leu a respeito de Kateb no avião. Ele é argelino, de uma família muçulmana de classe alta que fugiu para a França no auge da Guerra da Argélia. Embora as línguas maternas de Kateb sejam o árabe e o francês, ele achou seu lugar no universo da pesquisa médica, uma terra cujos habitantes conversavam no idioma da ciência internacionalmente.

Stern presume que, assim como aconteceu com sua própria relação com Kiril, Kateb tenha encontrado um ponto em comum com Pafko em suas experiências de imigrante nos Estados Unidos. Eles estudaram mais ou menos na mesma época em Harvard, e Kiril pediu animadamente que Stern mandasse um abraço a "Bah". Kiril disse que os dois tinham uma relação amigável. Nunca haviam sido muito próximos, mas colegas que dividiram a maior honraria de seu campo de atuação.

Para Kateb, o escritório ao qual Stern é conduzido é apenas um ponto de acesso perto de seu laboratório, um cômodo provavelmente muito menor do que sua sala na faculdade de medicina. O lugar tem no máximo oito metros quadrados e é o reflexo de uma mente muito ocupada. Kateb voltou a Harvard faz poucos meses, após retornar à área de Boston onde moram seus filhos e netos. Em um canto da sala, há uma pilha de caixas de papelão mais alta que Stern. Dois enormes monitores ocupam a mesa do médico, e nas estantes de livros que vão até o teto é possível ver as bagunçadas pilhas e mais pilhas de artigos e pesquisas.

Com um jaleco longo e branco, Kateb entra apressado um minuto depois de Stern se sentar em uma cadeira de escritório dura, de plástico moldado e aço inoxidável. Aperta a mão de Stern apressadamente, com indiferença, e logo vai para trás da mesa e encara a tela do computador. Logo fica evidente que está tentando se lembrar de quem é a pessoa com quem vai falar.

— Stern ou Stein?

— Stern.

— Alguém disse "Stein" em algum momento. Nós estamos aqui para falar sobre Pafko, certo?

Kateb, alguns anos mais jovem que Stern, ainda é um homem magro e cheio de energia. Está usando óculos de armação preta e grossa, e suas sobrancelhas grisalhas são quase tão peludas quanto o rabo de um esquilo. É marrom e possui um nariz proeminente. A luz da inteligência que emana de seus olhos pretos é intensa.

Stern explica por que está ali. Deixa para mais tarde a parte difícil: pedir que o Dr. Kateb vá até o condado de Kindle para depor.

— Então o senhor é o advogado de defesa? — pergunta Kateb.

— Exato.

— Minha assistente me disse que o senhor era o promotor.

— Sinto muito. Espero não ter dito nada que tenha dado essa impressão equivocada a ela.

— Não tem problema. O senhor está aqui. E eu também teria falado com o senhor, se tivesse tido tempo. O que o senhor quer saber, Stern?

Stern tem a impressão inicial de que Kateb é o tipo de pessoa com quem ele simpatizaria, e que a recíproca seria verdadeira, se os dois tivessem tempo para se conhecer melhor. Uma das tragédias da velhice é perceber quantas pessoas boas e interessantes passaram despercebidas pela nossa vida. Por ser uma pessoa tão ocupada, Kateb impressiona Stern pela velocidade com que seu rosto demonstra que ele compreende a situação. Ele escuta atentamente. Stern explica que as acusações mancham a reputação de integridade de Kiril.

— Bem. — Kateb para e contorce a boca por um segundo, como se estivesse testando o sabor das palavras. — Stein?

— Stern.

— Stern, sim. Me perdoe. Bem, Stern, acho que não posso ajudá-lo em nada.

— Compreendo. Tendo em vista que os dois trabalham no mesmo campo há tanto tempo e que suas carreiras são tão interligadas, minha expectativa era de que o senhor pudesse dizer algo em favor de Kiril. Ele está numa posição difícil e parece pensar que o senhor o adora.

— Adorar? Sempre gostei da companhia dele. É um brincalhão. Muito divertido. Certa vez, eu e ele estávamos no Aeroporto O'Hare e tivemos que encarar um atraso horrível. Nove horas. Estávamos indo para Délhi. Ele comprou uma garrafa de Johnnie Walker Blue Label num bar e me fez rir durante todo o tempo que esperamos. Um grande contador de histórias. Ou talvez eu estivesse bêbado o suficiente para pensar assim. Então, sim, eu gosto da companhia dele. Sempre gostei. Só que ele é um cientista de merda.

Stern, que nunca foi dado a ataques verbais, não consegue se conter.

— Mesmo com um prêmio Nobel?

— Mesmo com um Nobel. Nesta vida, Sr. Stern, sempre vão existir pessoas que não merecem as vitórias que conquistam. Isso vale para qualquer área. Quantos advogados bem-sucedidos o senhor conhece que, no geral, são burros?

— O senhor acha que o Nobel de Kiril não foi merecido?

— Tenho certeza. Pelo menos é a minha opinião.

Stern fica indignado, mas tenta não demonstrar para evitar afastar Kateb.

— Pelo que entendi, as descobertas dos senhores, digo, sua, da Dra. Marchetti e de Kiril, foram publicadas praticamente ao mesmo tempo em 1982.

— Isso é verdade. Mas como Kiril chegou ali? Ele certamente estava pesquisando o oncogene humano, as causas genéticas do câncer. Muitos de nós estávamos fazendo isso. Mas dê uma olhada no que foi publicado. Veja o que Kiril estava pesquisando antes dos experimentos que identificaram as proteínas RAS mutantes nos tumores cancerígenos de pulmão. O senhor não vai encontrar muita coisa que antecipe a descoberta. Durante uma época, nós, deste campo, achamos que os cânceres humanos eram resultado da ação dos retrovírus. Mas não são. Então começamos a procurar em outros lugares. No fim da década de setenta, conseguimos induzir mudanças oncogênicas nas proteínas RAS de camundongos. Encontrar mudanças semelhantes ocorrendo naturalmente em células humanas foi um grande avanço, porque, com isso, identificamos que as proteínas RAS eram as culpadas... o códon 12, para ser mais preciso, um pedaço do DNA na molécula. Foi isso que ficou estabelecido pelo trabalho que Elena e eu realizamos. E Pafko, lógico, se o senhor quiser alegar que o trabalho também é dele.

— Não entendo. Kiril não realizou os experimentos?

— Não, eles certamente conduziram os experimentos e a pesquisa em Easton. Mas acho que ele roubou o protocolo do experimento.

— Como? De onde?

— De mim. Aqui. Na época, Pafko visitava os antigos colegas com frequência. Os documentos estavam na minha mesa, e depois sumiram. Na época, não pensei muito no assunto. Deixo as coisas fora do lugar, sempre fiz isso. Um motivo para eu ter me sentado e bebido com Pafko anos depois, no O'Hare, foi a esperança de que ele ficasse de porre e admitisse o que tinha feito. Mas ele é astuto. Quando perguntei como ele tinha sido capaz de conceber aqueles experimentos, considerando os trabalhos anteriores, ele deu uma risada e respondeu algo como: "Grandes mentes, grandes mentes." Papo furado.

— E o senhor preferiu não dizer nada durante todos esses anos?

— Alguns confrades daqui sabem das minhas suspeitas. Mas, Sr. Stern, um advogado é a última pessoa que deve se mostrar surpresa. Se eu tivesse contestado o direito de Kiril de reivindicar o crédito pela descoberta, seriam anos de disputa judicial, tanto nos tribunais quanto nos periódicos científicos. O trabalho da minha vida seria lutar contra Pafko, em vez de fazer pesquisa. E que prova real eu tinha? Sempre vou acreditar que estou certo. Kiril estava morrendo de inveja de mim. Eu permaneci aqui e fui efetivado, enquanto ele foi parar onde Judas perdeu as botas.

Kateb está falando do condado de Kindle. Stern faz uma careta, mas não diz nada. Conhece bem o chauvinismo de quem mora na Costa Leste, pessoas que falam do lugar que Stern adotou como sua cidade natal como se estivessem tratando do terceiro ou quarto círculo do inferno de Dante.

— E, a meu ver, tomei a decisão correta — acrescenta Kateb. — O senhor acha que fez qualquer diferença o fato de os ganhadores do Nobel terem sido dois ou três, além da divisão do prêmio em dinheiro? Eu fui muito afortunado. Quanto a Pafko, o tempo basicamente deu o veredicto sobre ele.

— Está falando dos problemas que ele enfrenta agora?

— Certamente, entre outras coisas. Pelo que li, é praticamente certo que ele vá morrer na cadeia. Eu diria que aqui se faz, aqui se paga. Talvez o senhor não concorde.

— Na verdade, estou bem esperançoso quanto ao resultado do julgamento.

O que Stern acaba de dizer é um grande exagero, mas, como advogado de Kiril, ele é obrigado a demonstrar confiança.

— Na verdade, não importa. A carreira dele no geral prova meu argumento.

— Poderia me explicar?

— É bem simples. O senhor conhece a rotina na pesquisa científica de ponta, Sr. Stern. A maioria dos cientistas famosos faz uma descoberta pioneira quando ainda jovem, encontra seu cantinho no ramo e passa o restante da carreira lançando suas implicações. Por algum motivo, essa "hipermetropia" some na maioria de nós. No caso de Kiril, isso aconteceu mais cedo do que o normal. Quando chegou aqui, ele esbanjava potencial, mas na época em que o dispensaram, a chama já tinha se apagado. Ele passou a ser um blefe ambulante. Não sei nem quantos de seus artigos foram desmascarados nas últimas três décadas... experimentos cujos resultados ninguém é capaz de replicar, conclusões que vão muito além do que mostram as provas. Sem querer ser presunçoso, mas compare o currículo dele ao meu. Quantas grandes instituições o convidaram para ser diretor? Conte quantos diplomas honorários ele tem, ou quantas sociedades científicas o premiaram. É de dar pena. Em 2010, ele e Lep publicaram um artigo sobre as novas descobertas que haviam feito, no qual identificaram os erros do receptor na proteína RAS oncogênica. Praticamente ninguém seguiu essa linha de pesquisa. Nos dez ou doze lugares que importam, a suposição tácita foi de que esse artigo era mais uma das conversas fiadas de Pafko. Ninguém ficou mais chocado do que eu quando o g-Livia se mostrou uma terapia bem-sucedida. Ainda não entendo como ele conseguiu realizar a pesquisa inicial. Pensando bem, presumi que ele havia roubado de alguém, de um cientista de verdade, mas ninguém veio a público dizer isso. Eu cheguei antes do senhor chegar aqui. Mas não... até um relógio parado está certo duas vezes por dia. Mesmo assim, pode ter certeza de que, se tem Kiril no meio, vai dar merda. A má conduta dele forçou o g-Livia a ser retirado do mercado. Vai demorar um tempo até que a FDA permita que ele seja prescrito pelos médicos novamente, e milhares de pacientes vão morrer nesse meio-tempo.

Ainda incrédulo e chocado, Stern demora um tempo para processar tudo o que Kateb está dizendo. Mas parece provável que, se Basem Kateb fosse o procurador da república, também teria denunciado Kiril por homicídio. Não por dar o g-Livia aos pacientes, mas por criar uma situação em que os pacientes de câncer não vão poder mais ter acesso ao medicamento.

— E o senhor não tem data para falar com os promotores? — pergunta Stern.

— Ainda não. Se eles me ligarem em algum momento, sim, eu vou falar com eles. Imagino que o senhor não vá lhes passar meu telefone.

— É como dizem, doutor: esse não é o meu trabalho.

— Imaginei que não. Eu também não vou pegar o telefone para ligar. Como eu disse, decidi há décadas que não vou perder meu tempo tentando disciplinar Kiril. Não é agora que vou começar. E posso lhe garantir, Sr. Stern, vão ter que me amarrar para me colocarem no banco das testemunhas.

O Dr. Kateb não tem ideia do poder de um juiz federal, mesmo de um lugar tranquilo como o condado de Kindle. Se ele decidir desafiar uma intimação, pode ser levado a depor de algemas. Apesar disso, o comprometimento de Kateb em se manter calado é a única notícia um pouco esperançosa que Stern pode levar para casa após essa conversa deprimente.

No táxi de volta para o aeroporto, Stern está totalmente perplexo, cada vez mais confuso com as informações que Kateb compartilhou. O médico contradisse todas as certezas que Stern alimentava sobre Kiril havia décadas. Mas a base de conhecimento de Kateb é limitada. Os colegas de trabalho de Kiril, tanto nas universidades quanto na empresa, se mostram ávidos para aceitar a sua eminência, pois o fato é que trabalhar com um ganhador do prêmio Nobel melhora não só a reputação deles, como também a das instituições de que fazem parte. E quase todos sairiam perdendo se gritassem que o rei está nu.

Mas seria essa a verdade? Kateb só estava dando sua opinião, porém foi bastante convincente. E isso explica a decisão de Kiril de entrar para o ramo da fabricação de medicamentos, o que, para Stern, sempre pareceu algo pouco ortodoxo. Os poucos pesquisadores importantes no seu campo não queriam saber de Kiril, o que o forçou a seguir o caminho que seguiu.

Sábado de manhã, Stern se reúne com Marta no escritório. Em breve eles terão que encarar o momento-chave do julgamento. Moses ligou na sexta-feira para anunciar que a próxima testemunha convocada pela acusação será Lep Pafko. Ele será inquirido por Marta, mas a partir de agora a situação vai ficar cada vez mais difícil para os Stern, quando o governo começar a tratar da parte da denúncia contra Kiril que é praticamente indefensável: as acusações de uso ilegal de informações privilegiadas.

Como já era de esperar, Marta parece muito menos surpresa que o pai ao saber o que Kateb disse.

— E lá se vai a chance de convocar testemunhas que defendam a reputação de Kiril — diz ela.

Mesmo que eles conseguissem encontrar alguém disposto a dizer o que eles esperam, o risco de o governo contra-atacar com alguém como Kateb não compensaria. Tal movimento transformaria essa via de defesa em uma caminhada à beira do abismo. Na verdade, esse é o milésimo motivo pelo qual Kiril não deveria depor. Caso faça isso, o governo terá liberdade para atacar a honestidade e a integridade de Pafko com o depoimento de cientistas citados por Kateb, que consideram Kiril e seu trabalho uma fraude. Moses e Feld provavelmente estão só esperando, torcendo para os Stern cometerem esse erro.

Marta, que já tinha presumido havia muito tempo o pior a respeito de Kiril, parece despreocupada, mas Stern continua abatido. Kiril não o fizera totalmente de bobo. Parte de Stern tinha dado ouvidos aos avisos de Marta. E a vida também o ensinou a ter cautela. Quando Clara, sua mulher por mais de trinta anos, morreu, Stern descobriu que havia partes da personalidade dela que eram territórios desconhecidos. Ele tinha morado com grande parte da mulher, mas não ela inteira. O que conhecemos da essência de amigos, conhecidos ou clientes se compara ao que um turista absorve sobre algum lugar após visitá-lo algumas vezes. Mas mesmo o pouco que Stern achava que sabia sobre Kiril, após quarenta anos de amizade, caiu por terra.

Assim, Stern se senta no escritório, se esforçando para descobrir que tipo de pessoa Kiril realmente é. Stern não consegue sequer imaginar o que se passava pela cabeça de seu cliente quando estava diante do rei da Suécia para receber a medalha, a poucos metros do homem de quem ele literalmente havia roubado o direito de ser aclamado. Será que ele se deu o trabalho de racionalizar tudo isso? Ou simplesmente fingiu até para si mesmo que o roubo jamais aconteceu? Stern imagina que tenha sido a segunda hipótese. Mas a verdade é que, no que diz respeito à intimidade alheia, só podemos imaginar. Donne tinha afirmado que nenhum homem é uma ilha. Estava completamente enganado.

Todos nós somos ilhas.

20. O FILHO DO PAI

Segunda de manhã, Stern vai ao banheiro masculino antes do recomeço do julgamento e se depara com Lep Pafko saindo de uma das cabines. O filho de seu cliente para na pia ao lado dele. Os dois estão sozinhos. Lep parece tão mal quanto era de esperar, está pálido e tenso. Talvez seja só imaginação, mas Stern tem a impressão de ver o lábio de Lep tremendo. Qualquer que seja sua obrigação profissional, Stern não consegue não se compadecer de Lep, a quem conhece desde criança.

Com a torneira aberta e a água correndo, Stern diz:

— Tenho certeza de que essa é uma posição muito difícil para você, Lep.

Os olhos claros de Lep vagam lentamente na direção de Stern, e ele abre um sorriso irônico.

— Você não faz ideia.

— Seu pai sabe que você tem crianças em casa e que está numa posição muito difícil.

Em vez de aceitar um comentário feito para reconfortá-lo, Lep se vira de repente na direção de Stern com o mesmo sorriso no rosto, mas agora só de um lado da boca.

— Você é um bom advogado, Sandy. Mas meu pai lhe disse isso mesmo? Que entende a posição em que eu me encontro?

Lógico que Kiril não disse isso. Kiril evita ao máximo falar sobre Lep. Sempre que fala do filho, suas respostas sobre o eventual depoimento de Lep são quase desconexas. Ao perceber que Stern não vai responder à sua pergunta, Lep bufa, irritado.

— Você não precisa me preparar antes de eu me sentar lá, Sandy. Não tem como eu me sentir pior. Ou mais culpado. Caramba, ele é o meu pai. Como eu poderia me sentir? Mas, por favor, não venha me dizer que ele me entende. Toda essa situação me fez enxergar as coisas com nitidez. — Médico que é, Lep está parado com as mãos longas e brancas ainda molhadas erguidas no ar. — Eu passei a vida inteira na PT fazendo vista grossa para todas as coisas estúpidas e irritantes que Kiril fez ao longo do tempo. Mas duvido que ele tenha gastado um segundo sequer pensando na posição em que me colocou. Isso é com certeza algo que ele não faria.

Assustado com a profundidade e a gravidade da raiva de Lep, Stern também está imóvel, com as mãos molhadas ao lado da pia.

— E eu amo a PT. Adoro trabalhar lá e morro de orgulho desse remédio. Você já esteve nas instalações um milhão de vezes. Bem na porta de entrada tem uma placa enorme que diz "Pafko Therapeutics". Quando passo embaixo dela todas as manhãs, adoro o fato de que é o meu nome que está ali em cima também. Mas seja honesto: você acha que Kiril já se deu conta disso? De que não é só o nome dele na porta?

Lep balança a cabeça, caminha até o dispenser de papel e sai do banheiro em um segundo. Esse foi o diálogo mais franco que Stern já teve com Lep, talvez desde sempre, e Stern está chocado com o que surgiu. O garoto com o livro de matemática ao lado de Stern na mesa do restaurante décadas atrás gostava de ser capaz de fugir para um mundo onde estava longe do controle dos pais. Ele podia ser obediente e, ao mesmo tempo, fiel a si mesmo. Mas, como adulto, Lep sabe que o que quando criança considerava liberdade era, no tocante ao pai, apenas indiferença.

Apesar de acontecer em um momento inconveniente, com o julgamento prestes a recomeçar, esse confronto inevitavelmente faz Stern se lembrar do próprio filho-médico raivoso. Uma tristeza profunda toma conta de Stern quando ele se lembra de Peter, um abatimento que é tão incapacitante quanto se ele tivesse caído em um barril de cola.

Sessenta anos na provação de ser pai de Peter, e Stern ainda não é capaz de dizer nem um motivo sequer que possa explicar por que os dois não se dão bem. É um sentimento profundo e reflexivo. No complexo rescaldo da morte de Clara — época em que Peter se comportou mal —, os dois se afastaram. Stern decidiu parar de ficar se desculpando. Peter escolheu manter uma distância física do pai, e, menos de um ano depois, aceitou um emprego como médico no Centro Médico e Hospitalar Kaiser, em San Francisco.

Foi Helen quem, pouco depois de começar um relacionamento sério com Stern, disse com todas as letras aquilo de que Stern já suspeitava havia muito tempo em segredo: "Peter é gay." Stern ficou aliviado ao ouvir isso, sobretudo porque isso lhe dava a esperança de que a hostilidade de Peter estava enraizada em pressuposições sobre o pai, pressuposições essas que Stern poderia desmentir. Quando Peter finalmente visitou Stern uma década depois, foi o momento que Stern esperava para que o relacionamento dos dois começasse o processo de cura.

— Sei que você é antiquado demais para aceitar — disse Peter.

— Peter, eu sou antiquado demais para rejeitar meus filhos, ainda mais em relação a uma coisa que não é da minha conta, não faz nenhum mal imaginável a qualquer outro ser humano e, francamente, traz a perspectiva de finalmente fazer de você uma pessoa mais feliz.

Stern abriu os braços para o filho, que era uns vinte centímetros mais alto, e Peter aceitou o abraço lentamente. Mas não houve uma transformação entre os dois. Três anos atrás, Peter se casou com Tran, um jovem médico que tinha sido residente sob o seu comando. Os dois tinham adotado uma linda menina mexicana, Rosa, mas Stern, o único avô vivo, só a vira uma vez, quando Peter foi à cidade ano passado praticamente sem avisar para a festa de formatura da filha de Marta. Apesar de Peter falar por alto, Stern jamais foi convidado para uma visita a San Francisco.

Parado ali naquele lugar fedorento, Stern se sente quase esmagado pela força bruta da ironia. Só Deus sabe de que infrações Peter o acusa. Ele fez da mãe de Peter uma mulher infeliz? Foi egoísta e trabalhou demais em vez de ser o pai engajado que Peter queria? Stern jamais vai aceitar que qualquer uma das acusações seja totalmente precisa, mas tudo bem, digamos que elas são verdadeiras em certo nível. Agora compare o comportamento dele com o de Kiril, que passou a vida inteira exercendo um domínio egoísta sobre Lep, aproveitou seu lugar ao sol e manteve o filho nas sombras, esfregou casos amorosos na cara de Lep e talvez até tenha envolvido o filho em um crime. Mesmo assim, apesar da raiva, Lep se sente culpado e relutante em relação ao que precisa fazer, ao passo que Peter correria para o banco das testemunhas para saborear o momento que, ao que tudo indica, sempre almejou: o momento que poderia declarar publicamente que seu pai é um merda.

E é assim que, mais uma vez, Sandy Stern confronta uma verdade fundamental de sua existência: a lei é o refúgio da humanidade, onde nos abrigamos para fugir da irracionalidade e da insensatez. E os humanos precisam da lei, porque precisam acreditar que existe uma justiça em suas interações, uma justiça que Deus, o Destino ou o Universo — chame como preferir — jamais nos fornecerá por conta própria.

Poucos minutos depois, já quase recuperado, Stern se senta ao lado de Marta. A sessão está prestes a começar.

— Acabei de encontrar Lep no banheiro masculino — sussurra ele no ouvido da filha. — Acho que a coisa pode ficar muito feia para Kiril.

Marta vira a cabeça para Stern abruptamente, mas a juíza já está chegando à tribuna e eles precisam ficar de pé.

Moses já está no pódio e, assim que Sonny assente, ele anuncia:

— Leopoldo Pafko.

Com a coluna ereta, Lep entra lentamente na sala silenciosa e caminha até o banco das testemunhas. Nos anos antes da pena de morte felizmente ser considerada inconstitucional pela Suprema Corte Estadual, Stern teve dois clientes que foram executados. Uma vez que faz parte da essência de sua função como advogado de defesa apoiar o cliente não importa o que aconteça, Stern compareceu à execução, sentando-se ao lado dos familiares dos condenados em uma fileira de cadeiras duras em frente a uma janela com vista para a câmara de execução e para a maca em que se amarrava o homem prestes a morrer. As duas únicas vezes que teve enxaquecas fortes ao longo da vida foram nas semanas seguintes às duas execuções. Em ambas as ocasiões, ele não compreendeu por que seu cliente escolheu entrar andando na sala, com algemas nas mãos e nas pernas. Se fosse ele, pensou Stern, teriam que arrastá-lo. Enquanto vê Lep caminhar diante de Sonny e erguer a mão para prestar juramento, Stern se lembra desses dois homens, Ray Sarkis e Tyrone Wallace.

Por mais que já estivesse péssimo no banheiro masculino, o jeitão ansioso de Lep parece ainda pior quando ele se acomoda no banco das testemunhas. Ele está com um semblante fechado, o rosto travado. Passa a língua sobre os lábios o tempo todo e semicerra os olhos em direção a Moses, obstinadamente.

Ao contrário de Innis, Lep recebeu uma garantia formal de imunidade e, em resposta à pergunta simples e direta de Moses, explica que entendeu os termos e que precisa dizer a verdade. Em seguida, Moses questiona o óbvio.

— O senhor preferia não estar aqui, Dr. Pafko?

— Sim, de todo o coração — responde ele.

Stern observa a reação dos jurados e percebe que alguns deles sorriem só com os lábios, inclusive a contadora pública, a paciente que sobreviveu ao câncer e que, segundo concluiu Stern, não tem muita simpatia pela defesa.

Acompanhando Lep ao entrar minutos antes, estava sua esposa alemã, Greta, uma mulher alta que Lep conheceu enquanto terminava o PhD em medicina, em Harvard e no MIT. Greta também estava terminando seu doutorado, em química, e, assim que eles chegaram ao condado de Kindle, ela trabalhou na PT até o nascimento da segunda das três filhas do casal. Ela também é uma violinista excepcional e ensinou as três filhas a tocar diferentes instrumentos, de modo que as quatro mulheres na casa de Lep frequentemente entretêm os visitantes com quartetos de cordas.

Existe uma teoria que diz que filhos homens costumam se interessar por mulheres parecidas com suas mães, e, pelo que Stern pôde observar, Greta é parecida com Donatella em alguns aspectos — alta, bonita e sempre calma —, mas em outros não se parece em nada com a sogra. Se algum dia Greta já usou maquiagem ou roupas da moda, parou durante o desgastante trabalho de ser mãe. Além disso, falta a Greta toda a etiqueta, as boas maneiras e a sociabilidade da sogra. Por outro lado, pelo menos de acordo com Kiril, na casa de Lep sua nora exerce o mesmo controle gravitacional que Donatella. Quando Lep começa a depor, os olhos dele apontam várias vezes para Greta, aparentemente buscando a aprovação da mulher, que ela concede com um sutil aceno de cabeça. Donatella está sentada no banco, bem ao lado da nora. Na sala, elas estão no lado da acusação, mais perto do júri, mas talvez seja só porque dali elas têm uma visão melhor do banco das testemunhas.

E assim, com precisão, Lep relata a história que prometera aos promotores que contaria. Detalha sua impressionante escolaridade, que conta com dois doutorados, vários prêmios e, depois, sua nomeação tanto para a Faculdade de Medicina quanto para o Departamento de Ciência da Computação em Easton, trabalhando no laboratório universitário comandado pelo pai e, depois, na PT. Em seguida, chega ao cerne da história, descrevendo suas tarefas como diretor de pesquisas médicas na Pafko Therapeutics e seu papel no desenvolvimento do g-Livia.

Em 15 de setembro de 2016, faltando pouco mais de duas semanas para a conclusão do ensaio clínico do g-Livia, o Dr. Tanakawa falou com Lep sobre um telefonema preocupante que havia recebido da Dra. Wendy Hoh no dia anterior, dando a entender que nos meses anteriores tinha havido um surto de mortes súbitas no estudo.

— E o que o senhor fez após falar com o Dr. Tanakawa?

— Fui imediatamente até a sala do meu pai, que fica ao lado da minha.

— E os senhores conversaram?

— Sim, lógico.

— E o que disse cada um dos senhores?

— Não vou conseguir repetir as palavras exatas. Mas nós dois ficamos bem preocupados. Até aquele momento, tudo indicava que o g-Livia estava se saindo extraordinariamente bem. Meu pai me disse: "Bem, vamos dar uma olhada."

— O que o senhor entendeu dessa frase?

— Que deveríamos quebrar o cegamento por conta própria para ver se os pacientes que estavam morrendo de uma hora para outra estavam tomando o g-Livia.

— E o que o senhor fez em resposta à sugestão do seu pai?

— Fui até a minha sala pegar os códigos que tínhamos recebido da Global no começo do ensaio. Segundo o protocolo, eles deveriam ser utilizados caso houvesse uma situação de emergência envolvendo a segurança dos pacientes. Eu voltei com os códigos para a sala do meu pai, mas a essa altura já estava em dúvida. Tinha a sensação de que os monitores de segurança externos é que deveriam quebrar o cegamento, talvez devesse ter entrado em contato com a agência.

— Que "agência"?

— A FDA.

— O que o seu pai disse?

— De cara, não concordou comigo. Estávamos chateados com a possibilidade de haver algum problema com o g-Livia tão perto do fim do ensaio. Mas eu estava sem tempo. Tinha um voo para Seattle, onde me apresentaria numa conferência na manhã seguinte. Greta, minha mulher... — Ele para por um instante e abre um sorriso forçado ao apontar a cabeça na direção da esposa. — Embarcaria para lá no dia seguinte, e nós iríamos passar os dois dias fazendo caminhada pela Península Olympic. Eu ainda tinha que trabalhar nos meus slides para a apresentação, e além disso precisava fazer as malas, então disse a meu pai, Kiril, que era melhor esperar para ver essa questão na segunda-feira seguinte. Falei que era melhor termos tempo para pensar.

— O que ele disse?

— Não gostou, mas concordou em esperar.

— E onde o senhor deixou os códigos?

— Não tenho certeza, mas acho que os deixei na sala dele.

A parte do "não tenho certeza" é um novo acréscimo. Stern fica animado com a possibilidade de Lep, embora tenha demonstrado mágoa no banheiro masculino, fazer o possível para pegar leve com o pai. Moses faz uma pausa, quebrando o ritmo, aparentemente temendo a mesma coisa.

— Bem, foi dito que o senhor e seu pai ficaram chateados. Os senhores chegaram a conversar sobre as preocupações dele?

— Ele não precisou explicar. Por várias vezes ele havia dito que estávamos sendo pressionados pelo tempo em relação ao g-Livia.

— Fundamento — protesta Marta, alegando que Lep precisa determinar exatamente quando e onde esse comentário foi feito e as palavras exatas de Kiril.

— Tivemos essa conversa inúmeras vezes. Na sala dele, na minha... Pelo menos uma vez por mês ele dizia algo sobre esse assunto.

— Dizia o quê? — pergunta Moses.

Marta protesta contra o fato de Lep resumir várias conversas, mas Sonny indefere.

— Sujeito a objeção futura — diz Sonny a Lep. — Pode continuar.

Em geral, durante um depoimento, Sonny faz anotações em um bloquinho pautado e, quando a situação se torna previsível, organiza outros papéis — pedidos, decisões. Mas nesse momento ela está totalmente virada na direção de Lep, recostada em sua poltrona de couro para prestar atenção no que ele tem a dizer. Assim como todos, está fascinada pelo drama familiar tão antigo como a tragédia de Édipo apontando uma espada para a cabeça do próprio pai.

— Por favor, conte para nós o que Kiril disse sobre a pressão do tempo — diz Moses.

— Ele estava com medo de que, se o processo de aprovação demorasse do jeito que essas coisas costumam demorar, não estaria vivo para ver o fim disso. Tentei tranquilizá-lo dizendo que ele estava com uma saúde ótima e viveria mais até do que a própria FDA.

Já tendo ouvido relatos de funcionários da FDA sobre como o processo de testagem de produtos farmacêuticos é complicado, vários jurados e repórteres riem espontaneamente.

— E o senhor fez o que tinha combinado com seu pai e foi se encontrar com ele segunda-feira logo de manhã?

— Eu me encontrei com ele, sim, mas na verdade foi ele quem foi até a minha sala assim que eu cheguei.

— E os senhores conversaram?

— Sim.

— O que foi dito?

— Bem, disso eu me lembro palavra por palavra. Ele disse: "Tenho ótimas notícias."

— E o senhor perguntou qual era a ótima notícia?

— Sim, lógico. Ele me disse que, depois que eu saí na quinta anterior, dia 15 de setembro, ele estava muito nervoso para esperar. Disse que ligou para Wendy Hoh na Global e fez várias perguntas, tentando ter certeza de que as notícias que havíamos recebido eram resultados reais, e, no fim da sexta, a Dra. Hoh ligou de volta.

— Seu pai lhe contou o que a Dra. Hoh alegou ter dito?

— Protesto contra o "alegou" — diz Marta.

— Deferido. — Sonny encara Lep e diz: — Dr. Pafko, só nos diga o que o seu pai lhe disse.

Lep assente, assimilando a instrução da juíza, e para por um segundo para se ajeitar no banco das testemunhas.

— Ele disse que ela, Wendy, tinha dito que havia falado com vários investigadores que haviam relatado as mortes e se deu conta de que elas foram registradas de forma errada na base de dados. Era um problema de programação do sistema. Os doze pacientes tinham saído do ensaio anteriormente, mas sido listados como fatalidades não relacionadas ao câncer nos dois trimestres anteriores.

— E esse foi o fim da conversa?

— Não. Ele me disse que Wendy, a Dra. Hoh, tinha corrigido os dados e que não havia mais nada com o que se preocupar.

— O senhor concordou?

— Eu fui falar com Tanakawa. Nós dois ficamos um pouco incomodados...

— Protesto contra "nós dois" — interrompe Marta.

— Fale só pelo senhor, Dr. Pafko — instrui Sonny.

— Certo — diz Lep. — Eu fiquei incomodado. Mas, para ser franco, não estava nem um pouco disposto a quebrar o cegamento nem a falar com investigadores, tendo em vista que o que Wendy tinha feito, de acordo com meu pai, colocava a integridade do ensaio em risco se precisássemos continuá-lo.

— Então o senhor não tomou mais nenhuma medida?

— Não. Tanakawa e eu entramos na base de dados e fizemos uma pesquisa para encontrar casos de eventos adversos graves nos cento e oitenta dias anteriores. Havia muitos, mas nenhuma morte súbita. Então ficou evidente que o que meu pai tinha dito era verdade e que Wendy tinha investigado e corrigido a base de dados. Ambos ficamos satisfeitos.

— Em algum momento, seu pai lhe disse que *ele* tinha realizado a quebra do cegamento na quinta à noite?

— Não, ele não me disse isso em momento nenhum.

— E naquele momento o senhor sabia que esses supostos erros do sistema tinham acontecido só entre os pacientes que estavam tomando o g-Livia?

— Não. Achei que era um problema generalizado.

— Agora permita-me mostrar um documento, a prova Pafko Computador-A. — A captura de tela do computador do escritório de Kiril. — O senhor já viu esses dados antes?

— No seu escritório.

— Nunca antes de lhe mostrarmos esses dados?

— Não.

— Em algum momento o Dr. Kiril Pafko se referiu a qualquer um dos dados contidos nesta imagem, mostrando doze mortes súbitas entre os pacientes que estavam tomando o g-Livia?

— Nunca.

— E, na condição de pesquisador médico especialista, se tivesse visto esses dados, o que o senhor teria feito?

— Eu não teria escolha. Teria informado imediatamente aos monitores de segurança e à FDA.

— Mas, considerando o que seu pai tinha lhe dito, o senhor achou que precisava relatar os eventos adversos graves suspeitos, de acordo com os regulamentos da FDA?

— Não. Aceitando o que meu pai tinha me dito, e de acordo com o que tinha sido confirmado pela base de dados da Global, não tinha ocorrido um aumento mensurável nos eventos adversos graves.

Não por acaso, esse momento de credulidade de Lep é um ponto que conta muito a favor dele nas ações cíveis, pois reduzem sua responsabilidade pessoal.

Moses repassa as reuniões da FDA às quais Kiril compareceu entre 2014 e 2016 e também depois desse período, mas surgem poucas informações novas. O depoimento de Lep termina com ele dizendo que, antes de assinar o requerimento de comercialização, Prova do Governo-1 — que atesta a veracidade de tudo o que está contido nas centenas de páginas anexadas —, ele tinha avisado Kiril e perguntado se podia seguir em frente. Kiril respondeu que sim.

Appleton se vira para Marta e diz:

— A testemunha é sua.

Ela se levanta rapidamente e pede que Lep se atente às primeiras páginas da Prova do Governo-1, sobre a qual Moses perguntou no fim da inquirição. Ela pede que Lep identifique a própria assinatura mais uma vez.

— Esse requerimento, Prova do Governo-1, conforme o Sr. Appleton acabou de lhe explicar, contém uma representação de que todos os regulamentos da FDA foram atendidos, certo?

— Sim.

— Na época em que o documento foi elaborado e assinado, o senhor acreditava que as informações eram verdadeiras?

Marta está em pé, mas não se afastou da mesa da defesa, para ficar ao lado de Kiril, obrigando Lep a encarar o próprio pai, algo que não tinha feito em nenhum momento enquanto respondia às perguntas de Moses. Mesmo assim, Lep parece se esforçar para não desviar os olhos de Marta.

— Acreditava.

— E com base nos seus conhecimentos, no que pôde observar, e deixando de lado toda a fofoca e qualquer outra coisa que tenha lido ou ouvido, o senhor ainda acredita?

É uma pergunta perigosa, mas Marta checou com os advogados de Lep se poderia fazê-la. Mesmo assim, depois da cena que viu no banheiro masculino, Stern teria simplesmente pulado a inquirição cruzada, mas Lep responde:

— Com base no que sei, ainda acredito.

Lep acabou de tirar a maior parte do peso de seu depoimento à acusação. Até agora, ninguém lhe mostrou que seu pai mentiu deliberadamente sobre nada. Talvez esse comportamento seja uma lealdade cega ou algo parecido com acreditar em unicórnios, mas, apesar da enorme raiva que sente do pai, Lep fará de tudo para ajudar Kiril, desde que isso não viole seu acordo com o governo. Ainda pensando em seu filho Peter, Stern tem vontade de se levantar e aplaudir Lep.

Marta vai até o banco das testemunhas, pega a página assinada das mãos de Lep, atravessa a sala até a mesa da promotoria e, com a mão na altura da cintura, larga o documento na mesa, como se agora aquilo não passasse de lixo. Stern foi sincero quanto ao que disse a Marta semana passada — ela vai terminar a carreira com chave de ouro. Marta sempre foi muito eficaz no tribunal, mas nunca teve a mesma confiança desinibida que vem demonstrando ao longo dos últimos dias. Sempre foi uma pessoa um tanto desajeitada, que se mostrava desconfortável em situações sociais, mas, assim como o pai, descobriu uma nova persona no tribunal, tornando-se quem precisava ser pelo bem do cliente — uma pessoa competente, cativante e sagaz, não vaidosa, mas alguém que está ali para dar explicações em nome de outra pessoa que merece ser compreendida. Para Marta — e também para Stern —, a sensação básica é a mesma: a de nascer em um corpo desengonçado e descobrir um lugar onde, às vezes, você tem a graça e a elegância de um dançarino. Para Peter, trabalhar com o pai teria sido como a tortura feita a Prometeu, que, de acordo com a mitologia grega, foi acorrentado a um rochedo e tinha o fígado devorado todas as manhãs por um abutre. Mas, para Marta, foi libertador. Stern não se dá nenhum crédito por isso. A decisão foi somente dela. Mas a partir de *Estados Unidos contra Cavarelli*, o primeiro processo criminal da filha, vencido contra Moses décadas antes, sua juventude infeliz teve um fim. Pouco tempo depois, ela se casou com Solomon e se tornou uma mãe gerenciando uma carreira bem-sucedida, uma pessoa incrivelmente cheia de vida que ainda pulava da cama todas as manhãs para encarar um mundo de responsabilidades — responsabilidades essas que, no geral, ela adorava. Stern sabe que a essa altura ela está exausta, sentimento muito comum entre advogados perto dos sessenta anos. Mas ele se orgulha de ver como essa vida caiu bem a Marta, como ela está incrível nos momentos finais da vocação partilhada por eles.

— O senhor disse que, em 15 de setembro de 2016, quando saiu da PT e foi para casa fazer a mala, talvez tenha deixado os códigos de quebra do cegamento com seu pai.

— Talvez, sim — diz Lep. — Talvez, não.

— E o senhor trabalhou lado a lado com seu pai por quase vinte anos, certo?

— Sim.

— O senhor é PhD em ciência da computação?

— Sim.

— Na sua opinião, como o senhor caracterizaria as habilidades do seu pai no computador?

Moses protesta, alegando que Lep não está ali para dar um parecer, mas Sonny indefere.

— Eu descreveria as habilidades dele como muito básicas. Quando precisava de alguma coisa no computador, geralmente pedia a mim ou a outra pessoa.

— E, na sua opinião, considerando as habilidades de Kiril Pafko no computador, ele seria capaz de realizar a quebra do cegamento?

Moses protesta novamente, e ele e Marta se aproximam da juíza para discutir. Enquanto os três estão longe, Stern sente o peso dos olhos de alguém em suas costas. Ao olhar para trás, vê as grossas sobrancelhas pretas de Donatella contraídas em uma carranca de reprovação. Stern só precisa de um segundo para compreender que ela está incomodada com a pergunta de Marta. Se Kiril não foi o responsável pela quebra do cegamento, então, para Donatella, pode ter sido Lep. Mas Marta não sugeriu isso. Está apenas questionando toda a reconstituição dos acontecimentos feita pelo governo. Em resposta, Stern também olha feio para Donatella. Ela prefere atirar Kiril do alto de um penhasco a ver o filho a um quilômetro da beirada.

Quando Marta se afasta da juíza, Sonny mantém o protesto de Moses, mas permite que a pergunta seguinte seja feita: se aplicar os códigos de quebra do cegamento exige mais do que Lep consideraria habilidades básicas no computador.

— Eu diria que sim — responde Lep.

Em seguida, Marta faz uma pergunta que Stern anota em um pedaço de papel, um pensamento que lhe ocorreu enquanto ela estava discutindo com Moses e Sonny, uma ideia que ele teve para as alegações finais.

— Aliás, considerando as habilidades básicas do seu pai no computador, o senhor sabia a senha do computador dele?

Lep sorri pela primeira vez.

— Ele enlouquecia o pessoal do TI, porque insistia em usar uma senha que fosse fácil lembrar. Eram oito números um. Por causa das inúmeras discussões com o TI, todos os diretores sabiam a senha dele.

Tendo em vista as restrições impostas por Kiril e Donatella, Marta não tem muito mais por onde avançar.

— O senhor trabalhou ao lado do seu pai desde que terminou a bolsa de estudos após o PhD, correto?

— Sim.

— Aliás, acho que não passamos por uma formalidade: para constar nos autos, o senhor precisa identificar a pessoa a quem tem se referido como seu pai. Seria o cavalheiro ao meu lado, o réu neste caso, Dr. Kiril Pafko?

Com um gesto semelhante ao de um maestro ao fim da sinfonia, Marta sinaliza pedindo que Kiril se levante, para que possa olhar nos olhos do filho. Lep demora um tempo para responder que sim, e Marta segura Kiril pelo cotovelo para que não se sente de volta e continue encarando Lep.

— E como um cientista de renome, o senhor tem alguma opinião sobre a honestidade e a integridade do seu pai como cientista?

A pergunta foi cuidadosamente elaborada. Marta não perguntou "como marido" ou "como pessoa". E os advogados de Lep prometeram que ele responderia de acordo. Apesar disso, esse é um momento em que a defesa está na corda bamba, mesmo presumindo que Lep permaneça amistoso, porque a pergunta pode abrir a porteira para que a acusação convoque testemunhas como Kateb. Mas Stern e Marta concordam que Sonny considerará que essa pergunta faz parte de uma inquirição cruzada apropriada, concebida para limitar o efeito do depoimento que a promotoria obteve de Lep, em vez de estabelecer uma nova frente de ataque para o governo.

— Sim — diz Lep.

— E qual é a sua opinião?

— A melhor possível.

— Mesmo hoje?

— Mesmo hoje.

— Sem mais perguntas.

— Bravo! — sussurra Stern quando Marta se senta.

A reinquirição dos promotores é breve. Dá para notar que Moses está se sentindo trapaceado por Lep, que disse que mesmo hoje assinaria o requerimento de comercialização do g-Livia. O procurador da república faz algumas perguntas com o objetivo de fazer Lep concordar que, se os dados sem correção, a prova Pafko Computador-A, estivessem precisos, então o regulamento exigia que essas mortes fossem reportadas. Isso, por sua vez, faria com que o requerimento fosse falso. Mas Lep diz, corretamente, que os regulamentos para relatar eventos adversos graves são complexos e deixam grande parte da decisão nas mãos do patrocinador do ensaio. Moses assimila a resposta e por um breve instante lança um olhar reprovador para Lep. Mas o procurador da república adquiriu sua sabedoria no tribunal a duras penas. Ele podia continuar discutindo com Lep na frente do júri, ou até mesmo atacá-lo, mas isso só fortaleceria a impressão de que o governo sofreu um duro golpe. Além do mais, Moses sabe que pode enfraquecer o depoimento de Lep a Marta com um argumento: "Lógico, um filho que não quer acreditar que o pai é um mentiroso, mas esse ponto de vista resiste aos fatos?"

Assim, após fazer mais algumas perguntas, Moses para. Marta dispensa a reinquirição, e Sonny diz a Lep que ele pode descer do banco das testemunhas e suspende o julgamento para o almoço.

Enquanto o júri ainda está saindo, Lep avança na direção do pai, que se levanta para receber o filho nos braços. Lep chora alto, angustiado, o corpo tremendo.

Vários jurados param para assistir à cena. Stern sente instintivamente que deve intervir, com medo de que, no cômputo geral, essa demonstração não jogue a favor de Kiril. Por outro lado, no mínimo, ver os dois chorando abraçados demonstra como toda essa situação tem sido torturante para ambos. Após se recuperar, com um lenço pressionado no meio do rosto, Lep vai até sua mulher, e os dois saem da sala de braços dados. Donatella está um passo atrás.

21. INNIS RETORNA

Durante o fim de semana, os promotores fizeram outra mudança na lista de testemunhas, decidindo convocar uma advogada da FDA para depor sobre os vários regulamentos internos, no intuito de embasar as acusações de fraude. Ela se senta no banco das testemunhas segunda-feira à tarde, logo após o depoimento de Lep, ocorrido pela manhã. Seu testemunho é visivelmente uma resposta à inquirição cruzada da Dra. Robb e à concessão feita por ela de que as informações atuais, mesmo com as mortes súbitas, parecem mostrar que o g-Livia é "seguro" para comercialização.

A advogada, Emilia Dash, precisou depor menos preparada do que seria o ideal, e Marta faz a festa na inquirição cruzada. A Srta. Dash não sabe de um relatório de 2012 da FDA que concluía que os eventos adversos são rotineiramente omitidos ao longo dos ensaios clínicos. Além disso, um dos "regulamentos" que a Srta. Dash alega que a PT — e Kiril — violaram é, na verdade, uma diretriz, o que, em termos legais, tem o mesmo valor de uma mera sugestão. Como a indústria farmacêutica tende a combater qualquer esforço da FDA para promulgar novas regras, a agência muitas vezes se limita a publicar orientações. Os fabricantes que querem ter seus produtos aprovados tendem a seguir esses conselhos quando lhes convém, mas, no tribunal, existe uma diferença fundamental entre o que é feito na prática e o que é feito porque é exigido pela lei, e a Srta. Dash acaba passando uma vergonha enorme.

Quando Sonny suspende o julgamento à tarde, Stern percebe que o dia foi muito melhor para a defesa do que ele havia antecipado. Ele volta para o escritório acompanhado de Cecil Jonas, sócio sênior de um escritório de advocacia de Washington, D.C., representante da PT em novas batalhas contra a FDA, que está tentando invalidar sua aprovação do g-Livia. Cecil foi à cidade para observar os procedimentos. O sucesso de Marta nas inquirições cruzadas das testemunhas da FDA se deve, em grande parte, às horas que Cecil passou com ela, instruindo-a.

No entanto, por mais que Cecil seja perito em direito farmacêutico, isso não o torna perito em tudo o que acontece em um tribunal, algo que ele não está inclinado a reconhecer. Talvez o custo mais alto da ajuda que os Stern receberam dos vários grandes escritórios de advocacia envolvidos nas inúmeras ações cíveis abertas contra a PT e Kiril é ter que aturar horas e horas de conselhos de vários sócios seniores sobre como Stern deve montar a defesa. A maioria desses advogados nunca trabalhou em uma ação criminal. São "litigantes" bem-sucedidos, ou seja, são competentes em obter depoimentos e negociar acordos, mas com experiência limitada com júris. Para Stern, eles mais parecem adolescentes trancados em um vestiário, fingindo que sabem tudo de sexo. Após assistir aos procedimentos, Jonas tem a impressão de que Kiril está prestes a conseguir a absolvição, ideia que Stern afasta educadamente.

— Cecil — diz Stern —, não faço ideia de quantas vezes eu e Marta achamos que estávamos dizimando todas as testemunhas do governo e o júri voltou com um veredicto de culpado antes mesmo de sairmos do tribunal para almoçar.

Isso, infelizmente, não é falsa modéstia. Ao contrário das ações cíveis, em que o júri entra no tribunal sem saber nada a respeito de ambas as partes, nas ações criminais os jurados geralmente começam acreditando nos promotores, a quem costumam enxergar como funcionários públicos que trabalham para o povo. Stern revela a Cecil o lema segundo o qual ele e Marta aprenderam a viver: "Os zumbis chegam sem parar." A frase é de Henry, filho caçula de Marta, que, aos doze anos, estava jogando videogame quando soltou essa pérola. Não importa quantos zumbis os mocinhos matem, sempre vai haver mais, e um deles inevitavelmente vai pegar você. Cedo ou tarde o júri se desespera diante da certeza de que todas as testemunhas estão mentindo e de novo o governo está entendendo tudo errado.

Depois de um tempo, Stern se despede de Cecil e abre o correio de voz. Fica surpreso ao encontrar uma mensagem de Innis McVie. Stern tinha escrito para ela após a conversa em Naples, dizendo que esperava falar com ela novamente em breve. Na mensagem, Innis diz que voltou ao condado de Kindle no fim de semana, e pede que Stern telefone, e é o que ele faz. Innis parece feliz ao ouvir a voz dele.

— Sandy!

Ela explica que está na cidade para uma reunião com os promotores antes de seu depoimento, que provavelmente acontecerá ao longo desta semana. Além disso, sua sobrinha adiou ontem o batizado do filho recém-nascido para que ela pudesse comparecer à cerimônia.

— Você disse que queria falar comigo novamente — diz Innis. — É sobre o caso?

— Mais ou menos.

— Que decepção... — responde ela, jogando charme.

Quando se viu solteiro trinta anos atrás, após a morte de Clara, Stern ficou chocado ao descobrir que as mesmas mulheres que nem sabiam que ele existia no ensino médio ou na faculdade, e que se sentiriam insultadas diante do seu interesse, agora pareciam achá-lo atraente. Verdade seja dita, era o que ele pensava de Helen. E, falando de maneira lógica, a essa altura Stern deve ter uma vantagem ainda maior, uma vez que a Dona Morte reduz diariamente seu número de competidores. Apesar disso, Stern ainda considera os flertes de Innis questionáveis. Ele sabe que tem pouco a oferecer. Ela poderia facilmente se passar por uma pessoa quinze anos mais jovem. Por outro lado, qualquer um que observe Stern com mais atenção tem vontade de ligar para um fabricante de caixões. Por algum motivo, as teorias de Freud sobre as mulheres são muito questionadas hoje em dia, mas, para Stern, o doutor vienense chegou a uma conclusão eterna sobre o abismo que separa os sexos quando perguntou, desesperado: "O que querem as mulheres?"

Innis e ele marcaram de se encontrar no dia seguinte para tomar o café da manhã no University Club, onde Stern costuma usar a carteirinha de sócio de Marta. O lugar fica próximo ao tribunal e também ao condomínio que pertence à PT onde Innis diz ter direito a ficar por mais alguns meses, conforme o seu acordo de rescisão com a empresa.

Enquanto se prepara para sair do escritório, Stern vê Pinky na porta. Pela forma como sua neta olha para os lados a fim de ver se Marta está por perto, ele já pode imaginar o assunto.

— Então... a detetive Swanson finalmente me retornou — revela Pinky.

— Ah, é? — diz ele, impaciente.

— Disse que, segundo os registros do departamento de veículos, existem cerca de 165 Malibus 2017 brancos no condado de Greenwood.

— E seis deles estão na PT? — Stern achava que o número de carros total na região seria maior, mas no fim das contas o total é irrelevante. Sim, ele estava a poucos quilômetros de distância da PT, mas ainda existe uma grande chance de tudo não passar de mera coincidência.

— O que a detetive Swanson falou sobre a sua pesquisa?

— Pareceu ficar de saco cheio. Disse o mesmo que você: que na PT não tinha nenhum carro com a frente amassada. Mas, quando eu expliquei que alguém pode ter levado o Malibu direto para alguma oficina logo depois, ela disse: "Então pegue os registros de retirada de carros do seu cliente."

— Sim, Pinky, mas nosso cliente não quer que a gente faça isso. E não vamos usar o artifício de encorajar a polícia a pedir os registros.

Pela cara de desânimo de Pinky, Stern percebe que ela tinha pensado exatamente nisso.

— Pinky, considerando que nosso cliente ordenou que deixássemos o assunto de lado, não consigo pensar em um conflito de interesse pior do que começar uma investigação policial contra ele ou contra os seus aliados.

Tudo o que resta a Pinky é evitar dar um chilique, como uma criança de sete anos desapontada, e voltar para a sala de reunião onde ela e os advogados e assistentes emprestados por outros escritórios de advocacia estão revisando todos os registros de corretagem de Kiril, na preparação para a próxima fase do julgamento.

Terça pela manhã, Stern entra, completamente desanimado, no pretensioso University Club. Está incomodado porque se deu conta de como se sente à vontade nesse mundo de riqueza. Ele é rico de acordo com os padrões, e seus filhos — seguindo os excelentes conselhos sobre investimentos dados por Solomon após receberem a herança da mãe — são ainda mais ricos do que o pai. Praticamente todos os colegas de profissão de sua idade se tornaram membros da elite, e os vizinhos de Stern em West Bank podem ser classificados da mesma forma. A infância pobre continua impregnada nele, como o cheiro de fumaça após um incêndio, e uma das muitas razões pelas quais sempre insistiu em continuar representando gratuitamente clientes pobres foi ver, com os próprios olhos, como este país olha diferente para seus cidadãos menos favorecidos. Se não tivesse praticado esse tipo de *mindfulness*, Stern poderia ter chegado até aqui intocado pela dura realidade frequentemente encarada pelos mais pobres.

Marta virou sócia porque o clube oferece uma excelente academia, mas Stern enxerga o lugar como um palácio carregado de uma falsa aparência cômica, sobretudo no seu estado de espírito atual. O vitral, os botaréus e o carvalho amarelado tentam imitar a Costa Leste e seu mundo de riqueza branca do qual, na verdade, a maioria dos colonizadores do condado de Kindle foi deliberadamente excluída. Entre os pioneiros estava o primeiro europeu a chegar à área, um caçador e comerciante chamado Jean-Baptiste Point DuSable, que empresta seu nome à região metropolitana, um homem negro, embora muitos moradores da região não saibam.

Stern encontra Innis esperando no saguão, de costas para ele enquanto observa uma parede de fotos de ex-presidentes do clube. Ao ouvi-lo chamar, Innis se vira, e a beleza dela provoca em Stern uma reação conflituosa. Profissionalmente, ele está comprometido a ignorar os encantos de Innis. Por outro lado, é difícil não se impressionar com a aparência dela, uma versão bem preservada daquelas perfeitas *goyishe*, gentis, como Doris Day, mulheres que eram consideradas deusas quando Stern era jovem. A Dra. McVie está usando roupas formais — um terno preto feito sob medida e saltos altos que a deixam alguns centímetros mais alta que ele. Está cuidadosamente maquiada, ao contrário da tarde em que conversaram em Naples, quando ela havia acabado de sair do mar. Pego de surpresa, só agora Stern se dá conta do que Innis estava observando: a foto de Donatella na parede. Quando as mulheres finalmente passaram a ser aceitas nos escalões superiores do clube, cerca de vinte anos antes, Donatella fez parte do conselho administrativo e depois, por um breve período, foi presidente.

— Sempre de olho... — brinca Innis, acenando com a cabeça para a fotografia.

Eles seguem para o elevador. Na companhia da Dra. McVie, Stern percebe que está mais equilibrado e segura a bengala debaixo do braço. Assim que o garçom serve o café, Stern, ainda pensando na foto no saguão, pergunta:

— Seria pessoal demais perguntar como você e Donatella lidavam uma com a outra?

— Era mais tranquilo do que você pode imaginar. Ela é uma pessoa formidável. Muito, muito inteligente. Era civilizada comigo. Em público, eu sempre tive a sensação de que estávamos disputando para ver quem parecia menos incomodada com a outra. Tenho certeza de que ela seria muito educada comigo agora, até simpática. Afinal, ela venceu. Eu saí. Ela continua. Seja lá em que posição esteja agora.

Stern faz um muxoxo em concordância.

— Devo admitir que o acordo dos Pafko me deixa intrigado. Conheço Kiril e Donatella há décadas, e Clara e eu... e também Helen e eu... achávamos que os dois pareciam especialmente bem resolvidos um com o outro. Agora vejo que isso está longe da realidade. Provavelmente posso dizer isso de qualquer outro casamento, mas ainda tenho dificuldade para encaixar as peças no caso deles. Não só Kiril tinha uma outra parte da vida que considerava muito importante. — Stern acena com a cabeça na direção de Innis. — Como também passei a acreditar que Donatella reconhecia e aceitava esse cenário.

— Eu sempre tive essa impressão, embora, acredite ou não, isso nunca tenha sido falado com todas as letras. Provavelmente eu sou a pior pessoa do mundo para tentar explicar por que Donatella consentiu. — Innis dá uma risada. — Eu jamais diria que os dois não eram extremamente ligados um ao outro, mas nunca parei para refletir a fundo sobre o elo entre eles. Kiril sempre deu a entender que o relacionamento com Donatella era muito difícil, até amargo. Eu sabia que ele distorcia a situação do casamento. Mas, pela forma como ele me contava a história, Donatella era trevas, e eu, luz. Ainda assim, eu tinha certeza de que ele nunca conseguiria viver só com uma de nós.

Stern pergunta se Innis estava feliz com esse arranjo, e ela encolhe um pouco os ombros enquanto lida com a questão.

— Bem, isso está ficando um pouco pessoal demais, não acha?

— Nem preciso dizer que você pode simplesmente mandar eu tomar conta da minha própria vida.

Por um segundo, Stern se pergunta se ele e a Dra. McVie tivessem se conhecido em outras circunstâncias — digamos, as circunstâncias sobre as quais ela chegou a brincar em alguns momentos —, e estivessem em um encontro agora, como Innis explicaria os anos de relacionamento com Kiril. Stern era viúvo. Ela era o quê? Uma amante de três décadas descartada? Stern acha que ela simplesmente ignoraria esse detalhe e se descreveria como uma pessoa que não fica remoendo o passado.

— Bem, é uma pergunta pessoal, mas nada que eu tenha medo de falar. Só que é uma situação difícil de explicar para outra pessoa. Kiril tem um quê de poeta. Ele finge de um jeito lindo. Era como se ele tivesse um jardim murado, protegido do mundo, e eu me encontrasse com ele ali. Quando estávamos juntos, Donatella não existia. Eu não estava dividindo. Eu tinha Kiril todo para mim. Nós dois acreditávamos piamente nesses momentos. — Ela assente, impressionada com a precisão da própria explicação, enquanto Stern absorve o que ela disse: "Kiril finge de um jeito lindo."

Isso explica muita coisa, inclusive o que Basem Kateb disse na semana anterior e que Stern, lógico, continua determinado a guardar para si.

— Não quero parecer uma adolescente tímida — acrescenta Innis.

— Eu sabia que estava aceitando menos do que a maioria das pessoas deseja. Mas com o tempo percebi que a situação era muito cômoda para mim. — Ela para por um segundo, dá um sorriso sem graça ao olhar para Stern e acrescenta: — Você é muito bom em me fazer falar, não é, Sandy?

— Estou muito interessado.

— Bem, essa é a coisa certa a dizer. Vou me proteger e não vou perguntar o motivo. — Ela dá outra risada, então passa um instante em silêncio, os olhos azul-claros voltados para baixo, nitidamente decidindo se está disposta a continuar. Por fim, ela joga os braços para o alto como se dissesse "Ah, que se dane". — Sabe, Sandy, eu passei a me aceitar como sou. Quando eu já estava há uns cinco anos com Kiril, conheci um homem. Um advogado, aliás.

— Daqui do condado de Kindle?

— Da região. Você talvez até o conheça. Mas vou ser discreta, porque hoje ele é um homem casado há muito tempo. Bem, ele pediu minha mão primeiro. Em casamento, sabe? E isso foi antes de eu... eu tinha uma vida normal na época. Não estava na idade ideal, mas tenho certeza de que poderia ter engravidado. Ele parecia disposto, embora eu não soubesse ao certo que tipo de pai ele era para os filhos que já tinha. Mas eu tive que me perguntar: "É isso que você quer?" E no fim, Sandy, a resposta foi não. Essa coisa de voltar para casa, para um lugar que eu dividiria com outra pessoa todos os dias, onde todas as decisões seriam uma espécie de negociação... eu não conseguia imaginar isso. Teria me sentido confinada. A verdade, Sandy, é que eu não sou caseira. Não gosto disso. Ah, eu adoro um romance, admito. O comecinho, aquela loucura deliciosa, transar até não poder mais? Eu adoro tudo isso. No começo com Kiril, nós deitávamos na cama e recortávamos corações de papel um para o outro. Eu tenho setenta anos e ainda acho que esse tempo não passou para mim. — Ela olha para o outro lado da mesa com um sorriso breve, indecente.

Aos oitenta e cinco anos, Stern também não está disposto a aceitar que não é mais capaz de viver plenamente o momento. Mas, mesmo que não fosse advogado de Kiril, os últimos comentários de Innis deixam evidente que eles não seriam perfeitos um para o outro. O que ela acabou de confessar, sobre ter pouco interesse em intimidade, é algo que não o agrada. Já é muito difícil se aproximar de uma mulher que tenha interesse em viver com você. No caso de Innis, ela própria confessou que em pouco tempo ele daria com os burros na água. Foi exatamente nisso que seu primeiro casamento fracassou. Ele jamais entraria nessa outra vez, ainda mais sabendo que o tempo que lhe resta pode ser medido em dias.

— Sua franqueza me comove, Innis. De verdade. Mas você está no cerne do que me deixou intrigado após a nossa primeira conversa. Na Flórida, e aqui outra vez, você disse que tanto você quanto Kiril se interessaram por outras pessoas de tempos em tempos.

— Assim foi por muitos anos — diz ela.

— Então, preciso perguntar: o que Olga tinha de diferente que fez você virar as costas para Kiril e deixar a PT? Sinceramente, me parece que ela era apenas mais do mesmo.

Innis solta um "hunf" de desdém e recosta na cadeira para observá-lo com mais distância.

— Sabe, Sandy, daqui a uma hora, quando pensar nesta conversa, eu vou me perguntar: "Por que não o mandei fazer essas malditas perguntas ao próprio cliente?"

A reclamação de Innis é sincera, mas Stern também percebe que parte dela gosta de reviver seu tempo com Kiril. Ele não sente necessidade de recuar.

— Você estaria no seu direito se me dissesse isso. Mas suspeito que saiba que Kiril é mestre em fugir de perguntas que não quer responder, tendo em vista minha proximidade com Donatella.

— Eu que o diga — dispara ela.

— Quando eu concordei em representar Kiril, não fazia ideia de que a vida pessoal dele seria importante para entender as circunstâncias da época — ele quase diz "do crime", mas isso seria falta de educação — em que tudo aconteceu.

— Acredite, Sandy, não é por mim que você vai ficar sabendo de tudo.

Ele se recosta de leve na cadeira, intrigado com o comentário. Havia outra mulher com quem Kiril estava passando tempo na época em que o ensaio clínico do g-Lívia estava prestes a terminar? Stern reflete e conclui que é melhor não saber.

— A resposta para a sua pergunta é simples — continua Innis. — Por que Olga era diferente? Porque ele disse a todos nós... a Olga, a mim, a Lep e, no fim, até a Donatella... que deixaria a mulher para ficar com ela. Ele disse isso. Com setenta e cinco anos de idade, ele queria se divorciar para se casar com Olga. Isso foi o fim da picada, Sandy. Eu fui a outra por trinta e dois anos. E aceitei a inevitabilidade disso, aceitei que não conseguiria suplantar a mulher com quem ele tinha se casado, a mãe dos filhos dele. E eu sei... acabei de dizer que não tinha interesse nenhum em me casar com quem quer que fosse. Mas nem a pau que eu aceitaria que ele não pedisse a minha mão após se separar de Donatella. Continuar disponível e ser reserva de Olga? Isso era mais que um insulto.

— Mas ele não deixou Donatella.

— Óbvio que não. Ele morre de medo dela.

— Ela é temperamental?

— Não muito. Mas é poderosa. Você certamente já percebeu. Imagino que de algum modo ela o convenceu de que era a chave para tudo o que ele havia realizado, e que, sem ela, ele seria uma imitação insignificante de si mesmo, como um desses bonecos de atletas ou políticos de papelão recortado em tamanho natural que as pessoas colocam nas janelas, de brincadeira.

— E você sabe como ficaram as coisas entre Kiril e Donatella?

— Sei o que Lep me contou. Tivemos uma longa conversa uns seis meses após eu deixar a PT. Se o que Lep disse é verdade, já não posso afirmar. Você tem uma fonte de informações melhor que eu.

— Verdade, mas se importa em repetir o que Lep disse?

Mais uma vez Innis faz uma careta enquanto avalia o quanto a ideia a desagrada.

— Resumindo: Kiril se afastou de Olga por vários meses, alegando que a vida dele estava tumultuada demais por causa da aprovação final do g-Lívia. Ele prometeu que contaria a Donatella assim que o produto estivesse no mercado.

— Foi quando você saiu, certo?

— Em 18 de janeiro de 2017. Nós tivemos uma festa de arromba na sede, com direito a fontes de champanhe e lagosta. Um chef de cozinha famoso foi o responsável pelo cardápio. Parecia coisa de outro mundo. Eu tinha trabalhado doze horas por dia durante anos para botar a empresa em pé e esse remédio incrível no mercado. De uma hora para outra, estava fora. Kiril, lógico, me deu mais opções de compra de ações e um pacote indenizatório maravilhoso... com salário, despesas de mudança, celular por conta da empresa, direito de usar por dois anos o condomínio dos funcionários aqui no condado quando precisasse, o que é muito mais tempo do que eu precisava para vender quase todas as minhas ações, mesmo com as várias restrições. Eu estava feita, rica como uma herdeira de fortuna. Mas, quando saí por aquela porta, deixei a maior parte da minha vida para trás, e só porque me senti forçada.

— Ao dizer isso, Innis fica corada. — Hummm... — murmura ela, evidentemente surpresa pela emoção repentina. Ela balança a cabeça de cabelos cacheados e encosta levemente o guardanapo de linho nos olhos, tomando cuidado com a maquiagem.

— Melhor parar? — pergunta Stern.

— Já estou terminando. Onde estávamos?

— Kiril ia contar a Donatella depois dessa festa.

— E parece que contou. Eu nunca teria acreditado. Mas Lep diz que ele contou.

— Faz ideia de como Donatella reagiu? — Stern podia imaginar. A Sra. Pafko já estava com quase oitenta e cinco anos e durante décadas tinha tolerado muito mais do que deveria.

— Segundo Lep, quando Kiril anunciou que ia se separar, Donatella o encarou por um minuto, então disse: "Não vai, não." E saiu da sala. E, pelo menos na época, o assunto não foi mais discutido.

— E como Olga recebeu a notícia?

— Exatamente como você imagina. Terminou com Kiril imediatamente. — Sentado ali, Stern encontra a primeira coisa que fica feliz de ouvir em toda essa conversa. Kiril falou a verdade quando afirmou que Olga fazia parte do passado. Innis está sorrindo por causa desse mesmo fato. — Tenho certeza de que Olga está amargurada e puta da vida. Mesmo depois de todos esses processos, tanto este julgamento quanto as ações cíveis, Kiril será um homem rico, o que significa que, cedo ou tarde, Olga seria uma viúva muito rica. Provavelmente, ela ficou para morrer quando soube que tinha se dado mal. Não acredito que ela continuou na empresa. Com certeza acha que Kiril vai mudar de ideia se ela continuar balançando aquelas tetas na cara dele.

Innis ri da própria piada, e Stern sorri. Sua vontade é dizer algo em defesa de Olga. Quando você já foi muito, muito pobre, geralmente enxerga o dinheiro como um elemento básico da vida. Quando uma pessoa diz a outras em situação de pobreza que existem ingredientes mais importantes que o dinheiro para a felicidade, ela está basicamente afirmando que existem atividades mais importantes que a própria respiração. Stern sabe que, apesar de todas as suas lamentações interiores quando chegou ali de manhã, não foi por acaso que ele migrou para esse mundo de riqueza. Mas ao mesmo tempo Stern sabe que, se começasse a falar em defesa de Olga, Innis se levantaria e ia embora.

Para Innis, a história acaba ali. Levando em conta sua reação emotiva há um minuto, Stern prefere deixar o assunto morrer. Durante a meia hora seguinte, eles conversam sobre Naples. Innis diz que após mais ou menos cinquenta anos, voltou a frequentar a Igreja Presbiteriana todos os domingos, e ficou chocada com o conforto que isso lhe proporciona, talvez porque se sinta reconectada com seus pais. A igreja e as pessoas que ela conheceu por lá são a melhor parte de seu círculo social, tendo em vista que ela jamais conseguiu fazer amizade com as tenistas com quem joga.

Eles se levantam quando a hora de voltar ao tribunal se aproxima. No saguão, Innis segura a mão de Stern, se aproxima, para e, hesitante, termina o movimento dando um beijo rápido na bochecha dele.

— Então vejo você no tribunal daqui a pouco? — pergunta Innis, voltando a ser ela mesma. A tenista, a competidora, a brilhante Innis McVie, que sorri ao pensar em como será esse embate. A impressão é de que ela poderia erguer uma placa dizendo: Você não me mete medo.

IV. INFORMAÇÕES PRIVILEGIADAS

22. A JORNALISTA

Na avalição de Stern e Marta, a acusação de homicídio é descabida e a de fraude, vulnerável, em grande parte porque o g-Livia se mostrou um medicamento valioso. Mas a acusação de uso ilegal de informações privilegiadas é outra história. Menos de uma hora depois que Kiril soube por Gila Hartung, jornalista do *Wall Street Journal*, que ela publicaria uma matéria sobre pacientes com câncer que estavam morrendo de supostas reações alérgicas após tomarem o g-Livia, e durante o momento que esses fatos ainda não tinham sido divulgados para o público, a corretora de Kiril recebeu ordens para vender mais de vinte milhões de dólares em ações da PT que Pafko tinha dado anteriormente de presente aos netos. A publicação da matéria fez despencar o valor das ações da PT. Levando em consideração o valor mais baixo das ações, ao vender antes da publicação, Kiril poupou mais de dezenove milhões de dólares para os netos.

A manhã da terça-feira é tomada por depoimentos de advogados — primeiro, um da Comissão de Valores Mobiliários, que testemunha como perito em leis de combate ao uso ilegal de informações privilegiadas, e em seguida, Mort Minsky, que trabalha em um grande escritório de advocacia do condado e é o principal advogado externo da PT. Ele detalha as elaboradas restrições impostas aos executivos para a venda de ações da empresa — isso sem contar o plano 10b5-1 — e os inúmeros passos que ele próprio e o escritório que representa deram para impor essas limitações aos diretores e funcionários da PT. Stern nunca foi muito com a cara de Mort, a quem conhece há muitos anos, portanto sente um prazer especial ao inquiri-lo. Mort vai ficando cada vez mais frustrado ao tentar explicar as distinções questionáveis entre as informações privilegiadas e as dicas — ou seja, entre as pessoas que têm deveres para com os acionistas e as que não têm. No fim, Stern consegue propor uma série de hipóteses às quais Mort se vê obrigado a responder repetidamente "Não sei, a lei não é clara". Suas respostas são corretas, mas, considerando como estava todo pomposo durante a inquirição da acusação, Mort acaba fazendo papel de bobo.

Depois do almoço, a promotoria está pronta para a testemunha que talvez seja a mais danosa nessa acusação, Gila Hartung, jornalista do *Wall Street Journal*. O nome da Srta. Hartung é anunciado por Moses, e ela atravessa cheia de energia as portas pesadas e estofadas da sala, acompanhada por três advogados do escritório de Wall Street que representa o *Journal*, seguindo-a como cães de caça. Todos os três — um homem mais velho, outro de meia-idade e uma mulher jovem — seguram suas maletas com a mão direita e entram em fila indiana atrás da cliente, antes de se sentarem na pequena área reservada para eles na primeira fileira. A seção reservada para a mídia nos bancos da frente está cheia desde o começo do julgamento, mas hoje está tão superlotada que muitos repórteres só têm espaço para colocar a bunda na ponta dos bancos onde conseguem se enfiar. O depoimento de um jornalista sempre desperta grande interesse em pessoas do ramo das notícias, isso sem contar que Gila Hartung é uma celebridade por si só.

Assim como tantas outras testemunhas do governo, a Srta. Hartung chega ao banco das testemunhas com certa bagagem, embora os Stern achem que só serão capazes de tirar vantagem de um conjunto de problemas. Stern lê o que Gila Hartung escreve há pelo menos vinte e cinco anos, desde que a vida pessoal dela começou a ganhar o noticiário. Na época, Hartung era uma jornalista investigativa bem estabelecida do *Boston Globe* e professora em meio período na Universidade de Boston. Certo dia, uma aluna de Hartung fez uma visita surpresa à sua casa na cidadezinha de Swampscott, e ficou espantada quando ela atendeu à porta com um largo vestido, peruca castanha e brincos de pérola. Na época, o primeiro nome de Hartung era Gilbert, e, em público, ela vivia o papel ao qual tinha sido condenada a exercer pela anatomia ao nascer.

Hoje em dia esse momento entre professora e aluna — o nome da estudante era Joanna Riles — é relatado em praticamente todas as disciplinas de jornalismo nos Estados Unidos, porque Gilbert Hartung se recusou a fazer qualquer coisa para impedir o furo da aluna. O relato afetuoso de Riles de suas próprias reações ao descobrir o segredo da professora e seu testemunho sobre o valor duradouro da mentoria de Hartung apareceram no *Globe*, o jornal em que a própria Hartung trabalhava. A matéria freelance acabou impulsionando a carreira de Riles, que hoje é uma repórter esportiva conhecida, com aparições frequentes em talk shows. De sua parte, Hartung viu a exposição como uma chance de fazer uma autoavaliação. Gilbert começou a fazer tratamento para mudança de sexo e escreveu um livro célebre sobre sua transformação. Continuou a carreira jornalística, que é marcada por dois prêmios Pulitzer pelo seu trabalho no jornalismo investigativo.

No banco das testemunhas, a aparência de Hartung chama a atenção, com quase um metro e noventa de altura sem salto e um corpo que ainda favorece seus antigos ternos masculinos, embora tenham sido ajustados para sua nova silhueta. Seu cabelo é longo e grisalho, sem corte, e ela usa pouca maquiagem. Com sessenta e poucos anos, tem uma mandíbula proeminente e é corpulenta. Mas parece estar acostumada e não se incomodar com as primeiras reações à sua aparência. Um aspecto indecoroso do trabalho de um advogado de julgamento é, às vezes, ter que explorar as opiniões retrógradas de alguns jurados, mas os Stern estudaram vídeos de Gila Hartung o suficiente para saber que essa seria uma estratégia perdedora. Quando ela começa a falar, as excentricidades de sua aparência desaparecem. Ela emana um ar sábio e profundamente humano. A maioria dos jurados simplesmente a consideraria uma mulher de aparência não convencional, como algumas pessoas são mesmo — vide Pinky —, mas, ao mesmo tempo, extremamente cativante.

A outra questão que assola o depoimento de Hartung provavelmente é mais problemática para ela, embora seja a mesma que sempre preocupa jornalistas convocados a depor no banco das testemunhas. Membros da imprensa defendem com unhas e dentes o livre fluxo de informações e comparecem com frequência aos tribunais para derrubar sigilos impostos por juízes a transcrições de depoimentos ou a documentos utilizados em julgamentos, mas se esquecem rapidamente do direito que o público tem de saber a verdade quando são eles que precisam depor. Aí, tentam encobrir tudo o que possa revelar suas fontes.

Já houve vários embates com os advogados do *Wall Street Journal*, que se mostraram igualmente hostis ao governo e à defesa. O que eles querem de ambos os lados é que sumam e deixem a Srta. Hartung em paz. Eles tiveram uma discussão longa e difícil com Moses, alegando que o depoimento de Hartung é desnecessário à luz do que Kiril disse na ligação gravada por Innis McVie. Mas a promotoria não concordou com essa alegação, porque Kiril fez pelo menos uma afirmação fundamental no telefonema de Hartung que não foi repetida em seguida, quando ele falou com Innis.

Nas negociações com Moses, Miller Sullivan — o advogado principal — e seus colegas acabaram consentindo que a Srta. Hartung deporia apenas sobre o que tinha sido publicado no jornal. Sobre qualquer coisa além disso, os advogados se mostraram tão temerários e inflexíveis quanto advogados nova-iorquinos costumam ser, e não entregaram nem as anotações feitas pela Srta. Hartung sobre o telefonema com Kiril, até que a segunda instância confirmou poucos dias antes do depoimento a ordem de Sonny para que isso fosse feito. Depois de tudo, de pedidos de ambos os lados e de argumentações orais em dois tribunais, Stern e Marta se decepcionaram ao descobrir que as anotações corroboravam a história de Hartung.

No começo do depoimento da jornalista, Moses se apresenta a ela e pergunta se eles já se falaram antes. Não se falaram. Todos os preparativos, incluindo as perguntas que Moses fará, foram filtrados pelos advogados do *Wall Street Journal*. Limitando-se ao básico, Moses não demora mais que alguns minutos.

Após perguntar o nome e a profissão de Hartung, Moses questiona:

— Em 7 de agosto de 2018, a senhorita ligou para o escritório do Dr. Kiril Pafko na Pafko Therapeutics?

Hartung é precisa na resposta.

— Eu liguei para 322-466-1010.

— A senhorita acreditava que esse era o número da sala do Dr. Kiril Pafko?

— Acreditava.

— Conseguiu falar com ele?

— Não de primeira. Deixei uma mensagem e o número do meu celular com uma pessoa que se disse assistente do Dr. Pafko. Recebi uma ligação mais ou menos meia hora depois.

Na época, era rotina na vida de Kiril receber ligações de jornalistas financeiros, que quase sempre o bajulavam devido ao sucesso extraordinário da PT.

— E como essa pessoa do outro lado da linha se identificou?

— Disse ser o Kiril Pafko.

— A senhorita estava familiarizada com a voz do Dr. Pafko?

— Eu tinha visto vários vídeos do Dr. Pafko no YouTube durante a pesquisa para a matéria.

— A voz da pessoa com quem a senhorita falou parecia com a da que tinha visto na internet?

— Essa foi a minha impressão.

— E o que senhorita disse ao Dr. Pafko?

— Eu me apresentei e expliquei que era jornalista investigativa do *Wall Street Journal*. Falei que tinha conversado com médicos e que todos haviam me dito que tinham pacientes sendo medicados com o g-Livia, fazia pouco mais de um ano, quando tiveram uma morte súbita e violenta, que os especialistas agora acreditam ser causada por uma reação alérgica. Pedi ao Dr. Pafko que comentasse o caso e perguntei especificamente se ele estava ciente de qualquer relato de morte súbita relacionada ao produto, talvez causada por uma reação alérgica.

— E o que ele disse? — perguntou Moses.

— De início, nada. Ficou em silêncio por alguns segundos. Em seguida, disse: "Não sei nada a respeito disso. Nunca ouvi nada sobre mortes súbitas ou reações alérgicas ao g-Livia."

Foi essa declaração em particular que obrigou Moses a convocar Gila Hartung ao banco das testemunhas, tendo em vista que a captura de tela do computador de Kiril prova que ele estava mentindo.

— Ele disse mais alguma coisa?

— Ele me perguntou se eu podia lhe dar algumas horas para investigar mais a fundo. Prometeu me ligar antes do meu prazo, às quatro da tarde, horário da Costa Leste.

— Ele ligou?

— Não.

— A senhorita foi contatada por alguma outra pessoa em nome da PT?

— Um advogado chamado Ringel, de Nova York, me telefonou. Disse que eles representavam a Pafko Therapeutics e estavam investigando o que eu tinha dito ao Dr. Pafko. O Sr. Ringel me pediu que segurasse a publicação da matéria até que eles estivessem a par de tudo.

— E o que a senhorita disse?

— Disse que falaria com os meus editores e que imaginava que eles não fossem concordar com o pedido. Então ele me avisou sobre as consequências legais de publicar informações falsas e prejudiciais. Foi o fim do telefonema.

A edição do *Journal* foi rodada. A manchete dizia SUPERMEDI-CAMENTO CONTRA O CÂNCER É QUESTIONADO e foi impressa na primeira página do caderno de negócios, com direito a um parágrafo inicial irônico no canto esquerdo superior da página, em que havia um resumo das grandes histórias da edição. "Médicos começaram a relatar efeitos colaterais letais imprevistos do supermedicamento contra o câncer g-Livia, que transformaram sua fabricante, a Pafko Therapeutics, na empresa com as ações mais faladas do ramo da biotecnologia nos últimos dezoito meses. Segundo os médicos contatados pelo *Journal*, pacientes no segundo ano de tratamento com o g-Livia, um anticorpo monoclonal, têm sofrido mortes súbitas que os especialistas acreditam ser causadas por uma reação alérgica inesperada ao medicamento. O Dr. Kiril Pafko, ganhador do prêmio Nobel de Medicina e presidente da PT, disse: "Nunca ouvi nada sobre mortes súbitas ou reações alérgicas ao g-Livia."

No dia seguinte, as ações da PT perderam 50% do valor, e ao longo das semanas subsequentes seu preço chegou a centavos, quando surgiram notícias de que a FDA estava questionando o ensaio clínico do g-Livia.

Após um trabalho bem-feito, Moses encara Stern com um sorriso de lábios cerrados e diz:

— A testemunha é sua.

Existe um velho adágio que diz que, em julgamentos com júri, "se os fatos estão contra você, fale sobre a lei. Se a lei está contra você, fale sobre os fatos". Como a Sexta Emenda da Constituição garante ao réu o direito de confrontar seus acusadores, toda testemunha precisa se submeter a uma inquirição cruzada completa. Se a testemunha — a Srta. Hartung — se recusar a responder às perguntas que a juíza Klonsky considerar relevantes, haverá duas consequências. Primeiro, a Srta. Hartung será presa por desacato e encaminhada para a prisão federal do outro lado da rua. Sem querer ser cruel, essa seria uma ótima notícia para Kiril, por causa da segunda consequência: a juíza provavelmente também seria forçada a eliminar o depoimento de Hartung e ordenar que o júri o desconsiderasse. Na verdade, os Stern poderiam até conseguir uma anulação do julgamento, e a promotoria teria que recomeçar o caso do zero.

Para tirar vantagem dessa possibilidade e desestimular Gila Hartung a depor, Sandy e Marta citaram os registros telefônicos — do celular, do trabalho e de casa — e o computador da Srta. Hartung, além de seus e-mails e anotações da época em que estava trabalhando em suas histórias sobre a PT. Os advogados de Nova York fretaram um jatinho e foram até o condado de Kindle para ajuizar pedidos de emergência no intuito de anular as citações dos Stern. Em vez de tomar uma decisão válida para todos os casos, Sonny ordenou que os advogados levassem os documentos e disse que avaliaria a necessidade dos registros caso a caso, ao longo do depoimento de Hartung.

O irônico é que o depoimento da jornalista já mudou as geometrias previsíveis no tribunal. Os advogados de Hartung ficariam felizes se ela não fosse inquirida pela defesa, mas Moses irá se opor a qualquer restrição que possa levar a juíza a anular o depoimento de Hartung ou que possa pôr em perigo uma condenação em uma apelação. E por fim há que considerar a própria juíza Sonny. Embora a imprensa raramente divulgue, a Suprema Corte dos Estados Unidos decidiu, havia muito tempo, que jornalistas não têm o privilégio de se recusar a depor em uma ação criminal em tribunal federal. Apesar disso, Stern não tem qualquer esperança de que a benevolência que Sonny costuma ter em relação à defesa prevalecerá neste caso. Preferências pessoais sempre têm seu peso, e Sonny Klonsky está em um casamento feliz há mais de vinte anos com um jornalista, Seth Weissman, um jornalista sindicalizado de alcance nacional que ao longo da carreira já passou por inúmeros embates legais, chegando a ser convocado como testemunha em duas ações criminais anteriormente. Os Stern conhecem bem a situação porque Marta foi advogada de Seth em ambas as ocasiões.

— Srta. Hartung, meu nome é Alejandro Stern. Não nos conhecemos pessoalmente, certo?

— Não. Só li a seu respeito.

Stern assente, abrindo um leve sorriso para reconhecer o elogio.

— E quanto a essas três pessoas simpáticas na primeira fileira ali? São seus advogados?

— São advogados do jornal.

— A senhorita sabe por que eles vinham se mostrando dispostos a discutir seu depoimento comigo, e não com o Sr. Appleton?

Moses protesta, alegando que a pergunta não é relevante. Sonny ergue o queixo para refletir, então diz:

— Deferido.

— Muito bem — diz Stern, em um tom que significa, como diria Pinky, "Agora está valendo!". — A senhorita afirmou que disse ao Dr. Pafko que tinha falado com vários médicos.

— Sim.

— Pode me dar os nomes desses médicos, por gentileza?

Na primeira fileira, os três advogados do jornal se levantam, e Moses, logo atrás deles, também fica de pé.

— Fora do escopo — diz o procurador da república, dando a entender que a pergunta vai além do que foi justamente solicitado pelas perguntas e respostas em sua inquirição. Sonny indefere o pedido.

Hartung tenta citar dois nomes, mas, no fim, reconhece:

— Não consigo me lembrar precisamente.

— A senhorita tem anotações que a ajudem a refrescar a memória? — pergunta Stern com naturalidade, como se não soubesse que está prestes a começar a Terceira Guerra Mundial.

— Imagino que sim.

— E onde estão?

— Acho que estão com os advogados.

O problema é que, quando a Srta. Hartung tiver acesso às anotações, Stern e Moses poderão vê-las também, já que advogados têm direito a acessar qualquer material que uma testemunha use a fim de se preparar para o depoimento. Isso é permitido para que eles possam determinar se são as anotações, e não a memória da testemunha, que estão influenciando o que é dito por ela. A ideia de ter advogados de ambos os lados vasculhando as anotações de uma matéria em busca de informações úteis é um pesadelo para jornalistas, que dependem da confidencialidade de suas fontes.

Miller Sullivan — um homem alto, magro e careca — dá um passo à frente e diz:

— Meritíssima, podemos falar?

Sonny faz cara feia e bufa, mas, por fim, ordena que o júri seja retirado da sala.

— Sr. Sullivan — diz ela, assim que os jurados saem da sala —, vou permitir que o senhor seja ouvido só uma vez. Portanto, é melhor que diga o que acha que devo saber agora mesmo.

O que é uma vantagem para Sullivan — a simpatia de Sonny por jornalistas — também é uma desvantagem, pois ela tem um interesse pessoal na lei desta área, o que significa que Sullivan não conseguirá usar o conhecimento que tem da lei a seu favor para se safar de nada. Dado esse fato, Sullivan, assim como a maioria dos advogados, demora mais do que deveria. Fala exaustivamente sobre a Primeira Emenda, mas Sonny sabe que a Suprema Corte tende a enxergar esse tema de forma restrita. Apresentar as anotações de um jornalista não impede que o profissional ou o jornal que o emprega publique os artigos, ou seja, apresentar as anotações não viola a Primeira Emenda. Pessoalmente, Stern e Marta consideram esse raciocínio estúpido; se um jornalista é forçado a apresentar as anotações, o próximo terá muito mais cuidado sobre o que vai ser publicado, o que é exatamente o tipo de restrição que a Primeira Emenda parece querer evitar. Mas essa é a lei, e ela é boa para o seu cliente. Como foi Marta quem tratou dos pedidos que levaram a essa situação, Sonny permite que ela argumente, e o ponto de vista dela acaba prevalecendo. O esforço de Sullivan para evitar que a Srta. Hartung leia as próprias anotações é invalidado pela juíza.

— A pergunta do Sr. Stern está nitidamente dentro do escopo da inquirição direta — explica Sonny. — A Srta. Hartung diz que falou com vários médicos. O Sr. Stern tem direito de testar a precisão da memória da testemunha e de saber se ela disse a verdade ao Dr. Pafko.

Assim que o júri volta, Sullivan tira dois bloquinhos de notas de sua maleta. Com a permissão de Sonny, ele se coloca ao lado da Srta. Hartung, e Stern e Moses também recebem permissão para olhar por cima do ombro de Sullivan. Ele usa as mãos para esconder tudo nas quatro páginas que mostra à Srta. Hartung, exceto os nomes dos médicos. Ela lê os nomes um a um, cinco no total.

Feito isso, Sullivan volta ao banco na primeira fileira. Mal ele se senta, Stern pergunta:

— Diga, por favor: o que a motivou a ligar para esses médicos? Alguém lhe disse que provavelmente eles teriam informações de seu interesse?

Sullivan fica de pé imediatamente e diz:

— Meritíssima.

Moses também está de pé e completa:

— Isso é irrelevante.

— Isso é extremamente relevante, e peço que a juíza nos permita explicar o motivo — responde Stern.

Irritada, Sonny, fecha os olhos com força, suspira alto e mais uma vez pede que o júri seja retirado da sala. Assim que eles saem, Sonny parte para cima de Sullivan primeiro.

— Sr. Sullivan, eu permiti que o senhor interrompesse este julgamento para garantir os importantes interesses que o senhor representa. Entendo seu ponto de vista. Presumo que o senhor seja contra qualquer questionamento feito pelo Sr. Stern que vá além do que está escrito na matéria publicada. Mas a pergunta feita pelo Sr. Stern expõe o óbvio: todos nós sabemos que a Srta. Hartung não entrou em contato com esses médicos por telepatia.

— Mas, Meritíssima — insiste Sullivan —, isso dá margem à próxima pergunta, que é com quem a Srta. Hartung falou.

Sabendo da simpatia de Sonny pela classe jornalística, Marta se apressa a explicar a relevância da identidade das pessoas que apontaram Hartung aos médicos. Ao longo dos minutos seguintes, ela apresenta três argumentos. Primeiro, quem quer que tenha dado essa informação à Srta. Hartung não era alguém que tivesse qualquer simpatia pela PT ou por Kiril Pafko. Esse viés é relevante, se a fonte é alguém que já depôs ou irá depor pelo governo. Segundo, se a informação saiu de qualquer agência governamental envolvida no caso, isso quebraria várias regras de confidencialidade e pode até pôr em xeque toda a base legal da acusação. Desde o começo, os Stern e as equipes de advogados cíveis que estão trabalhando nos casos contra a PT suspeitam de que houve um vazamento da FDA — alguém percebeu um padrão de reação ao g-Livia e achou que uma matéria jornalística seria mais eficaz para tirar o g-Livia do mercado do que percorrer todo o processo interno na agência, processo esse que seria combatido pela PT a cada passo.

Sonny não parece convencida por nenhum dos dois primeiros argumentos, mas Marta guardou o melhor para o final.

— E por fim, Meritíssima, para ser considerado culpado das acusações de uso ilegal de informações privilegiadas, o Dr. Pafko precisa ter utilizado informações importantes e não públicas. Se a matéria da Srta. Hartung se baseou em informações disponíveis ao público, o telefonema para o Dr. Pafko não pode servir de suporte para a denúncia.

Feld aborda o último argumento, dizendo que "não públicas", de acordo com a lei de valores mobiliários, se refere a informações que não estão disponíveis para pessoas que compram ou vendem ações. Sullivan quer acrescentar algo, mas Sonny está perdendo a paciência com toda essa discussão, provavelmente porque sua cabeça e seu coração tomam direções contrárias. Ela aponta para o advogado nova-iorquino e diz:

— Sr. Sullivan, sente-se, por favor. O senhor é um terceiro a este julgamento e não será mais ouvido. E continua: — Algo mais, Srta. Stern?

Sandy intervém.

— A Meritíssima sabe que, na inquirição cruzada, muitas vezes uma pergunta leva a outra. A defesa está de mãos amarradas porque a Srta. Hartung e seus advogados não obedecem às nossas citações.

— Devidamente anotado, Sr. Stern. O senhor terá a permissão para fazer a pergunta à Srta. Hartung, mas dentro dos limites que o senhor mesmo apresentou com as várias teorias de relevância apresentadas pela defesa: viés de testemunha, quebra das regras de confidencialidade do governo e se a matéria publicada pela Srta. Hartung se baseou em informações públicas. Tragam o júri de volta.

Stern assiste à volta dos catorze jurados. A essa altura, eles já têm suas cadeiras definidas e se enfileiram na ordem. Quando um grupo estabelece esses costumes por conta própria, sem instrução do juiz, em geral significa que ele irá deliberar de forma cooperativa e chegar a um veredicto, apesar das diferenças de opinião. No momento, nenhum deles parece tranquilo. Como já era de esperar, eles se irritam quando há discussões prolongadas sem sua presença, sobretudo quando eles são retirados pergunta após pergunta — se eles devem decidir o destino de um ser humano, por que não podem saber de tudo?

Pinky localizou uma cópia da lista de testemunhas enviada pelo governo uma semana antes de o julgamento começar. Para esconder suas verdadeiras intenções e evitar que a defesa alegue ter sido pega de surpresa, essas listas são sempre superlotadas de nomes. Feld incluiu cento e vinte e cinco pessoas. Stern mostra as três páginas a Hartung.

— Antes de escrever uma das duas matérias que publicou sobre o Dr. Pafko ou o g-Livia, a senhorita se comunicou com qualquer uma dessas pessoas?

Hartung demora um tempo. Após ler a lista, ela coloca as páginas na bancada e responde:

— Não.

Stern não está surpreso, mas, ainda assim, fica um pouco desanimado.

— Na preparação para a matéria publicada em 8 de agosto de 2018, a senhorita se comunicou com alguém da FDA?

— Sim — responde Hartung. Ela está com uma expressão impassível no rosto, mas Stern sente o coração palpitar. Bingo!

— Oralmente ou por escrito?

— De ambas as formas.

— E com quem a senhorita se comunicou?

— Eu telefonei e mandei um e-mail para o escritório do comissário...

— O chefe?

— Sim. Eu queria algum comentário da parte dele antes de publicar a matéria. Um diretor de relações públicas, cujo nome não consigo me lembrar, me escreveu de volta dizendo que a FDA não tinha qualquer comentário a fazer sobre o assunto. Meus pedidos de entrevista foram negados.

Hartung prende o sorriso. Sabe que ganhou de Stern dessa vez.

— Nenhuma outra comunicação com autoridades da FDA?

— Não.

— E da Comissão de Valores Mobiliários, a CVM?

— Exatamente o mesmo. Sem resposta deles.

— Do FBI?

— Não falei com ninguém lá.

Marta entrega uma anotação ao pai. Stern não entende por que Marta quer que ele faça essa pergunta, mas confia na filha.

— A senhorita entrou em contato com uma pessoa que não está na lista de testemunhas do governo chamada Anahit Turchynov?

Turchynov era a jovem corretora de Kiril, que não vai depor neste julgamento porque, como o júri provavelmente ficará sabendo daqui a um ou dois dias, corre sério risco de ser processada também.

Moses protesta.

— Eu vi esse nome em alguns dos pedidos da defesa? — pergunta Sonny.

Os Stern protocolaram um pedido exigindo que o governo dê imunidade à Srta. Turchynov, alegando que o depoimento dela é essencial para a defesa na acusação de uso ilegal de informações privilegiadas. Se a Srta. Turchynov for chamada para testemunhar, provavelmente o resultado será catastrófico para Kiril, mas o pedido não tinha a menor chance de ser aceito. O poder de dar imunidade a uma testemunha é apenas do procurador da república, não do juiz, e Moses não tem o menor interesse em aliviar a barra da Srta. Turchynov.

Após Stern responder que sim, Sonny exige que Hartung responda.

Do banco, os olhos cinza de Hartung apontam para seus advogados, e Stern rapidamente entra na linha de visão da testemunha.

— Srta. Hartung, está olhando para seus advogados?

Sentindo-se reprimida, ela corrige a postura enquanto Stern a adverte.

— Vou pedir que a juíza instrua a senhorita a não tentar se comunicar com os advogados enquanto estiver depondo. O júri precisa do seu depoimento, não do deles.

Sonny aceita o pedido de Stern, e Gila Hartung responde:

— Me desculpe, juíza.

Stern pressiona, perguntando novamente se ela falou com Anahit Turchynov.

— É um nome incomum — responde Hartung. — Acho que me lembraria dele, mas não, não tenho certeza.

— Obrigado — diz Stern. Ele olha para Marta, que pisca de volta para o pai. — Como a senhorita nos disse que não recebeu informações de ninguém da lista de testemunhas do governo nem de nenhuma agência do governo, posso lhe perguntar de *onde* recebeu as informações que a fizeram ligar para esses médicos?

Moses se levanta rapidamente, e a caneta de Marta cai no chão. A juíza encara Stern com um olhar carrancudo. Ela parece bastante irritada.

— Sr. Stern — diz Sonny, em um tom frio —, por favor, não se esqueça da minha decisão anterior.

— Não me esqueci, Meritíssima. Só estou tentando confirmar se as respostas negativas da Srta. Hartung se baseiam numa memória presente, e não porque ela não se lembra da fonte.

A lógica de Stern está correta, mas o olhar ameaçador de Sonny não se altera.

— Passe para a próxima pergunta, Sr. Stern.

— Lógico. — Stern se vira para a testemunha e se ajeita enquanto mexe no botão do paletó, um gesto característico dele.— Srta. Hartung, a senhorita diz que falou com os médicos de cinco pacientes que estavam sendo tratados com o g-Livia e morreram de forma súbita, em decorrência, talvez, de uma reação alérgica ao medicamento. A senhorita está ciente de que a lei federal proíbe que alguém revele informações de pacientes para alguém como um jornalista?

— Sim.

— O *Wall Street Journal* costuma publicar esse tipo de informação confidencial sem o consentimento do paciente?

— Em geral, nossa política é de não publicar informações médicas confidenciais, a não ser que nossos editores concluam que é de grande interesse do público que o façamos.

— Esses médicos tinham o consentimento dos pacientes para falar com a senhorita?

— Protesto — diz Moses. — Prova indireta.

Sonny defere.

— A senhorita falou com algum membro da família dos cinco pacientes?

— Não.

Stern fica imóvel, calculando.

— A senhorita *acredita* que o direito à confidencialidade desses pacientes foi renunciado quando falou com esses médicos?

Moses protesta novamente, mas dessa vez Sonny indefere.

— Sim — responde Hartung.

Stern se vira e olha para Marta. Ela percebe que o pai está prestes a quebrar uma regra de ouro sobre nunca fazer uma pergunta cuja resposta você não sabe de antemão, mas dá de ombros, afinal não há nada a perder.

— E por que a senhorita acredita nisso?

Sullivan e seus colegas se remexem no banco da primeira fileira e, talvez em resposta a isso, Moses tenta um protesto apático, que Sonny indefere imediatamente. Se a confidencialidade foi renunciada, as informações dos pacientes se tornaram públicas, o que pode ser fundamental de acordo com a lei que tipifica o uso ilegal de informações privilegiadas.

— Eu tinha cartas de renúncia assinadas — responde Hartung.

Como uma corrente elétrica, a reação de surpresa percorre a sala. Stern percebe que Moses está olhando fixo para Hartung. Obviamente, o procurador da república não fazia ideia disso.

— A senhorita está com esses documentos?

Sullivan se levanta novamente e diz:

— Meritíssima, podemos ser ouvidos?

Sonny vira a cadeira para Sullivan e bate o martelo no bloco de madeira da bancada.

— Sr. Sullivan, o senhor está condenado por desacato a este tribunal. Eu disse antes que o senhor é terceiro a este julgamento e ordenei que não interrompesse. Além do mais, o Sr. Stern e a Srta. Stern articularam uma teoria de relevância bastante objetiva, permitida por mim. Quanto dinheiro o senhor tem no bolso?

Por um segundo, ninguém se mexe.

— Meritíssima...

— Quanto?

Sullivan enfia a mão no bolso de seu terno de lã com um sutil padrão xadrez e tira um maço de notas bem dobrado em um clipe de dinheiro dourado.

— Quatrocentos e sessenta dólares — responde ele.

— Pode ficar com trinta para o táxi até o aeroporto e um cachorro-quente quando chegar lá. Dê o resto ao escrivão.

Luis, o escrivão, se levanta e estende a mão. Sullivan lança um olhar desolado para a juíza, em seguida dá um passo à frente e entrega o dinheiro.

— Agora, Sr. Sullivan, se surgir algum tema em que eu ache que seja informativo para o júri ouvir a palavra dos representantes da Srta. Hartung, eu chamarei o senhor. Do contrário, abstenha-se de fazer qualquer outra interrupção. Srta. Hartung, a pergunta era se a senhorita está de posse dos documentos. Devo presumir que estão com o Sr. Sullivan?

— Sim.

— Sr. Sullivan, por gentileza, venha aqui e mostre as cartas de renúncia ao Sr. Stern, ao Sr. Appleton e a mim.

Miller Sullivan, que está com cara de gongo que acabou de ser tocado, ainda não se mexeu depois que se sentou. Desacato, motivo pelo qual Sonny o condenou sumariamente, é crime, e ele sofrerá um processo disciplinar automaticamente. Agora ele está sussurrando algo para a jovem advogada ao seu lado no banco da primeira fileira. Ela remexe a maleta e entrega a ele uma pasta de papel pardo. Sullivan a leva até a juíza, e todos os advogados o seguem. Ele entrega a pasta a Sonny, que folheia as páginas rapidamente. Um breve sorriso surge em seus lábios e logo desaparece, então ela entrega a pasta a Stern. Marta está atrás do ombro esquerdo de Stern, e Moses e Feld estão do lado direito quando ele a abre. Marta aperta o braço do pai. Os documentos são ouro puro. Os cinco foram impressos em papel timbrado do escritório de advocacia dos Neucriss. O texto é idêntico em todos, exceto pela assinatura e pelo nome impresso abaixo da assinatura, que é do membro da família identificado como testamenteiro do espólio do paciente morto.

— Posso inquirir a Srta. Hartung sobre esses documentos? — pergunta Stern à juíza.

— Sim, certamente, Sr. Stern, mas dê ao Sr. Appleton tempo para fazer objeções a qualquer pergunta.

Os advogados se preparam para se afastar da juíza.

— Meritíssima — diz Miller Sullivan.

— Não! — responde Sonny, alto o suficiente para o júri ouvir, enquanto aponta o dedo para o advogado.

A reputação de advogados nova-iorquinos em outros lugares é a de que são arrogantes e superagressivos, e esses preconceitos sem dúvida prejudicaram Miller Sullivan. Sonny está mais irritada com Sullivan do que estava com Stern no começo do julgamento.

Sullivan é acompanhado pelos colegas, que ficaram alguns metros atrás, e caminha pesadamente de volta ao banco, enquanto Moses e Feld sussurram juntos antes de o procurador voltar para a mesa da acusação. Para um procurador, nada é pior do que o inesperado.

Encarando Hartung novamente, Stern pede que ela reconheça que os documentos que está mostrando são as cartas de renúncia que ela recebeu do escritório dos Neucriss.

— Antes de receber essas cartas, a senhorita conversou com algum dos Neucriss?

Stern levanta a mão para dar tempo a Moses para protestar, mas o procurador da república balança a cabeça indicando que não. Não vai mais tentar proteger o *Wall Street Journal*.

— Anthony Neucriss.

Esse é um dos filhos. E lá se foi o mistério sobre a fonte de Hartung para as histórias. Isso faz com que fique no ar a eterna pergunta: que acordo clandestino os Neucriss fizeram para obter as informações? Mas Stern sabe que não conseguirá as respostas ali. Isso equivale a perguntar como um cachorro conseguiu seu latido. A melhor suposição talvez ainda seja a FDA, embora também seja possível que os Neucriss tenham oferecido dinheiro a alguém da agência para obter a informação. Os advogados cíveis vão lutar para arrancar essa informação dos Neucriss em várias apelações ao longo dos próximos anos.

— Quanto aos documentos, Srta. Hartung, pelo que a senhorita entendeu, eles são irrestritos, certo?

— Sim.

— O que significa que os representantes legais dos pacientes abriram mão do direito de manter a confidencialidade das informações médicas relacionadas a essas mortes.

— Foi o que eu entendi.

— Então, se alguém tivesse ouvido falar dessas mortes e escolhesse vender ações da Pafko Therapeutics, não estaria fazendo isso com base em informações confidenciais?

Dessa vez Moses protesta.

— A pergunta pede uma conclusão jurídica de alguém que não é advogado. Pergunta especulativa.

— Vou deferir o protesto por ela ser argumentativa — diz Sonny.

— Mas quando publicou a informação sobre essas mortes, a senhorita não achava que ela era confidencial.

— Não era — diz a Srta. Hartung.

Esse é um momento inesperadamente bom para a defesa. Feld já sinalizou como o governo vai reagir: as informações continuavam sendo confidenciais nas mãos de Kiril, porque ele tinha a obrigação de agir pensando nos interesses dos acionistas, em vez de vender suas ações sem dar a eles igual oportunidade de fazer o mesmo. Mas isso é uma questão jurídica complicada sobre a qual Sonny terá que decidir antes de passá-la para os jurados ao fim do julgamento. Mas, pelo menos, finalmente os Stern terão algo importante a dizer em defesa de Kiril a respeito das acusações de uso ilegal de informações confidenciais. O restante do que Stern e Marta planejaram para a defesa do réu é, na melhor das hipóteses, algo sem fundamento.

— Srta. Hartung, ao falar com Anthony Neucriss, a senhorita sabia que ele era um advogado de danos pessoais, certo?

— Sim.

— E, enquanto escrevia a matéria, a senhorita sabia que os Neucriss pretendiam mover ações judiciais contra a Pafko Therapeutics em nome de cada uma dessas famílias, pedindo, em cada uma dessas ações, muitos, muitos milhões de dólares de indenização?

Moses se levanta só por se levantar e conversa com Feld na mesa da acusação. Logo em seguida, balança a cabeça para a juíza e volta a se sentar.

Hartung responde que sim.

— Então, quando publicou a matéria, a senhorita estava ciente de que ela seria prejudicial à PT e ao Dr. Pafko?

Viés é sempre algo relevante. Hartung entende que precisa esperar o protesto de Moses, porém mais uma vez o procurador se recusa a protestar.

— Não foi minha intenção, Sr. Stern, mas, sim, eu sabia que isso aconteceria.

— Srta. Hartung, a senhorita chegou a se perguntar em algum momento por que advogados de danos pessoais gostariam de ter essas informações publicadas antes de entrarem com as ações?

— Eu pensei nisso.

— E qual foi a sua conclusão?

— Eu não tinha certeza de nada.

— Ocorreu à senhorita que, se as informações fossem publicadas, a impressão seria de que a matéria era a verdadeira fonte de informações para as ações cíveis que eles moveram?

— Sim, isso me ocorreu.

— E, como resultado, os Neucriss poderiam esconder o fato de que eles eram a verdadeira fonte da sua informação?

Parecendo sentir que isso já foi longe demais, Moses se levanta para protestar, mas Sonny balança os cachos grisalhos veementemente.

— Veracidade — diz ela, defendendo que Stern tem direito a testar a veracidade do que Hartung disse no banco das testemunhas ou na matéria publicada, ao mostrar que entendia que havia um elemento enganoso na situação.

— É uma maneira de pensar sobre a situação. Para ser sincera, também imaginei que, como os Neucriss moveram as primeiras ações, várias outras famílias poderiam entrar em contato com o escritório deles pedindo que eles as representassem após a publicação da minha história.

Stern assente com apoio.

— Sua história foi parte da estratégia de desenvolvimento de negócio dos Neucriss?

Gila Hartung olha outra vez para a mesa da acusação, mas Moses não tem interesse em proteger os Neucriss e permanece sentado.

— É uma maneira de colocar as coisas.

— E em algum momento os Neucriss chegaram a indicar como ou de quem receberam as informações sobre as complicações com o g-Livia? Stern está com as expectativas nas alturas. A próxima resposta pode acabar com a acusação. No banco da frente, o advogado que entrou com Sullivan, muito mais baixo que o sócio sênior, se levanta. Sonny bate o martelo antes mesmo de ele ter a chance de falar.

— Isso aqui não é uma brincadeira. Sente-se, senhor. Se eu tiver que advertir qualquer um dos três mais uma vez, os senhores serão levados ao aeroporto.

Conhecendo os hábitos dos advogados de grandes escritórios, Stern tem certeza de que há uma limusine estacionada ao pé da escadaria da entrada do fórum, mas Sonny já deu seu recado. Ela pede à taquígrafa que leia a pergunta de Stern, e Hartung balança a cabeça.

— Eles não quiseram falar sobre isso.

Stern assente. Olha para Marta sem saber se acabou, e ela chama o pai com a mão. Está com a versão inicial de Hartung nas mãos e marcou algumas linhas com caneta marca-texto amarela. Stern olha fixo para a filha, esperando o processo telepático que os dois sempre tiveram um com o outro no tribunal. Após um segundo, ele entende qual é a intenção de Marta.

Ele encara Hartung. Talvez esteja com uma postura combativa, porque, de canto de olho, percebe vários jurados endireitando a coluna.

— Srta. Hartung, apesar de os parentes dos pacientes mortos terem assinado uma carta de renúncia incondicional à confidencialidade, a senhorita não publicou os nomes dos médicos e pacientes, certo?

— Não.

— E sua matéria diz: "Os nomes são mantidos em segredo para proteger a privacidade dos pacientes e de suas famílias."

— Isso.

— E as famílias fizeram esse pedido?

— Não recebi esse pedido das famílias.

— A senhorita recebeu esse pedido do advogado de danos pessoais das famílias, o Sr. Neucriss?

— Sim.

— E esse pedido foi feito pelo Sr. Neucriss na primeira vez que a senhorita falou com ele?

Hartung responde que sim.

— E foi ele quem contatou a senhorita, em vez de a senhorita contatá-lo?

— Verdade.

— E resumidamente ele disse: "Tenho informações interessantes para a senhorita, mas terá que concordar em não revelar os nomes dos meus clientes."

À sua direita, Stern percebe uma movimentação intensa dos advogados de Nova York. Ele se vira e os encara para ver se algum ousa se levantar novamente. No *Wall Street Journal*, permitir que conversas sobre fontes de jornalistas sejam ouvidas em um tribunal provavelmente é motivo de demissão para o advogado que deixa isso acontecer. Sullivan se agacha de leve e se aproxima de Moses, que o enxota. Para a promotoria, o estrago já foi causado pelas cartas de renúncia, e eles não vão piorar a situação tentando esconder mais informações do júri.

— Basicamente é isso — responde Hartung.

— E a senhorita compreende a posição de advogado de danos pessoais que abre um processo de indenização por lesão pessoal?

— Até certo ponto, sim.

— A senhorita compreende que esses advogados recebem um percentual daquilo a que o pleiteante tem direito, algo em torno de 30 a 40%?

— Compreendo.

— O que significa que os Neucriss têm potencialmente muitos milhões de dólares em jogo.

— Potencialmente.

— E a senhorita também compreende que, em geral, o advogado do pleiteante não recebe nada se um novo advogado convence o cliente a assinar um acordo de representação, sobretudo antes de qualquer ação ser movida?

— Eu diria que sei disso, sim.

— Então, ao não publicar os nomes dos pacientes, a senhorita estava impedindo que outros advogados contatassem essas famílias para representá-los?

— O Sr. Neucriss nunca me explicou por que não queria que os nomes fossem publicados.

— Srta. Hartung, minha pergunta é: a senhorita é uma jornalista investigativa com anos de experiência. Em algum momento lhe ocorreu que o Sr. Neucriss estivesse protegendo os próprios interesses comerciais ao fazer esse pedido?

Ela para um instante a fim de tomar fôlego.

— Sim, isso me ocorreu.

— E mesmo assim, a senhorita disse na matéria que os nomes não seriam publicados para proteger a privacidade dos pacientes?

Para Stern, dada a forma como os jornalistas enxergam as próprias obrigações, eles costumam ficar contrariados e na defensiva quando são pegos manipulando informações. Mas o fato é que Gila Hartung já encarou verdades sobre si mesma muito mais difíceis que esta.

— Eu não devia ter dito isso na minha matéria — responde ela.

— Obrigado — diz Stern e volta para sua cadeira.

23. UMA MULHER DESCONHECIDA

Quando o júri sai da sala, Marta dá um abraço rápido no pai.

— Que vitória do cacete! — sussurra ela.

Como sempre, Kiril faz vários elogios, mas segue imediatamente para a salinha ao lado, onde seu casaco está pendurado, andando tão rápido que Stern precisa se apressar e segurar a manga de Pafko a fim de pará-lo.

— Podemos dar uma palavrinha, Kiril?

Pafko olha para o relógio imediatamente. Stern garante que só precisa de alguns minutinhos na sala de advogados e testemunhas, do outro lado do corredor, para onde logo guia seu cliente. Kiril parece extraordinariamente bem hoje. O avanço do processo tem sido desgastante para ele, mas a impressão é de que, de ontem para hoje, Kiril teve uma boa noite de sono, talvez esteja se sentindo aliviado pelo fim do confronto com o filho no tribunal. Ele parece mais animado, a julgar pelo novo lenço amarelo que exibe no bolso do blazer.

— Donatella está bem? — pergunta Stern.

Ela não compareceu ao tribunal hoje. Aliás, nem voltou ao tribunal ontem à tarde, após o depoimento de Lep. Foram as primeiras sessões a que ela faltou desde o começo do julgamento.

— Ah, sim — responde Kiril. — Está ótima. Só anda meio ocupada com as coisas dela. Você sabe como a Donatella é.

Kiril abre um sorriso simpático e bem-humorado que muitas vezes o ajuda, educadamente, a evitar mais perguntas.

— Espero que ela compareça amanhã — comenta Stern.

— Acho que ela vem — diz Kiril.

Contra a vontade, Stern se pega balançando a cabeça.

— Kiril, tenho certeza de que Donatella precisou deixar muitas responsabilidades de lado para estar aqui, mas a essa altura o júri está acostumado com a presença dela. Não quero que eles tenham a ideia errada e comecem a pensar que alguma coisa no depoimento de Lep tenha diminuído o apoio dela a você.

— Sim, lógico — diz Pafko. Ele assente, mas dá outra olhada rápida no relógio.

— Além disso, já que estou com você aqui, também quero lembrá--lo de que existe uma grande chance de encontrarmos Innis no banco das testemunhas amanhã.

— Ah — diz Kiril, mas para por aí. Ele faz um gesto com sua mão bem cuidada, dando a entender mais uma vez que Innis tem pouca importância atualmente.

Stern explica que mandou Pinky à PT para buscar mais alguns documentos relacionados ao pacote de indenização de Innis.

— Como o júri ficará sabendo que Innis saiu da empresa após um desentendimento com você, é melhor mostrar que, apesar de tudo, você a tratou com generosidade, a não ser que saiba de algum motivo para que a gente não faça isso.

— Não, não — diz Kiril. Stern percebe que Pafko não está prestando atenção, então dispensa o cliente logo em seguida.

Apesar da indiferença de Kiril quanto à possibilidade de ver Innis do outro lado do tribunal, Stern para por um instante a fim de pensar em como ele mesmo está se sentindo. Ao longo de mais de meio século, ele fez a inquirição cruzada de diversos amigos — amigos pelo menos até o momento que ele se levantou do banco e começou a fazer perguntas —, mas, sobretudo por ter passado tão pouco tempo solteiro, ele duvida que essa lista inclua alguma mulher por quem tenha tido qualquer interesse. Talvez amanhã Stern e Innis entrem em um joguinho de gato e rato, com ambos tentando evitar o confronto. Na sala silenciosa, Stern sorri inesperadamente.

No que diz respeito a Innis, Stern percebe cada vez mais em si mesmo um padrão de reação muito comum quando era mais novo. A razão elabora longas listas que apontam por que Innis não é uma boa opção para ele, mas parece que o instinto tem vontade própria. Quer Stern goste ou não, Innis tem algo que ele acha profundamente sedutor, o que ficou comprovado quando ele chegou ao fórum de manhã e percebeu que tinha esquecido o celular na mesa do clube após o café da manhã. Pinky e Vondra ligaram imediatamente para o gerente do restaurante, e a essa altura o celular já estava nos Achados e Perdidos. Assim que entra no Cadillac na frente do fórum, Stern pede que Ardent o leve até lá.

Nos andares superiores, o University Club opera um hotel, sendo assim, se alguém de fora da cidade quiser visitar um membro do clube, pode ficar hospedado ali. Os quartos são simples, mas limpos — colchas de chenille, TVs antigas e banheiros construídos há décadas, mas tudo perfeito para quem está viajando a trabalho e não quer gastar. Os Stern costumam reservar quartos para advogados que vão ao condado de Kindle se consultar com eles. A seção de Achados e Perdidos do hotel fica na recepção, e quando Stern se aproxima fica espantado ao ver Kiril na fila, bem à sua frente. Confuso, a primeira coisa que Stern pensa é que, por alguma razão incompreensível, Kiril foi pegar o celular de Sandy, ideia que ele abandona logo em seguida por não fazer o menor sentido. Ao se aproximar, Stern percebe que Pafko está segurando uma chave magnética.

— Kiril, que surpresa — diz Stern, dando um tapinha no braço do amigo.

Pafko faz uma careta de surpresa, mas, logo em seguida, relaxa e abre um sorriso reticente muito bem treinado.

— Sandy — diz. Kiril encara por mais um instante seu advogado, então retribui o tapinha no braço de Stern e vai embora sem dizer mais nada.

Stern se aproxima do balcão para pedir o celular ao jovem recepcionista, mas hesita no meio da frase. Esse interlúdio com Kiril foi estranho demais. Ele lembra a si mesmo que o cliente tem direito a manter seus segredos, mas isso não o deixa menos alarmado. De repente, Stern pede licença ao recepcionista e segue até o corredor onde Kiril desapareceu.

Stern chega bem a tempo de ver Kiril entrando rapidamente no elevador de braços dados com uma mulher em um casaco estiloso. De repente, tem um momento de senilidade. Em estado de choque, precisa de um segundo para identificar a mulher, ou, talvez, para acreditar no que está vendo.

Olga. Sem dúvida. É Olga.

Na quarta-feira de manhã, o tribunal se depara com uma fila de funcionários administrativos responsáveis pelas provas indo em direção ao banco das testemunhas, para apresentar vários documentos essenciais para o governo: registros telefônicos da sala de Kiril, além de registros de compra e venda de ações da corretora de Kiril. Em geral, os Stern teriam chegado a uma decisão sobre esses documentos, ou seja, teriam concordado que eles poderiam ser considerados provas sem o depoimento entediante que a lei exige sobre como cada um foi criado e mantido. Apesar disso, por decisão tática do governo, a acusação precisa de uma testemunha viva para depor sobre os registros da venda das ações, e no fim Feld também rejeitou o acordo sobre os registros telefônicos para poder usar depoimentos ao vivo e enfatizar certos telefonemas feitos pela linha telefônica da sala de Kiril. O primeiro foi para Wendy Hoh, em Taiwan, ocorrido na noite de 15 de setembro de 2016. O segundo grupo de ligações ocorreu vinte e três meses depois, em 7 de agosto de 2018, quando Kiril retornou a ligação de Gila Hartung e, em seguida, entrou em contato com Innis. Segundos após encerrar o telefonema com Innis, ele ligou para sua jovem corretora, Anahit Turchynov.

Como costuma acontecer, porém, essas coisas são mais complicadas de provar do que Feld imaginava. Como a ligação para Wendy Hoh foi internacional, são necessárias duas diferentes testemunhas para explicar o VoIP. Esta manhã, Feld tentou reverter a decisão anterior e aceitar o acordo dos Stern, mas, sabendo que o júri culparia Feld pelo tédio que tomaria conta do tribunal, Marta recusou.

Depois disso, o governo se concentra nos registros da venda das ações dos netos de Kiril. O perito é um funcionário da corretora de Kiril chamado Morris Dungee, um homem tão magro que dá para perceber que o colarinho da camisa dobrado sobre a gravata está largo. Ele é totalmente careca, e Stern se pergunta, com empatia, se Dungee recentemente passou por quimioterapia. Feld inquire o Sr. Dungee de novo e faz um trabalho melhor do que o que conseguiu fazer com os registros telefônicos.

Quando Stern soube da existência da Srta. Turchynov, suspeitou de que ela seria mais uma jovem atraente que flertou com Kiril e passou a fazer parte da vida dele. Em vez disso, porém, descobriu que Anahit é filha da manicure de Donatella, uma imigrante ucraniana. Donatella insistiu que Kiril usasse a jovem Anahit como sua corretora pessoal para ajudá-la a começar na carreira. De modo geral, não é preciso ter uma vasta experiência para tomar conta da monótona carteira dos Pafko, composta, em sua maior parte, por fundos indexados e títulos. De acordo com o edital da empresa, o setor de corretagem do banco de investimentos que lançou as ações da PT no mercado faz as transações das ações para todos os diretores e funcionários da PT, porque eles têm um acordo comercial com Mort Minsky e seu escritório. Pafko colocou por conta própria as contas dos trustes dos netos nas mãos da Srta. Turchynov, embora eles tivessem ações da PT. Fez isso porque sabia que não poderia obter lucros pessoais e porque ninguém pensava na hipótese de vender essas ações por muitos anos.

Feld coloca os registros da corretora na tela do monitor de sessenta polegadas que empurrou até a frente do júri enquanto inquire Dungee.

— E ali, no canto superior direito — diz Feld, usando uma caneta laser —, o senhor lê as palavras "Ordem não solicitada"? O que significa esse termo na sua empresa?

— Significa que o corretor não solicitou a ordem. O corretor não pediu a venda das ações.

— Foi o cliente quem deu início à venda?

— Sim — responde Dungee, obediente. Se Feld mandasse, ele se sentaria no chão e latiria como um cachorro.

Marta começa a se levantar, como se fosse protestar, mas volta a se sentar e dá um tapa no ar, como se a pergunta fosse ridícula demais para valer o sacrifício.

O júri certamente preferiria ouvir a respeito das conversas de Kiril com sua corretora particular diretamente dela, mas Turchynov é um problema para a promotoria. Ela obviamente entendeu o telefonema de Pafko como sinal de que as ações da PT estavam prestes a afundar e usou esse conhecimento, que são informações privilegiadas, para vender as ações. Após receber a ordem de Kiril, a Srta. Turchynov vendeu não só as ações dos netos de Pafko, como também todas as ações da PT em sua própria conta e as de alguns clientes prediletos.

Moses escolheu não forçar a Srta. Turchynov a testemunhar usando uma garantia de imunidade como moeda de troca, porque, em geral, os jurados não gostam de ver testemunhas se safarem de cumprir pena pelo mesmo crime pelo qual a acusação quer condenar o réu. Moses tentou negociar um acordo de delação premiada com ela e o seu advogado, mas, encarando a realidade de que uma condenação vai acabar com sua carreira no ramo financeiro, Turchynov decidiu fazer jogo duro. Seu jovem advogado parece acreditar que, quando Moses Appleton condenar Kiril, perderá o interesse em Anahit. Apesar disso, após várias reuniões com a Divisão de Execução da Lei da Comissão de Valores Mobiliários, Stern acha que essa é uma aposta ruim, sobretudo porque Turchynov, ao receber a informação, e percebendo que uma venda de vinte milhões de dólares derrubaria o preço das ações da PT, vendeu as próprias ações antes das de Kiril, aumentando seu lucro em pelo menos vinte mil dólares.

Pessoas que usam informações privilegiadas para lucrar com ações quase sempre têm dinheiro para contratar advogados inteligentes como os Stern. Além do mais, em geral esses casos acontecem na cidade de Nova York, onde a indústria financeira exerce uma grande influência na economia e onde os juízes desses casos sempre conhecem muita gente do mundo das finanças. Todos esses fatores fizeram com que a lei de uso ilegal de informações privilegiadas evoluísse e passasse a ter diversas distinções enigmáticas que funcionam como obstáculos constantes à acusação (ao contrário do que acontece em acusações de roubo de propriedades físicas, que geralmente são feitas contra pessoas pobres). Com tudo isso em vista, a Srta. Turchynov talvez tivesse tido uma chance de sair ilesa, caso tivesse se limitado a vender suas ações e até as de alguns clientes. No entanto, ao vendar suas ações antes das de Kiril — um agravo fácil de provar —, Anahit provavelmente se condenou à penitenciária, especialmente ao não fazer um acordo quando o governo precisou do depoimento dela.

No entanto, o destino da Srta. Turchynov não tem a menor importância para Marta quando ela se levanta para fazer a inquirição.

— Sr. Dungee, o senhor deu ao Sr. Feld várias respostas sobre o funcionamento das coisas na sua empresa.

— Sim.

— Mas o senhor não faz ideia do que foi dito nos telefonemas entre a Srta. Turchynov e o Dr. Pafko, faz?

— Só sei o que dizem os registros.

— Mas o senhor não estava ouvindo tudo na linha, certo?

— Não, não, senhora. Eu não faria isso.

— Na verdade, o senhor não pode nem dizer com certeza de que foi o Dr. Pafko, e não a assistente dele, quem ligou para a Srta. Turchynov, certo?

— Acho que a Srta. Turchynov não aceitaria essa ordem de venda da garota do Dr. Pafko — diz o Sr. Dungee, sem a intenção de ofender com suas palavras. — Mas não, não sei ao certo quem estava na linha.

— Pelos outros registros apresentados como provas pelo Sr. Feld, o que sabemos é que houve uma troca de telefonemas entre a Srta. Turchynov e o Dr. Pafko segunda-feira, 7 de agosto de 2018, logo cedo. E depois disso ocorreu a venda de um fundo asiático indexado da conta pessoal do Dr. Pafko, certo?

Essa é uma coincidência que não tem nada a ver com o caso, mas não significa que os Stern não vão tirar proveito dela.

— E quanto aos telefonemas que o Dr. Pafko e a Srta. Turchynov trocaram depois, o senhor não sabe ao certo se eles estavam discutindo a venda desse fundo ou das ações da PT, sabe?

— Certo. Hummm... não. É só o que dizem os registros.

— E o senhor não perguntou à Srta. Turchynov a respeito de nenhuma dessas conversas?

— Não, não.

— Aliás, a Srta. Turchynov estava no escritório, trabalhando, quando o senhor veio para cá hoje de manhã para depor?

Feld se levanta e protesta furiosamente. As decisões do governo sobre quem chamar como testemunha, assim como as decisões sobre quem processar e quem imunizar, são exclusivamente do próprio governo e não podem ser avaliadas pelo júri. Sonny defere o protesto. Apesar disso, a juíza não consegue esconder o sorriso ao se dar conta da artimanha da pergunta de Marta. Stern percebe que a tolerância de Sonny com Marta é muito maior do que a que a juíza tem com ele, o pai senil.

Sem se deixar abalar, Marta caminha decidida até o monitor onde Feld exibiu os registros da corretora e pede que ele seja religado. Ela se move com confiança. Cortou o cabelo no fim de semana. A filha de Stern lembra a jovem Hillary Clinton com seus penteados elaborados. Marta nunca encontrou um estilo de corte definitivo — aliás, nem uma cor de cabelo. Conforme foi ficando grisalha, Marta se valeu do direito primordial de pintar o cabelo, concedido a mulheres de certa idade. Ao longo da última década, seu cabelo sempre teve alguma tonalidade de vermelho — do ruivo-claro com um tom dourado ao magenta, uma paleta de cores que Stern presume que a filha tenha escolhido, conscientemente ou não, em homenagem à mãe, que era ruiva.

— O Sr. Feld chamou sua atenção para esse box que diz "Ordem não solicitada".

— Sim.

— E o senhor nos disse que isso significa que a venda não foi originada pelo corretor.

— Sim, senhora.

— Uma ordem não solicitada gera uma comissão menor, certo? O corretor cobra menos, porque o cliente não está sendo beneficiado pelos conselhos do corretor.

— Isso.

— E corretores muitas vezes marcam as ordens de compra como não solicitadas para que os clientes consigam um preço melhor na corretora?

— Acho que isso acontece.

— Bem, vamos dar uma olhada em algumas outras ordens. Na verdade, o senhor e a corretora entregaram registros de várias outras transações feitas pela Srta. Turchynov em nome da PT no mesmo dia, não foi?

Feld protesta, alegando que essas transações são irrelevantes para o caso, mas, como todas estão marcadas como "ordens não solicitadas", Sonny indefere, e Marta apresenta os registros de todas as outras transações que Turchynov fez em nome da PT naquela manhã. Stern e Marta concordaram que ela faria isso sem estardalhaço, deixando a cargo de Stern, nas alegações finais, fazer o possível com essas transações para impulsionar a defesa de Kiril. Ele tem algo em mente, mas prefere não dar a dica para a acusação agora.

Innis dará seu depoimento após o almoço. Stern se enclausura na sala de advogados e testemunhas, onde está comendo um sanduíche e revendo suas anotações, quando Pinky bate à porta.

— Tem um minutinho, vô? — Stern percebe a expressão no rosto da neta, mas, relutante, permite que ela entre. — Então... eu pedi a Vondra para dar uma olhada na sua agenda no dia 24 de março.

— Vinte e quatro de março?

— Porra, vô. O dia em que você se arrebentou na estrada.

Foi assim que Pinky se meteu em confusão ao longo da vida: se recusando a cumprir instruções. Ou, pelo menos, tentando evitá-las. Stern lembra a neta de que já explicou pelo menos duas vezes por que perguntas sobre o Malibu branco estão proibidas.

— Tá bom, mas eu não posso ver, tipo, os *seus* registros? Não os da PT. Só os seus.

— A resposta obviamente é não — responde Stern. Eles se encaram.

— Está bem, me diga rápido o que você descobriu.

— Bem, você teve uma reunião com Olga Fernandez em 24 de março. Ela é a gostosinha que estava trepando com Kiril, certo?

— Caramba, Pinky. Como você sabe de uma coisa dessas?

Esse é o tipo de informação prejudicial sobre um cliente que tanto Marta quanto Stern sempre se esforçam para manter em segredo.

— Pelo amor de Deus, vô! Você me fez assistir a duas temporadas de *Downton Abbey* com você.

Não foi bem assim, pelo que Stern se lembra. O fato é que ele não faz ideia de como assistir a episódios antigos de uma série de TV. Aparentemente, o fato de Pinky adorar uma série dramática de costumes britânica fere sua autoimagem.

— Minha querida Pinky, o que *Downton Abbey* tem a ver com Olga Fernandez?

— Caramba, vô, você não lembra? Os empregados sempre sabem quem está transando com quem.

— Está dizendo que os funcionários da PT têm fofocado sobre a vida pessoal de Kiril?

— Dããã... — responde ela. — Superdããã...

— "Superdããã..." — repete Stern. — Pinky, você acha que Olga teve alguma participação na tentativa de me tirar da estrada?

— Quando Oscar, o vigia do estacionamento, me disse semana passada como a frota funcionava, ele me contou que Olga usava os Malibus muito mais do que qualquer outro funcionário. E parece que ela, tipo, nunca devolvia os carros. Então talvez naquele dia você estivesse fazendo perguntas que ela estivesse desesperada para não responder.

Stern decide que mais tarde vai explicar a Pinky o conceito de "falácia investigativa", algo que frequentemente acontece com a polícia: eles desenvolvem uma teoria sobre um crime e então distorcem as provas até que algumas peças se encaixem. Ele desconhece algum motivo concebível para que Olga Fernandez quisesse feri-lo. Por outro lado, não resta dúvida de que Olga se mostrou evasiva sempre que Stern falou com ela; nem sequer reconhecia que tinha um relacionamento com Kiril. "Pergunte a ele", disse ela a Stern certa vez. Além disso, a menção de Pinky a Olga é muito mais provocativa após a visão indesejável da mulher com Kiril ontem, no University Club. Considerando os erros frequentes de Pinky — alguns dos quais beiram o catastrófico —, é normal ignorar as especulações mais desvairadas da neta, mas ao mesmo tempo Stern tem ciência de que não sabe muita coisa a respeito de Olga.

Ele diz a Pinky que peça a Vondra para encontrar suas anotações da conversa com Olga. Vai examiná-las quando voltar para o escritório.

— E não faça mais nada quanto a esse assunto sem minha aprovação explícita — completa ele. — Entendido?

— Beleza — responde ela ao fechar a porta, não dando a mínima.

24. A DRA. MCVIE DEPÕE

— Dra. Innis McVie — anuncia Moses para começar os trabalhos da tarde de quarta-feira.

Um dos agentes do FBI se aproxima rapidamente das portas vaivém nos fundos da sala de julgamento. Elas têm um acolchoado com botões costurados e sempre fazem Stern se lembrar de uma câmara de tortura. Innis entra caminhando a passos largos, cabeça erguida, olhando para a frente. Antes de ocupar o banco das testemunhas, ela para, fica de frente para a juíza e, obedecendo à instrução de Sonny, ergue a mão direita. Sonny também ergue a mão direita.

No começo da carreira, quando Stern raramente pisava em um tribunal federal, certa vez ele entrou nessa mesma sala para assistir ao julgamento de um famoso comediante acusado de ato obsceno. Na mesma pose de Innis agora, com a mão aberta erguida, e antes de o juiz ter a chance de dizer uma palavra sequer, o comediante disse "Rau", imitando um índio. Antes do advento das políticas identitárias, essa piada era apenas inoportuna, e não racista — não que isso importasse para um comediante que tinha alcançado a fama ultrapassando todos os limites. Como já era de esperar, o juiz não gostou nada, mas o timing do réu foi perfeito. As gargalhadas invadiram o tribunal como um tsunami, inclusive a tribuna dos jurados. A absolvição era certa. A risada, ao que parece, é a alma da liberdade.

Com Sonny e Innis, o ritual é seguido à risca.

— A senhora jura dizer a verdade e nada mais que a verdade?

— Juro.

Innis está usando um paletó preto com saia pregueada, maquiagem discreta e cabelo escovado. Ela endireita a saia antes de se sentar, e nesse momento olha rapidamente para a mesa da defesa e abre um sorriso tenso para Stern e Kiril. É exatamente como Stern havia imaginado ontem: Innis passou a vida toda competindo para estar no centro das atenções. O tribunal não a amedronta.

Marta pigarreia baixo e um segundo depois entrega um bilhete a Stern. "Sua namoradinha vai ferrar Kiril."

Tudo a respeito desse comentário é alarmante. O ímpeto inicial de Stern é de se defender a respeito do "namoradinha", mas então ele se dá conta das consequências da previsão de Marta. Stern balança a cabeça para discordar, achando engraçado como, mesmo nessa idade tão avançada, Marta continua sendo um pouco possessiva.

A inquirição de Innis começa como Stern imaginava. Moses trata do acordo que ela fez com o Ministério Público Federal, segundo o qual não será processada se for totalmente honesta no depoimento e em todas as suas conversas com o governo. Em seguida, o procurador da república pede detalhes da impressionante formação acadêmica de Innis, até chegar à relação profissional que ela teve com Kiril durante mais de trinta anos.

— E os senhores se tornaram amigos também? — pergunta Moses.

— Sim.

— Próximos?

— Muito próximos — responde ela com naturalidade, como se fosse só isso.

Moses sempre prepara suas testemunhas, de modo que sua inquirição é praticamente uma partida de pingue-pongue. Pergunta. Resposta. Nada maior que uma linha de ambos os lados, caso a testemunha coopere. Nesse ritmo, Innis explica suas tarefas como diretora de operações na PT. Por fim, com as preliminares fora do caminho, o procurador da república chega à parte ruim para Kiril.

— Agora vamos voltar a setembro de 2016. A senhorita conversou alguma vez sobre o ensaio clínico do g-Livia com o Dr. Pafko?

— Tive uma conversa breve.

— Quando?

— Em meados de setembro. Todos nós sabíamos que o ensaio acabaria em breve.

— Onde a senhorita estava e, se puder lembrar, quem mais estava presente?

— Eu fiquei sozinha com ele no escritório dele por um segundo.

— O que ele disse e o que a senhorita disse?

— Ele parecia preocupado e eu perguntei o que havia acontecido. Ele respondeu: "Tem um problema com os dados do ensaio."

— A senhorita perguntou qual era o problema?

— Acho que não. O comentário dele foi muito *en passant*.

— E a senhorita voltou a conversar com ele depois sobre o ensaio?

— Tivemos outra conversa rápida sobre o assunto dias depois.

— Onde estavam?

— Não tenho certeza. Na sala dele, acho.

— Quem estava presente?

— Só nós dois.

— E o que os senhores disseram?

— Eu só perguntei, mais por educação, como estava o tal problema dos dados, e ele respondeu: "Tudo certo. Eu fiz umas coisas para resolver o problema."

Stern percebe que inconscientemente segurou o braço da cadeira. "Eu fiz umas coisas para resolver o problema" é muito mais incriminatório do que a versão que Innis contou a ele — e também para o FBI, aliás. Nessas duas ocasiões, ela relatou que Kiril tinha dito "O problema foi resolvido", palavras que podiam apenas refletir a garantia dada por Wendy Hoh de que as mortes eram apenas um erro de programação no sistema. Até Moses parece assustado com a resposta de Innis. Desanimado, Stern demora um segundo para perceber que sua filha bateu com o cotovelo em suas costelas.

— A senhorita perguntou ao Dr. Pafko o que ele quis dizer com esse comentário?

— Não. Não estávamos nos falando muito na época.

Essa resposta se torna o prelúdio para Innis relatar sua saída da empresa assim que o g-Livia chegou ao mercado, em janeiro de 2017. Em seguida, Moses pergunta sobre o telefonema em 7 de agosto de 2018, a peça central do depoimento dela. O governo ofereceu a cada jurado um fone de ouvido antirruído, para que o som fique perfeitamente limpo. A gravação é tocada do começo ao fim. Em seguida, Moses volta a certos trechos para perguntar sobre a forma como Innis terminou a conversa, começando com o comentário feito por ela de que havia pedido que Pafko parasse de telefonar.

— Sim. Ele se tornou uma pessoa detestável, não parava de me ligar pedindo que eu voltasse para a empresa. Os telefonemas aconteciam tarde da noite, e eu tinha a impressão de que ele estava bêbado. Eu disse a ele que aquilo estava se transformando em assédio e que meu advogado me disse para gravar as ligações e pedirmos uma ordem judicial.

"Não é verdade", escreve Pafko no bloco de notas amarelo entre Stern e ele. Segundo Kiril, ele ligava para Innis só de vez em quando para fazer perguntas sobre o trabalho, em busca de respostas que só ela sabia, e apenas uma ou duas vezes a conversa foi para o lado pessoal. Mas ela jamais disse qualquer coisa sobre uma ordem judicial ou sobre gravar as ligações, até o dia em que Kiril ligou logo após o telefonema de Hartung.

— E a senhorita pode explicar o que quis dizer quando falou: "Venda suas ações?"

Stern protesta sentado.

— A gravação fala por si só.

Antes de Sonny decidir se defere ou não, Moses reformula a pergunta:

— Imediatamente após dizer "Venda suas ações?", que som é esse na gravação?

— Sou eu dando uma risada.

— E por que deu uma risada?

— Eu estava brincando. Tanto Kiril quanto eu sabíamos que essa era a última coisa que ele poderia fazer.

— Protesto quanto ao que Kiril sabia.

— Deferido.

— Pode explicar o treinamento de *compliance* que a senhorita recebeu dos advogados da PT?

Innis explica em todos os detalhes as muitas sessões de treinamento sobre as quais o júri já ouviu durante o depoimento de Mort Minsky, nas quais todos os diretores foram avisados que estavam proibidos de vender ações da Pafko Therapeutics sem a aprovação prévia de advogados externos, exceto pelo plano 10b5-1.

— Aliás, por diversas vezes ouvimos que o Dr. Pafko não vendeu nenhuma ação que tinha no próprio nome. A senhorita chegou a conversar com o Dr. Pafko sobre o motivo pelo qual ele não ia vender as ações após a aprovação do g-Livia?

— Depois, não. Eu já havia saído da empresa.

— Lamento. Antes disso, a senhorita chegou a conversar com o Dr. Pafko sobre os planos dele para a venda das próprias ações?

— Algumas semanas antes da aprovação do g-Livia. Em dezembro de 2016.

— Por favor, diga onde essa conversa aconteceu e quem estava presente.

— Nós estávamos trabalhando sem parar para aprontar o lançamento do g-Livia, e às vezes todo mundo pedia comida chinesa e jantava na cozinha da empresa. Já havia matérias especulando que a Tolliver e outra grande empresa farmacêutica iriam entrar numa guerra de lances pela aquisição da PT, e as ações subiam sem parar. Uma oferta pública de compra das nossas ações causaria a extinção do plano 10b5-1 e das restrições de venda sobre as nossas ações, e a maioria de nós mal podia esperar para vender tudo enquanto o mercado ia à loucura. Isso representaria um lucro enorme para todos nós, mas após uma dessas conversas Kiril olhou para mim e disse: "Eu não vou vender as minhas ações."

— Ele explicou esse comentário?

— Ele queria continuar sendo o acionista majoritário da PT. Assim, mesmo após uma oferta pública de aquisição, continuaria em posição de negociar um acordo para si mesmo com a empresa que comprasse as ações. Ele queria ter poder de barganha para continuar sendo o CEO da PT.

Stern tem a sensação de que seu coração parou com essa surpresa. Na Flórida, ele disse a Innis que Kiril estava indiferente entre vender as ações ou lucrar com uma oferta de aquisição, e em momento algum ela comentou algo minimamente parecido com o que acabou de dizer. Ela acabou de destruir um elemento fundamental da defesa e, pior, sugeriu que na conversa com Yan Weill — o banqueiro de investimentos que terminou o depoimento com o comentário de Kiril sobre casar com mulher rica —, Pafko estava apenas se fazendo de bobo.

Kiril inclina o corpo na direção de Stern e sussurra:

— Ela está mentindo sobre tudo.

Do outro lado de Stern, Marta o encara com um olhar que é fácil de interpretar: eu avisei.

— A testemunha é sua — diz Moses.

Stern se levanta devagar. Ficou tão surpreso que está literalmente um pouco desequilibrado. Olha para as anotações esperando voltar a si.

— A senhorita nos disse que foi amiga próxima do Dr. Pafko por décadas.

— Sim.

— Na verdade, durante grande parte desse tempo, não havia ninguém na empresa de quem ele fosse mais próximo, exceto talvez Lep. Concorda?

— Não durante o terceiro trimestre de 2016 — responde ela com um olhar frio. Stern sente uma pontada de medo no coração ao se dar conta de que deu a Innis a chance de mencionar Olga, mas o orgulho a faz se segurar. — Antes disso, eu diria que essa afirmação é correta — acrescenta ela.

— Apesar disso, o Dr. Pafko jamais lhe disse que fez qualquer coisa para adulterar os dados do ensaio, disse?

Essa é uma pergunta segura, porque Innis disse ao governo repetidamente que jamais ouviu qualquer coisa sobre mortes súbitas ou alteração de dados. Não há provas que sugiram o contrário, mas vale notar que a alegação de ignorância de Innis, assim como a de Lep, impede que ela vire ré em todas as ações cíveis.

— Não. Mas, como eu acabei de dizer, não estávamos nos falando muito na época. Eu não esperaria que ele o fizesse.

— E essa segunda conversa sobre o ensaio...

— Em que ele disse "Eu fiz umas coisas para resolver o problema?" — Uma breve pequena ruga de triunfo franze os lábios de Innis após ela repetir as palavras.

— A senhorita diz que aconteceu na sala do Dr. Pafko.

— Pelo que me lembro, sim.

— A senhorita costumava ir muito à sala dele?

— Na época não muito, mas ao longo dos anos isso aconteceu muitas, muitas vezes, milhares de vezes. A sala dele era a maior. O senhor sabe como são as hierarquias corporativas. Eu ia até ele. Todos nós íamos.

— Sua sala era ao lado da dele, certo?

— Exato. Lep de um lado, eu do outro.

— E a senhorita teve milhares de conversas com ele ao longo dos anos?

— Sim, foi o que eu disse.

— Ainda assim, consegue se lembrar dessa conversa vividamente?

— Se estamos falando de "Eu fiz umas coisas para resolver o problema", sim.

— E no geral, Dra. McVie, sua lembrança dos acontecimentos melhora ou piora com o passar do tempo?

— Minha memória provavelmente é como a de qualquer pessoa. Em geral, eu me lembro melhor quando o acontecimento é mais recente.

— Mas, na verdade, quando a senhorita perguntou a Kiril Pafko sobre o problema nos dados, ele lhe respondeu apenas que o problema foi resolvido, não foi?

— Sim, ele disse: "Eu fiz umas coisas para resolver o problema."

— A senhorita depôs diante do júri de acusação em 5 de dezembro de 2018?

— Sim.

— Ergueu a mão direita e jurou dizer a verdade, como acabou de fazer agora há pouco?

— Sim.

— Mas, diante do júri de acusação, a senhorita não disse que Kiril falou "Eu fiz umas coisas para resolver o problema", certo? Em vez disso, no depoimento, disse apenas que Kiril disse que o "problema foi resolvido".

Ela dá de ombros.

— No primeiro depoimento eu relatei apenas o efeito do que ele disse, que o problema foi resolvido. Mas, se o senhor quer as palavras exatas, foram: "Eu fiz umas coisas para resolver o problema."

— Bem, aqui está a transcrição do seu depoimento ao júri de acusação, Dra. McVie. — Ele marca a página como prova e pede à juíza permissão para se aproximar da testemunha. — Está vendo que "o problema foi resolvido" aparece entre aspas?

— Sim. Mas eu nunca disse essas aspas nem nada parecido com isso. Quem escreveu isso, o taquígrafo, foi que cometeu o erro.

— Dra. McVie, quando foi a primeira vez que a senhorita contou aos promotores que o Dr. Pafko disse "eu fiz umas coisas para resolver o problema"?

Essa também é uma pergunta segura, porque Moses é correto demais para permitir que ela minta sem corrigi-la, mesmo que outros procuradores não ajam dessa forma.

— Não sei. — Ela olha para Moses, que está fazendo anotações cuidadosamente. — Não sei se alguma vez já disse. Que diferença faz?

Innis está agindo como se Stern estivesse insistindo em uma bobagem, e talvez esteja convencendo o júri do mesmo. Lógico que Stern sabe que, ao enfatizar a versão dela sobre a frase de Kiril, ele está incorrendo no mesmo erro que Dan Feld cometeu em alguns momentos do julgamento, e isso só fez aumentar o estrago. Stern poderia simplesmente segurar uma placa dizendo ISSO É PÉSSIMO PARA A DEFESA, mas a essa altura ele já avançou demais por esse caminho — e também ficou confuso demais com o depoimento de Innis —, então só lhe resta continuar com essa estratégia. Ele revisa com ela as três vezes que ela se encontrou com os investigadores criminais, mostrando que em todas as ocasiões ela disse "o problema foi resolvido". Innis continua agindo como se não percebesse diferença entre as duas frases. Como mentirosa, ela lembra Stern de alguns policiais que mentem com tanta naturalidade que, pela linguagem corporal, ninguém seria capaz de duvidar da sua palavra.

Além disso, Stern está começando a perceber como Innis foi inteligente ao passá-lo para trás. Foi ela quem recebeu informações fundamentais nas vezes em que conversaram, e não o contrário. Innis sabe que pode alterar o que disse anteriormente para algo que seja mais incriminatório, porque Sandy disse a ela que a estratégia da defesa é não revelar o seu longo caso com Kiril. Como não serão capazes de pintar Innis como a amante desprezada, os advogados de defesa não têm como explicar concretamente por que de repente ela inventaria coisas para prejudicar Kiril.

Assim como praticamente tudo o que acontece durante um julgamento, Stern já passou por essa situação, de ser surpreendido por uma testemunha. Mas o elemento pessoal nesse caso é inédito. Tal qual aconteceu no começo do julgamento, quando falou bobagem sem pensar, Stern se sente realmente velho, incapaz de compreender o que está acontecendo. Ele está em pé há alguns segundos diante da mesa da defesa, de costas para a testemunha, enquanto repassa as anotações no bloco de notas. O próximo tópico pede que Stern faça Innis concordar que Kiril pareceu surpreso pelo que Hartung tinha dito ao telefone. Mas ele consegue raciocinar com nitidez suficiente para saber que Innis vai dizer que Pafko não parecia nada surpreso. Stern começa a ter a sensação de que deve simplesmente aceitar a surra e se sentar, em vez de piorar as coisas com algo sobre o qual não tem certeza.

Percebendo que o pai está perdido, Marta empurra um bilhete na direção dele: "As frases de Kiril sobre não vender as ações."

Stern assente.

— A senhorita disse que falou com o Dr. Pafko sobre as intenções dele de não vender as ações da empresa, certo?

— Certo.

— E concorda que essa frase também nunca foi mencionada em suas três reuniões com o FBI ou durante seu depoimento para o júri de acusação?

— Eu só fui pensar nisso quando você mencionou o assunto algumas semanas atrás.

Stern para. É como se ela tivesse lhe dado um tapa na cara. Esses encontros supostamente são extraoficiais. Mas ele entendeu. Com Innis, a única regra é prejudicar Kiril o máximo possível, desde que ela não se prejudique também.

— A senhorita teve essa conversa em que o Dr. Pafko disse que não venderia as ações no fim de 2016, quando o g-Livia estava prestes a ser lançado, certo?

— Certo.

— E disse que ela aconteceu na cozinha, não é isso? Rodeados de outras pessoas que estavam trabalhando até tarde?

— Acho que não havia mais ninguém por perto. Eles tinham comido e saído. Nós ficamos sozinhos por um tempo.

— E a essa altura a senhorita tinha decidido sair da empresa por causa dos desentendimentos com o Dr. Pafko?

— Exato.

— E ao contrário dos outros diretores, que precisavam seguir o último plano 10b5-1, a senhorita ia vender todas as ações assim que pudesse após a aprovação da FDA?

— Isso. Essa era a minha intenção. Eu queria não ter mais nada a ver com a PT.

— Aliás, quanto a senhorita lucrou?

— Protesto — interrompe Moses.

— Deferido.

— Enquanto conversava com o Dr. Pafko sobre as intenções dele de não vender as ações, quanto a senhorita achou que lucraria vendendo as suas?

— Mesmo protesto — diz Appleton, mas desta vez Sonny balança a cabeça.

— Indeferido. A pergunta tem a ver com as lembranças da testemunha sobre a conversa.

— Ninguém sabia quanto valeriam as ações quando o g-Livia fosse lançado. Mas o preço delas já tinha disparado, porque o painel de especialistas da FDA havia recomendado a aprovação, e a imprensa já vinha especulando que uma empresa farmacêutica maior pudesse adquirir a Pafko Therapeutics. Eu sabia que ganharia muitos milhões, Sr. Stern.

— Agora vou voltar à frase "Eu cuidei disso". A senhorita disse que não perguntou detalhes porque a senhorita e o Dr. Pafko praticamente não se falavam.

— Exato.

— É correto afirmar que nessa época a senhorita só falava com o Dr. Pafko quando era necessário?

— Sim.

— Mas, apesar disso, alega que durante esse mesmo período, em que a senhorita e o Dr. Pafko raramente se falavam, apesar de tudo, ele confiou na senhorita e lhe explicou a estratégia que havia bolado para permanecer como presidente da empresa ao não vender nenhuma ação pessoal?

Innis acaba de levar um ace. É a primeira vez que Stern consegue marcar pontos, e por um breve instante ela se recosta no banco. Abre um leve sorriso.

— Todo mundo sabia disso — diz ela. — Não era um segredo.

— É mesmo? A senhorita se lembra de ouvi-lo falar sobre os planos de não vender as ações na presença de outra pessoa?

Innis sabe que os Stern podem convocar essa outra pessoa, e ela provavelmente negaria ter ouvido Kiril dizer algo do tipo. Isso seria arriscado. Violar um juramento a Deus está quase no topo da lista de pecados de Moses, mesmo que esse juramento falso seja benéfico para o governo. Portanto, uma provável mentira pode pôr em risco o acordo de não persecução e até levá-la a ser a acusada de perjúrio. Mas Innis obviamente percebe que está à beira de um abismo e decide recuar.

— Não que eu me lembre especificamente.

— Mas ao mesmo tempo se lembra especificamente dessa conversa com o Dr. Pafko?

— Sim. É disso que eu me lembro. Na verdade... Na verdade, o senhor tem razão.

— Tenho? — pergunta Stern, se sentindo um idiota assim que a palavra escapa de sua boca.

— Lembro que foi exatamente por isso que eu conversei com Kiril sobre esse assunto. Eu queria ter certeza de que não haveria nenhuma restrição para vender todas as minhas ações caso houvesse uma oferta pública de aquisição. Eu perguntei a ele como presidente da empresa, imaginando que ele saberia responder, e ele disse: "Não vou vender nenhuma das minhas ações até ter um acordo para me manter como presidente. Preciso..."

Innis, que parece estar adorando inventar tudo conforme depõe, para no meio da frase e olha além de Stern, para o fundo da sala. Ele vira para trás e logo vê o que a interrompeu. É Olga Fernandez, que caminha pelo corredor entre os bancos dos espectadores, o salto alto estalando contra o chão.

25. PINKY BRILHANTE

Olga obviamente passou um tempo se arrumando antes da chegada ao tribunal. Está usando o mesmo sobretudo com cinto no qual Stern a viu ontem à noite, as lapelas viradas para trás revelando o forro xadrez, além de um cachecol de seda combinando enrolado simetricamente no pescoço. Seu cabelo louro pintado exibe um penteado cuidadosamente elaborado. Ela carrega uma maleta vermelha de couro envernizado em sintonia com os sapatos. Caminha com um ar de tremenda importância, chamando a atenção de todos os presentes.

Ao passar pela pequena porta vaivém presa ao corrimão de nogueira curvo que separa a galeria da tribuna, Olga segue direto até a mesa da defesa. Por instinto, Stern quer pedir que ela pare. Tem medo de que ela abrace Kiril na frente do júri. Mas Stern se engana. Em vez disso, Olga se aproxima de Pinky, abre a maleta e lhe entrega uma pasta.

À mesa da acusação, Moses fica de pé.

— Meritíssima, esta é a Srta. Fernandez, listada como testemunha de ambas as partes.

Testemunhas antecipadas são proibidas de ouvir outros depoimentos, com exceção de agentes do FBI ou do próprio réu. Moses é sagaz o suficiente para concluir que a presença de Olga vai incomodar Innis, que até esse momento tem estado tão tranquila quanto um mafioso metralhando os inimigos. Olga levanta a cabeça ao ouvir seu nome.

— Podemos fazer um recesso rápido para cuidar da questão? — pergunta Moses.

— Tudo bem — responde Sonny. — Vamos fazer uma pausa rápida. Sr. Stern, pode explicar para a Srta. Fernandez?

— Sim, Meritíssima.

Kiril, Stern, Marta e Pinky atravessam o corredor e levam Olga até a sala de advogados e testemunhas do outro lado. Stern fica de olho no cliente, que acena com prudência para Olga no momento em que Marta está fechando a porta.

— Pinky pediu esses registros — diz Olga. — Eu sabia que Innis estava depondo, então, quando vi a cena, pensei: "*Chica*, é melhor você ir até lá!" Eu cheguei a mandar mensagens, mas imaginei que nenhum de vocês olharia o celular durante a sessão.

Pinky precisou levar várias broncas da própria tia até entender que o telefone deve ficar dentro da bolsa enquanto a sessão acontece.

Mais uma vez Stern se sente muito velho e confuso.

— Pinky pediu o quê?

— Você queria tudo relacionado à rescisão de Innis — explica Pinky. — Então eu pedi todos os detalhes. Mas aí pensei: "Que se dane! Pode ser que tenha alguma coisa."

É mais do que alguma coisa. O documento tem várias páginas impressas, e Olga aponta para uma linha específica com sua unha pintada de um vermelho bem aberto.

— Esse é o histórico de chamadas dela.

Stern sente a pulsação rápida; talvez até esteja tendo outra taquicardia. De algum rincão de sua memória, ele identifica o número. No passado, houve épocas em que ele ligou para esse telefone por um motivo ou por outro.

Para recuperar o controle, ele faz o que a experiência lhe ensinou. Ergue as mãos e pede que todos parem. Precisa organizar as coisas. Pede que Olga e Kiril lhe deem mais informações sobre os documentos, e em seguida agradece copiosamente a Olga, mas diz que ela precisa ir. Olga concorda de forma simpática e sai da sala, e após perguntar se precisa ficar, Kiril sai logo depois. Com Marta ao seu lado, Stern checa os registros até ter certeza de que viu tudo o que é importante, então manda Pinky de volta para a sala de julgamento para fazer cópias dos documentos na impressora portátil que eles levaram para o tribunal. Antes de Pinky sair, Marta se levanta e abraça a sobrinha.

— Isso foi brilhante — diz Marta a Pinky. — Brilhante de verdade. Não é, pai?

— Foi uma ideia maravilhosa — diz Stern.

Com um sorriso de orelha a orelha e as bochechas coradas como maçãs, algo que Stern quase nunca vê, sua neta parece prestes a explodir de orgulho.

Assim que a porta se fecha, porém, Marta fecha a cara e olha para o pai.

— Juro por Deus, pai. Os homens são todos uns idiotas. Assim que vi aquela mulher entrar na sala, percebi que ela ia foder Kiril de todas as formas possíveis.

Mesmo agora, Marta adora os momentos em que enxerga a situação geral antes de o pai ser capaz. Ele pondera se o comentário dela é uma crítica à sua perspicácia ou à sua vulnerabilidade. Talvez a ambas as coisas. Por um segundo, ele também se vê em uma emboscada, pensando que, se fizesse um comentário semelhante sobre as mulheres, sua própria filha ameaçaria processá-lo. Por outro lado, conforme ensina a lei nos casos de difamação, a verdade é uma defesa perfeita. Por fim, ele assente.

— Bem, agora, talvez — começa ele, preparando-se para usar uma palavra que raramente sai de seus lábios —, a gente possa foder com ela de volta.

— Dra. McVie — diz Stern antes mesmo de a sala ficar totalmente cheia após o intervalo. Faz anos que ele não se sente tão ansioso para fazer uma inquirição cruzada. A ironia é que Innis de fato o fez se sentir jovem outra vez. — Sobre essa conversa telefônica entre o Dr. Pafko e a senhorita em 7 de agosto de 2018, a conversa que a senhorita gravou... O número para o qual o Dr. Pafko telefonou — Stern diz o número — era o do celular da empresa?

— Não, era meu celular particular.

— A PT tinha celulares corporativos?

— Quando?

— Quando a senhorita saiu da empresa.

— Sim.

— Todo funcionário tinha um celular da empresa?

— Todo funcionário "chave" que tinha motivos para fazer ligações de negócios para números externos possuía um celular da empresa.

— E os celulares eram parte de sua responsabilidade como diretora de operações?

— Sim. — Ela dá uma risada. — Eu achava que tinha coisas mais importantes a fazer, mas, no fim das contas, acabei perdendo um bom tempo com a política de uso de celulares corporativos.

— Por gentileza, sinta-se à vontade para explicar, se não se importa.

De repente Innis parece alegre. Ao observá-la, Stern se dá conta de uma triste verdade: ela adorava cada minuto que passava na PT, cada envolvimento com a empresa, por menor que fosse.

— Nós passamos por diversos planos diferentes — explica ela. — Durante um tempo, simplesmente reembolsamos cada funcionário pelo uso geral do celular. Mas, então, a Receita Federal apareceu e disse que tínhamos que adicionar cada telefonema pessoal de cada celular à declaração do imposto de renda. Com isso, passamos a ter oitenta funcionários usando o tempo de trabalho para checar as próprias contas telefônicas linha por linha, além de dois contadores fazendo a soma total e enviando os valores para contadores públicos federais. Após um ano disso, eu me dei conta de que pouparíamos muito se simplesmente déssemos aos funcionários um celular corporativo e pedíssemos por escrito que usassem apenas para fins profissionais. Para satisfazer a Receita Federal, fizemos todos listarem o número do aparelho e a operadora. Mesmo pagando por oitenta telefones, a redução de custo foi enorme.

— A empresa recebia a conta detalhada de cada celular corporativo?

— Não. Era diferente do celular pessoal. Para poupar, nós só recebíamos a conta total mensalmente. Se quiséssemos dados a respeito de cada celular especificamente, podíamos entrar na internet e pegar o demonstrativo.

— E alguém da PT checava o demonstrativo on-line?

— Como eu disse, o objetivo era reduzir os custos. Quando a conta geral chegava, alguém da contabilidade teoricamente checava os detalhes na internet, só para garantir que ninguém estava ligando para um amigo em Zanzibar quatro vezes por semana, mas eu mesma dizia aos contadores que, se eles gastassem mais de meia hora nisso, eu ia até lá matar todos eles. Estava cansada de desperdiçar tempo e dinheiro fazendo a contabilidade de gastos com celulares.

— E por quanto tempo a operadora guarda os detalhes do demonstrativo de cada celular individualmente, o backup para a conta total dos celulares da empresa?

— Não faço ideia. Como eu disse, o pessoal da contabilidade mal olhava os dados do mês corrente. Tenho certeza de que a operadora não mantém esse material disponível on-line por muito tempo.

Moses se levanta.

— Meritíssima, eu entendo por que o Sr. Stern quer nos distrair dos pontos principais do depoimento da Dra. McVie, mas posso perguntar se existe algum outro motivo para essa linha de inquirição?

— Sr. Stern? — pergunta a juíza.

— Meritíssima, pode me dar mais alguns minutos? Prometo que ficará evidente.

Ele se esforça ao máximo para parecer o velho Stern ao apelar para Sonny. Como ninguém, incluindo a juíza, consegue entender o motivo dessas perguntas, Stern teme que Sonny suspeite que ele está confuso novamente. Se ela o forçar a se explicar, é provável que acabe arruinando o que ele tem em mente. A juíza faz cara feia, mas por fim diz:

— Só mais algumas perguntas.

Por garantia, Stern aborda um assunto que é relevante.

— Esse acordo de não persecução que a senhorita fez com o governo incluía uma cláusula que dizia ser preciso dar seus dados pessoais ao governo. A senhorita precisava entregar seu computador, seu tablet, seu celular, suas contas, correto?

— E eu fiz isso — responde Innis.

— E antes disso, a senhorita fez um acordo rescisório com a PT quando deixou a empresa em janeiro de 2017, certo?

— Certo.

— E um dos benefícios foi o de poder manter o celular da empresa por dois anos, pago pela PT, certo?

— Certo. Mas, como eu expliquei, era para tratar de assuntos da empresa. O que eu parei de fazer.

— Mas meu ponto é o seguinte: a senhorita não entregou as contas desse celular ao governo.

— E nem podia. A empresa tem acesso à conta, não eu. — Innis sorri com arrogância, os lábios fechados. Stern percebe que ela está se antecipando, tentando entender a linha de inquirição. Ela tem certeza de que esse é o argumento principal de Stern e de que vai vencê-lo novamente. — E como já discutimos, tenho certeza de que as contas não estão mais disponíveis na internet. Além do mais, sinceramente, nem sei onde está esse celular.

— A senhorita o destruiu?

Innis hesita por um segundo.

— Por que eu o destruiria?

Stern a encara de cima.

— Dra. McVie, a senhorita ficaria surpresa se descobrisse que, por causa desses mesmos regulamentos da Receita Federal que a senhorita mencionou, além da conta total, a operadora do celular mantém a conta detalhada individual de cada celular corporativo na internet por quatro anos?

Innis não diz nada. Dá para ver a gravidade do que Stern acabou de dizer pesando sobre ela. Ela achou que estava vários passos à frente dele — como tem estado durante todo o depoimento —, mas de repente se dá conta de que errou os cálculos. Provavelmente está apavorada, mas seu rosto está impassível. De repente o placar da partida mudou. Seu oponente, antes prostrado na quadra, se levantou e agora está sacando a 300 quilômetros por hora. O match point está chegando. Mas ela tem anos de treinamento e nem sequer pisca os olhos.

— Meritíssima, que os autos reflitam que a Dra. McVie parece surpresa — diz Stern.

Sonny abre um sorriso mordaz diante do exibicionismo de Stern e diz:

— Pode responder, Dra. McVie?

— Sim, estou surpresa.

Sem tirar os olhos de Innis, Stern estica o braço na direção de Pinky, que lhe dá a pasta entregue por Olga.

— Acho que segundos atrás a senhorita disse que nunca usou o celular após sair da empresa, certo?

Innis ergue a mão mostrando as unhas pintadas de rosa.

— Pelo que me lembro, é isso.

— Bem, Dra. McVie, a senhorita se lembra de ter usado o celular da empresa em 7 de agosto de 2018, o dia em que falou com o Dr. Pafko sobre o telefonema de Gila Hartung?

— Eu fiz isso?

Moses tenta salvá-la.

— Meritíssima, o Sr. Stern tem em mãos documentos que o governo não viu?

Stern caminha mancando em direção à mesa da promotoria e coloca uma cópia da conta detalhada nas mãos de Moses.

— Meritíssima, acabamos de receber esses documentos da Srta. Fernandez quando ela entrou nesta sala.

Moses e Feld folheiam as páginas. Innis olha para os dois em busca de algum sinal útil, mas os promotores ainda não entendem o que têm em mãos. Nesse meio-tempo, Stern marca outra cópia dos documentos como prova e entrega a Innis.

— Bem, agora chamo sua atenção para a data de 7 de agosto de 2018 nesta conta telefônica, que a senhorita tinha certeza de que ninguém checaria. O que é 322-446-8080?

— Não me lembro.

— Na verdade, se folhear a Prova da Defesa Telefone de McVie-1, a conta detalhada do celular da PT que a senhorita tinha certeza de que ninguém checaria, a senhorita notará que ligou para esse número dezesseis vezes entre abril e agosto de 2018. Consegue ver?

— Não sei.

— Dra. McVie, a senhorita está negando que é isso que o documento mostra?

Innis abaixa a cabeça para olhar o documento e responde que não em voz baixa.

— A senhorita conhece os advogados chamados Pete, Anthony e Christopher Neucriss?

Innis endireita as costas. Sem se dar por vencida, diriam alguns.

— Conheço.

— Dra. McVie, a senhorita sabia que, pouco depois da matéria de Gila Hartung ser publicada no *Wall Street Journal*, o escritório de advocacia dos Neucriss abriu processos por homicídio culposo em nome dos espólios dos cinco pacientes mortos que vinham tomando g-Livia e cujos médicos falaram com a Srta. Hartung? Sabia disso?

— Agora sei.

— A senhora sabia que eles iam fazer isso em 7 de agosto de 2018, não sabia?

Stern lança um olhar duro para Innis. Ao longo de seus oitenta e cinco anos, a vida o ensinou que a ira é uma emoção da qual se extrai pouco prazer, uma emoção perigosa no tribunal, onde a razão deve prevalecer. Mas Stern está desfrutando o momento, mesmo que involuntariamente. A identidade do advogado do condado de Kindle que pediu Innis em casamento havia mais de vinte e cinco anos, o homem que Stern "talvez até conheça", agora é óbvia.

— Estou correto em pensar que a senhorita conhece bem Pete Neucriss há muitos anos?

A expressão de Innis é de pura raiva. Isso é injusto, está pensando ela — essa parte da conversa entre eles era particular. Mas ela corre um grande perigo se negar.

— Está correto.

— E os filhos que trabalham com ele, Anthony e Christopher... a senhorita os conhece desde pequenos, certo?

— Sim.

— Com quem da família Neucriss a senhorita falou na manhã de 7 de agosto de 2018?

— Não tenho certeza.

— Foi Pete, não foi?

— Pode ter sido.

— Qualquer que tenha sido o Neucriss, ele lhe disse que Gila Hartung estava prestes a telefonar para Kiril Pafko?

Ela mexe a cabeça enquanto calcula. Se Innis sabe alguma coisa sobre Pete Neucriss — e ela sabe muito —, é que ele não vai morrer na cruz por ninguém além de si mesmo. Se for perguntado sobre os registros telefônicos, Pete não vai mentir para salvar Innis. Entre outras coisas, Shyla, a terceira Sra. Neucriss — que surgiu após Innis rejeitar o pedido de casamento de Pete —, provavelmente terá um acesso de raiva quando descobrir que seu marido vinha conversando regularmente com Innis, que foi muito mais abençoada pela ação do tempo do que ela.

— Não me lembro.

— Aliás, essa gravação que a senhorita fez do Dr. Pafko após ligar para o escritório dos Neucriss... quantas vezes a senhorita tinha gravado o Dr. Pafko antes desse dia?

— Nunca.

— Mas a senhorita tinha o aplicativo no celular pronto para uso?

— Como já expliquei, eu tinha avisado a Kiril que, se ele ligasse de novo, eu gravaria.

— Mesmo na sua versão, Dra. McVie, esse aviso aconteceu muitos meses antes, correto?

— Protesto contra "sua versão" — diz Moses.

— Deferido. Reformule a pergunta, Sr. Stern.

Ele elimina "sua versão" da pergunta e Innis responde que sim.

— Mas esse aplicativo de gravação estava ligado e pronto para uso quando o Dr. Pafko ligou, não estava?

— Não me lembro se já estava ligado. Simplesmente abri o aplicativo quando vi o número de Kiril.

— Permita-me perguntar novamente na esperança de reavivar a sua memória. Pete e Anthony Neucriss lhe disseram que Gila Hartung provavelmente ligaria para Kiril Pafko naquele dia?

Moses protesta, alegando que a pergunta já foi respondida, mas Sonny indefere, pois Stern também está perguntando se a lembrança dela está mais viva.

— É possível que sim, é tudo o que eu posso dizer.

— E, sabendo disso, a senhorita sabia que Kiril Pafko podia lhe telefonar em seguida?

— Protesto contra "sabendo disso" — diz Moses.

— Essa parte será retirada dos autos — avisa Sonny, em seguida olha para Innis. — A senhorita sabia que o Dr. Pafko podia lhe telefonar em seguida, Dra. McVie?

Ao ouvir a pergunta da juíza, para quem Innis se volta, ela demonstra menos autoconfiança do que tentou exibir com Stern.

— Não me lembro exatamente. Talvez eu tenha pensado assim.

— E quanto às outras catorze ligações para os Neucriss, Dra. McVie? Vai nos dizer que entre abril e 7 de agosto de 2018 a senhorita não avisou aos Neucriss sobre os possíveis problemas com o g-Livia? Os mesmos problemas que os fizeram entrar com as ações cíveis por danos pessoais?

— Não tenho certeza. Não me lembro.

Stern encara Innis do outro lado da sala mais uma vez, até que ela finalmente fraqueja e desvia o olhar. Ele pondera por um segundo, então se aproxima de Pinky e sussurra:

— Minha querida Pinky, por favor, me dê a pasta debaixo do seu cotovelo.

Ela ergue o olhar delineado em preto para o avô.

— Ela é minha, vô — murmura ela.

— Prometo que vou devolver, Pinky. Primeiro dê uma olhada nela, depois me entregue.

Pinky entende rapidamente e é perfeita em seu momento no centro do palco. Até abre um sorriso confiante ao entregar a pasta.

— Bem, Dra. McVie, olhando para essas contas, além dos telefonemas, vejo cinco vezes, entre abril e julho de 2018, em que a senhorita mandou mensagens de texto. Está vendo?

— Sim.

— E todas para o mesmo número?

Ela concorda lentamente. Na frente do júri, Stern pega o próprio celular do bolso do colete por baixo do paletó e mexe na tela com cuidado até abrir os contatos.

— 322-204-8080. É o celular de Pete Neucriss?

— Acho que sim.

— Vou perguntar novamente, na esperança de que sua memória esteja menos enevoada: a senhorita se lembra de avisar ao Sr. Neucriss sobre a possibilidade de que, no segundo ano de uso, o g-Livia poderia causar um choque anafilático letal ou algum outro tipo de síndrome capaz de levar à morte súbita?

— Eu fiz isso? — pergunta ela a Stern, com medo de ele usar a pasta que tem em mãos para responder à pergunta. Ao ouvir a resposta de Innis, Stern abre a pasta e olha para o documento, que na verdade é um panfleto para um show de uma banda de rock aparentemente chamada Fire-Breathing Cattle, que acontecerá mês que vem.

Moses se levanta.

— Podemos ver o documento que o Sr. Stern está segurando?

Stern assente.

— Meritíssima, antes de mostrar o documento para a Dra. McVie, eu certamente o mostrarei ao Sr. Appleton. Mas, antes, gostaria de ter uma declaração firme para os autos. Dra. McVie, a senhorita nega que entre abril e maio de 2018 avisou Peter Neucriss que o g-Livia tinha um histórico de causar mortes súbitas?

— Em abril?

— Sim ou não, Dra. McVie? A senhorita nega que ao longo desses meses de 2018 conversou com os Neucriss e disse que o g-Livia podia causar a morte súbita de pacientes?

Innis lança um olhar para os promotores, depois para o colo e responde:

— Não, não nego.

Ao ouvir a resposta, Stern olha de relance para a bancada do júri. A Sra. Murtaugh acena sua cabeça grisalha, e o Cara com Rabo de Cavalo está olhando para um colega por cima do ombro e sorrindo. Os repórteres se movimentam, e Stern ouve um deles correr até a porta. Sem olhar para trás, imagina que seja Carla Mora, do *Boletim Jurídico* do condado de Kindle, que já publicou várias histórias sobre os Neucriss ao longo das décadas.

— Agora, Dra. McVie, quero chamar sua atenção para 5 de dezembro de 2018. Quando a senhorita depôs diante do júri de acusação aqui no condado de Kindle, se lembra de ter dito aos jurados que "não sabia nada sobre a possibilidade de o g-Livia causar mortes súbitas até falar com o Dr. Pafko em 7 de agosto de 2018"? A senhora disse isso?

Innis finalmente esmoreceu. Olha de um lado para outro e mexe a boca como um peixe em terra firme, desesperado por água. Seus olhos claros novamente apontam para o colo, então se vira abruptamente para Sonny e pergunta:

— Eu preciso responder a mais perguntas? — indaga ela.

Sonny titubeia, nitidamente pega desprevenida. Ela encara Innis por um instante, depois vira para o outro lado e passa os dedos pelo cabelo espesso. O gesto chama a atenção de Stern, porque ele já viu Sonny fazer isso inúmeras vezes em particular, mas nunca sentada ali. Após um segundo, a juíza aponta para Moses e pergunta:

— Sr. Appleton, permita-me perguntar: a Dra. McVie foi intimada a depor?

Ele se levanta.

— Sim, Meritíssima.

— Tudo bem — diz Sonny. — Vou pedir que o júri se ausente por um segundo.

Enquanto os jurados estão saindo, Marta se aproxima do ombro do pai, pega a pasta com cuidado e a abre.

— Fofo — murmura ela com o rosto impassível.

Assim que a porta dos jurados se fecha, Sonny se dirige a Innis. Ela está sentada no banco das testemunhas com um olhar vago e o que ela própria provavelmente consideraria uma má postura. Usando a palavra da moda, Stern torce para que ela esteja pensando: "Estou fodida."

— Dra. McVie, a senhorita tem um advogado? — pergunta a juíza. — Alguém com quem possa se aconselhar a respeito do seu depoimento?

— Não no momento — responde Innis.

A juíza pede a Moses para ver o documento de acordo assinado por Innis com o governo. Embora a sala esteja lotada, o silêncio é tão grande que dá para ouvir os sapatos de Moses raspando no chão quando ele se aproxima da juíza. Sonny estuda o documento por alguns segundos, então se dirige a Innis. Pensando na pergunta anterior de Sonny, Stern compreende o que está se passando na cabeça da juíza. Como Innis está depondo sob intimação, está sendo coagida a responder perguntas.

— Dra. McVie, antes de decidir se é possível, mas presumindo que seja, a senhorita está me perguntando se pode invocar a Quinta Emenda para não ser coagida a produzir provas contra si mesma de modo a evitar responder a mais perguntas?

Innis ergue a cabeça e olha para a juíza por um instante.

— Acho que sim — responde. Em seguida, assente não só com a cabeça, mas também com o tronco. — Sim.

— Certo — diz Sonny. — Certo. Vou discutir o assunto com os advogados no meu gabinete. Por gentileza, Dra. McVie, vá para a sala de advogados e testemunhas, que fica do outro lado do corredor. A oficial de justiça vai lhe mostrar onde é. Mas, por favor, não fale com ninguém sobre seu depoimento. Entendido?

Em grupo, os advogados e Sonny entram no gabinete da juíza. O escrivão de Sonny a ajuda a retirar a toga. Com um gesto, ela pede que os advogados ocupem as cadeiras ao redor da mesa de reunião.

— Quando você pensa que já viu de tudo... — diz ela. — Vamos conversar um pouco sobre o que aconteceu. Ninguém está se comprometendo com nenhuma posição. Só quero saber o que vocês pensam. Moses, estou certa ao pensar que a Dra. McVie não recebeu garantia legal de imunidade?

— Sim, Meritíssima. — Segundo a lei, embora a promessa de um procurador da república possa proteger a testemunha de ser processada, só uma garantia formal de imunidade, prevista em lei, é capaz de se sobrepor à invocação da Quinta Emenda e forçar uma testemunha a depor.

— E o senhor quer dar à Dra. McVie imunidade agora para que ela termine o depoimento?

O rosto de Moses fica impassível enquanto ele raciocina.

— Bem, primeiro quero ver as mensagens de texto que estão com Sandy.

Compreendendo sua posição diante da juíza, Stern imediatamente diz:

— Eu não tenho mensagens de texto. Aliás, nunca disse que tinha.

Moses bufa exasperado. Sonny observa Stern, provavelmente recapitulando a sequência de acontecimentos no tribunal.

— Jogou um verde? — pergunta ela.

Stern assente.

— Bom para você — diz ela. — Bem, Moses, acho que você vai precisar de uma intimação para ter acesso a essas mensagens.

— Isso se a empresa ainda tiver esses registros — diz Feld, indignado.

Sonny dá de ombros.

— Seja como for, vocês vão dar imunidade formal à Dra. McVie?

Moses balança a cabeça lentamente.

— Duvido.

Dar imunidade a Innis agora dificultaria muito uma possível denúncia contra ela por perjúrio e praticamente impossibilitaria qualquer ação penal contra ela por quaisquer outros crimes que ela possa ter cometido. Nenhum procurador estaria ansioso a fazer isso por uma testemunha que descumpriu o acordo de dizer a verdade.

Feld prende a atenção do grupo por alguns minutos sugerindo que o depoimento de Innis até o momento tira dela o direito de invocar a Quinta Emenda. Minnie, a taquígrafa, entra na sala e lê em voz alta trechos do depoimento de Innis, e Elijah, um dos escrivães de Sonny, relembra vários casos semelhantes. Nenhum dos lados discorda quando

Sonny conclui que Innis mantém o direito de invocar a Quinta Emenda neste processo, pelo menos no que diz respeito a perguntas sobre o que ela sabia a respeito das possíveis reações letais ao g-Livia.

— Certo — diz a juíza após a conclusão da discussão jurídica. — Então o que faremos?

— Acho que o depoimento dela deve ser completamente retirado dos autos — diz Stern.

— Não! — exclama Marta, erguendo as duas mãos.

Ela cochicha com o pai. Já refletiu sobre a situação bem mais a fundo que Stern. A gravação que Innis fez no telefone com Kiril será considerada prova mesmo que o depoimento dela seja retirado. Os caras da análise forense já checaram a data e a hora, e outra pessoa — Lep, por exemplo — pode identificar as vozes. E se o depoimento de Innis for retirado, a defesa será proibida de fazer qualquer referência às suas mentiras nas alegações finais. Por outro lado, se o que Innis disse permanecer nos autos, Moses, sendo tão honesto, jamais endossará a honestidade dela, ao passo que os Stern terão liberdade para ridicularizá-la.

— Retiro minha sugestão — diz Stern.

— Então vocês não vão mudar de opinião? — pergunta Sonny.

— Queremos que ela invoque a Quinta Emenda diante do júri — sugere Marta. Ela quer assegurar a invocação da Quinta Emenda em frente ao júri.

Feld se opõe, argumentando que os jurados vão entender, com isso, algo que a lei não apoia. Embora a Suprema Corte já tenha dito diversas vezes que a Quinta Emenda pode ser utilizada por qualquer um que tema ser alvo de ação penal, quer seja inocente ou culpado, se Innis invocar a Quinta Emenda diante dos jurados, eles provavelmente vão tirar apenas uma conclusão: ela violou a lei. Marta argumenta que a juíza pode corrigir essa inferência com instruções e que o direito de Kiril de confrontar as testemunhas que depõem contra ele significa que o júri deve considerar o depoimento de Innis até seu final, não importa como ele termine. Assim como muitas outras disputas judiciais entre acusação e defesa, o assunto é bem complicado, o que faz Sonny pedir que seus dois escrivães façam pesquisas no computador. Após quase uma hora, a juíza retorna à sala de julgamento. Innis é chamada de volta e fica de pé imediatamente abaixo da juíza.

— Dra. McVie, a senhorita ainda deseja invocar a Quinta Emenda para não ter que responder a mais perguntas?

Innis diz que gostaria de falar com um advogado, mas Sonny se recusa a atrasar o julgamento ainda mais.

— Lamento, Dra. McVie, mas a senhorita teve tempo suficiente para se consultar com um advogado antes de hoje.

— Então vou invocar a Quinta Emenda — responde Innis, decidida. Aparentemente, já recuperou sua antiga postura e parece tão corajosa quanto suas respostas.

— Tudo bem, a senhorita está dispensada como testemunha.

Quando o júri retorna à sala, Sonny diz:

— A Dra. McVie decidiu invocar seu direito constitucional de não responder a mais perguntas de ambos os lados. Portanto, o depoimento dela foi concluído, e vamos encerrar por hoje.

Ao se dirigir aos jurados, Sonny faz parecer que isso acontece o tempo todo, mas após os catorze saírem outra vez, ela olha para os advogados e diz novamente:

— Quando você pensa que já viu de tudo...

26. AS ANOTAÇÕES DE STERN

Kiril está furioso ao fim da sessão.

— Eu não acredito — repete ele. — Não acredito.

Tudo o que aconteceu com ele nos últimos quinze meses tem origem em Innis e em sua dica para os Neucriss: o *Wall Street Journal*, as ações cíveis, a FDA invalidando a aprovação do g-Livia, e o pior de tudo: a ação penal. Enquanto fazia pergunta atrás de pergunta sobre as contas telefônicas a Innis, Stern estava pensando apenas uma ou duas perguntas à frente, e não sopesou as implicações de que Kiril se deu conta. A pergunta sobre a qual Stern deve refletir quando tiver mais tempo é se Innis planejou tudo ou se apenas viu o estrago acontecer em cascata após tomar a decisão rancorosa de vazar as informações sobre os problemas com o g-Livia para seu velho amigo Pete.

Stern diz a Kiril que eles podem conversar sobre tudo isso no escritório, mas Kiril não quer voltar. Stern entende de imediato: após ir ao fórum com os registros telefônicos, neste momento Olga deve estar esquentando a cama no University Club.

— Sinto muito, Kiril, mas preciso ter uma conversa importante em particular com você no escritório.

Kiril está nitidamente surpreso com o tom de seu advogado. Em geral, os dois sempre são polidos um com o outro, mas Kiril concorda e diz que vai de carro até lá. Nesse meio-tempo, Marta e Pinky se juntam a Stern no Cadillac conduzido por Ardent.

Assim que a porta se fecha, Marta abraça a sobrinha com os dois braços.

— Incrível, não é pai? Foi muito inteligente.

— Genial — concorda Stern. — Sério, Pinky, você mudou completamente o rumo do julgamento.

Marta pergunta a Pinky como ela pensou no celular corporativo.

— Então, tipo, eu sabia que hoje de manhã os promotores iriam trazer os registros dos telefonemas dados do escritório de Kiril, e eu disse a Janelle quando estava lá ontem à noite: "Meu Deus, ele estaria numa situação muito melhor se tivesse ligado para a corretora do celular corporativo." Tipo, eu também achava que esses registros evaporavam depois de alguns meses. Mas Janelle sabia que o detalhamento precisa ficar on-line por quatro anos. Daí eu pensei: bem, já que vamos pegar todos os documentos da rescisão de Innis, vamos pegar os registros telefônicos também. Foi só um palpite — diz Pinky, mas ela não consegue conter o sorriso largo de orgulho no rosto.

— Acho que, aconteça o que acontecer, Kiril vai pagar seu ingresso para assistir ao show do Fire-Breathing Cattle — brinca Stern.

O carro balança com as gargalhadas, até de Ardent no banco da frente, que não sabe exatamente qual é a piada.

Os três se separam ao chegar ao escritório da Stern & Stern. Enquanto espera Kiril, Stern percebe que Vondra deixou uma pasta em sua mesa. Ao abrir, descobre que são as anotações da conversa com Olga no mês de março, que de fato aconteceu no mesmo dia em que ele foi tirado da estrada. Ele examina a folha de papel almaço e acaba se lembrando de mais detalhes da conversa do que o neurologista teria lhe dito ser possível.

Ele faz conjecturas sobre o que Olga pode ter entendido com base em suas perguntas, então vai para perto da janela, em um estado de espírito propício para um devaneio. Do trigésimo oitavo andar das Morgan Towers, o rio tem uma cor de ardósia e, conforme o sol se põe, é decorado como um bolo com um brilho cor de framboesa. Com o passar do tempo, Stern foi compreendendo as nuances dos diversos tons de Kindle. Pela tonalidade ele sabe se a pressão atmosférica está maior ou menor, ou se as nuvens vão se dissipar. Esse é o valor da experiência, supõe ele: ser capaz de compreender o significado dos sinais, saber o grande impacto sinalizado por pequenas coisas.

Embora não tenha pensado no assunto até agora, a inquirição cruzada de Innis é, muito provavelmente, a última que ele fará na vida. Para permitir que Sandy se concentre nas alegações finais e — seja o que Deus quiser — no depoimento de Kiril, Marta vai lidar com o que ainda houver de testemunhas remanescentes do governo. A inquirição cruzada é a alta arte da advocacia de defesa, a essência do que a Constituição diz ao garantir aos réus o direito de confrontar as testemunhas que depõem contra eles. A última vez de Stern vai entrar para a história como um gol de placa; existe um sinal mais evidente de sucesso do que forçar uma testemunha a invocar a Quinta Emenda para se calar no meio de um depoimento — algo que aconteceu pela primeira vez até com ele? Mas Stern sabe que o que vai acompanhá-lo é a sensação de desorientação total que sentiu no começo do julgamento, a inépcia. No início, ele não estava nem chutando a gol — na verdade, estava correndo para todos os lados, tentando descobrir que esporte estava praticando. É um bom momento — na verdade, já passou o momento — de ele abandonar o tribunal. Graças a Deus Pinky o salvou, pensa ele. Aliás, isso também é algo que aconteceu pela primeira vez.

Vondra telefona: Kiril está chegando. Stern se senta à mesa de trabalho como se fosse um diretor de escola. A conversa não será agradável. Ele não se levanta quando Kiril é conduzido à sala. Pafko parece animado, com uma postura mais enérgica. Do outro lado da sala, Stern sente um forte cheiro e conclui que Kiril tomou um banho da loção pós-barba que já viu algumas vezes no porta-luvas do carro de seu cliente. Até agora Stern não tinha dado muita importância ao fato de Pafko fazer isso com tanta frequência.

— Sei que está com pressa, Kiril, então vou direto ao ponto. Precisamos falar sobre Olga.

— Olga?

Pafko atira seu sobretudo — que combina com o de Olga — no braço da poltrona e cruza as pernas. Faz o possível para parecer perplexo.

— Kiril, como Olga sabia que nós estávamos procurando os registros do acordo de rescisão de Innis? Ela não trabalha com documentação na PT, certo?

— Valha-me Deus, Sandy. Você está reclamando porque ela tomou a iniciativa? Achei que ficaria empolgado com o que ela trouxe.

— Kiril, você não está respondendo à minha pergunta. Como ela sabia?

— Sandy, lá na sede só se fala do que está acontecendo no tribunal. De hora em hora o *Tribune* publica uma atualização do julgamento. A página fica aberta na maioria dos computadores.

— Mas o *Tribune* não publica notícias sobre quais documentos estamos usando. Eu pedi a Janelle várias vezes para não discutir esse assunto com ninguém além dos advogados externos contratados pela sua empresa. Não queremos dar ao governo margem para nos acusar de influenciar as testemunhas. Então, como Olga sabia o que estávamos procurando?

Pafko comprime os lábios e não responde.

— Kiril, você mentiu para mim sobre seu relacionamento com Olga.

O último esforço de Pafko para manter uma fachada de animação desaparece.

— Ah... — diz ele.

— "Ah..." — repete Stern. — Dias atrás você se sentou exatamente onde está agora e mentiu na minha cara.

— Na verdade, Sandy... — começa ele, mas Stern o interrompe.

— Chega de truques, por favor, Kiril. Nós nos conhecemos há muito tempo.

— Você nos viu ontem à noite no clube? — pergunta Pafko.

— Exato.

— Posso explicar?

— Prefiro que você pense com todo o cuidado antes de me dizer mais alguma coisa que eu descubra ser mentira no futuro. O desfecho do depoimento de Innis foi uma grande vitória para a sua defesa, mas

Moses vai se recuperar do golpe e fazer a pergunta lógica. Lógico que Innis sabia das mortes súbitas, talvez muito antes de sair da empresa. Mas como? A área dela não era a pesquisa médica. Quem contou a ela? Quem mais poderia ter contado, senão você?

— Sério, Sandy...

— Não. — Stern ergue a mão. — Prefiro que você escute. Você pode mentir para mim sobre Innis. E sobre Olga. Mas não quando isso me expõe. O que me leva ao meu último assunto. Como vimos, a intuição de Pinky como investigadora é muito mais apurada do que se imaginava. E neste exato momento ela tem uma teoria de que você não quer me entregar o registro de uso da frota de carros da PT porque sabe que eles vão sugerir que foi Olga quem me tirou da estrada em março.

— Olga? — O rosto enrugado de Kiril se contorce em várias expressões, mas, para Stern, nenhuma delas parece sincera. — E você também acha isso?

— Acho que é um pouco mirabolante, mas essa é uma pergunta que vale ser feita. Acontece que eu passei aquela tarde de março com Olga antes de sair da PT. Nós encontramos as minhas anotações, Kiril. Aqui estão. — Ele levanta a pasta. — Que segredos Olga não quer que eu saiba?

— Bem, não faço ideia, Sandy.

Stern balança a cabeça. Algo lhe diz que Kiril está mentindo, embora as anotações da conversa com Olga não tenham nada que ele possa apontar como suspeito. Na época, Stern havia acabado de saber que Kiril tinha mandado para Olga o e-mail com a captura de tela dos dados do ensaio clínico ainda inalterados, e Stern foi incisivo, sobretudo quando ela alegou que nem sequer sabia interpretar os dados da imagem anexada no e-mail. Stern nunca foi um taquígrafo ao fazer as anotações durante as entrevistas, preferindo se concentrar na interação com a pessoa com quem está falando. Por hábito, as perguntas e respostas que ele registra no papel são apenas resumos de conversas mais longas. O objetivo é apenas ter no papel uma ideia do que foi discutido.

"por que Kiril mandou dados que vc não sabe ler???", dizem as anotações. "R: não sei explicar o que os outros fazem."

"com + d 20 anos no ramo, você não sabe interpretar dados? R: não é minha tarefa"

"quem pode confirmar que você não lê os dados? R: não sei"

"quem ajuda a ler dados parecidos com esses? R: alguém da área de pesquisa"

"quem? Lep? ele está a 3 portas daqui. R: não incomodaria Lep. Quase não falo c/ ele"

"kiril? R: não peço ao presidente para me ajudar a fazer meu trabalho"

"quem? R: não sei. nunca olhei o anexo, então não posso dizer"

Foi uma conversa bastante mal-humorada. Antes de sair da sala de Olga, Stern tentou acalmar os ânimos explicando que estava apenas encenando para ver como ela se sairia na inquirição cruzada caso fosse convocada a depor. Mas o clima desagradável entre eles permaneceu. Olga provavelmente ficou irritada, pensando que Stern não deveria ter tentado dar uma de dentista com um cavalo dado, mas agradecido por ela estar confirmando a versão de Kiril. Porém, lendo as anotações antes de Kiril chegar e tentando determinar por que aquela primeira conversa pode ter ligado o alarme de Olga, Stern imaginou que talvez ela tenha se assustado por ele estar tentando descobrir como aliviar a barra de Kiril, caso o persuadisse a se declarar culpado. Pelas diretrizes utilizadas para se determinar uma sentença em um tribunal federal, sempre é bom para o réu entregar outro caso nas mãos do governo, mesmo que seja alguém menos culpável. Como Kiril enviou a Olga a captura de tela com a base de dados inalterada, ela era a principal candidata a ser entregue por Pafko. É difícil de acreditar, mas talvez ela estivesse tão em pânico que tenha ido atrás de Stern.

— Sandy, ainda não entendo por que você se convenceu de que aquilo não foi acidente — diz Kiril.

— Para ser sincero, Kiril, não estou nada convencido disso. O fato de a PT ser dona de seis Malibus brancos pode ser só uma coincidência, e talvez eu tenha sido uma vítima aleatória de um maníaco perigoso.

Mas o fato de você ter mentido para mim sobre Olga me faz questionar o que mais está escondendo para proteger Olga ou a si mesmo. Por isso estou pedindo de forma bastante enfática que nos deixe ver os registros da PT que tenham qualquer coisa a ver com a frota de Malibus, incluindo os registros de retirada de automóveis na última semana de março deste ano. Pela confiança que temos um no outro, é essencial que você nos permita fazer o que for necessário para dar um fim a essa questão.

A cor dos olhos de Kiril se anuvia — o primeiro sinal verdadeiro de preocupação.

— Bem, Sandy, se você insiste...

— Eu insisto.

Kiril assente com a cabeça diversas vezes, então se levanta com o sobretudo.

— Bem, isso é bastante confuso — comenta Kiril.

— Nisso concordamos — diz Stern.

Seu cliente parece perplexo e idoso, mas assim que chega à porta parece revigorado. Stern só precisa de um segundo para concluir que Kiril já está pensando na visita ao University Club.

V. ALEGAÇÕES FINAIS

27. A ACUSAÇÃO ENCERRA

Nesta quinta, pela primeira vez desde o começo do julgamento, Kiril chega atrasado ao tribunal. Stern teme imediatamente que a preguiça de Pafko tenha algo a ver com a forma dura como falou com seu cliente ontem à noite. Quando Stern acordou hoje de manhã, estava cheio de remorso. Sim, como costuma acontecer com clientes acusados de crimes, Stern já viu muita coisa que não admira em Kiril, mas seu trabalho é representar o homem, não o julgar. Além do mais, alguns anos antes houve um momento naquela sala de exame na Faculdade de Medicina de Easton que nenhuma pessoa decente jamais poderia esquecer — o momento em que Kiril realmente ressuscitou o espírito de Stern.

Pafko chega no exato momento em que a juíza se senta em sua cadeira. Entre tantos outros pensamentos, Stern tinha a esperança de que Kiril estivesse atrasado porque está trazendo Donatella, que ainda não voltou a comparecer ao julgamento, mas o réu chega sozinho. Pensando bem, Stern se dá conta de que não deveria estar surpreso.

Antes de a juíza chamar o júri, Feld pede para falar com ela. A noite de ontem deve ter sido longa e difícil para a acusação. Não que os seus argumentos tenham desmoronado ontem à tarde. Basicamente, Innis era uma testemunha de corroboração, confirmando as histórias de Lep e Hartung; os comentários de Kiril continuam na gravação que ela fez. Mas as mentiras que Innis contou e que não tinham sido detectadas pelo governo anteriormente causaram um estrago enorme, e os promotores com certeza passaram muitas horas tentando pensar em formas de se recuperar do golpe. O primeiro pedido de Feld é que o governo tenha permissão para reproduzir novamente trechos da gravação do telefonema entre Innis e Kiril em 7 de agosto de 2018. No pódio, a primeira resposta de Marta é: "Isso é ridículo." Feld defende sua ideia melhor do que Stern esperava. A lógica dele é de que, como Innis não está disponível para a reinquirição, o governo deveria ter permissão para reabilitá-la por outros meios.

— Mas não repetindo provas que o júri já ouviu — responde Sonny. — Não tenho dúvida de que o Sr. Stern adoraria responder ao seu pedido relendo os trechos finais do depoimento da Dra. McVie, o que eu também não vou permitir. O que mais?

O governo também quer reconvocar o perito em leis de valores mobiliários para falar sobre questões jurídicas quando um plano 10b5-1 é extinto mediante uma oferta pública de compra da empresa. O objetivo é enfatizar que a denúncia por uso ilegal de informações privilegiadas não foi prejudicada pelos acontecimentos de ontem e, com isso, terminar os trabalhos com chave de ouro. Mas a juíza também rejeita esse pedido.

— Os senhores estavam no seu direito ao trazer o depoimento de um perito para explicar como funciona o mercado de ações e qual é o objetivo das leis que combatem o uso ilegal de informações privi- legiadas. Mas nada do que eu ouvi ontem justifica reconvocar uma testemunha. Esse pedido também está negado.

O único consolo da acusação é que, apesar dos protestos dos Stern, a juíza permite que o agente especial Khan deponha como testemunha, para resumir e repassar a cronologia dos acontecimentos de 2014 até 2018. Khan está bem no banco das testemunhas — magro e em forma, de terno azul e gravata vermelha, o cabelo preto brilhante partido tão perfeitamente que dá para imaginar que a divisão foi feita com um instrumento cirúrgico. Feld apresenta várias tabelas e quadros para acompanhar o depoimento de Khan, mas, mesmo com esse auxílio, o testemunho de Khan não dura mais que vinte minutos. Em seguida,

Marta confere com o pai, se levanta, balança a cabeça e diz "Nada", o que significa que eles não vão se dar o trabalho de inquirir a testemunha. Vários jurados reagem com um sorriso.

Após a saída de Khan, Feld reapresenta mais de cem provas, só para ter certeza de que elas foram recebidas como provas. Ao final, Moses se levanta atrás de Feld, olha primeiro para a juíza, depois para o júri e, com uma voz poderosa, diz:

— Os Estados Unidos encerram a produção de provas.

— Certo, senhoras e senhores — diz Sonny ao júri. — Os senhores lembram que quando começamos eu disse que um julgamento tem várias fases. Os senhores ouviram os debates orais de ambas as partes, e uma parte da instrução plenária acaba de ser concluída. A acusação terminou de apresentar suas provas. Agora, a defesa pode apresentar as dela, embora, como eu disse quando começamos, essa decisão está inteiramente nas mãos do Dr. Pafko e seus advogados. Em um processo criminal, a Constituição dos Estados Unidos exige que apenas a acusação apresente provas, e os senhores não podem fazer qualquer inferência caso a defesa escolha não fazer o mesmo. Antes disso, porém, tenho alguns assuntos para resolver com os advogados de ambas as partes, portanto vou mandar os senhores para casa para descansar no fim de semana. Nos vemos segunda-feira.

Os jurados fazem fila para sair. A última é a Sra. Murtaugh, que está com um novo penteado em seu cabelo grisalho e vem encarando Kiril frequentemente ao longo do julgamento. Mais uma vez ela lança um olhar para trás, na direção da mesa da defesa, antes de sair da sala. Tentar interpretar o significado desses gestos é como tentar acertar a resposta de uma charada. A jurada está aturdida por estar na presença de um homem verdadeiramente mau ou acha que um grande cientista está sendo perseguido por alguns errinhos insignificantes? Os Stern só saberão com o veredicto — isso presumindo-se que alguns dos colegas dela não a façam mudar de ideia. Ela parece uma pessoa conciliatória demais para ser "do contra".

— Certo — diz Sonny. — Estou preparada para ouvir os pedidos de ambas as partes.

A defesa renova todas as suas objeções a provas e depoimentos, e em seguida Marta pede que o veredicto seja proferido por Sonny — e não pelo júri —, argumentando que o governo não apresentou provas suficientes para corroborar nenhuma acusação da denúncia. No geral, essa é a parte do julgamento que Stern basicamente detesta, e ele está feliz por Marta ter concordado em tomar a frente, mesmo que seja a última vez dos dois. Essa parte é praticamente uma armadilha para advogados de defesa, que precisam especular sobre todo e qualquer argumento da acusação por medo de que, do contrário, o juiz da segunda instância vá dizer que a defesa abriu mão de argumentos ao não ter sido apresentado ao juiz da primeira instância.

Além do mais, as leis e a prática institucional basicamente proíbem a defesa de vencer agora, mesmo que seja merecido. De acordo com a lei, o julgamento que o juiz fará das provas não pode suplantar o do júri. Em vez disso, Sonny deve examinar as provas "do ponto de vista mais favorável à acusação". Isso significa que, mesmo depoimentos em descrédito, como o de Innis, devem ser considerados totalmente verdadeiros. Também não importa que a prova sobre a venda de ações de Kiril seria mais convincente se a Srta. Turchynov, a corretora, tivesse ido depor; a essa altura, os registros da empresa de corretagem são suficientes para provar as transações. Naturalmente, há uma verborragia jurídica para descrever a norma, mas o que ela diz basicamente é que nesse momento o juiz deve deixar o júri decidir o caso, a não ser que só um louco seja capaz de considerar o réu culpado.

Assim como qualquer advogado de julgamento, Stern tem suas reservas com relação a júris. Por um lado, considera que o papel deles é fundamental para a liberdade. Por outro, na sala secreta, às vezes eles constroem uma realidade que não tem nada a ver com o que ouviram no tribunal. Como advogado, você trabalha no caso seguindo regras centenárias, enquanto eles se recolhem na sala para deliberar e decidem que estão jogando SimCity, ou outro jogo de computador que os netos adoram, onde o universo construído em nada lembra o mundo real.

Por causa disso, Stern considera importante que o juiz de primeira instância pense bem para decidir se as várias questões factuais apresentadas durante o julgamento devem realmente ser decididas pelo júri de acordo com a lei. Para Stern, as acusações de homicídio são ridículas. Após trabalhar em dezenas de casos de homicídio ao longo das últimas cinco décadas, ele sabe por instinto que a legislatura estadual nunca aprovou a lei com a intenção de vê-la aplicada ao presidente de uma empresa fabricante de medicamentos que, resumidamente, lançou um bom produto no mercado. No entanto, a essa altura qualquer juiz de primeira instância quer "deixar a decisão nas mãos do júri". A chance de Sonny descartar essa parte da denúncia é praticamente nula. Em um caso que recebeu tanta atenção pública, ela fica ainda mais relutante em intervir. E há também o fato de que, do outro lado da sala, na mesa da acusação, há um amigo da juíza sentado; seria uma vergonha enorme para Moses se ela dissesse ao mundo que a acusação que ganhou as manchetes dos jornais não foi bem defendida por ele.

Mas esse tipo de cálculo alheio ao caso facilita que ocorram injustiças. Quando os jurados derem o veredicto, respeitar o seu serviço — e ao final do julgamento eles terão aberto mão de um mês de suas vidas como soldados conscritos enviados para uma terra de enigmas e práticas antigas — significa que os juízes da segunda instância se mostrarão igualmente relutantes em contrariar o veredicto original. Assim, se for condenado, Kiril Pafko vai morrer na cadeia por um crime pelo qual, de acordo com a lei, jamais deveria ter sido acusado.

Mas é assim que funciona. Para Stern, a justiça feita nos tribunais é aproximada e rudimentar. Ali sentado enquanto assistia à produção das provas, mesmo que ele e Marta tenham desmantelado uma a uma, a relutância visceral de Stern em aceitar a culpa de Kiril diminuiu consideravelmente. Sim, a chance de seu amigo ter feito algo muito errado é bem grande. Mas não tão ruim a ponto de lhe render uma morte solitária na cela de uma prisão federal.

Inspirada por uma percepção semelhante, Marta ataca vigorosamente a denúncia, sobretudo as acusações de homicídio. Sonny escuta a advogada com uma expressão de quem está prestando total atenção.

Assim que Feld responde, um tanto abatido, limitando-se a citar a lei, Sonny diz:

— Quero refletir sobre a minha decisão de hoje para amanhã. Vou pedir que o escrivão faça mudanças na minha lista de pedidos de sexta. Voltem amanhã ao meio-dia para decidirmos como prosseguir.

A última frase praticamente determina que ela não vai extinguir a ação penal, mas até Stern sabe que isso não teria cabimento.

Após a determinação de recesso, Kiril pede para conversar por um instante na sala de advogados e testemunhas do outro lado do corredor, e Stern se dá conta de como seu cliente deve estar se sentindo desconsolado. Seu filho o acusou. Donatella está ausente. E Sandy, seu amigo e advogado, lhe deu uma bronca feia após a sessão de ontem. Stern se sente exatamente como se sentiu hoje de manhã. O que quer que Pafko seja — um mentiroso, um mulherengo, uma farsa, uma longa lista desabonadora —, Stern deve permanecer a seu lado, primeiro como seu advogado, mas também como um grato beneficiário dos talentos de seu cliente. Assim que a porta se fecha, Stern segura Kiril pelos braços, as mãos nos bíceps do amigo.

— Quero pedir desculpas pelo meu tom na conversa de ontem no meu escritório, Kiril. O cansaço está cobrando o preço.

Stern fala de coração. Quando chega em casa toda noite, parece mais exausto que no dia anterior, tão cansado que às vezes parece que seus ossos vão se desfazer. Para esses momentos ele adotou um mantra: apenas chegue ao fim. As taquicardias súbitas que ele vem sentindo estão cada vez mais frequentes, mas Stern sabe que vão acalmar quando tiver tempo de descansar.

Kiril, muito mais alto, assente com a cabeça várias vezes. Seu rosto parece enfraquecido pela incerteza.

— O que você disse sobre Olga e o carro... foi desconcertante. — Kiril também parece muito idoso; o pensamento necessário para encontrar as palavras certas é lento, e sua fala sai com dificuldade. Seus olhos, com a parte branca amarelada, não se mexem enquanto ele encontra o caminho. — Mas você estava correto.

— Sobre o quê? — pergunta Stern.

— Tem uma coisa estranha. Com os Malibus. Eu parei na PT hoje de manhã a caminho daqui. Pedi a Janelle para encontrar os registros dos quais você tem falado, de retirada de carros da frota na última semana de março deste ano. Como eles pareciam tão importantes para você, pensei em trazê-los.

— Obrigado.

Kiril assente várias vezes, como que reconhecendo a gratidão de Stern, mas ainda demora um tempo antes de dizer:

— Eles sumiram.

— Sumiram?

— Pedi que Janelle me entregasse os livros de registro. São três fichários, Sandy. Não sei exatamente como isso funciona, porque, antes de me suspenderem, Janelle arranjava um carro para mim quando eu queria um, quando o Maserati ia para a oficina ou nós precisávamos de outro carro em casa. Aparentemente, Oscar, o chefe da segurança no estacionamento, mantém os fichários lá. Mas os registros da época sumiram. Janelle e eu olhamos juntos.

— Foram retirados?

— Imagino que sim. Achei melhor lhe contar antes de fazer qualquer coisa.

— Sim. Vamos ver o que fazer a partir de agora.

Agora Stern reconhece o que há de novo no aspecto de Kiril. É um olhar que Stern já viu em muitos outros clientes a essa altura. Finalmente ele está com medo, um sentimento mais que adequado, dada a sua situação. Todas as emoções que Kiril tem negado enfim inundaram seus olhos. Ele está prestes a chorar, exausto, cheio de incertezas, sentindo-se péssimo diante da possibilidade de ser condenado.

— Não posso perder você nessa fase, Sandy — diz Pafko, em um tom nitidamente melancólico.

Stern compreende. Kiril está com medo de que a informação que acabou de dar faça Stern se afastar ainda mais dele. E já ocorreu a Stern que ele precisará perguntar a Janelle em particular a fim de descobrir se Kiril esteve sozinho com esses livros antes da revelação de que os registros de retirada de automóveis tinham sumido. Stern ainda não descarta a possibilidade de Kiril estar acobertando Olga, o que também pode ser um motivo para que ele pareça tão aflito.

Mas não importa. Tal qual um cavaleiro ou um soldado, Stern jurou fidelidade a um ideal: o cliente, não importa o que aconteça.

— Você não vai me perder, Kiril. Isso eu posso garantir a você. — Ele segura o braço de Kiril novamente. — Eu prometo — diz.

No escritório, Marta e Sandy continuam a discussão que já tiveram várias vezes: que tipo de provas eles podem oferecer em defesa de Pafko?

— Você sabe que é por isso que Sonny quer que a gente vá amanhã ao tribunal. Ela quer saber o que esperar da defesa, para ajustar a agenda.

Mais uma vez, pai e filha repassam as opções. Eles contrataram dois peritos, ambos professores renomados, um para tratar dos regulamentos da FDA, outro para a lei de informações privilegiadas. É difícil imaginar um perito sendo mais eficaz em demolir os regulamentos dos ensaios clínicos que a própria Marta. Para a acusação de infringir a lei de informações privilegiadas, o melhor para eles é oferecer sua defesa nas alegações finais, em vez de dar a Feld a chance de reduzi-la a pó durante a inquirição cruzada a um perito.

— Kiril ainda quer depor? — pergunta Marta.

Stern faz uma de suas expressões de incerteza — abre as mãos, arqueia as sobrancelhas, dá de ombros. Assim como seu pai, Marta sabe que, no geral, os réus em casos de fraude são os clientes mais difíceis de convencer a ficar longe do banco das testemunhas. Um pouco como os jogadores compulsivos incapazes de resistir a mais uma aposta, não importa quais sejam as chances de ganhar, esse tipo de réu sempre quer tentar convencer os outros de sua versão da história.

Ao contrário da maioria dos advogados de defesa, Stern prefere que seus clientes deponham, mesmo que apanhem na inquirição da acusação. Se a pessoa parece simpática e é capaz de explicar o crime de uma forma que se aproxime de algo razoável, em geral vale a pena seguir em frente. Cerca de 70% dos veredictos de inocente acontece quando o réu depõe. Por outro lado, quando o acusado depõe, o que se diz é que todas as outras testemunhas perdem a importância. No fundo, a questão é se o réu é capaz de fazer as pessoas acreditarem na sua versão. Para o júri, é oito ou oitenta. Se considerar que a versão do réu é crível o suficiente para dar margem a dúvida, ele será inocentado. Do contrário, o júri irá condenar o réu, não importa o que tenha achado das provas da acusação até esse depoimento.

Marta repete o que ambos já sabem.

— Segundo as diretrizes, Sonny terá que desconsiderar qualquer chance de ele se dar bem na sentença por ser um ganhador do prêmio Nobel, essa merda toda. Se ele for condenado após depor, terá chance mínima de sair da cadeia com vida.

— Marta, se ele for condenado por homicídio, o resultado será o mesmo.

Se há algum motivo para pensar que Kiril não parecerá um mentiroso desesperado no banco das testemunhas, talvez valha a pena tentar, com o objetivo de neutralizar as acusações de homicídio. Mas Stern tem dúvidas quanto às chances de as pieguices antiquadas de Kiril caírem bem no grupo de jurados. Durante a inquirição, a acusação vai expor mentira após mentira — sobre ele não saber nada da captura de tela da base de dados em seu computador, sobre não ter ligado para Wendy Hoh, sobre não se lembrar das conversas que Lep citou no depoimento. E, como cereja do bolo, a acusação pode muito bem ter permissão para expor décadas de traição a Donatella, o que Sonny pode considerar justo, tendo em vista que Kiril colocará sua credibilidade em questão ao se sentar no banco das testemunhas. Por esse mesmo motivo, Kateb ou outras testemunhas que tenham algo semelhante a dizer também podem ser convocados pela acusação.

Como um homem com dor de dente que considera a extração a única coisa pior que a própria dor, Stern jura que eles vão resolver tudo isso amanhã, após as decisões da juíza. Em seguida, desce o prédio com Ardent e vai até o Cadillac. Assim que saem da garagem, ele enfia a mão no bolso e pega o celular. Donatella reconhece a sua voz.

— Sandy, a que devo o prazer?

— Donatella, estou ligando, antes de tudo, para saber se você e eu continuamos amigos.

— Sim, lógico, Sandy. — Mesmo na privacidade de sua casa, ela baixa a voz e continua: — O que Kiril fez com a minha família não é culpa sua.

— Então você não está afastada do tribunal porque está chateada comigo?

A pergunta de Stern é um esforço diplomático. Tendo em vista que Kiril tem desfilado em público com Olga novamente, Stern sabe perfeitamente por que Donatella parou de ir ao tribunal. Qualquer que seja o acordo entre os Pafko, Kiril ultrapassou os limites e ela não sente mais necessidade de apoiá-lo.

— Óbvio que não — responde ela.

— Então, Donatella, eu imploro que, por favor, você volte.

Assim como já fez com Kiril, Stern explica a Donatella que a sua ausência pode dar aos jurados a impressão de que ela foi surpreendida por algo que ouviu durante a apresentação de provas. Donatella não diz nada, embora ele ouça a respiração rouca no outro lado da linha.

— É sério, Donatella. Se não por Kiril, peço que faça isso por mim. Este é meu último caso. Sei que você viu o esforço que eu fiz. Por favor, não comprometa tudo. Precisamos de você no tribunal.

Até a súplica de Stern em seu próprio nome é recebida com silêncio. Mas esse não é o principal assunto da ligação. Stern faz uma pausa para refletir antes de seguir para o próximo tema. Ainda não teve tempo para processar bem a notícia dada por Kiril de que os registros de retirada dos Malibus desapareceram. Hoje à noite, quando Pinky voltar do escritório para casa, ele vai discutir os próximos passos com ela. Sua neta está acertando todas e merece, mais uma vez, os parabéns. Pode ser que os documentos simplesmente tenham sido arquivados por engano em outro lugar, mas nem Kiril consegue acreditar nessa possibilidade. Após oito meses de cautela e negação, hoje a balança interna de Stern mudou e agora está pesando para a inquietante conclusão de que foi tirado da estrada de propósito. Em seis décadas, ele aprendeu muitas coisas sobre crimes, os motivos e as maneiras de detectá-los.

Mas, em todos os casos, seus cálculos foram feitos com sangue-frio e distanciamento. Ele não está surpreso ao descobrir que a raiva — e o medo — que se sente quando se é vítima de um crime dificulta muito o pensamento racional. Apesar disso, existe uma hipótese alternativa para o que aconteceu naquela estrada, e ele se sente obrigado a investigá-la.

— Donatella, isso é difícil de explicar com poucas palavras, mas quero lhe perguntar uma coisa: no último ano aconteceu alguma vez de você ter que sair da sede da PT e dirigir o Cadillac sozinha para casa após Kiril tirar o Maserati da oficina?

Do outro lado da linha faz-se um silêncio diferente, mais completo, enquanto Donatella assimila a pergunta que deve lhe parecer totalmente aleatória.

— Isso aconteceu, sim, Sandy.

— Existe algum jeito de saber quando?

— Duvido. Posso olhar na minha agenda particular. Talvez eu tenha anotado.

— Cheque o dia 24 de março, por favor.

Ela promete verificar mais tarde e entrar em contato.

Após desligar o telefone, Stern observa a cidade escura passando pela janela do carro conforme se aproximam da estrada federal 843. É a forma como Olga marchou decidida pelo tribunal ontem que fortalece suas suspeitas. Ela percebeu, talvez antes de qualquer outra pessoa, quais eram as implicações dos registros telefônicos de Innis. Olga fez questão de entregar os documentos pessoalmente e se arrumou toda, porque queria que Innis não só visse que ela estava participando de sua queda, mas também percebesse seu prazer em aniquilá-la. O poder impiedoso da ambição de Olga é parte do que chamou a atenção das centenas de pessoas.

Stern não dirá que acredita piamente em nada do que está matutando. Até o momento, eles nem sequer têm certeza de que Olga retirou um dos Malibus no dia em que o carro dele foi atingido. Aliás, nunca terá — exatamente por esse motivo os registros foram destruídos. Mas se Olga de fato saiu à toda do estacionamento da PT no fim da tarde de 24 de março, Stern ainda mantém uma relutância visceral em acreditar que ela foi atrás dele, já que ainda não é capaz de perceber um motivo óbvio para tanto. Por outro lado, o Cadillac que Kiril e Donatella às vezes dirigem é parecido com o antigo carro de Stern, o suficiente para justificar um erro, causado sobretudo por alguém em um estado de extrema ansiedade, vislumbrando o caos que aconteceria em sua vida. Dirigindo a 130 km/h, não haveria muito tempo para checar os detalhes. Mas a Olga que entrou no tribunal com toda aquela energia teria um alvo mais lógico a acertar do que Sandy. Olga queria finalmente remover o último obstáculo entre ela própria e Kiril.

28. OSCAR

Pouco depois das oito da manhã de sexta-feira, Arden leva Stern e Pinky de carro até o estacionamento da PT. Oscar está dentro da guarita de aço entre as faixas de entrada e saída — que é seu principal espaço de trabalho — e levanta a cancela listrada para permitir a entrada deles.

Oscar é um sujeito parrudo de cinquenta e poucos anos e cabelo todo penteado com gel. Está com um casaco de frio azul com gola de pele falsa e um logotipo da PT na altura do coração. Stern se lembra de Oscar assim que o vê. Antes do acidente em março, quando Stern ainda dirigia sozinho, por uma ou duas vezes Oscar usou o carrinho de golfe para pegar Stern ao perceber que ele estava mancando ao sair do carro em uma vaga para pessoas com deficiência. Oscar é um veterano de guerra, um sujeito de bom coração que fez uma piadinha sobre Stern também ser manco. Pelo caminhar de Oscar, Stern acha que o segurança tem uma prótese de perna.

É um dia frio e nublado, tão frio que Oscar não consegue deixar a porta da guarita aberta, mas três pessoas ali dentro ficam apertadas. Apesar disso, Oscar é um anfitrião cortês e serve café de uma cafeteira fumegante que está na janela de trás. A mesa de trabalho de Oscar é, na verdade, uma prateleira na parede da frente. Ele oferece seu assento a Stern, um banquinho de bar com apoio para as costas. De início Sandy recusa a oferta, mas Pinky insiste para que seu avô se sente. Atrás deles, um aquecedor portátil com hélices liga e desliga de forma intermitente.

— Veio por causa dos registros? — pergunta Oscar.

— Mais ou menos — responde Stern.

Oscar assente. A necessidade principal de segurança na PT não é prevenir crimes de rua, mas se proteger de espionagem industrial. Oscar e seu subordinado têm ordens expressas de ficar de olho em desconhecidos, percorrendo o estacionamento regularmente com os carrinhos de golfe, que agora, conforme o inverno se aproxima, ficam totalmente fechados com uma janela de plástico e uma capota de lona.

Stern pede a Oscar um resumo do que aconteceu com o livro ontem, e a resposta não é uma longa história. Janelle apareceu às oito da manhã e pediu o fichário de março. Ela o abriu na frente de Oscar e descobriu que os registros de retirada de automóveis da última semana do mês não estavam ali, então eles procuraram na pasta de abril, pensando que as folhas pudessem estar no lugar errado. Por fim, folhearam todos os meses do ano em busca dos formulários ausentes.

— Acha que esses formulários foram retirados de propósito? — pergunta Stern.

— Só pode ser — responde Oscar. — Quer dizer, não precisa ser um gênio para descobrir como pegar essas folhas. Os fichários ficam aqui enquanto Bill e eu passamos metade do tempo nos carrinhos de golfe pelo estacionamento. Não demoraria trinta segundos para encontrar o que você está procurando, pegar e enfiar no bolso. Não estou perguntando por que alguém faria isso. Por aqui — diz Oscar, olhando para os lados de forma enfática — sempre acontecem coisas que é melhor eu não saber.

A pedido de Stern, Oscar conta como começou o programa de frota de automóveis — basicamente, como uma ferramenta de recrutamento. Cientistas jovens dão importância especial ao tema mudanças climáticas. Por isso, Lep deu a ideia, e Kiril e Innis quiseram criar cargos para os quais não seria necessário ter carro. As instalações da PT ficam do outro lado da rua, onde há uma parada de trem, e a empresa paga o vale-transporte para todos os funcionários que peçam. A frota de Malibus foi adquirida para atender à necessidade ocasional de ir de carro para algum lugar. Mas tudo isso começou antes da era dos aplicativos de carona. Lep já disse a Oscar que, quando os Malibus ficarem velhos, a empresa vai simplesmente pagar o Uber dos funcionários.

O sistema de retirada de carros é bem simples. Oscar tem uma lista de usuários autorizados, que antes precisam entregar a ele cópias da carteira de motorista e também do seguro de automóvel. Qualquer um que saiba que vai precisar de um carro liga com 24 horas de antecedência para Oscar, que preenche um formulário e cede um carro. Pedidos de última hora são aceitos se houver automóveis disponíveis. De um modo ou de outro, porém, o usuário assina o formulário na própria guarita para retirar o automóvel. É um formulário simples, um documento em duas vias que cria uma duplicata em folha amarela. A cópia é retida na pasta guardada na mesa de Oscar até que o carro seja devolvido. Depois disso, os formulários preenchidos ao longo do mês são organizados em um fichário que também fica na mesa, para o caso de surgir qualquer problema.

— E no fim do mês? — pergunta Stern. — Você arquiva os formulários?

— Isso — responde Oscar. — No meu arquivo de pastas de última geração. — Ele chuta uma caixa de papelão no chão. — Innis mandava jogar tudo fora no fim do ano. Se você aparecesse aqui em janeiro, provavelmente não encontraria nada.

— É possível que ninguém tenha retirado um carro na última semana de março? Isso explicaria a ausência de formulários.

— Primeiro de tudo, é impossível passar uma semana sem ninguém pegar um carro. Segundo, essa semana especificamente foi de férias escolares e universitárias. — Por causa das competições esportivas, as escolas e faculdades da região adotam o mesmo calendário. — Em certos momentos... por exemplo, no recesso de Natal, nos feriadões, na Páscoa, no verão, nos fins de semana... não fica um carro da frota no estacionamento. Alguns funcionários acham que nós compramos essa frota para eles não precisarem alugar um segundo carro. Quando recebem visita dos pais ou do filho que faz faculdade em outra cidade, ou quando têm filhos adolescentes que não estão na faculdade, eles simplesmente pegam um carro e se esquecem de entregar por uma ou duas semanas.

— Quem fez isso? — pergunta Stern.

Oscar revira os olhos e balança a cabeça exaustivamente. É melhor nem responder.

— Em algum momento, todos eles já fizeram isso — responde Oscar. — Todos os diretores, todos os vice-presidentes seniores.

— Olga Fernandez já fez isso alguma vez?

Oscar aponta o dedo para Stern.

— Você perguntou, certo? Não fui eu quem falou o nome dela. Mas Olga... sabe a Olga?

— Sei — diz Stern.

— Bem, se você conhece Olga, então sabe que ela anda por todos os lados. Participa de *calls* de vendas, de reuniões grandes, vive indo e voltando do aeroporto. Não estou dizendo que ela não precisa de um carro. Mas, caramba, quando ela tira um Malibu do estacionamento, boa sorte para o pegar de volta. Ainda mais depois que a filha do meio tirou carteira de habilitação. Depois de um tempo eu cheguei nela e disse: "Olha, não deixa sua filha ter aula de direção no meu carro. Se ela raspar o para-lama enquanto está aprendendo, que seja o do seu carro particular."

— Como ela reagiu?

— Olga? Deu uma risada. Ela acha engraçado quando você fica de olho nas gracinhas dela. Mas o que eu vou fazer? Não vou reclamar dela com Kiril. — Oscar semicerra os olhos por um segundo para ver se Stern entende o recado. — Nem com Lep. Esse vive com a cabeça nas nuvens.

— E ela já devolveu um carro com alguma avaria séria?

— Não, não. Alguns arranhões. Nada grave. Não me entenda errado. Olga não foi a única. Ela é a pior, isso com certeza. Mas todo mundo que costuma usar esses carros vez ou outra acaba ficando um tempão com eles. Quando Innis estava aqui, controlava tudo com mão de ferro. Mas, quando ela saiu, todo mundo começou a se perguntar:

"Para que ter seis carros aqui parados no fim de semana?" É justo. Mas, em vez de fazerem rodízio, o povo simplesmente pega os carros e não devolve mais.

— E Kiril?

— Sempre que o carro dele estava na oficina. Até que foi suspenso. Aí os advogados disseram que ele não teria direito a nada.

— Então Kiril nunca pegou nenhum Malibu depois de ser denunciado?

— Nunca.

— Quem mais usava os Malibus com frequência?

— Basicamente, dois grupos. Na maioria das vezes, era o pessoal do marketing, os que trabalham para Olga. Tammy Olivo e Bruce Wiskiewicz, que cobre o Meio-Oeste. Cada um deles pegava um carro por uma semana. Muitas vezes eu deixava um carro reservado para Lep, porque muitas vezes ele trabalha até tão tarde que o trem não está nem mais circulando. Tanakawa, o vice-diretor médico, ia muito até a cidade para reuniões no University Club ou na Faculdade de Medicina de Easton. E tinha mais um ou outro funcionário.

— E, vez ou outra, todas essas pessoas ficavam com o carro por um tempo?

— Sem dúvida. Mas, no último ano e meio, desde que o g-Livia foi retirado do mercado, a empresa reduziu o quadro de funcionários em 40%. Não vou me estressar com isso, porque até hoje não chegam a cinco as vezes que alguém ligou pedindo um carro e não tinha nenhum disponível.

Stern segura a manga do casaco de Oscar para que o homem fique de frente para ele.

— E Oscar, meu amigo, você realmente não faz ideia de quem pegou esses formulários?

— Juro por Deus — responde Oscar, erguendo a mão.

Já dentro do carro de volta para o centro da cidade, no trânsito pesado da manhã, Stern segura a mão da neta por um instante e diz:

— É preciso te dar o devido crédito, Pinky — diz ele. — Sua intuição de investigadora é excelente.

Ela sorri novamente. Uma família inteira, pensa Stern, e ninguém jamais se deu conta de que a melhor forma de lidar com Pinky é elogiá--la. Óbvio que ela sempre fez de tudo para não merecer qualquer elogio — a familiar perversidade dos seres humanos.

— Devo ligar para a detetive Swanson? — pergunta ela.

— Só quando o julgamento terminar. Não quero piorar a situação ou pedir o consentimento de Kiril até lá. Mas imagino que a polícia logo vai chegar a um beco sem saída. Os registros de retirada podem ter sido destruídos por praticamente qualquer um que trabalhe na PT.

— E se a polícia encontrar a oficina para onde Olga levou o carro?

— Qualquer um que tente esconder um crime será esperto o suficiente para pagar com dinheiro vivo e provavelmente vai usar um nome falso, além de evitar levar o Malibu para uma oficina perto de onde aconteceu a colisão. Se esse fosse um crime que chegasse à primeira página dos jornais ou eu morresse, a polícia poderia intimar os fornecedores locais de peças de automóveis para descobrir qual deles vendeu a tinta ou o para-lama de um Malibu naquele fim de semana, mas essa é uma tarefa enorme para a força policial de um condado, e o retorno é muito incerto.

— Então Olga vai se safar dessa?

— Pinky, eu admito que Olga merece ser a principal suspeita, mas vamos manter a mente aberta. As peças ainda não se encaixam completamente. Sim, talvez ela tenha confundido meu carro com o dos Pafko e tenha tentado lançar a raiva contra um deles.

A lista de possíveis alvos de Olga pode incluir até Kiril, com quem ela estava profundamente magoada por não deixar a esposa. O mais provável, porém, é que Olga estivesse atrás de Donatella, tendo em vista que ela e Kiril não se separaram — e talvez Olga tivesse até o consentimento de Kiril. Esse último pensamento é o tipo de especulação danosa sobre um cliente que Stern prefere guardar para si.

— Mas por que, de uma hora para outra, Olga agiria em 24 de março? — pergunta Stern à sua neta. — Como você mesma apontou, o único elemento novo foi minha conversa com ela naquele dia. Isso sugere que eu era a vítima em potencial, mas não encontrei nada nas minhas anotações que me convença de que ela estaria ansiosa para me tirar do caminho.

— Você não está tentando me dizer de novo que foi só uma coincidência o fato de um Malibu branco ter tirado seu carro da estrada, não é, vô?

— Não, Pinky, nesse ponto eu estou com você. Oscar, que é quem está mais por dentro, parece convencido de que os registros de retirada de carros foram destruídos intencionalmente, e isso, é claro, indica a existência de um criminoso que tem algo a esconder. Mas, mesmo considerando que eu não tenha sido atingido por acidente, nós ainda não identificamos o culpado de forma convincente. Kiril se tornou um mistério completo para mim — admite Stern, relaxando as próprias regras —, tanto que às vezes penso, relutante, que ele teve participação nisso, embora não consiga pensar num motivo. E também não podemos esquecer a possibilidade de o motorista ser outra pessoa qualquer, alguém com motivos que não conhecemos.

— Como quem?

— Esse é o problema. Não sabemos, minha querida Pinky, e provavelmente nunca saberemos.

Ela desanima. Stern sempre se choca diante da incapacidade dos seres humanos de lidar com a ambiguidade e a incerteza. Relutamos intuitivamente a aceitar o desconhecido. Foi por isso que, no passado, surgiram adoradores do sol e mitos de criação — para encontrar uma explicação para o que é inexplicável. Mas, após alguns instantes com essas reflexões, de repente ele levanta a mão na direção de Pinky.

— Pinky, você acabou de me dar uma ideia fundamental para as minhas alegações finais.

Por incrível que pareça, as alegações finais estão tomando conta de seus pensamentos justo agora. Sempre foi assim. Conforme o julgamento se aproxima do fim, tudo o que acontece na vida é testado para ver se pode acrescentar algo a suas alegações.

Pinky, por sua vez, está sorrindo novamente.

29. A JUÍZA DECIDE

Quando Stern e Marta entram na sala de julgamento da presidente do tribunal sexta-feira ao meio-dia — uma sala que tem o dobro do tamanho de uma normal —, percebem o silêncio instaurado nela. A sessão matinal de sexta acabou, e a maioria dos jornalistas que cobriram o julgamento não se deu o trabalho de ficar para uma sessão sobre a qual já sabiam por experiência própria que o resultado estava predefinido. A fim de ganhar tempo para sua decisão, Sonny mudou o horário de outros casos, e dois advogados que estavam trabalhando em um caso e que não receberam a notícia do atraso estão conversando com Luis, o escrivão da juíza, para que possam remarcar para outro dia em vez de terem que esperar.

Olhando ao redor da grande sala de julgamento por uma das últimas vezes como advogado, Stern fica sentido ao se dar conta de que agora considera o solene tribunal federal sua casa. Reconhecidamente, é um lugar mais ideal para a prática jurídica do que os tribunais estaduais, onde Stern começou sua carreira. Os juízes têm mais tempo para refletir sobre pedidos e tomar suas decisões. Ali, ao contrário de como eram os tribunais estaduais cinquenta anos antes, sempre foi raro ver advogados trocando socos nos corredores. Os escrivães e oficiais de justiça eram simpáticos e, em um contraste digno de orgulho em relação aos colegas do antigo fórum estadual, incorruptíveis. Mas Stern nunca conseguiu deixar completamente de lado a sensação de ser um intruso. Ele conquistou seu lugar de destaque no Superior Tribunal de Justiça do Condado de Kindle, mas, para isso, precisou se policiar, evitar acordos questionáveis feitos nos corredores sempre que possível e provar, com o tempo, que a habilidade e a sagacidade podem prevalecer, mesmo naquele ambiente tão competitivo. Quando Stern sonha que está trabalhando, esse tribunal é sempre o cenário.

Conforme Sonny se aproxima de sua cadeira, Stern nota algo de diferente nela. Primeiro, após um instante, ele percebe que ela tinha cortado o cabelo; a cortina grisalha agora parava acima dos ombros. E o principal: todo dia, ela chega com uma pilha de papéis, que geralmente são decisões judiciais que ela precisa revisar e assinar às pressas por ser a presidente do tribunal. Mas hoje Sonny entrou carregando só um livro de direito, algo que, atualmente, na era da pesquisa no computador, é quase tão ultrapassado quanto um telefone público. Até na sala de Stern, a pequena e linda biblioteca jurídica onde ele escreveu e reescreveu centenas de petições ao longo das décadas já não existia mais. Os livros de lombada dourada que continham os pareceres de inúmeras decisões de tribunais de todo o país foram vendidos para um designer de interiores, e o espaço foi sublocado para Gilbert Diaz, um ex-promotor federal e um jovem e competente advogado que se recusou a trabalhar nos grandes escritórios de advocacia e abriu o seu. Ao olhar para o livro, Stern se sente como um jovem estudante culpado, com um medo infundado de que Sonny, ainda se sentindo insultada, vai condená-lo por desacato por ter mencionado o próprio câncer diante do júri.

Tendo em vista sua agenda apertada por conta de outros casos, Sonny não perde tempo. Ela mesma anuncia que vai tratar do caso de Pafko, fazendo com que Minnie, a taquígrafa, corra até o estenógrafo e o computador instalados ao pé da bancada da juíza. Sonny também cumprimenta pelo nome todos os advogados que se aproximaram do pódio, para que eles não tenham que passar pela formalidade padrão de se identificarem aos autos do processo. Sonny então nota a presença de Kiril, sentado de blazer à mesa da defesa. Pafko sabe o que o espera e está cabisbaixo, mas talvez seja porque, inesperadamente, Donatella não veio com ele. Mais uma vez, ela se senta do lado da acusação. Stern se sente grato por ela ter atendido a sua súplica e culpado por não a ter lembrado ontem de que o júri não estaria presente hoje.

— Quero tratar da petição para extinguir a ação feita pelos Stern ao fim da apresentação de provas por parte do governo — diz Sonny.

Quando ela começa a falar, parece decidida. Por mera formalidade, recita a lei de leniência que é obrigada a usar nessa fase do processo para julgar se as provas do governo são adequadas.

— Aplicando esse padrão, não tive dificuldade em concluir que todos os crimes que constam na denúncia devem ir para a decisão do júri.

Stern sente uma pontada no coração enquanto Feld sorri e olha para trás de relance para os agentes e auxiliares jurídicos na mesa da acusação. Perder é sempre difícil, mesmo quando você sabe que vai acontecer. Como Mel Tooley, um advogado de defesa puxa-saco que hoje está se aproximando do fim de sua carreira, dissera certa vez a Stern: "Vamos encarar os fatos, Sandy. Você nunca está realmente preparado para levar um chute no saco."

Sonny repassa as acusações de trás para a frente, começando com a de uso ilegal de informações privilegiadas, indo depois para a de fraude e, por último, para a de homicídio. Refuta os argumentos dos advogados de defesa com um entusiasmo que desanima Stern.

Enquanto Sonny fala, seus olhos castanho-escuros percorrem de cima a baixo os papéis que estão em sua bancada e que ela deve ter trazido dobrados dentro do livro. Ela se deu o trabalho de escrever sua decisão e agora a lia, o que significa que queria ser precisa nas palavras, preparando o caso para a segunda instância. Como a acusação não tem direito a apelar após o júri tomar sua decisão — pois isso provocaria uma dupla punição —, isso significa que os Stern também vão perder na acusação de homicídio. Para Stern, isso será um grande erro, mas, como dizem por aí, o julgamento perfeito só Deus pode fazer. Ele se ouve suspirando alto.

— Como todos nós sabemos, a lei que tipifica o homicídio diz, na parte relevante para o caso, que "a pessoa que mata um indivíduo sem justificativa legal comete homicídio por dolo direto se, ao executar os atos que causam a morte, ela sabe que esses atos criam a alta probabilidade de morte ou de grande dano corporal ao indivíduo ou a outro". Quero deixar registrado que comecei minha carreira no Superior Tribunal de Justiça do Condado de Kindle, onde presidi vários julgamentos por homicídio, e percebi que minha familiaridade com essa lei me foi bastante útil enquanto sopesava os argumentos de ambas as partes.

Seu comentário é intencional e tem como alvo o tribunal de segunda instância. Ela está lembrando a esses juízes que, diferente de muitos juízes federais — incluindo a maioria dos juízes de segunda instância — que não têm experiência com as leis penais estaduais, essa não era a primeira vez para Sonny Klonsky.

— Também sabemos que uma acusação de homicídio doloso contra o presidente de uma empresa fabricante de produtos farmacêuticos é algo inédito, mas isso por si só não significa nada. No entanto, como os fatos deste caso são excepcionais, a jurisdição não é necessária, como explicarei daqui a alguns instantes. Entretanto, não se pode contestar o simples fato de que sete pessoas citadas na denúncia tomaram o g-Livia e, analisando as provas à luz mais favorável ao governo, morreram em consequência disso. Essas mortes são terríveis e trágicas, e as inquirições cruzadas não têm peso jurídico suficiente para provar que essas pessoas tinham uma doença grave que eventualmente as teria matado de uma forma ou de outra.

"Mas elas foram assassinadas? O governo considera esse um caso simples. Kiril Pafko agiu para tornar o g-Livia disponível para uso público. Esses atos não tinham justificativa legal, porque, segundo eles, a aprovação da comercialização dada pela FDA tinha sido obtida mediante fraude quando o Dr. Pafko escondeu doze mortes súbitas ocorridas durante o ensaio clínico. Sabendo dessas mortes, o Dr. Pafko reconheceu uma alta probabilidade de que parte dos pacientes tomando o g-Livia também morreria em reação ao medicamento.

"Segundo o Dr. Pafko e seus advogados, de acordo com a lei, os supostos atos não configuram homicídio por diversos motivos. O argumento mais importante para este tribunal é a alegação da defesa de que, por definição legal, o homicídio doloso é um crime que ocorre quando se tem a intenção de matar ou ferir 'um indivíduo.'"

Sonny faz aspas com os dedos, como fez em outros momentos em que citou os termos precisos da lei.

— A defesa alega que as provas mostram de forma inequívoca que o Dr. Pafko jamais reconheceu uma "alta probabilidade" de ferir qualquer pessoa. Embora pudéssemos muito bem ter passado sem o depoimento pessoal do Sr. Stern... — Ela abre um sorriso forçado e ergue as sobrancelhas castanho-escuras para Stern, fazendo-o saber que não foi totalmente perdoado. — As provas irrefutáveis são de que, para a maioria das pessoas com carcinoma de pulmão de células não pequenas no estágio 2, o g-Livia é um medicamento superior. Assim, segundo a perspectiva do Dr. Pafko, de acordo com a defesa, a alta probabilidade em qualquer caso individual era de que o g-Livia ajudaria, e não prejudicaria, os pacientes.

"A acusação tenta anular este argumento apontando para o fato de que, na lei que tipifica o homicídio, os graves danos corporais podem focar nesse indivíduo 'ou em outro'." Ela faz as aspas com os dedos mais uma vez. "Ela argumenta que o Dr. Pafko sabia muito bem que, mesmo que um paciente em particular tivesse muito mais chance de ser beneficiado do que prejudicado, em milhares de casos, *outro* paciente morreria.

"O governo está certo ao apontar que a lei estadual que tipifica o homicídio menciona situações em que outra pessoa é morta no lugar da vítima inicial. Em *O Estado contra Castro* e em inúmeros outros casos semelhantes, o réu foi condenado por homicídio por ter atirado em um membro de uma quadrilha rival e atingido uma menininha de cinco anos que passava na hora no carro da família. Mas Castro claramente tinha a intenção de ferir alguém com gravidade. Da mesma forma que, em *O Estado contra Grainger*, o caso que a acusação toma por base, a réu deixou uma tigela cheia de doces na porta de casa durante o Halloween sabendo que alguns tinham recebido uma injeção de cianeto. Grainger não sabia ao certo quem acabaria morrendo, mas sabia que havia uma alta probabilidade de quem quer que tivesse o azar de ingerir o veneno morresse.

"Portanto, tomando como base a lei e os casos que escolheu para explicá-la, o governo só poderia prevalecer se oferecesse provas suficientes de que o Dr. Pafko teve a intenção de matar algum indivíduo. Acreditar nas provas do governo, o que é preciso acontecer a essa altura do julgamento, significaria que o Dr. Pafko sabia que estava sujeitando alguns pacientes a um risco de reação letal. Mas, considerando os casos individualmente, as 'altas probabilidades'"... Sonny fez aspas com os dedos novamente. "Eram de que o paciente estaria melhor tomando o g-Livia do que se submetendo a qualquer outra terapia disponível. Nenhum jurado racional poderia concluir que, quando agiu, o Dr. Pafko sabia que causaria danos corporais graves ou a morte de algum indivíduo específico, tampouco que essa tenha sido a intenção dele."

Protegido pelo pódio, Stern, com os olhos ainda na juíza, estica a mão para segurar as de Marta. Parece que eles ganharam. Apesar disso, a cautela lhe dizia que vinha um "porém" aí, levando em consideração o cuidado que Sonny demonstrou ao explicar sua decisão à segunda instância.

E é então que ele compreende. Sonny está falando com o público, com os leitores do *Wall Street Journal* que leram o resumo de todos os dias do julgamento, com os inúmeros leigos lá fora que vão ter a sensação de que mais um ricaço cometeu homicídio e se safou da justiça. Ela escreveu sua decisão porque vai publicar sua opinião, como os juízes deveriam fazer quando estão lidando com um caso sem precedentes, para o benefício de advogados e juízes que precisem lidar com situações parecidas no futuro.

— Esta é a decisão do tribunal. As reivindicações de um a sete da denúncia, ou seja, as acusações de homicídio, estão, por este ato, extintas. Agora, devemos focar nossa atenção no que acontecerá daqui para a frente.

A sala está completamente imóvel. Até os advogados que estão ali para tratar de outros casos se dão conta de que este é um momento fundamental de um caso importante. Ao lado de Stern, Moses e Feld estão parados como estátuas. Eles não se dão o trabalho de deliberar. Stern olha por cima do ombro para a mesa da acusação, onde todos estão olhando fixamente para a juíza como se estivessem esperando mais alguma palavra que simplesmente anulasse o que ela acabara de dizer. Ele vira um pouco o corpo e pisca para Kiril.

Por fim, Feld ergue a mão.

— Com todo o respeito, Meritíssima, mas a conclusão a que a senhora chegou, se o Dr. Pafko tinha a intenção de cometer homicídio em qualquer caso individual, não é a pergunta que deve ser respondida pelo júri em vez de pelo tribunal?

— Sr. Feld, eu pensei muito a respeito disso. Se existisse qualquer prova de que o Dr. Pafko queria ferir qualquer pessoa que tomasse o g-Livia, eu poderia concordar. Mas não existe. Não estou absolvendo o Dr. Pafko. Ele está sendo corretamente acusado de crimes graves que o expõem ao risco de uma punição grave. Mas, em relação ao homicídio, houve um fracasso total em produzir provas.

Feld tentou outros argumentos. A defesa deveria ter pedido para anular essa acusação antes do julgamento, antes de o júri ouvir as provas, quando o governo ainda tinha a chance de recorrer, mas Sonny balança a cabeça discordando enquanto Feld falava.

— O governo também poderia ter feito um pedido preliminar de exclusão de provas inadmissíveis antes do julgamento, Sr. Feld. Mas a questão fundamental é que nem seu pedido nem o da defesa teriam sido feitos no momento certo. Essa questão só poderia ser decidida após a apresentação das provas.

Moses ainda não se mexeu, pelo menos não que Stern tenha visto. Aos poucos, o procurador da república deve estar se dando conta das consequências. A próxima pergunta é se o prejuízo a Kiril causado pelas acusações infundadas de homicídio é tão grande que o caso inteiro não poderá seguir adiante. É para esse ponto que Sonny quer direcionar a discussão agora. Ela então pergunta a Marta e a Stern se eles têm pedidos adicionais.

Stern, que está se segurando no pódio para se apoiar, inclina-se para a frente.

— A Meritíssima sabe que desde o começo do processo nós estamos dizendo que a promotoria exagerou nas acusações. Eles disseram ao júri que Kiril Pafko é um assassino, e agora nós sabemos que não existem provas para isso. Minha impressão inicial é de que não só uma anulação do julgamento seja justificável, mas também, tendo em vista que a acusação injetou injustificadamente um enorme prejuízo ao processo, que a denúncia, sob essa circunstância, seja totalmente extinta. Mas, para ser franco, Meritíssima, antes de seguir em frente com esse pedido, eu gostaria de apresentar alguns casos ao tribunal.

— Eu adoraria ver esses casos, Sr. Stern, então por que não me envia as peças descrevendo as decisões que o senhor acredita que devo considerar até o fim do dia de sábado? A acusação pode responder até as seis horas da noite do domingo, ou melhor, até as nove. — Sonny se corrige ao se lembrar de que Moses irá passar a maior parte do dia na igreja. — E então podemos nos reunir segunda de manhã para discutir o que fazer. Vou pedir à oficial de justiça que avise aos jurados que não precisam estar aqui segunda de manhã. O processo permanecerá suspenso.

Os Stern se aproximam da mesa da defesa, à qual Kiril está com o rosto tomado pela incerteza. E então ele pergunta:

— Eu não sou um assassino?

— Nem agora nem nunca — responde Stern, esticando-se para segurar Kiril pelos ombros, comemorar a vitória e tranquilizar seu cliente. Porém, enquanto Stern fala, de alguma forma, ele se lembra de tudo o que permanece desconhecido a respeito do carro que o atingiu na estrada, e sua mão para no meio do caminho.

30. ANULAÇÃO

U ma vitória tão importante em uma sala tão vazia parece incongruente para Stern. Os poucos repórteres presentes correram até a porta para postar a notícia no Twitter. Stern diz a Kiril — e a Donatella, que se aproximou deles — que precisa se reunir com eles imediatamente no escritório para determinar os próximos passos.

Assim que Marta e Stern ficam lado a lado no banco traseiro do Cadillac, ela abre um sorriso malicioso para o pai.

— Mal posso esperar para ler todos esses casos que você vai citar cujas denúncias foram extintas em situações iguais a essa.

Ela está zombando do exagero do pai ao falar com a juíza. Casos já foram extintos, mas só quando há um nítido desvio de conduta por parte da promotoria. Moses e Feld podem ter sido um pouco agressivos demais, mas Stern nunca viu Moses agir de má-fé e não pode dizer que o procurador da república agiu dessa forma com Kiril.

— Mas nós *podemos* conseguir uma anulação, certo? — pergunta Marta. — Sonny estava basicamente dizendo isso.

Foi assim que Stern também interpretou os sinais da juíza. Moses fez com que a acusação de homicídio fosse o ponto central da acusação e perdeu a aposta. É difícil imaginar como o júri poderá chegar a uma decisão justa após ouvir Kiril ser chamado de assassino e ver todos aqueles entes queridos chorando no banco das testemunhas. Sonny vai garantir a anulação do julgamento, o que significa que este será cancelado e outro terá que recomeçar do zero em algum momento no futuro.

É isso que os Stern explicam a Kiril e a Donatella quando se sentam juntos em uma das pontas da mesa da sala de reunião da Stern & Stern. Os outros advogados que têm tratado esse espaço como a sala deles estão em suas respectivas empresas hoje, redigindo instruções para o júri. Vondra aparece com o almoço — saladas e sanduíches — enquanto Marta e Stern explicam detalhes da lei e as considerações estratégicas.

— Este caso termina sem veredicto — diz Stern sobre a possível anulação. — Os jurados serão dispensados. E então os promotores vão decidir se levam você a julgamento de novo.

— Eles vão querer me levar — assegura Kiril. Ele sempre soube como Moses se sentia a respeito dele. E Stern e Marta concordam com seu cliente. — Então qual é a vantagem? — pergunta, com um pouco de maionese no canto da boca. Donatella suspira alto e aponta para o local, para que ele se limpe com o guardanapo.

— Bem, para começo de conversa, ninguém vai sugerir que você é um assassino — responde Stern. — Na verdade, acho que o juiz vai impedir a apresentação de qualquer prova de que os pacientes morreram por causa do g-Livia. Entenda uma coisa: a acusação provavelmente vai mostrar os relatos da Global e dos jornais. Mas no próximo julgamento o governo provavelmente não terá permissão para ir além disso. E, no fim, o juiz vai pedir aos jurados que não considerem se é verdade ou não alguns pacientes terem morrido.

Esse foi o dilema original que instigou Moses a acusar Kiril de homicídio.

— Além disso — continua Stern —, vamos ganhar diversas vantagens práticas. Teremos uma transcrição do depoimento anterior de cada testemunha. Eles vão mudar as respostas aqui e acolá, porque, sendo bem sincero, Kiril, é assim que a mente humana funciona. As pessoas raramente se lembram de acontecimentos da mesma maneira. E depois alguns vão dar a impressão de serem mentirosos. O governo terá uma denúncia mais fraca, por esse motivo e porque as acusações não terão o mesmo impacto emocional. A questão agora será que você não cumpriu as regras dos burocratas do governo, e não que você cometeu uma maldade primitiva. E o júri vai saber que houve um julgamento anterior pelo qual você não foi condenado por algum motivo. Por fim, também existe o fardo psicológico para o procurador da república por levar outra vez a julgamento um caso que não venceu anteriormente. Advogados de julgamento são como cavalos de corrida: nunca correm tão rápido quanto podem quando percebem que não vão chegar em primeiro lugar.

— Também vamos perder algumas coisas — acrescenta Marta.

— Sem as acusações de homicídio, não teremos tanta liberdade para provar como o g-Livia é eficaz. Mas acho que Sandy tem razão. Será uma denúncia mais fraca para a acusação. Por mais que Moses tenha um troço, ele provavelmente vai optar por dar imunidade a Anahit para garantir a apresentação da prova de venda das ações, mas isso significa que o júri saberá que ela vai se safar cometendo o mesmo crime pelo qual Moses quer punir você. E, claro... — Marta abre um leve sorriso — Não vamos ver Innis no banco das testemunhas. Provavelmente ela vai negociar um acordo para si mesma com a promotoria.

— Ela vai para a cadeia? — Pelo seu olhar ao pensar em ver Innis atrás das grades, ficou claro que Donatella se deu conta do que perdeu no tribunal e que, sem dúvida, estava se remoendo por não ter assistido.

— Provavelmente — responde Marta.

— E, já que tocamos no assunto, Kiril, acho que vamos poder negociar um acordo muito generoso para você.

— Generoso como? Sem cumprir pena?

— Só um pouco. Talvez só prisão domiciliar. Definitivamente não mais que seis meses na prisão federal aqui perto. Talvez até menos.

Stern olha para Marta para confirmar. Ela assente.

— Não — diz Kiril. — Eu não tenho nenhum crime para confessar.

Os Stern e Donatella ficam em silêncio ao ouvir uma afirmação que as semanas de julgamento mostraram ser tão duvidosa.

— Confessar o crime é pior que ser condenado pelo júri — acrescenta Pafko. — Não tem o menor cabimento.

Orgulho. Honra. Aparências. Stern já ouviu isso antes. Mas nunca faz sentido.

— E esse novo julgamento, Sandy? Quando vai acontecer? — pergunta Donatella.

— Daqui a uns seis meses? Não mais que um ano.

Ao ouvir a resposta, os olhos de Donatella brilham novamente, quase do mesmo jeito que brilharam quando ela imaginou Innis na cadeia.

— E você e Marta estarão ao meu lado? — pergunta Kiril.

Stern estava esperando Kiril chegar a esse ponto. Ele respira fundo antes de responder.

— Não, Kiril. Para ser sincero, esse caso exigiu muito de mim. Eu sou como uma mula velha que só quer voltar para o celeiro. Prometi a mim mesmo e a Marta que esse seria meu último julgamento. E assim será. Para mim, foi uma honra enorme representar você, mas existem advogados maravilhosos aqui e pelo resto do país. Vamos garantir que você tenha um profissional notável. Aliás, essa mudança pode muito bem atrasar ainda mais o novo julgamento, se preferir.

Embora Stern só tenha pensado nisso agora, se aposentar vencendo as acusações de homicídio e saindo com um empate em uma luta contra o governo é uma última conquista muito digna. Sempre que consegue manter seu cliente fora da cadeia, o advogado de defesa tem o direito de dar uma volta olímpica.

Kiril está assistindo a tudo e pensando. Há semanas não ficava tão focado.

— Sandy, meu querido amigo, ainda não está claro para mim como o próximo julgamento será melhor para nós. Se continuarmos com esse caso, como a juíza vai explicar o desaparecimento repentino das acusações de homicídio?

— Ela vai dizer que essas acusações não são mais uma preocupação do júri e que eles não devem considerar qualquer prova que seja. Mas quem conseguiria apagar da mente a imagem de todos aqueles parentes chorando a perda dos entes queridos, Kiril?

— Então basicamente ela vai dizer ao júri que a acusação está mentindo?

— Nunca se sabe ao certo o que um júri depreende desse tipo de situação. O mais provável é que eles presumam que alguma coisa deu errado para o governo.

— Não é melhor que esse caso seja decidido por um júri que saiba que a promotoria fracassou ao me acusar de homicídio?

No fim das contas, é uma questão de talento. Alguns advogados de defesa que têm uma forte intuição sobre os cálculos feitos pelos jurados poderiam concluir que Kiril jamais terá uma oportunidade melhor e que esse júri será mais favorável que o próximo. Mas Stern tem uma posição firme quanto a isso: acredita que o advogado criminal de defesa deve trabalhar com possibilidades em curto prazo. O que eu posso fazer hoje para manter meu cliente em liberdade? Ninguém tem bola de cristal. Daqui a um ano, é possível que Kiril nem esteja mais vivo.

— Kiril, nós acreditamos que é um risco muito grande. Talvez funcione como você espera. Ou talvez eles concluam que o fato de as outras acusações terem permanecido significa que a juíza está basicamente recomendando a condenação nessa frente. Nunca dá para prever o que um grupo de leigos vai achar disso.

Kiril assente, pensa mais um pouco e, por fim, diz:

— Acho melhor seguirmos em frente.

Donatella não consegue conter a irritação.

— Ah, Kiril! — exclama ela e vira de frente para os Stern. — Por quase quarenta anos, ele agiu como se o prêmio Nobel dissesse: "De agora em diante, você pode acreditar no que preferir." — Ela solta um ruído de irritação e fecha os olhos. Claramente seu marido já ouviu esse comentário antes.

— Você tem algum argumento? — pergunta ele.

— É lógico que tenho. Você vai mesmo escolher seu ponto de vista em vez da recomendação dos seus advogados?

— Por que não? Eu sou o cliente. É meu direito. — Ele se vira para Marta e Stern em busca de apoio, mas Donatella não se cala.

— Seu direito? Sandy, como é aquele ditado? "Quem advoga em causa própria tem um burro como cliente", não é?

Stern prefere não responder.

— Então eu sou burro? — pergunta Kiril.

Nitidamente, os dois estão tocando no ponto fraco do casamento deles. Essa não é a primeira vez que Donatella insulta o marido nem a primeira vez que ele reage indignado.

Como já era de esperar, Donatella responde com um nível considerável de rancor.

— Sim, você é burro. E um tipo muito específico de burro. Porque a qualquer momento, Kiril, você consegue se convencer de que está vivendo no mundo que quer, em um lugar que é mais conveniente ou divertido para você.

Innis também falou que Kiril tende a morar dentro das próprias fantasias. Isso explica como um homem aceita orgulhosamente um prêmio Nobel por uma pesquisa que roubou, ou como lançou no mercado um medicamento sem advertir seus usuários sobre efeitos colaterais possivelmente letais.

— Você vendeu as ações dos nossos *nietos* porque estava burramente convencido de que, se a venda não te beneficiava, então não era crime. Mesmo depois de ter sido aconselhado centenas de vezes a não vender qualquer ação sem falar com os advogados. Isso mostra bem o quanto você sabe sobre a lei.

— Eu fiz aquilo na pressa — diz ele à mulher. — Tinha pouco tempo para agir.

Nas conversas com Stern, Kiril insistiu repetidamente que não se lembra de ter ligado para a corretora. Um advogado nunca fica chocado quando descobre que seu cliente mentiu. A vida é assim. Mas, quando a verdade vem à tona na sala, Stern avalia as consequências. Esse é o milésimo motivo para Kiril não depor.

— Se você está mesmo determinado a seguir em frente, Kiril, então precisamos decidir o que apresentar em sua defesa — argumenta Stern. — Marta pode me corrigir se eu estiver errado, mas imagino que ela há de concordar que devemos simplesmente encerrar.

— Encerrar?

— Não apresentar nenhuma prova. Dizer ao júri que os promotores não provaram as acusações que fizeram. E ponto. Se você quer mesmo tirar vantagem da decisão da juíza, essa é a sua melhor chance. Não podemos nos referir diretamente às acusações extintas, mas podemos perguntar ao júri se o governo cumpriu a promessa que fez nos debates orais e dar a entender que não se deve levar em conta a palavra da acusação.

— Mas eu quero depor, Sandy. Quero contar minha versão da história. Eu não fiz o que o governo está alegando. Não tive nada a ver com a alteração dos dados do ensaio clínico.

— Kiril, você não tem nada a oferecer ao júri que possa explicar todas as provas apresentadas a eles. Wendy Hoh disse que falou com um homem. Podemos dizer que era Lep?

— Lep, não — intervém Donatella.

Stern levanta o dedo.

— Só estou dando um exemplo. Como já expliquei, culpar Lep é ridículo. Começando com o fato de que ele estava dentro de um avião.

— Sim, é óbvio que isso não faz nenhum sentido. — Kiril olha de soslaio para Donatella, depois baixa a cabeça e observa a mesa, ainda mais frustrado. — Mas, Sandy, eu sou obrigado a prestar contas de algo sobre o qual não sei nada?

— Kiril, se você não sabe nada sobre o crime, então não tem nada a dizer aos jurados. Se você quiser falar sua versão dos fatos, eles vão esperar que você explique o que aconteceu.

Kiril permanece sentado, imóvel, com uma expressão de decepção e de quem está cheio de dúvidas. Stern continua:

— E, sinceramente, meu amigo, durante todo o julgamento, nós tivemos muito pouco a dizer em defesa contra a acusação de venda das ações. Só que, ouvindo você e Donatella agora, percebi que temos menos ainda. Devemos dizer ao júri que você interpretou a lei de forma errada, mesmo após ela ter sido explicada a você dezenas de vezes? Logo você, um vencedor do prêmio Nobel? O que você acha que esse júri de pessoas normais vai pensar quando você disser a eles que achava perfeitamente honesto e digno colocar no bolso dos seus netos milhões de dólares de seus acionistas, alguns dos quais confiaram a você as economias da aposentadoria ou o dinheiro que usariam para pagar uma faculdade? Você já tem pouquíssimas chances de se safar dessas acusações, Kiril. Se escolher depor, essas chances vão cair para zero.

Por alguns segundos, Kiril parece sentir o sabor amargo de tudo o que Stern está dizendo. Em seguida, dá um tapa na mesa, frustrado, parecendo prestes a chorar.

— Eu quero fazer isso. Não vou conseguir viver com essa angústia dentro de mim. Não vou.

— Kiril, eu entendo que você esteja passando pelo pão que o Diabo amassou. Passei a vida inteira nesse trabalho e sei como é horrível quando a pessoa tem uma boa vida e é acusada de um crime. Mas nos permita dizer uma coisa: seja ansiedade ou ostracismo, o que quer que esteja sentindo agora não é pior que ficar dentro de uma cela por anos.

Enquanto avalia sua situação, Stern se pergunta até que ponto Olga está contribuindo para a pressa de Kiril em deixar o julgamento para trás de uma vez por todas. Embora já fosse antigo, o estado de guerra entre os Pafko agora é visível e as noites que Kiril tem passado no University Club muito provavelmente são o motivo dessa mudança. Mesmo presumindo-se que Kiril jamais tenha se afastado de Olga de verdade, ele tinha decidido dizer isso, talvez para ter alguma paz em casa enquanto lidava com a investigação e o julgamento. Agora, porém, sabe-se lá por que, decidiu deixar a cautela de lado. Será que Olga o está pressionando para se separar de Donatella de novo?

Marta faz uma tentativa.

— Aceite a anulação, Kiril. Saia do tribunal vitorioso, mesmo que a vitória seja só temporária.

Pafko balança a cabeça, mas não diz nada. Stern pede que ele use as próximas vinte e quatro horas para refletir, já que eles só precisam dar uma resposta à juíza amanhã à noite. Talvez alguém — Donatella, ou até mesmo Olga — consiga colocar juízo na cabeça dele nesse meio-tempo.

— Eu não pretendo mudar de ideia, Sandy. — Kiril se levanta e, ainda com dificuldade de manter a calma, sai da sala da reunião. — Estou indo embora — diz, sem se despedir da mulher, que permanece sentada à mesa com Stern e Marta. Após sua saída, os três ficam em silêncio, compartilhando um instante de perplexidade coletiva.

Marta, que precisa ligar para os advogados e pedir que comecem a pesquisa jurídica sobre pedidos de anulação, dá um beijo em Donatella e sai da sala.

— Fiquei feliz de ver você no tribunal hoje de manhã, Donatella, mas peço desculpas por não ter avisado que não era dia de júri — explica Stern. — Mas, no fim das contas, você escolheu um momento propício. Espero que Kiril reconsidere seu conselho.

— Sem chance de isso acontecer — comenta Donatella, olhando para baixo. — E o principal motivo de eu ir ao fórum hoje não era apoiar Kiril. Eu queria falar com você.

— Comigo?

Donatella está usando um colar pesado de pedras obsidianas, que emoldura seu rosto de um jeito muito semelhante aos colarinhos brancos da guilda pintados por Rembrandt. Stern percebe que o julgamento também exauriu Donatella. Apesar da maquiagem carregada, o que ele antes via como simples rugas agora estavam mais para sulcos profundos em cada bochecha.

— Ontem você me perguntou sobre o dia vinte e quatro de março.

— Ah, claro. — Diante do drama dos acontecimentos do dia, Stern acabou se esquecendo disso.

— Posso saber o motivo? — pergunta Donatella.

Era por isso que ela queria falar com Stern pessoalmente — para cobrar respostas. Como a pergunta de Stern tem a ver diretamente com ela, o pé atrás é compreensível.

— Estamos amarrando as pontas soltas, Donatella. Tentando eliminar a possibilidade bem fantasiosa de que a batida de carro que eu sofri naquele dia, na estrada, tem alguma ligação com esse caso.

— E como isso é possível? — Para uma pessoa tão inteligente como Donatella, não conseguir compreender algo é uma situação rara. — Se o carro de Kiril estava na oficina, qual é o envolvimento?

Para Stern, seria ridículo compartilhar suas suspeitas sobre Olga, que não só são difamatórias, juridicamente falando, como também injustas do ponto de vista leigo, considerando que Stern tem apenas um palpite de que Olga confundiu o carro dele com o de Donatella.

Diante das circunstâncias, com Kiril voltando a se relacionar com sua jovem amante, Donatella provavelmente correria direto para a delegacia.

— Me perdoe por fazer mistério, Donatella, mas não posso dizer mais nada.

— Ok. — Donatella abre a bolsa e tira um caderno com capa de couro de dentro dela. Stern percebe que se tratava de sua agenda. — Nem eu nem Kiril estávamos perto da PT naquele dia, aliás, naquela semana. Era época de férias escolares. Geralmente, viajamos com todos os nossos netos. Quando eles eram mais novos, íamos à Disney. Hoje em dia, vamos para as ilhas. Mas, claro, Kiril estava em liberdade sob fiança, por isso não pudemos sair do estado. Passamos a semana de férias na cidade. Alugamos vários quartos de hotel e todos os dias fizemos uma coisa diferente com os netos. Cirque du Soleil. Museus. Tínhamos acabado de sair de uma orquestra sinfônica na parte da manhã quando Kiril recebeu a mensagem dizendo que você estava na UTI. Ficamos arrasados. De verdade.

— Ah... — murmura ele.

Donatella oferece a agenda para Stern conferir, mas ele segura a mão dela e a faz guardá-la de volta na bolsa.

Ela se prepara para pedir um Uber para casa, mas Stern chama Ardent e pede que ele a leve. Sandy a ajuda a colocar o casaco e a acompanha até o elevador.

Donatella o observa por um instante mais demorado. Stern percebe que ela está sofrendo.

— Não existe dignidade alguma em ser idoso, não é, Sandy? — pergunta ela.

Stern desconfia de que seja mais um comentário sobre a própria vida do que da dele. Ela balança a cabeça com um ar de profunda tristeza, então dá um beijo em cada bochecha de Stern e entra com Ardent no elevador, que estava à espera deles.

31. CONSIDERAÇÕES FINAIS

Mais para ganhar tempo do que por qualquer outro motivo, no sábado os Stern apresentam um pedido de anulação da denúncia, ao qual o governo responde em questão de horas. Domingo de manhã, quando os advogados se reúnem novamente diante de Sonny, a juíza fala respeitosamente sobre as decisões citadas pelos Stern, mas alega que as situações não são exatamente iguais e se recusa a anular a denúncia.

— Sr. Stern, o senhor tem algum outro pedido?

Claramente, Sonny agora espera que Sandy peça anulação do julgamento. Kiril deu a ele permissão para fazer o pedido, mas de maneira mínima. Acontece que, se eles não apresentarem um pedido agora, por mais simples que seja, Kiril estará, de acordo com a lei, renunciando a várias questões jurídicas, essencialmente abrindo mão de qualquer chance na segunda instância, caso não consiga vencer sua improvável aposta com esse júri.

— O réu Pafko pede anulação do julgamento — diz Stern.

Sonny assente.

— Por favor, apresente seu argumento.

— O réu não apresentará argumentos para o pedido — responde Stern.

Ao longo do julgamento, houve momentos em que Stern viu no rosto de Sonny uma expressão que não era direcionada a ele fazia quase trinta anos. Eles começaram a carreira como rivais ferozes em um caso em que o cunhado de Stern, o primeiro marido de Silvia, era alvo de uma investigação de fraudes em commodities. Sonny estava em seu limite por diversos motivos, grávida de um homem com quem não queria mais continuar casada, trabalhando para um chefe exigente e ardiloso no Ministério Público Federal. Durante a negociação dos acordos com Stern, por diversas vezes, Sonny se exaltou com ele, sobretudo no começo, e bastava vê-lo para lhe lançar um olhar de soslaio, já esperando a próxima artimanha do advogado de defesa. Agora, ela percebe imediatamente que Sandy está tentando ter as duas coisas ao mesmo tempo — seguir em frente para obter o veredicto desse júri, e então, caso dê errado, argumentar na segunda instância que Kiril foi injustamente prejudicado quando ela negou o pedido de anulação do julgamento. Juízes nunca gostam de ser passados para trás dessa maneira.

— Alguma resposta, Sr. Appleton?

— A anulação de julgamento não é justificável, Meritíssima — diz Feld. — Mesmo sem a acusação de homicídio, conseguimos provar que o g-Livia provocou mortes.

— Não, não conseguiram — responde a juíza, seca. — Ao provar a fraude, não se pode ir além do que o réu sabia. Em momento algum o Dr. Pafko foi confrontado com provas diretas de qualquer morte. Quanto ao réu em si, as provas foram apenas testemunhais. Os relatórios das mortes exigiram investigação e fundamentam suas acusações. Mas o choro das vítimas, o depoimento a respeito das chances de sobrevida, sem contar as alegações do crime mais sério conhecido pela nossa lei, nada disso foi correto nesse caso. O júri jamais deveria ter ouvido tudo isso.

Sonny está dando argumentos ao próprio pedido da defesa. Stern se anima com a esperança de ela declarar a anulação de julgamento mesmo assim.

Depois de sua expressão de despeito, Sonny leva uma das mãos ao queixo e com a outra tamborila sobre o longo mouse pad em cima da mesa enquanto tenta pensar.

— E se eu negar o seu pedido, Sr. Stern, o que a defesa vai oferecer?

— A defesa encerrará, Meritíssima.

A franqueza dele a acalma um pouco.

— O réu abrirá mão do direito de depor, garantido pela Quinta Emenda?

— Sim.

Agora Sonny tinha todas as informações.

— E seu cliente está perfeitamente ciente de tudo, inclusive do fato de que o senhor não apresentará nenhum argumento para defender o pedido de anulação?

— Está.

— Certo — diz ela. — Certo. Visto que a defesa se recusa a apresentar qualquer argumento para o pedido de anulação, eu vou negá-lo, pois está claro que a defesa fez uma escolha estratégica de ir a veredicto com este júri, como é seu direito.

Agora ela está ferrando com Stern o máximo possível, o que é compreensível.

Em seguida, Sonny pede a Kiril que se aproxime do pódio e passa por todo o elaborado procedimento exigido atualmente em um tribunal federal para que o réu abra mão de seu direito de depor em benefício próprio. Ao terminar, ela pede a ambas as partes que lhe entreguem suas propostas de instrução ao júri e marca uma audiência com eles para as três da tarde, à qual Marta vai comparecer. A defesa encerrará os trabalhos formalmente diante do júri amanhã de manhã, e, em seguida, começarão as alegações finais.

— Vou dizer ao júri que espero entregar a eles o caso para veredicto amanhã depois do almoço.

Como Descartes, que supostamente fazia suas mais profundas reflexões filosóficas na cama, há muito tempo Stern compõe a maior parte de suas alegações finais ali, com uma bandeja de comida e vários blocos de notas ao seu lado. Ele escreve pouco. Em vez disso, reflete sobre os argumentos e depois sobre as frases em si, pronunciando as mesmas palavras mentalmente inúmeras vezes, e vez ou outra articulando algumas em voz alta para testar o tom de voz. Mesmo com a idade avançada, Stern está confiante de que vai conseguir decorar tudo.

Talvez por Stern estar deitado de dia, ou mais provavelmente por estar quebrando as próprias regras alimentando o cachorrinho com restos de comida, Gomer pula na cama e lhe faz companhia. E é um alento para Stern sentir o calor, o pelo denso, a respiração e as batidas do coração do cão sob sua mão.

Nesse caso, ficar deitado na cama é uma boa ideia mais por sanidade do que por hábito. Ele falou sério com Kiril. Esse caso o exauriu, exigiu muito além de capacidade. Durante os últimos dias, as taquicardias têm sido mais frequentes. A sensação é de que tem um passarinho preso no seu peito. Stern jura — não de pés juntos — que vai ligar para Al, seu clínico geral, assim que o júri receber as instruções.

O que ele tem a dizer sobre o caso surge com facilidade. Uma boa alegação final é a que vem sendo preparada ao longo do julgamento, e, como está se sentindo seguro a respeito dessa fase, Stern dá ao seu corpo o que ele mais precisa e resolve tirar um cochilo. Quando ele acorda, já está de noite, e percebe que não é o passado de Kiril que o está preocupando mais, e sim o seu. Sua memória de curto prazo continua boa, mas, após viver tanto tempo, há momentos em que ele se pergunta se suas lembranças são obras ficcionais. Já não tem tanta certeza se Peter era sonâmbulo, se a cena gravada em sua mente do garoto de pijama, totalmente imerso na banheira, só com o nariz e os olhos de fora, não é de um filme. E quanto a Clara? Ela era mesmo tão insensível e esquiva quanto ele se lembra às vezes? Stern nunca se considerou infeliz no casamento, mas agora, no fim de sua vida, não se lembra de ter tido uma enxurrada de momentos felizes. Sim, o nascimento dos filhos: um júbilo extraordinário. E o poder e a pureza de seu amor por Clara no começo do relacionamento também eram reais. Mas o que o fez achar que tinha alcançado algo especial era a abertura, a receptibilidade de Clara. O problema foi que, com o passar do tempo, a infelicidade dela foi se tornando mais profunda e complexa, conforme a vida adulta mais repetia do que reparava tudo aquilo que tanto a incomodava. Assim, ela foi se fechando, se tornando uma pessoa mais difícil. E, com seu jeito sutil, mas inexorável, Clara fez Stern saber que ele era grande parte do problema.

Embora jamais tivesse pensado no assunto antes de Kiril entrar pela primeira vez em seu escritório, Stern agora suspeita de que o que fez nascer a amizade íntima entre Clara e Donatella não foi só o apreço por sinfonias. Foi também o elo que nasce entre mulheres que têm maridos impossíveis — impossíveis de diferentes maneiras, mas nenhum deles verdadeiramente comprometido com a felicidade da esposa. Stern suspeita de que elas não falassem muito sobre o assunto. Ambas eram muito dignas nesse sentido. Mas só de imaginar os acenos de cabeça, os olhares, os suspiros reprovadores... Tudo isso machuca. Será que ele era realmente um ridículo egoísta igual a Kiril, só que sem um prêmio Nobel para compensar?

Stern nunca negou para si mesmo seus defeitos como marido. Ele ficava no escritório com seus charutos, livros, telefonemas e clientes das sete da manhã até às nove ou dez da noite. Quando voltava, as crianças já tinham jantado, tomado banho e ido para a cama. Clara esperava com um livro no colo na sala de estar, ouvindo música clássica em volume baixo no aparelho de som, o cheiro do jantar dele esquentando no forno: ela era a imagem da ordem, da versatilidade, da autossuficiência. Parecia uma primeira-ministra da Suécia, uma personagem de um filme de Bergman, aguentando uma tormenta existencial em silêncio e à meia-luz.

Agora, lembrando dessas coisas, o trauma do suicídio de Clara paira ameaçadoramente sobre ele como um arranha-céu. Há décadas, Stern tem tentado rastejar para fora da sombra da culpa. Para ele, os dois deram o melhor de si. Clara não conseguiu vencer a depressão, e, diante do caos e das incertezas da juventude, a Stern só restava ser escravo da própria ansiedade. Mas parte dele não se conforma. Ele deu o melhor de si; mas não era isso que todos diziam? Era verdade mesmo ou só uma desculpa para ele ter vivido como queria? Ela também. Ela se matou no começo da era Prozac, mas tinha recusado todos os conselhos para começar a tomar o remédio. Não queria se afastar de quem era de verdade.

E será que o Sandy Stern de hoje — o marido que Helen teve — teria dado mais atenção e tomado mais cuidado, a ponto de transformar Clara em uma pessoa menos desesperançosa? Será que a verdade mais sombria, pura e perturbadora é que ele simplesmente não se esforçou, que, de alguma forma, concluiu que poderia ter uma vida mais feliz sem ela? E a morte de Clara o libertou. Seus filhos sofreram. Mas, com Helen, ele encontrou a felicidade. Não, Moses não podia acusar Stern de homicídio. Mas, por anos, ele teve a sensação de que Clara estava à beira do precipício. Ele não empurrou nem gritou "bu!" para assustá--la, mas a deixou encarar a tormenta sozinha.

Esses eram os tipos de verdades que chegavam perto do insuportá-vel — como fazer uma fisioterapia torturante no coração. Nisso, pelo menos, ele era melhor que Kiril, que não seria capaz de suportar nem por um minuto a angústia provocada por essas questões. Mas Stern não sabia qual dos dois era melhor no todo.

Tudo tem um fim, é claro. A vida acaba e, com ela, tudo o que foi vivido. Stern fica de frente para o espelho e olha para seu corpo nu após tomar seu banho matinal, encarando a realidade que se aproxima da maneira mais significativa possível: ao fim do dia, ele será um ex-advogado de julgamento. Uma parte tão grande de sua energia vital foi gasta em tri-bunais reais ou imaginários — onde ele imaginava o que poderia acon-tecer no dia seguinte com um experimento mental complexo — que ele não é sequer capaz de medir o efeito exato que será parar de trabalhar. Embora corra o risco de parecer estúpido, Stern sabe que o fato é que vai haver momentos em que a perda da carreira será mais difícil que a perda de Helen. Ele amava Helen, e cada dia era muito mais pleno com ela. Mas a morte de Helen o fez lembrar de sua essência. E é isso — essa alma, esse fragmento, esse espírito — que continua sendo sua parte mais enigmática, mais subjetiva, mais inextirpável, que parece estar ali desde sempre, inalterada desde que ele tinha cinco ou quinze anos, o espaço invisível onde ele é o que sempre foi. Stern é capaz de imaginar seus netos e bisnetos levando suas vidas sem sua presença: se formando, se casando, sofrendo suas próprias decepções e até morrendo; ele é capaz de ver as calotas polares derretendo e inundando a cidade de Miami. Mas confrontar o pensamento de que esse pedaço fundamental de seu universo irá desaparecer... É inimaginável de certa forma. Isso não significa que ele não aceite, porque a verdade é esta: ele precisa aceitar.

Stern chega cedo ao escritório; está se preparando, organizando as provas que vai mostrar ao júri, que serão projetadas por Pinky no formato de slides. Feito isso, ele se aproxima da janela na pose de sempre para apreciar as cores da manhã e, de repente, pensa na sua carreira. Será que valeu a pena mesmo? Ele não tem dúvida de que valeu. Alguns dizem que existe uma nobreza na lei. Stern nem sempre encarou essa ideia como verdade. Todo tribunal criminal emana um forte cheiro de imundície, o odor do abatedouro. Acusar, julgar e punir são, no cerne, coisas muito desagradáveis. Mas a lei, pelo menos, busca corrigir os infortúnios, garantir que a ira da sociedade não seja despertada aleatoriamente. Em assuntos humanos, a razão jamais triunfará todas as vezes, mas não existe causa melhor para se defender.

Às 8h30, ele vai até a recepção se encontrar com Marta.

— E então, Sra. Aquaro? — diz Stern, dirigindo-se à filha da forma como é conhecida na vida particular, em lugares como a escola das crianças, e da forma como ela passará a ser chamada com muito mais frequência. — Como está se sentindo agora que não vai mais trabalhar?

— Sei que isso está te matando, pai, mas vou confessar uma coisa: não vou sentir nenhuma falta. A ideia de que a liberdade de alguém depende da minha atuação? Eu nunca tive o mesmo gosto que você pela profissão. Nem o mesmo talento.

— Que mentira... Você é... era uma excelente advogada.

— Concordo. Mas nunca fui um Sandy Stern.

— Sorte sua. Mas tivemos uma parceria excepcional.

— Também concordo.

Marta abraça o pai. Eles permanecem abraçados por alguns instantes.

Sabendo que este é o *grand finale*, o escritório inteiro faz uma fila para se despedir deles. Stern anda ao lado de seus amigos do peito, mas a sensação é de que ele e Marta estão passando sob espadas erguidas pelos colegas de trabalho. Ele agradece a cada um a ajuda, as horas que dedicaram a ele, a Marta e aos clientes. Ao chegar à porta, Stern dá meia-volta, leva a mão ao coração e faz uma mesura. Então, oferece o braço a Marta.

— Vamos lá exterminar os zumbis mais uma vez — diz ele.

32. ALEGAÇÕES FINAIS

—**S**enhoras e senhores do júri — diz Alejandro Stern. Com as mãos no punho da bengala, ele se levanta, parecendo um velejador remando com toda a força para desencalhar seu barco. Está usando a mesma roupa que vestiu nos debates orais — terno azul, camisa social branca e uma gravata com listras vermelhas e azuis na diagonal, que foi um presente de Clara quando ele trabalhou em seu primeiro caso após deixar o escritório de advocacia do sogro. E desde então ele usa a mesma gravata em todos os debates orais, independentemente do que esteja na moda.

— Eu sou um homem velho, muito velho. Bem, os senhores devem ter notado. — Todos os jurados sorriem. Bom sinal. — Passei grande parte da minha vida em tribunais ou pensando em estar em tribunais. Nem todos tinham o mesmo esplendor arquitetônico desse aqui. — Ele ergue a mão tomada pela artrite para os caixotões no teto e os candelabros majestosos. — Mas todos são lindos em sua essência, porque são lugares onde nós, como comunidade, nos reunimos e tentamos fazer justiça, todos nós: advogados e leigos, juízes, funcionários do fórum, os senhores como jurados... Todos nós reunidos na mesma empreitada fundamental. E eu digo "fundamental" porque a verdade é que não existe sociedade nem civilização sem um sistema confiável e preciso, capaz de diferenciar o certo do errado, um sistema que pune os que representam perigo e liberta aqueles que foram injustamente acusados.

"Por favor, me perdoem se pareço estar dando uma palestra. Os senhores são meu último júri. Será inevitável que eu veja o rosto dos senhores pelo resto da vida quando eu pensar na minha carreira no tribunal. Portanto, espero que me perdoem se, ao falar sobre a acusação contra Kiril Pafko, eu compartilhe algumas lições que aprendi ao longo da vida."

Stern lança um olhar demorado em direção ao júri, emocionado pela forma como o rio do tempo o trouxe até esse momento.

— Admito que nem todo cliente a quem apoiei é um Kiril Pafko, um homem com um histórico de ajuda à humanidade ao longo de toda a vida. Acho que os senhores entendem por que digo que me sinto orgulhoso e honrado de estar aqui falando em nome dele, por que estou tão satisfeito em poder dizer aos senhores que as acusações contra o Dr. Pafko são injustas e impossíveis de provar, e logo no ato final da minha carreira.

"Mas, até quando representei clientes com um histórico de vida não tão glorioso quanto o de Kiril, eu me senti feliz em poder fazer esse trabalho. Na minha cabeça, o que eu fiz durante mais de meio século foi defender a liberdade. Ela, a Liberdade, foi minha outra cliente em todos os casos. Em *todos* os casos, eu defendi o direito de cada americano a permanecer livre até que o estado tenha alcançado o objetivo de provar que ele é culpado sem sombra de dúvida. Diferente de tantos outros países, aqui as pessoas não são presas apenas com base em suspeitas. Ou só porque desagradam os mais poderosos. Vivemos em um país que estima a liberdade de cada indivíduo e tem a crença fundamental de que, como todos nós já ouvimos, é melhor que cem pessoas culpadas estejam livres do que um inocente seja condenado. É por isso que o ônus da prova pesa tanto para o estado.

"Ser condenado por um crime é uma coisa horrível. Para uma pessoa como Kiril Pafko, é o fim, em todos os sentidos. O fim a uma longa vida como um indivíduo honrado. O fim à sua carreira na medicina. O fim. Os senhores sabem disso. Não precisam que eu descreva tudo o que poderá acontecer. Mas, por favor, aceitem meus agradecimentos e os de Kiril por encararem o dever que têm aqui com tanta seriedade e por fazerem suas deliberações e chegarem às suas conclusões com tanta responsabilidade.

"Este sistema no qual os senhores representam um papel fundamental hoje, o sistema de júri, tem mais de oito séculos de história. Na Carta Magna, a Grande Carta, o rei britânico fez uma promessa que nosso governo cumpre até hoje: um voto de que, num caso tão sério, um caso em que a liberdade, em que a própria existência da pessoa mudará para sempre, a decisão se o réu merece a punição do juiz deve ficar nas mãos não de outros oficiais do governo, nem nas mãos de um grupo de advogados, nem mesmo nas mãos de um juiz extraordinariamente capaz, como a juíza Klonsky."

Stern fica de frente para Sonny e faz uma mesura, que ela responde com um aceno de cabeça.

— Enfim, a decisão não fica nas mãos de nenhum deles, e sim nas mãos dos pares de Kiril, as pessoas que moram, trabalham e moram ao lado dele, nos mesmos bairros e ruas. Que conceito maravilhoso... Pensem nele, por favor. Sim, nós elegemos os nossos líderes. Mas nenhuma decisão tomada pelo nosso governo, como gastar o orçamento nacional, lidar com os outros países, cobrar os impostos ou pagar os benefícios sociais... Nenhuma dessas decisões é confiada ao povo, embora um pouco de bom senso provavelmente fosse benéfico em todas essas áreas.

Stern sorri, eles sorriem.

— Esta decisão, culpado ou inocente, punir ou não punir, é dada às chamadas "pessoas comuns", porque, no fim das contas, os senhores não têm nada de comum. Os senhores, como bons cidadãos, sabem *tanto* quanto os promotores, os advogados de defesa, e até os juízes, o que é certo ou errado. E, portanto, apenas o júri, como a voz e a consciência da nossa comunidade, dará o veredicto deste caso. Não será o juiz, não serão os promotores, não serão os advogados de defesa. Não haverá críticos para rever ou contradizer sua decisão. O veredicto que os senhores darão será correto e justo, por um simples motivo: todos os senhores concordarão que assim é.

"Essa vida que eu vivi me ensinou a ter um enorme respeito por jurados. Kiril Pafko ganhou o prêmio Nobel de Medicina. O. Prêmio.

Nobel. Sinceramente, ele é um gênio. Mas ele sabe, e eu sei, que os doze dos senhores que vão deliberar, juntos, são ainda mais inteligentes que ele. Sim, existem regras governamentais complexas no cerne deste caso, mistérios da ciência, como o que causa e o que cura o câncer, além, claro, de assuntos jurídicos complicados. Mas os senhores descobrirão juntos o que se pode saber e dizer sobre o caso.

"Apesar disso, os senhores devem encarar essa tarefa com a disposição para dizer o que eu, como um homem idoso, posso lhes dizer que são as palavras mais difíceis de pronunciar na vida: 'Eu não sei.'"

Ele toca o ombro de Pinky ao passar por ela.

— Quando dizemos "eu não sei", temos a sensação de que isso significa que não somos inteligentes. Ou incultos. Essas palavras, "eu não sei", podem até significar que, por um instante, estamos confessando que a vida não faz sentido. Mas os senhores devem entrar na sala secreta armados da coragem de pronunciar essas palavras se determinarem que isso é o apropriado.

"Porque é isso que significa o veredicto de alguém que não é culpado. Significa, em termos simples, que 'nós não sabemos, não temos certeza absoluta'. Não ser culpado não significa necessariamente ser inocente. É um pouco diferente. Se os senhores dizem em grupo que alguém não é culpado, estão dizendo: 'Nós pensamos bem sobre as acusações e as provas e não temos certeza.' Essa seria a resposta errada se os senhores estivessem na escola fazendo prova. Mas não na sala secreta. Não sintam que fracassaram porque chegaram a essa conclusão. Na verdade, é sua obrigação solene dizer essas palavras se elas forem verdadeiras. Os senhores *só podem condenar* se estiverem totalmente convencidos. Mas, se a dúvida persistir, e francamente ela deve persistir neste caso, se os senhores encontrarem motivos para duvidar, então é o dever dos senhores voltar aqui, ficar de pé diante de todos nós e dizer, basicamente: 'Nós não temos certeza.' Os senhores juntos fizeram um juramento a Deus, ou a outra entidade que consideram sagrada, de dar um veredicto honesto, e se no fim chegarem à conclusão de que não têm certeza, então, segundo o juramento que fizeram, devem dizer que Kiril não é culpado.

"Bem, neste caso nós temos *algumas* certezas. Dados foram alterados. Isso está provado. Ações foram vendidas. Mas nós não sabemos ao certo como essas coisas aconteceram."

Stern para por um instante na mesa da defesa para se recompor. Com toda a adrenalina, a sensação é que tem um hamster correndo em círculos a toda velocidade dentro de seu peito. Stern percebe o olhar de preocupação no rosto de Marta e, um segundo depois, ele pisca para a filha. Ele vai conseguir.

— Nas alegações finais expostas pelo jovem Sr. Feld antes da minha fala, ele elencou os elementos de cada crime pelo qual o Dr. Pafko foi acusado pelo governo, os fatos específicos que os promotores devem provar sem deixar margem para dúvida, e como, do ponto de vista dele, as provas se encaixam no que diz a lei. Tenho certeza de que ao longo do julgamento os senhores se impressionaram com a inteligência do Sr. Feld, mas, como os senhores mesmos já deviam esperar, ele não enfatizou os pontos mais problemáticos para a acusação. E tudo bem, pois esse é o meu trabalho, não o dele.

"Vou começar pelo óbvio: o governo fez várias acusações alegando que Kiril Pafko cometeu fraude. Cada acusação cita vítimas diferentes: a FDA, o sistema do Medicare, os pacientes tratados com o g-Livia, que supostamente receberam um medicamento enganoso. Mas todas têm a mesma base em sua acusação, que é a fraude. E vou abordar o tema dessa forma, como um crime para o qual, nas minúcias, o governo deu vários nomes distintos. E vou lhes dizer de início que as provas não mostram que nem a FDA nem ninguém foi enganado ou passado para trás.

"Os oficiais da FDA que depuseram diante dos senhores não são pessoas ruins. São pessoas boas que estão tentando proteger todos nós. Eu e Kiril sabemos disso. Mas são burocratas. Eles criam as regras. E assim como um pai ou um procurador, um burocrata quer que as regras sejam seguidas. Eles se irritam quando isso não acontece. E essa irritação os faz agir.

"O g-Livia é um medicamento extraordinário. Os senhores puderam ouvir das diversas testemunhas as provas sobre as vidas salvas pelo g-Livia."

Stern ousa tocar no próprio peito, em um gesto bem sutil.

— Houve momentos em que me perguntei se o único grande erro provado deste caso é o fato de as ações da FDA terem tirado o g-Livia do mercado, o que provocou a redução de tempo de vida de milhares de pessoas.

Pela primeira vez, Feld protesta.

— Meritíssima, não há nenhuma prova disso.

Sonny olha para Feld por mais tempo que Stern esperava.

— Bem — diz ela —, o protesto será deferido, mas apenas com fulcro na relevância. A FDA e as decisões dela não estão em julgamento aqui, quaisquer que sejam as provas.

A forma como construiu a frase é claramente um aceno sutil para a defesa. Stern continua.

— Bem, me perdoem a franqueza, mas, em determinado momento, o Sr. Feld desconsiderou um ponto muito, muito importante. Ele disse... — Stern caminha lentamente em direção à mesa da defesa, pega seu bloco de notas amarelo e vira uma página. — O Sr. Feld afirmou: "É claro que, se a FDA tivesse visto os dados reais do ensaio clínico, a aprovação do g-Livia jamais teria seguido adiante, como aconteceu." E eu pergunto: "Será mesmo?"

"'É claro' não é prova. O que o Sr. Feld acha que os agentes do governo poderiam ou deveriam ter feito não é prova. Prova é *só* o que foi apresentado aos senhores nesta sala. E que provas os senhores ouviram? Pensem, por favor, na habilidosa inquirição de Marta com a Dra. Robb. Me perdoem o orgulho paterno, mas lembrem-se do que a Dra. Robb admitiu diante de Marta: considerando tudo o que sabemos hoje, ela, a Dra. Robb, teria hesitado ao dar sua opinião original de que o g-Livia não se mostrou um medicamento seguro...

— Protesto — interrompe Feld. — A Dra. Robb não falou nada disso.

— Indeferido — diz Sonny. — O júri ouviu o depoimento e pode lembrar por conta própria. O Sr. Stern tem o direito de alegar o que considera razoável, e o Sr. Appleton terá a oportunidade de responder, com a decisão ficando a cargo do júri. Prossiga, Sr. Stern.

— Obrigado, juíza Klonsky — agradece Stern, e então ergue um dedo como um gesto para ratificar o registro. — Repito: o que a Dra. Robb disse indica que, sabendo o que sabemos hoje, incluindo as mortes causadas por reação alérgica e levando em conta a sobrevida mais longa dos pacientes que tomaram o g-Livia, o medicamento teria sido aprovado para venda. Certamente, o governo não provou o contrário sem deixar margem para dúvida, como devia ter feito.

"Bem, como a própria juíza Klonsky mencionou novamente, enquanto a defesa só fala uma vez ao fim do julgamento, a acusação fala duas. O Sr. Feld apresentou suas alegações finais, e agora eu estou respondendo com as alegações finais da defesa. Mas, quando eu terminar, o Sr. Appleton terá o direito de responder, apresentando réplicas aos meus argumentos. Eu compreendo que talvez não pareça justo que o governo tenha duas chances de se dirigir aos senhores, enquanto nós só temos uma. Para ser franco, isso também nunca me pareceu justo. — Ele sorri para si mesmo, sabendo que está dando uma de espertinho, e alguns jurados também sorriem, pelo menos por gostarem do senso de humor dele. — Mas existe um motivo jurídico para isso. Em um julgamento criminal, o governo carrega o pesado fardo de provar que o réu é culpado sem deixar margem para dúvida. A defesa, por outro lado, não precisa provar nada. Por isso, levando em conta o grande fardo que o governo deve carregar, a lei diz que nós o deixaremos ter a última palavra.

"Suspeito de que a essa altura esteja claro para os senhores que Moses e eu já estivemos exatamente nessas mesmas posições antes, procurador da república e advogado de defesa, e por isso sou capaz de prever um pouco do que o Sr. Appleton vai dizer. Farei o possível para responder aos argumentos dele enquanto falo com os senhores agora. Mas, claro, ele não me disse com antecedência o que vai falar. Portanto, caso Moses fale sobre algo que eu não abordei agora, por favor, quando entrarem na sala secreta, perguntem a si mesmos: 'O que Sandy diria sobre isso?' Como eu já disse, tenho fé na inteligência dos senhores. Ela é maior do que a minha, e, juntos, os senhores chegarão à resposta correta.

"Para ser culpado das várias acusações de fraude, fraude postal, fraude telefônica, mentir para a FDA ou para o Medicare, em todos os casos, a suposta declaração falsa do réu deve ser 'relevante'. A juíza Klonsky vai lhes explicar isso. Essa é uma palavra importante. É uma palavra que as pessoas usam no dia a dia, e ninguém precisa de um dicionário para saber o que significa, não é?"

Uma risada toma conta da sala — inclusive, para surpresa de Stern, da contadora pública.

— Mas essa palavra tem um significado específico no âmbito jurídico. Conforme a juíza Klonsky vai explicar aos senhores, para ser relevante, basicamente a suposta mentira precisa ter uma tendência ou capacidade natural de influenciar a FDA. E a decisão se uma suposta afirmação é uma mentira relevante cabe aos senhores, não ao governo, e é uma decisão que os senhores devem tomar sem deixar margem para dúvida. Então os senhores se verão diante da seguinte pergunta: o fato de alguns dados terem sido misturados é uma prova relevante sem deixar margem para dúvida se a funcionária da FDA diz que "olhando para a situação hoje, sabendo de tudo e presumindo que as precauções normais são tomadas, eu hesitaria em dizer que o g-Livia não pode estar disponível à venda no mercado"? Afirmar algo que perde a importância depois de certo tempo é um crime que não deixa margem para dúvidas? Essa decisão, claro, é dos senhores. Mas este é o primeiro ponto a ser observado quando eu lhes pergunto: os senhores têm certeza mesmo? Os senhores têm certeza absoluta de que isso é um crime?

Stern lança um olhar demorado e sério ao júri. Os jurados estão atentos, escutando, pensando. Esses são os argumentos do tipo "eu não tenho cachorro" dos Stern: Kiril tentou enganar a FDA, mas isso não importa no longo prazo. Kiril não relatou as mortes, mas os regulamentos que exigem o registro das fatalidades são, em última instância, irrelevantes, como reconheceu Robb. As catorze pessoas na bancada do júri parecem estar refletindo seriamente sobre esses pontos.

— Agora, a principal prova do governo nas acusações de alteração de base de dados, sobre as supostas declarações falsas de Kiril, vem da

Dra. Wendy Hoh. A Dra. Wendy Hoh diz que falou por telefone com alguém que dizia ser "Kiril Pafko". Ela nunca anotou esse nome, mas é o que ela diz agora.

"Bem, por um segundo, vamos assumir que tenha sido Kiril. Tenho certeza de que, após todas as dificuldades que essa mudança nos dados causou a Pafko, os senhores provavelmente previram um ataque de minha parte à Dra. Hoh. Talvez esperem que eu enfatize que a Dra. Hoh admitiu ter mentido sobre o que aconteceu no telefone. Ela mentiu quando foi questionada pela primeira vez pelos superiores após notícias sobre o g-Livia começarem a ser publicadas no terceiro trimestre de 2018, levantando questionamentos sobre o ensaio clínico em si. Ela disse aos chefes na Global que não fazia ideia de como os dados foram alterados. Ela mentiu. Ela mentiu e agora vem aqui, sob juramento, pedir que os senhores acreditem nela. Na lei, existe um velho ditado que afirma o seguinte: 'Quem mente uma vez mente sempre.' Com mentirosos, você fica sem saber no que acreditar. As mentiras da Dra. Hoh, pelo menos as mentiras que ela admitiu, significam que os senhores têm o direito de desconsiderar tudo o que ela disse.

"Mas digamos que os senhores relevem isso e digam: 'Nós ouvimos Wendy Hoh e entendemos que ela mentiu para salvar seu emprego, mas não vamos ignorar todo o depoimento dela por causa disso.' Então me permitam dizer aos senhores o que pode ter acontecido."

Stern sempre se orgulhou da capacidade de inventar histórias com base em provas admitidas, construindo "hipóteses de inocência", conforme chama a lei. Essa linha de defesa pode se tornar uma sedutora fantasia de conjecturas. O problema para o advogado de defesa, principalmente quando o réu não depõe, é que os jurados podem não tolerar uma exibição interminável de conjecturas e hipóteses. Cedo ou tarde, eles começam a pensar: "Muito interessante. Muito criativo. Mas seu cliente sabe o que aconteceu de verdade. E o senhor também. Então pare de contar história para boi dormir." Stern vai criar algumas hipóteses de inocência e atentar para quando a linguagem corporal dos jurados disser que é o suficiente.

— Os senhores viram quem era Wendy Hoh quando ela depôs diante dos senhores: uma pessoa que gosta de agradar as outras. Animada por estar falando com um ganhador do prêmio Nobel, não se importando com quem realmente estava falando ao telefone. Empolgada por estar envolvida com esse medicamento extremamente importante, capaz de salvar vidas. E, sem dúvida, também em êxtase por estar envolvida com algo capaz de fazer sua empresa lucrar milhões de dólares, *caso* os testes continuassem. Portanto, sabemos que Wendy Hoh tinha vários motivos para querer agradar Kiril Pafko. E, apesar das mentiras que contou na empresa, talvez a história que ela tenha contado para os senhores seja verdade. Ou seja, na ânsia em agradar a pessoa que disse ser Kiril Pafko, ela fez o que achou que ele havia pedido.

"Mas o que foi dito de fato? Os senhores se lembram de como funciona todo o procedimento de ensaio clínico, quanto tempo ele dura e quão complexo é, e como as confusões usuais da FDA o tornam sujeito a erros."

Stern ergue a mão na direção de Pinky, que apresenta o slide.

— O sujeito do ensaio clínico, ou seja, o paciente, conta ao médico e aos enfermeiros como está se sentindo, e a equipe local realiza alguns testes, como exames de sangue e tomografias. O médico e os enfermeiros, ou seja, a equipe médica, repassam as informações a alguém com quem trabalham, e essa pessoa insere as informações na base de dados mantida pela empresa que conduz a pesquisa. Se há algum problema, alguém dessa empresa, como Wendy Hoh, informa aos supervisores de pesquisa da PT, que se reportam ao Dr. Lep, e Lep, por sua vez, conversa com o pai, e eles definem se devem informar aos monitores de segurança externos.

Conforme Stern explica o procedimento, a tela exibe tópicos com uma seta ao lado que correspondem ao que está sendo dito e que formam a lista do "Ensaio Clínico".

–> Paciente

–> Médico/Enfermeiro/Funcionário

–> Digitação dos dados

–> Empresa que realiza a pesquisa

–> Supervisor do ensaio

–> Supervisor de pesquisa da PT

–> Diretor médico da PT

–> Presidente da PT

–> Monitores???

— É como um telefone sem fio, aquela brincadeira em que a mensagem é passada de uma criança para a outra. Cada criança repete para a outra ao lado o que ouviu da anterior. — Stern imita a brincadeira, primeiro virando para um lado com a mão na orelha, depois virando para o outro e fingindo falar. — O que começou com um "não saí para nadar" chega na última pessoa parecendo a acusação do governo: "Não sei de nada."

A piada sarcástica arranca risadas do júri. Nem Sonny, que não costuma rir de qualquer piada, consegue segurar o riso. Moses está balançando a cabeça, mas também ri.

— O que eu quero dizer é que as pessoas neste sistema têm um bom motivo para duvidar que aquilo que foi relatado foi o que de fato aconteceu. É por isso que os dados que foram registrados devem ser depurados e analisados antes de serem apresentados à FDA, porque pode haver coisas no papel que são apenas bizarrices estatísticas.

"A juíza Klonsky vai lhes dizer que a boa-fé é uma defesa suprema contra acusações de fraude. Ou seja, alguém que age com sinceridade, sem a intenção de enganar, não é culpado, mesmo que ele seja burro ou burramente esperançoso. Agora, lembrem-se, por favor, do que várias testemunhas disseram: o surgimento de reações alérgicas no segundo ano de uso de um medicamento ou produto biológico é algo praticamente inédito. Não acontece. Lembrem-se do que disse o Dr. Kapech, do que disse a Dra. Hoh, do que disse a Dra. Robb. Esse tipo de problema repentino com um medicamento que vinha se saindo tão bem havia um ano é algo paradoxal. Não faz o menor sentido. E é por isso que qualquer pesquisador experiente, alguém como Kiril, ou até mesmo Lep, de cara pensaria que os registros da Global não estavam corretos. Qual é o termo que eles costumam usar mesmo? 'Ruído nos dados.' Era um ruído, números que parecem ser resultados, mas que não têm importância estatística.

"Então, alguém como Kiril Pafko poderia ter realizado a quebra do cegamento, olhado para a base de dados e pensado: 'Isso aqui não faz sentido, é ruído.' Esse seria um raciocínio lógico, razoável e de boa-fé que ele poderia ter tido ao falar por telefone com Wendy Hoh. Então os senhores têm Kiril de um lado... *Talvez* Kiril, mas vamos presumir que seja ele; Kiril, com um ceticismo bem fundamentado sobre os relatos de mortes súbitas, e, do outro lado, Wendy Hoh, que gosta muito, muito de agradar o vencedor do prêmio Nobel.

"Os senhores ouviram a Dra. Hoh falando inglês. Aliás, os senhores também me ouviram falar inglês. Só de me escutar, percebem que eu não nasci aqui. Tenho certeza de que minha pronúncia deixou os senhores confusos vez ou outra ao longo do julgamento. Eu faço o melhor que posso.

"Mas imaginem, por favor, o que acontece quando *duas* pessoas que não nasceram falando inglês estão conversando. Os senhores sabem que Kiril Pafko passou a juventude na Argentina. Os senhores ouviram a Dra. Hoh e sabem que ela tem dificuldade em falar inglês. A Dra. Hoh, claro, fala um inglês muito, muito melhor do que eu seria capaz de falar qualquer dialeto chinês, idioma do qual não sei uma palavra sequer. Mas ela disse aos senhores que as dificuldades que sente em relação à língua inglesa são um dos motivos pelos quais prefere se comunicar por e-mail.

"Com todo o respeito, será que o que aconteceu nesse telefonema não foi uma falha de comunicação? Será que a pessoa de um lado da linha, com suas dúvidas genuínas a respeito do que é repetido do outro lado, sem querer acreditar que um produto biológico seria capaz de produzir mortes súbitas apenas no segundo ano de tratamento, não disse algo como: 'Tem certeza sobre esses dados? Você checou com os investigadores? Será que não é um erro de programação? Não há chance de os pacientes que saíram do estudo terem sido registrados como fatalidades?' E será que Wendy Hoh não pensou que a pessoa ao telefone disse que, na verdade, foi isso que aconteceu? Uma ligação internacional complicada. Duas pessoas conversando em uma língua que não é a materna de nenhuma delas, uma língua na qual uma dessas pessoas não é fluente até hoje. Eles não estão cara a cara. Não estão vendo as pistas dadas pelas expressões faciais que fazem parte da comunicação quando conversamos pessoalmente.

"Os senhores podem dizer com toda a certeza que *não* foi isso que aconteceu? Será que foi por isso que Wendy Hoh mentiu para os empregadores no começo? Porque de repente se deu conta de que corrigiu algo que não tinha lhe sido pedido que corrigisse? Será que, correndo o risco de ser demitida, ela não disse aos senhores aquilo em que quer acreditar agora? As pessoas fazem isso, elas se lembram do que gostariam que tivesse acontecido em vez do que realmente aconteceu. Os senhores podem ter certeza de que ela simplesmente não entendeu direito o que Kiril dizia, as perguntas que ele estava fazendo? Nós não sabemos. Não temos certeza.

"Mas de uma coisa não há dúvida: a forma como o governo enxergou tudo isso, o que o governo contou aos senhores desde o começo, nada disso é verdade. Havia algo de muito errado com a forma como o governo gerou as provas no começo do caso. Os senhores sabem que eles não provaram o que disseram que provariam. Os senhores sabem que os debates orais da acusação estavam totalmente incorretos.

— Protesto. — É Moses quem se levanta. — A Meritíssima pediu aos advogados que não fizessem referência às provas excluídas.

Stern responde de pronto.

— Obrigado pela lembrança, Sr. Appleton. Estou ciente de que a juíza pediu ao júri que desconsiderasse grande parte das provas que o senhor apresentou. Mas estou falando da sua principal testemunha: a Dra. Innis McVie.

Stern olha para a juíza, que está segurando um sorrisinho ao perceber a arapuca que Stern armou para fazer Moses falar sobre o que ela própria disse que não poderia ser mencionado.

— Continue — diz Sonny.

— Existem evidências claras de que uma pessoa, e só uma pessoa, sabia que existia risco de o g-Livia causar mortes súbitas no segundo ano de uso. Uma pessoa. Innis McVie.

Feld torna a se levantar, nitidamente agitado.

— Não foi o que ela disse, Meritíssima. O fato de ela não ter negado não significa que ela tenha confirmado.

Sonny encara Feld com os olhos semicerrados.

— Chega, Sr. Feld. O senhor já teve sua chance de falar sobre as provas. O Sr. Stern tem direito de falar sem ser interrompido a respeito da interpretação que ele fez do depoimento.

O olhar da juíza para seu ex-escrivão é ainda mais duro do que o tom de sua voz. Quando Feld se senta, Moses coloca a mão sobre o braço dele e sussurra enfaticamente algo em seu ouvido. Stern imagina que a partir de agora só o procurador da república protestará. Stern observa os dois com calma, torcendo para que os jurados também percebam a situação, e então continua:

— Innis McVie disse aos amigos dela, os Neucriss, que havia problemas, mortes inexplicadas no segundo ano de uso do g-Livia. Com isso, os Neucriss ligaram para os médicos e conseguiram pacientes a fim de processar a PT. E então, para esconder o papel de Innis McVie, eles plantaram uma matéria no *Wall Street Journal* para que o mundo inteiro pensasse que foi o furo de Gila Hartung, e não o vazamento de informações de Innis McVie, que os levou aos seus clientes.

"Apesar disso, os senhores ouviram a verdade diretamente de Innis McVie, os senhores a viram tropeçar nas próprias mentiras quando apresentamos os registros telefônicos que ela achava que não existiam mais. Não sabemos a história completa, porque o fato é que a Dra. McVie parou de responder às perguntas. Mas ela sabia que, no segundo ano, os pacientes que tomavam o g-Livia corriam um risco de morte súbita, porque foi exatamente isso que os Neucriss disseram a Gila Hartung após falar com a Dra. McVie. E a Dra. McVie claramente não negou o fato quando ocupou o banco das testemunhas, embora antes disso tenha erguido a mão e jurado que falaria a verdade e dito as seguintes palavras ao júri de acusação..." Stern lê a transcrição em suas anotações. "'Eu não sabia nada sobre a possibilidade de o g-Livia causar mortes súbitas até falar com o Dr. Pafko em 7 de agosto de 2018.' Porém, quando a Dra. McVie foi confrontada com os telefonemas e mensagens de texto que enviou para o escritório de advocacia dos Neucriss, os senhores ouviram algo muito diferente.

"Ela veio aqui para mentir, para condenar Kiril Pafko. Os senhores viram. Mesmo no banco das testemunhas, ela queria alterar frases que tinha atribuído a Kiril, frases fictícias desde o começo, com o objetivo de torná-las mais incriminatórias. Por dezenas de vezes antes deste julgamento, ela falou sobre uma conversa que supostamente aconteceu no escritório de Kiril em setembro de 2016, afirmando que Kiril lhe disse que 'o problema foi resolvido'. Mas isso não era bom o suficiente. Durante este julgamento, 'o problema foi resolvido' se transformou em 'eu fiz algumas coisas para resolver o problema'.

"Quando o Sr. Appleton se levantar para pronunciar suas palavras finais, escutem com atenção. Vejam se ele vai dizer que Innis McVie foi uma testemunha honesta. Ele é um homem honrado. Imagino que não fará isso. Ele vai lhes pedir que escutem a gravação que ela fez. Como se Innis McVie não fosse nada além de um robô com um microfone conectado, como se todas as mentiras que estão por trás da gravação e todos os esquemas que ela fez com os Neucriss não importassem. Mas agora nós sabemos que, a cada palavra, ela colocava uma armadilha para Kiril, para que a promotoria pudesse tirar proveito de cada ambiguidade que encontrasse.

"A verdade é que o governo quer evitar a qualquer custo admitir que a acusação de fraude não se sustenta sem Innis McVie. Por causa das mentiras dela, eles não podem dizer aos senhores o que exatamente aconteceu na PT em setembro de 2016. As mentiras de Innis não significam nada, exceto, *exceto* que os acontecimentos na Pafko Therapeutics no fim de 2016 são um buraco negro na denúncia da acusação. Como Innis sabia o que sabia? Os promotores não nos contaram. O que Innis, que queria desesperadamente sair da empresa, fez quando descobriu que havia um problema com o medicamento? O que ela fez para preservar sua saída? Quantas outras mentiras ela contou sobre

Kiril e quando elas começaram? Podemos especular, mas os promotores e as provas que apresentaram não respondem às nossas perguntas.

"Apesar disso, nós certamente temos uma base justa para perguntar se a determinação de Innis para sair da Pafko Therapeutics e vender todas as suas ações tinha algo a ver com o que *só* ela havia descoberto do g-Livia. Ao longo do julgamento, os senhores ficaram sabendo sobre os planos 10b5-1, que são aqueles calendários com os quais os diretores e outros funcionários, por exemplo, quem integra o conselho administrativo, precisam concordar antecipadamente para vender as ações da empresa. Eles precisam cumprir essa agenda pré-programada para a venda de ações, de modo a minimizar qualquer questionamento sobre o uso ilegal de informações privilegiadas. Os senhores ouviram Yan Weill dizer que um novo plano 10b5-1 tinha sido adotado na PT no segundo semestre de 2016, após a FDA ter feito vários anúncios públicos que indicavam que o g-Livia em breve seria aprovado para comercialização nos Estados Unidos. Os senhores terão acesso ao documento do plano na sala secreta, mas, mesmo assim, vou projetar aqui na tela a Prova de Defesa Investimento-3. Peço que os senhores prestem muita atenção às intenções de duas pessoas. Como Yan Weill explicou, a maioria dos funcionários e diretores, como Lep, Yan Weill ou o Dr. Tanakawa, adotou um calendário para vender parte das ações, e não todas elas, em intervalos regulares em 2017 e 2018. Um comportamento prudente e que não chama a atenção.

"Mas duas pessoas se destacam." O documento está no monitor, e Stern usa a caneta laser que Pinky lhe entregou. "A primeira é Kiril Pafko. Percebam novamente que Kiril era o único que não tinha planos de vender nenhuma ação durante esse período. Agora eu espero que o Sr. Appleton possa explicar uma coisa para os senhores, porque para mim e para a Srta. Marta não faz sentido. Se Kiril Pafko sabia que tinha cometido fraude contra a FDA para conseguir a aprovação do g-Livia, se Kiril tinha ciência de que havia um problema com o medicamento, um problema que apareceria no segundo ano de uso, por que ele não se planejou para vender o máximo de ações que tinha o quanto antes de acordo com a lei? Se você sabe que está dentro do

Titanic, você corre atrás de um colete salva-vidas. Apesar disso, Pafko não tomou tal providência.

"E quem fez isso? Uma pessoa. Só uma. Innis McVie. Diferente de Kiril, Innis estava determinada a vender todas as suas ações assim que possível, embora, como colocou Gila Hartung na matéria publicada pelo *Wall Street Journal* a qual os senhores terão acesso na sala secreta, a PT estivesse se tornando a empresa de biotecnologia mais relevante do mercado, com o seu valor de mercado subindo como um foguete. Só Innis estava determinada a vender todas as ações sem esperar para ver que ofertas surgiriam para a compra da Pafko Therapeutics. Por que ela faria isso? No banco das testemunhas, ela disse que simplesmente queria cortar laços com a empresa o mais rápido possível. Era esse o motivo? Ou teria sido porque Innis McVie sabia que havia um problema com o g-Livia que poderia ser descoberto a qualquer momento e derrubaria o preço das ações para praticamente nada? Innis vendeu todas as suas ações e, assim que recebeu o dinheiro e viu que não tinha mais nada a perder, deu a dica aos Neucriss. Era Innis McVie quem deveria estar sentada nesta cadeira..."

Stern está atrás de Kiril e coloca a mão no ombro de seu cliente.

— É ela quem deveria estar sendo acusada de fraude e, lógico, de perjúrio.

Faz uma pausa, e então conclui:

— E lá se vão as várias acusações de fraude.

Stern encara a bancada do júri, avaliando os rostos que a ocupam. Dois jurados, ambos homens, parecem estar se remexendo em suas cadeiras, o que Stern interpreta como uma reação de desconforto aos seus argumentos. Os dois provavelmente estão pensando: "Mas como Innis sabia dos problemas com o g-Livia para começo de conversa? Quem além de Kiril poderia ter contado a ela?" Stern não pode responder a essas perguntas, nem para os jurados nem para si mesmo. Contudo, não é trabalho dele nem dos jurados resolver todas as charadas, e, se Deus quiser, eles vão entender isso.

— Os senhores dirão: "Tudo bem, Sr. Stern, nós concordamos. Não temos certeza absoluta do que aconteceu durante o telefonema com Wendy Hoh. Não somos capazes de ver como a FDA sofreu uma fraude de acordo com a lei. E, com certeza, não podemos confiar em nada do que foi dito por Innis McVie, uma testemunha que comprovadamente cometeu perjúrio. Você tem razão, Sandy. Sobre as acusações de fraude, devemos declarar que não temos certeza. Mas e quanto à acusação de uso ilegal de informações privilegiadas? Essa me parece um pouco mais clara."

"Não, eu lhes respondo. Não parece. Que provas o Sr. Feld apresentou de que Kiril Pafko de fato deu a ordem de vender as ações? 'Prova circunstancial', ele disse. 'A sequência de acontecimentos': a ligação de Gila Hartung para Kiril. A conversa de Kiril com Innis McVie, em que ela sugeriu a ele que vendesse suas ações. A ligação de dez segundos para a corretora de nome incomum do Dr. Pafko, Anahit Turchynov. E o retorno dela minutos depois. Isso é a prova deles: duas ou três palavras trocadas nos telefonemas e alguns documentos que mostram que as ações dos netos de Pafko foram vendidas em pouco mais de uma hora depois, naquele mesmo dia. Esse é o começo e o fim das provas do governo no que diz respeito a essa acusação. Chamar a venda de 'ordem não solicitada', como os senhores podem ver, não significa nada e não diz nada sobre quem originou a venda. E, na verdade, nós sabemos que um título que não tinha nada a ver com o assunto, um fundo indexado, foi vendido da conta pessoal dos Pafko no mesmo dia, o que pode muito bem ter sido o que motivou essas ligações entre Anahit e o telefone da sala de Kiril.

"Os senhores não sabem de mais nada. E não sabem por causa da forma como o governo decidiu provar essas acusações. A Srta. Turchynov, a corretora, não foi chamada para depor. Os senhores não podem culpar a defesa por isso. A juíza Klonsky vai lhes informar que a defesa não tem nenhuma obrigação de apresentar provas, muito menos testemunhas, e os senhores não podem fazer nenhum tipo de inferência contra o réu por causa disso.

"Mas e quanto ao governo? Pelo que viram, os senhores sabem que o governo, com o poder que tem de oferecer imunidade, pode forçar qualquer pessoa a vir aqui na condição de testemunha e responder a perguntas. Qualquer um. Pode forçar até um filho a depor contra o pai.

"Mas eles escolheram não utilizar esse enorme poder para permitir que os senhores ouçam o que Anahit Turchynov tem a dizer. Por quê? Sinceramente, isso cabe ao Sr. Appleton. E é algo que vai além das provas que os senhores ouviram. Mas, ao fazer essa escolha, o governo deve arcar com as consequências. E, neste caso, a consequência é que os senhores simplesmente não sabem ao certo o que aconteceu.

"O que a prova mostra, com base nesses pedidos de transação de ações apresentados pelo governo..."

Pinky exibe os pedidos na tela.

— É que Anahit Turchynov estava vendendo as próprias ações da PT e as de outros clientes *antes* de executar as ordens de Kiril Pafko. Vejam os horários das transações.

Stern usa novamente a caneta laser.

— Se a primeira indicação de Anahit de que havia um problema com as ações da PT fosse o telefonema de Kiril Pafko, então por que ela não vendeu as ações dele primeiro? Ou será que ela tinha outra forma de saber, outra fonte de informação?

"Lembrem-se de que, por algum motivo, Gila Hartung, a jornalista, não foi capaz de garantir que não tinha falado com Anahit enquanto investigava a história. E existem outras pessoas misteriosas nesse caso: não só Anahit Turchynov, mas, novamente, esses advogados de sobrenome Neucriss. Os senhores ouviram esse nome desde que o julgamento começou. Eles são os advogados dos pleiteantes que meses antes de agosto de 2018 receberam a informação de sua amiga sobre os problemas com o g-Livia, a perversa Innis McVie.

"Lamento lhes informar, senhoras e senhores, mas o triste fato é que o governo não fez um bom trabalho na investigação deste caso. Eles estavam tão obstinados em colocar Gila Hartung no banco das testemunhas que permitiram que os advogados do *Wall Street Journal* os obstruíssem. Os senhores viram que Gila Hartung, como qualquer jornalista, estava muito relutante em revelar suas fontes. Viram também os advogados que a protegeram com esse objetivo em mente. Eles estavam na frente dos senhores, vindos de Nova York, de Wall Street, três advogados para escutar o depoimento de uma testemunha. Advogados incansáveis, sim, mas também completamente desobedientes. Acham que são a própria lei, não queriam escutar nem mesmo a juíza Klonsky. Obstrucionistas até o último fio de cabelo. Mas, em vez de lhes dar uma dura, Moses Appleton e o Sr. Feld, que, para ser justo, têm muito mais o que fazer, decidiram que se conformariam apenas em trazer Gila Hartung como testemunha para depor sobre a suposta conversa incriminatória que ela teve com Kiril Pafko.

"Assim, até expormos a verdade diante dos seus olhos, os promotores não sabiam uma verdade que, com todo o seu vasto poder, não se deram o trabalho de descobrir: os Neucriss eram a fonte de Gila Hartung. E, não sabendo disso, os promotores não forçaram nenhum dos Neucriss a responder perguntas, sendo que a primeira e mais importante delas é: 'Quem contou aos senhores sobre o g-Livia?' E foi assim que a acusação acreditou no perjúrio de Innis McVie sem questionar.

"Mais uma vez, vou imaginar um diálogo com os senhores do júri: 'O senhor está certo, Sandy, os promotores foram coibidos pelos advogados de Wall Street, em momento algum chegaram ao cerne da questão, como deveriam ter feito antes do começo do julgamento, mas o que isso tem a ver com a acusação de uso ilegal de informações privilegiadas para vender as ações?'

"Minha resposta é: 'Tem tudo a ver.' Os Neucriss moram aqui no condado de Kindle."

Ele faz um gesto para Pinky, que põe na tela os documentos que os representantes do espólio dos pacientes assinaram, abrindo mão do direito à confidencialidade médica, para se tornar clientes dos Neucriss.

— Os senhores podem ver o endereço deles nas cartas de renúncia que constam nas provas. Eles estavam falando sobre os problemas do g-Livia com Innis McVie. Será que Anahit Turchynov não ficou sabendo disso por meio deles ou de Gila Hartung? Informações como a de que o *Wall Street Journal* estava prestes a publicar essa matéria e de que as ações da PT iam despencar se espalham rapidamente. E elas poderiam facilmente ter chegado a Anahit Turchynov. Lembrem-se de um ponto muito, muito importante. Lembrem-se do que demonstram esses documentos nas folhas de papel timbrado do escritório dos Neucriss: a informação sobre o que tinha acontecido com os pacientes mortos de repente *não era mais confidencial*. E, como disse o próprio Sr. Feld, para ser considerado culpado pela venda irregular das ações, é preciso que você compre ou venda ações com base nas informações que você tem a obrigação de manter *confidenciais*.

"Entendo que a lei nesta área provavelmente possa parecer uma bagunça. Os senhores viram a situação dos conselheiros externos, que tinham a incumbência de explicar a lei para pessoas leigas da PT, como Kiril. Os senhores viram na inquirição cruzada que até advogados experientes na área têm dificuldade de explicar as inúmeras nuances da lei. Não importa quantas vezes alguém tente lhe explicar uma asneira, ela sempre será uma asneira.

"Mas lembrem-se: o histórico médico dos clientes de Neucriss, cujos pacientes tinham tomado o g-Livia e morrido, não era mais confidencial. A confidencialidade foi dispensada para que os médicos pudessem falar com Gila Hartung. E, portanto, a compra e venda de ações com base na informação de que havia um problema médico com alguns pacientes não era um crime. Qualquer pessoa que soubesse interpretar o que os médicos diziam, que percebesse que as ações estavam prestes a despencar e que decidisse vendê-las não estaria violando a lei.

"Por isso, os Neucriss podiam ter falado com Anahit sobre esses problemas, e, mesmo que abrissem um processo logo depois e expusessem publicamente os problemas do g-Livia, eles poderiam ter compartilhado essas informações com Anahit sem violar nenhuma lei. E, ao ficar sabendo disso, Anahit poderia ter vendido as ações de todos os seus clientes, até as de Kiril Pafko, e ela estaria totalmente dentro da lei, porque estaria agindo com base em informações não confidenciais.

"Foi isso que de fato aconteceu? Os senhores não sabem. Será que um dos jovens advogados da família Neucriss está namorando Anahit Turchynov ou será que eles moram no mesmo condomínio, ou que frequentam a mesma academia? Os senhores não têm certeza, porque o Sr. Appleton escolheu não convocar Anahit Turchynov nem lhe garantir imunidade, e não forçou um dos Neucriss a testemunhar, mesmo depois de os nomes deles terem surgido na inquirição da defesa."

Cada vez mais agitado ante as acusações de Stern de que houve erros na investigação da acusação, Moses finalmente se levanta.

— Protesto. Nós não somos obrigados a convocar ou dar imunidade a testemunhas.

Stern gira o corpo com a graciosidade que o abandonou há décadas.

— Sim — responde ele —, mas os senhores são obrigados a provar suas acusações sem deixar margem para dúvidas, Sr. Appleton. Tenho certeza de que o senhor não vai protestar por eu dizer isso.

Do outro lado do tribunal, Stern encara Moses. Parecem dois cavalheiros em um duelo. Moses, sabendo que não é sua vez de falar — a não ser para protestar —, pisca repetidamente, tentando formular uma resposta.

Sonny, que por um breve instante ficou em silêncio assistindo ao diálogo, finalmente diz:

— Considerando a forma como o Sr. Stern colocou, o protesto está indeferido.

Stern assente e volta sua atenção para o júri.

— Mas o que o Sr. Appleton vai dizer na tréplica? "Ah, o Sandy está tendo um devaneio. Está inventando coisas. É óbvio que Kiril ligou para Anahit e iniciou a venda." Certo, vamos considerar o ponto da acusação. Os senhores podem presumir que Kiril Pafko, um médico com mais de cinquenta anos de carreira, compreende as regras da confidencialidade do paciente. Quando Gila Hartung diz: "Eu falei com esses médicos", Pafko sabe que o que ela está dizendo não pode mais ser considerado confidencial, e que, portanto, ele, como qualquer outra pessoa, pode vender ou comprar ações da PT com toda a liberdade. E como o Sr. Appleton pode responder a isso? Bem, como minha querida e falecida esposa gostava de dizer, eu acho que ele vai tentar "encher linguiça". — Novamente, alguns jurados sorriem. — Ele vai dizer: "Sim, as informações sobre os pacientes não eram mais confidenciais, mas as informações sobre a matéria do *Wall Street Journal* eram confidenciais até a publicação, portanto Kiril não podia vender nenhuma ação da PT."

"Será que o Sr. Appleton está certo, em face dessa bagunça jurídica incompreensível? Eu deixo essa pergunta para os senhores. Porque a questão é que não importa. Porque, para o Dr. Pafko cometer o crime, a juíza Klonsky vai lhes informar que primeiro ele precisava *saber* que estava violando um dever de confidencialidade, ele devia *saber* que estava fazendo algo errado. O próprio Sr. Feld admitiu isso enquanto descrevia os elementos do crime. Então voltemos ao dia 7 de agosto de 2018. Nesse momento, quando Kiril Pafko saiu do telefone, chocado e preocupado com o destino de sua façanha capaz de salvar vidas, com uma possível falha na pesquisa extremamente cuidadosa realizada pela PT, com o futuro de sua empresa e de seus netos, será que ele cometeu um erro muito compreensível sobre o que era exigido por essa miscelânea de leis? O Sr. Feld chamou a atenção dos senhores para as várias advertências que Kiril recebeu do conselho externo da PT, as aulas que deram sobre quando ele podia ou não vender as ações da empresa. Mas o que isso diz aos senhores? Pensem nisso, por favor. Essas instruções elaboradas sobre as leis significam, é claro, que Kiril Pafko não teria agido *a não ser* que acreditasse que *não* estava violando a lei, que *não* estava usando informações confidenciais ilegalmente, porque as informações sobre os pacientes relatadas por Gila Hartung já não eram mais confidenciais."

Stern se posiciona atrás de Kiril novamente. Pafko, que em geral seguiu o conselho de seu advogado sobre não reagir às provas ou aos argumentos apresentados, está assentindo com a cabeça, concordando. O que lhe garante, de pronto, uma cara feia da juíza. Um réu que não se sujeita à inquirição da acusação está trapaceando às margens da lei quando tenta se comunicar com o júri desta forma. Enquanto fala, Stern dá um aperto na nuca de Kiril, fazendo Pafko parar imediatamente.

— Bem, imagino que, quando tiver a chance de falar por último, o Sr. Appleton vai me ridicularizar. E ele não fará isso porque gosta de caçoar de velhos.

Para surpresa de Stern, o comentário provoca uma onda de gargalhadas que toma conta da sala. É, mais que qualquer coisa, um alívio cômico, mas o fato é que a alegria se espalha. Os jurados estão dando risadas, Sonny levanta a mão para tapar a boca, e até Moses, que raramente reage a brincadeiras, sorri novamente. Só Feld parece não achar a menor graça no comentário.

— Mas ele vai dizer: "Meu amigo Sandy criou algumas hipóteses absurdas para explicar como tudo aconteceu. Wendy Hoh não entendeu o que ele queria ao telefone. Os Neucriss falaram com Anahit sobre o g-Livia. E Kiril Pafko, um ganhador do prêmio Nobel, ficou confuso porque soube que as informações dos pacientes não eram confidenciais. Que coincidência... Todas essas coisas estão dando errado para o azarado do Kiril Pafko. E aqui está o coitado, sentado, sendo acusado por crimes federais após o valor de suas ações ter chegado a quase seiscentos milhões de dólares. Que azar! Que coincidência!" É isso que ele vai dizer.

"Mas o fato é: faz mais sentido acreditar que, aos setenta e cinco anos, um vencedor do prêmio Nobel de Medicina jogaria fora o trabalho de uma vida inteira, uma reputação mundial, uma vida e uma carreira longa e honrada? Até que ponto essa hipótese é crível para qualquer um de nós?

"Acontecimentos improváveis, coincidências, acidentes... Chamem como quiser, mas essas coisas acontecem nas nossas vidas a todo momento. Se eu pudesse conversar com cada um dos senhores e dissesse: 'Me conte a coincidência mais estranha que os senhores ouviram este mês', todos compartilhariam um monte de histórias: a sogra e o sogro da sua irmã morreram de causas distintas no mesmo dia, ele numa cirurgia e ela num acidente de carro correndo para o hospital. Seu melhor amigo saiu com uma mulher por seis semanas antes de descobrir que ela era uma prima de primeiro grau afastada da família havia muito tempo. Seu médico e o padre da sua igreja, que não têm nenhuma relação um com o outro, se chamam Joe Flynn. Essas coisas são improváveis, mas acontecem.

"Moses tem um trabalho. Eu tenho um trabalho. Os senhores estão entre nós dois. E eu estou ao lado de Kiril Pafko, que alcançou feitos lendários e foi acusado de um crime pelo que fez durante o desenvolvimento de um remédio que está destinado a salvar milhares de vidas. Sim, a Dra. Robb diz que deveria haver uma caixa de texto preta com uma advertência, o que quer que seja isso, e podemos imaginar que a bula do g-Livia vai ter essa caixa no futuro. Mas o g-Livia vai voltar ao mercado, e os pacientes de câncer vão viver muito mais. E nos quartos de hospitais e nas casas, durante as partidas de futebol dos netos, enquanto pais colocam o filho na cama para dormir à noite ou vivem para comparecer a um casamento ou a uma formatura, todos eles vão dizer: 'Que Deus abençoe Kiril Pafko. Uma vez ele foi acusado de fazer algo ruim.' E vão se perguntar: 'Como isso pôde acontecer?'

"Eles não vão entender. Senhoras e senhores do júri, não legitimem os erros que a acusação cometeu; o erro de ser enganada por Innis McVie, de ser obstruída por advogados de Wall Street, de confiar em leis confusas e em regulamentos que nem os reguladores entendem, ou de marcar um homem reverenciado ao redor do mundo como um criminoso. Façam com que essa sequência de erros acabe aqui.

"Nesta vida, temos certeza absoluta de muitas coisas: de que amamos nossos filhos. De que está chovendo quando caem gotas de água. De que as estrelas estão no céu. De que todo mundo adora pizza. De que Innis McVie é uma mentirosa.

"Mas de que Kiril Pafko é um criminoso, de que ele cometeu esses crimes? Os senhores acreditam nisso? Os senhores têm certeza? Os senhores têm certeza absoluta disso?"

Stern olha para eles, seu último júri, e balança a cabeça até se sentar.

VI. SENTENÇA

33. O VEREDICTO

É a voz de Marta que o desperta dos sonhos agitados. Conforme volta para o mundo real, ele percorre o inventário de perguntas que se tornou rotina. Vivo? Aparentemente, sim. Dores? Um pouco mais que as de costume. Em casa? Ele duvida, mas abre os olhos e descobre que está com a visão embaçada. Mais um segundo, e ele já sabe: está no hospital. Ele se dá conta disso pela sensação dos lençóis e pelo bipe infernal dos monitores. Fecha os olhos novamente para se orientar. Ele se lembra de terminar as alegações finais e afundar na cadeira com o seguinte pensamento: eu consegui. O que não significa que ele tenha ganhado o caso — isso continuava sendo improvável — ou até que tenha feito uma alegação final emocionante, embora Marta tenha sussurrado um elogio adorável, a mandíbula travada como a de uma ventríloqua para evitar que os jurados fizessem leitura labial. Ele estava aliviado porque tinha chegado ao fim.

No momento em que terminava suas considerações, enquanto balançava a cabeça repetidamente até se sentar, novamente Stern teve a sensação de que o coração estava tentando sair pela sua boca. Quando Moses se levantou para fazer a tréplica do governo, um cansaço enorme tomou conta de Stern, e com ele veio uma dor de cabeça brutal, como se alicates enormes pressionassem sua cabeça. Suas têmporas latejavam. Respirar era inútil. Para Marta, ele murmurou: "Você faz os protestos." Ele se lembra de outra coisa. Um grito agudo. Pinky?

Ele começa a prestar atenção na conversa que acontece ao seu lado.

— Marty — diz Al Clemente, médico de Stern, chamando Marta pelo apelido de adolescência —, o trabalho de um médico não é simplesmente juntar os cacos de um ser humano depois que ele se machuca.

— Al, qual você acha que era a chance de eu ter conseguido convencê-lo a não seguir em frente?

Como uma gota de água gelada que cai do teto de uma caverna, Stern lembra que Clara certa vez compartilhou da certeza, que ele próprio tinha, de que Al foi o primeiro parceiro sexual de Marta. Mas eles eram mais amigos que namorados, mesmo no ensino médio. Anos antes, quando Stern aceitou o conselho — provavelmente dado por Kiril — de encontrar um clínico geral mais jovem que ele, a primeira pessoa em quem Stern pensou foi Al. Agora Al está prestes a pendurar as chuteiras — mais um médico ansioso por deixar para trás uma nobre profissão cuja maioria dos prazeres se perde ao longo de uma guerra incessante contra planos de saúde e diretores de hospitais.

Al solta os cachorros em cima da velha amiga.

— Isso significa que eu não tinha o direito de falar minha opinião para ele? Quando soube pelos jornais que ele estava no meio de um julgamento que duraria um mês, eu quase saí correndo até o fórum para sequestrar seu pai. Uma calamidade era inevitável. Você sabe que a fisiologia dele não é normal, mesmo para uma pessoa de oitenta e cinco anos. Estando ou não em remissão, ele tem uma doença com metástase, e só Deus sabe como esse tipo de esforço piora a situação.

— Eu sei — concorda Marta, mal-humorada.

— Ele tem tido uma ótima qualidade de vida porque ainda está com a mente muito afiada.

— Na maior parte do tempo — diz Marta.

— Ok, na maior parte do tempo. Mas ele ainda pode viver uma vida realmente boa por mais uma década... Se você não disser "está bem" quando ele decidir escalar o monte Everest. Isso foi praticamente suicídio. Ele ainda está deprimido pela morte de Helen?

— Acho que sim. Normal. Esses dias ele parecia estar um pouco interessado numa pessoa, então talvez esteja seguindo em frente.

— Você devia encorajá-lo.

Stern decide que é o momento de pigarrear. Al para no meio da frase e, em um reflexo, segura a mão de Stern para medir a pulsação. A princípio, tanto Marta quanto o doutor se sentem envergonhados.

— Você estava ouvindo a gente? — pergunta Al.

Stern assente, e Al baixa o rosto redondo para encarar Stern. Al não é muito bom em aceitar os próprios conselhos sobre hábitos alimentares.

— Sandy, nunca mais.

— Eu já prometi — diz Stern.

— Bem, prometa para mim.

— Eu prometo, Al. E prometo a mim mesmo. Sei que isso exigiu muito de mim. Não estou contente. Mas aceito a realidade.

O médico finalmente se acalma.

— Posso perguntar o que aconteceu comigo? — continua Stern.

— A notícia ruim, do ponto de vista da medicina, é que você estava morto. A boa notícia é que sua morte não durou muito. Você teve uma parada cardíaca, Sandy.

— Parada cardíaca? Por quê?

— Aparentemente, foi uma taquicardia ventricular. Mais tarde você vai ter uma consulta com uma cardiologista excelente chamada Sarita Panggabean, que vai implantar um dispositivo no seu peito para evitar que isso aconteça de novo. Você vai sair daqui amanhã de manhã.

— Hoje ainda é terça?

— Quarta — responde Al. Stern passou a noite sedado, após chegar de ambulância ao hospital.

Marta descreve a cena caótica que aconteceu no tribunal depois que Stern escorregou da cadeira e caiu de cara no carpete. Por fim, Feld, Moses e Harry, o segurança do fórum, levantaram Stern e o deitaram em cima da mesa da defesa, e Marta diz que ela e Sonny se revezaram na respiração boca a boca.

— Mas Pinky foi a verdadeira heroína — acrescenta Marta.

— Uma nova tendência maravilhosa — comenta Stern.

— Ela lembrou que havia um desfibrilador no corredor. Teve que quebrar o vidro com as próprias mãos e voltou correndo com o aparelho, para que Kiril pudesse usá-lo em você.

Stern não sente o menor prazer em imaginar a cena — sua camisa aberta à força, seu peito e sua cicatriz expostos para todo mundo ver, seu rosto branco como um fantasma.

— Sandy, não tinha pessoa melhor para ver seu coração parando. Logo um vencedor do prêmio Nobel de Medicina.

— Esse é o meu nível de sorte, Al. — Stern olha para a filha. — E o veredicto?

— Ainda não saiu. O júri só foi para a sala algumas horas atrás.

— Como nosso amigo Moses se saiu na tréplica?

— Cair justo naquela hora não foi uma boa decisão tática. Sonny mandou todos para casa e deixou Moses recomeçar hoje de manhã, depois de dizer ao júri que você estava bem.

Para ser justa com a acusação, a juíza teria que dizer isso, mesmo que o corpo de Stern estivesse gelado na câmara frigorífica de uma funerária.

— E o argumento?

— Forte. Muito bom. Não tão bom quanto o seu. Mas ele certamente se beneficiou por ter a noite de ontem para se reorganizar. Ele começou com aquele papo de: "Ah, que droga, eu nunca vou conseguir ser tão eloquente quanto o Sr. Stern."

— E logo depois me arrebentou — disse Stern.

— Tentou. Não perdeu muito tempo nas acusações de fraude.

Stern fica surpreso. Marta explica:

— Acho que eles perceberam que a acusação de fraude meio que foi por água abaixo. Muitas coisas deram errado para eles. Ele me disse depois que achou que o júri ia comprar seu argumento sobre Wendy Hoh, o suficiente para dar margem a dúvida. Por isso, apostou todas as fichas na venda ilegal de ações. "Quem quer que o governo convocasse para depor, o Sr. Stern conseguiria citar outra testemunha que deveríamos ter trazido. Vocês têm os registros telefônicos da Srta. Turchynov. Não há nenhuma ligação para nenhum número dos Neucriss. E você se lembra do que Gila Hartung disse na inquirição do Sr. Stern? Ela concordou que os Neucriss estavam determinados a manter as complicações com o g-Livia em segredo para evitar que advogados de outros querelantes tentassem entrar nesses casos também. Sem chance de eles terem permitido que alguma coisa vazasse para Anahit Turchynov. A hipótese de a Srta. Turchynov vender ações da PT por outro motivo que não as informações dadas por Pafko é totalmente fantasiosa. Mas essa é a parte maravilhosa de ser um advogado de defesa. Você não tem que provar nada, então pode dizer uma coisa hoje e outra totalmente diferente amanhã."

— Parece eficaz — comenta Stern.

— Os jurados prestaram atenção. E você sabe o que aconteceu depois: "Ninguém está acima da lei, não interessa o que já tenha alcançado." "Vinte milhões de dólares não é um crime qualquer."

— E o nosso cliente?

— O de sempre. Uma animação só. Preocupado com você, mas convicto de que vai conseguir a liberdade.

Stern pensa em Kiril por um instante, então balança a cabeça enquanto reconsidera o impacto das alegações finais de Moses.

— Ele foi um idiota por não aceitar a anulação do julgamento.

Na manhã seguinte, no Dia de Ação de Graças, Stern fica chocado ao ver sua filha mais nova, Kate, entrar pela porta do quarto do hospital logo cedo. Ela o abraça. A pessoa mais alta da sua família de sangue, Kate é uma mulher bem magra que continua tendo o mesmo carisma e beleza de sempre. Seu segundo marido, Miguel, um espanhol, é um bocado mais velho que ela e não se parece nada com John, pai de Pinky, que mantém a proeza de ser, até hoje, o único genro ou nora de Stern que não conta com a simpatia do patriarca — mas, como Stern costuma dizer, a antipatia que sentia por John valia por dez. Miguel é um sujeito muito mais mente aberta e ampliou os horizontes da vida de Kate de uma forma que ela claramente almejava. Mas, assim que se tornou uma pessoa mais feliz, Kate fez de tudo para evitar que Pinky atrapalhasse isso. Não por acaso, ela apoiou o desejo de Miguel de se mudar para Scottsdale, onde eles passam a maior parte do ano perto dos dois outros filhos de Kate, que vivem em Seattle. Para Stern, quanto mais Kate envelhece, mais se parece com a irmã dele, Silvia — outra mulher linda, brilhante, bondosa, que hoje basicamente vive recolhida em uma bolha de riqueza.

Kate pegou um voo ontem à noite para fazer uma surpresa para o pai e passar o feriado com ele, e agora cabe a ela dizer a Stern que ele vai ter que passar mais um dia ali. O hospital está com falta de funcionários; demoraria horas para ele ter alta. Além disso, Al acha que mais um dia de descanso forçado vai fazer bem a ele. Stern sabe que o tribunal está fechado por causa do feriado, mas Sonny pediu que o júri aparecesse amanhã de manhã para continuar com as deliberações. Se não houver veredicto até o fim de sexta-feira, eles provavelmente vão avisar que estão indecisos.

— Ação de Graças aqui nesse inferno? — pergunta Stern.

Mas, no fim das contas, tudo corre bem. Marta leva o jantar inteiro para o hospital universitário, e eles comem no *lounge* para famílias — dezoito pessoas, incluindo todos os três filhos de Marta e a namorada de Henry. Stern fica satisfeito em ver Pinky e a mãe dela sentadas lado a lado, conversando a noite toda. Falando com Kate mais cedo, ele rasgou elogios ao trabalho de Pinky durante o julgamento, isso sem mencionar o heroísmo dela quando ele desmaiou.

— Marty disse a mesma coisa — confessara Kate. Assim como qualquer pessoa, ela também ficou extremamente impressionada com o raciocínio rápido e a coragem de Pinky ao quebrar o vidro de proteção do desfibrilador.

— Acho que ela tem um grande futuro como detetive particular — dissera Stern. — Ela tem muitas qualidades para esse trabalho.

Kate parecia nitidamente satisfeita por ouvir tudo isso, mas já havia sofrido tantas decepções com Pinky que se manteve na defensiva.

Peter, com quem Stern tem trocado áudios desde ontem, faz uma chamada de vídeo para o telefone do pai enquanto todos estão ao redor da mesa.

— Ouvi dizer que você quase conseguiu realizar seu maior desejo — diz ele assim que Stern aparece na tela.

— Qual?

— Ser enterrado num tribunal. — Peter dá uma risada. Como sempre acontece quando fez piadas sobre o pai, só ele acha graça. — Como está se sentindo, pai?

— Um pouco de dor na incisão. Mas, fora isso, até que estou bem. Não me sinto fraco. Isso quando estou acordado. Al tem me dado comprimidos para dormir.

— Boa ideia. Eu falei com Al. A exaustão foi grande parte do problema. Mas você vai ficar bem. Sua fração de ejeção está acima de 50%. A gente devia ter feito isso alguns anos atrás, mas na maior parte do tempo você parecia bem.

Stern pede para ver a neta.

Rosa está uma graça e determinada a segurar o celular do pai.

— Me dá! — grita ela. — Me dá!

Quando ela se acalma, Stern brinca de "cadê a Rosa? Achou!" com ela.

— Rosa — diz Stern —, diga ao papai que, assim que eu puder entrar num avião de novo, vou aí passar uns dias com vocês. A aposentadoria tem suas vantagens. — Percebendo o silêncio de Peter, Stern continua: — Peter, eu li o roteiro, e sua fala agora é: "Nós vamos adorar ver você."

Peter ri com vontade, e Stern passa o telefone para que os outros parentes possam desejar feliz Dia de Ação de Graças para o filho.

O sono induzido pelos remédios para dormir que Stern tomou nas últimas noites tem sido delicioso, como boiar despreocupado em um mar de águas mornas. São quase nove e meia quando Stern acorda na manhã de sexta-feira, e Kate está lendo alguma coisa em seu tablet, sentada na cadeira ao lado do leito. Quando percebe que ele está acordado, ela sorri com uma doçura revigorante.

— Clarice e Marty correram para o fórum.

— Veredicto ou pergunta do júri?

— Marta disse que viria direto para cá para contar tudo.

Pelo jeito, é um veredicto. Após passarem o feriado refletindo, os jurados mais resistentes se renderam. Stern sabe que poderia simplesmente ligar o rádio na estação de notícias locais para descobrir o que aconteceu, sobretudo caso haja uma decisão, mas está feliz em saborear o éter da ignorância por mais alguns minutos, assim como faria caso estivesse no próprio tribunal. Esses momentos de espera do anúncio do veredicto são vertiginosos. Algo enorme aconteceu — com seu cliente, com a comunidade —, mas esse é um segredo que só doze pessoas sabem.

Meia hora depois, o celular dele, pousado na mesinha de cabeceira ao lado do leito, começa a vibrar. Com certeza são repórteres ligando para pedir que ele comente a decisão. Agora Stern tem certeza: *habemus* veredicto.

Sua filha e sua neta mais velhas chegam vinte minutos depois. Stern fica feliz em ver Pinky e a mãe dela se cumprimentarem com um abraço sincero.

— *Dígame* — diz ele a Marta, que ainda nem tirou o casaco.

— Inocente em todas as acusações, menos na vinte e três — responde Marta.

— Culpado na vinte e três?

Marta faz uma careta e acena com a cabeça, confirmando.

Uso ilegal de informações privilegiadas. Stern tem a sensação de que levou um tiro. Ele geme.

— Eu devia ter pedido a eles para não se comprometerem.

É um argumento padrão, baseado em um trecho das instruções do juiz sobre as deliberações. "Não abram mão das suas crenças sobre o caso." O subtexto é: "Não entrem em um acordo só para sair logo da sala secreta. Isso acontece o tempo todo: jurados pensam que estão fazendo um favor ao réu, ou dando uma opinião sobre o mérito das acusações, ao condenar o réu em apenas uma ou duas acusações. Seja por uma ou por cem acusações, Kiril Pafko agora é um réu condenado e será punido de acordo com a lei.

Stern está perplexo com o tamanho de sua decepção. Ele sabe que Kiril cometeu o crime. E, ao que parece, Moses consolidou essa parte da acusação na tréplica. Mas mesmo assim... A esperança é um pássaro cego. Voa nos céus mais carregados. Stern se sente arrasado. Por si mesmo, para ser franco. Seria uma forma gloriosa de dar adeus à carreira, alcançando o que a mídia pintou como uma vitória impossível. E ele também está de coração partido por seu tolo, tolo cliente. Stern percebe que Pinky roubou a cadeira ao lado dele e, sem dizer nada, segurou sua mão. Ele ainda está com uma atadura de gaze e fita crepe ao redor dos dedos.

— É um ótimo resultado, pai — comenta Marta. — O cara foi acusado de homicídio e acabou condenado só por uma infração de trânsito.

— Não se vai para a cadeia por excesso de velocidade.

— E Kiril não vai. Pelo menos, não por muito tempo. As diretrizes vão ser pesadas — diz Marta, referindo-se ao tempo de prisão prescrito pelas diretrizes de sentença federais —, mas as acusações das quais ele foi inocentado, a pesquisa de câncer, as vidas que salvou e sua idade... Tudo isso vai dar razões sólidas para Sonny se esquivar — continua ela, dando a entender que a juíza terá liberdade para ignorar as diretrizes neste caso. — A última coisa que Moses disse foi: "Me liga." Eles sabem que Kiril tem grande chance na apelação, sem as acusações de homicídio e com Innis saindo de cena. Se Kiril abrir mão da apelação, podemos chegar a um acordo sobre a pena, ou um tempo máximo. Seis meses na penitenciária, seis meses de prisão domiciliar? Ele vai trabalhar na enfermaria. Vai ser como participar de uma missão médica internacional.

— Como Kiril recebeu a notícia?

Para descrever essa parte, Marta se senta em uma poltrona de couro do outro lado do leito.

— Nada bem. Chorou. Chegou a se levantar para ouvir o veredicto. Após a leitura, ele ficou imóvel, e depois me olhou e perguntou: "Eu fui condenado?" Quando eu fiz que sim, ele simplesmente desabou. Sentou-se, baixou a cabeça na mesa e chorou como um bebê. E aí dois jurados começaram a chorar.

— Mas eles mantiveram o veredicto quando foram perguntados individualmente? — pergunta Stern.

Após a decisão ser anunciada em audiência pública, a defesa pode pedir que o juiz pergunte individualmente a cada jurado: "Seu veredicto foi assim e assado?" No sistema federal, todos os doze jurados devem concordar com a condenação. Caso apenas uma das doze pessoas mude de ideia e se atenha a ela, o julgamento é anulado, que é o que deveria ter acontecido com esse.

— Eu realmente achei que um deles ia ceder — diz Marta.

— A Sra. Murtaugh?

— Aposto que você pode sair com ela, pai.

— Com certeza — complementa Pinky. — Ela está totalmente apaixonada por você.

— Eu estou aposentado, Marta. Do tribunal e do amor.

Considerando que investiu tão pouco em Innis, Stern está chocado com a mágoa que sente em relação a ela — ou talvez seja só o sentimento de humilhação.

— Uma ideia é boa, talvez a outra não seja — diz Marta.

— Fiança?

— Sim, Sonny deixou Kiril em liberdade sob fiança. Até a fixação da pena. O padrão.

— Assim que eu puder, quero ir vê-lo. Você vai comigo, Marta?

— Claro.

— Al diz que devo ter alta na segunda. Por favor, ligue para os Pafko e veja se podemos passar lá nesse dia.

34. NOTÍCIA DE DONATELLA

Kiril e Donatella moraram por duas décadas em uma casa senhorial inglesa no condado de Greenwood. Por dentro, a decoração lembra a da casa de um barão britânico, com lustrosas mobílias antigas de madeiras castanheira e cerejeira, longas cortinas de veludo vermelho--escarlate e objetos de decoração pesados o suficiente para servirem como armas. Apesar do sangue italiano de Donatella, sua decoração anglófila acompanha o estilo comum na alta sociedade argentina, que, no século XIX, preferia os costumes da terra da rainha como forma de repudiar a influência da Espanha.

Stern já esteve ali várias vezes, comparecendo às enormes festas organizadas pelos Pafko. Era bem o tipo de evento que Kiril adorava, uma confluência de muitos dos cidadãos mais influentes do condado de Kindle — embora Kiril preferisse usar o termo "interessantes" para descrevê-los —, políticos, músicos, várias figuras de Easton e do University Club, artistas, grandes empresários da região. Como, no fundo, Stern ainda era um pouco aquele jovem imigrante que tinha chegado à região, ele sempre ficava um pouco feliz por ser incluído.

É uma visita estranha desde o primeiro momento. Stern e Marta chegaram alguns minutos atrasados e ficaram esperando por uma eternidade em frente à porta, mesmo tendo tocado a campainha várias vezes. Marta pega o celular e está prestes a ligar para o telefone fixo da casa quando Donatella abre a porta com um gesto brusco. Ela pede mil desculpas, nitidamente preocupada com algo — o que é raro em se tratando dela —, e os leva até a sala de estar, onde Stern se surpreende ao encontrar Lep, de pé para cumprimentá-los, alto e magro em seu blazer casual.

Donatella oferece aperitivos. Eles conversam sobre o feriado de Ação de Graças e sobre as últimas façanhas musicais das filhas de Lep. Por fim, após vários minutos, Stern pergunta:

— Onde está nosso amigo Kiril?

Donatella e Lep trocam olhares. Por fim, o filho diz:

— Não sabemos.

— Como assim?

— Não o vejo há três dias — diz Donatella.

Stern tenta pensar em uma forma de evitar, mas, por fim, faz a pergunta:

— E isso costuma acontecer?

— Se costuma? Não. Ele dormiu fora várias vezes após o começo do julgamento, mas então voltou de vez semana passada.

— Quando foi a última vez que você o viu?

— Sexta à tarde, quando ele pegou o carro e saiu.

— E ele disse alguma coisa antes de ir embora?

Donatella franze os lábios.

— Ele disse: "Por favor, me perdoe por tudo isso, *cara mia*."

Isso não é nada bom.

— E como ele estava?

— Parecia estar se recuperando um pouco, Sandy. O veredicto tinha saído horas antes. — Donatella olha para Lep, que assente, concordando. Donatella continua. — Ele sabia da sua visita. Marta, você falou com ele pessoalmente. Ele estava doido para agradecer a vocês dois. Achou que a defesa que você montou foi brilhante. Tanto Lep quanto eu estávamos esperando que ele entrasse pela porta a qualquer minuto.

— Ele foi à PT ver os e-mails hoje de manhã ou na sexta? — pergunta Stern a Lep.

A resposta é não. Também não apareceu no laboratório em Easton. E não respondeu a e-mails nem atendeu às ligações.

— Lep, você falou com mais alguém que possa ter visto seu pai?

— Ele não foi ao jogo de pôquer sexta à noite.

— Mais alguém? — Stern está falando de Olga, mas não quer pronunciar o nome dela na presença de Donatella. Pela forma como Lep franze a boca, Stern conclui que Lep não encontrou um jeito de falar com a mulher, o que é compreensível.

— Vocês estão com medo de ele ter feito algum mal a si mesmo?

Levando em consideração o clima péssimo na sala, a risada sarcástica de Donatella é surpreendente.

— Kiril? Ele não é capaz de imaginar o mundo sem ele.

Stern olha para Marta.

— Onde ele guarda o passaporte? — pergunta ela.

— Ele o entregou para a polícia muito tempo atrás, por causa da liberdade condicional — responde Donatella. — Entregar o passaporte era uma condição para ficar em liberdade sob fiança. Vocês dois sabem disso.

Mas há algo estranho na resposta de Donatella. Como é uma pessoa direta, ela não mente muito bem. Um imigrante nunca deixa de ser completamente um imigrante. É um convidado que nunca tem sua cidadania ou sua sensação de pertencimento legitimadas. Stern se dá conta de uma pergunta que deveria ter feito há muito tempo.

— Ele também tem passaporte argentino?

Donatella baixa a cabeça e olha para as próprias mãos pousadas em seu colo.

— Nós dois temos. Renovamos os passaportes ao longo dos anos, quando visitamos a família.

— E onde eles ficam guardados?

— Temos um pequeno cofre lá em cima.

— Posso pedir que você vá lá dar uma olhada?

Ela volta minutos depois.

— Não está lá — diz Donatella, um pouco ofegante.

Marta solta um grunhido. Isso é um grande problema.

— Precisamos reportar o desaparecimento de Kiril ao tribunal, Donatella — diz Stern. — Sigilo profissional de advogado não é a mesma coisa que acobertar um crime. Quebra de fiança é um crime sério, ainda mais depois da condenação.

A mulher que estava desdenhosa minutos atrás agora parece tomada por uma nova tristeza. O sumiço dos documentos argentinos de Kiril claramente a pegou de surpresa. Agora ela se dá conta de que talvez nunca mais o veja.

Os Stern e Lep vão embora juntos. Nevou ontem à noite, deixou menos de três centímetros de neve no chão, mas foi o suficiente para tudo ficar escorregadio. Por causa disso, Marta leva o carro até a frente da casa, para que seu pai não tenha que caminhar no piso de cascalho da entrada da garagem, na qual ele pode escorregar e cair.

— Lep — diz Sandy, quando eles estão prestes a se separar —, em algum momento, gostaria de lhe perguntar algumas coisas. De homem para homem.

Com seus olhos claros, Lep encara Stern.

— Você sabe o que meus advogados me disseram, Sandy. Não posso falar sobre isso nem com você.

— O julgamento acabou.

— E daí? Se Kiril aparecer, ele vai apelar. E todas essas ações cíveis? Eu preciso ficar na minha.

Ele tem razão, obviamente. Conforme o SUV de Marta se aproxima, Stern diz:

— Então talvez quando isso tudo passar.

Lep sorri e estende a mão para se despedir.

— Não estou contando com isso, Sandy — diz, sem rancor.

Lep atravessou um campo minado e não tem a menor intenção de refazer os passos.

Após sair da casa dos Pafko, Stern e Marta vão ao fórum. Stern liga para avisar da visita enquanto entram com o carro, e, juntos, os dois esperam a presidente do tribunal na antessala até que Sonny saia da sala de julgamento. Ela já está com outro caso, um processo civil, e os debates orais devem terminar em breve.

A juíza tem uma entrada separada que liga a sala de julgamento e a dela, e um de seus escrivães abre a porta principal para permitir a entrada de Sandy e Marta cerca de vinte minutos depois. Já sem a toga,

Sonny se levanta de sua cadeira e vai abraçar os dois. Ela passa mais tempo abraçando Stern.

— Você quase matou a gente de susto.

— É uma experiência mística — diz Stern sobre os instantes em que esteve morto. No começo, ele não se lembrava de nada, mas agora está começando a se recordar de mais detalhes: a luz branca de que tantas pessoas falam. Ela tornou muito menos assustadora a perspectiva do que vai acontecer em breve, quando ele não for chamado de volta. Para ele, o mais chocante foi como tudo pareceu tão natural.

— Viemos com duas missões — diz Stern. — A mais urgente é avisar ao tribunal que nosso cliente aparentemente fugiu.

— Vocês têm certeza?

— Ao que tudo indica, temos.

— Merda — diz Sonny.

Um fugitivo é sempre um ponto negativo com o juiz que permite a liberdade sob fiança. Significa que ela fez uma avaliação ruim da personalidade do réu. Desapontado, Stern conta sobre o segundo passaporte.

— Eu devia ter perguntado — comenta Stern.

— Eu também — acrescenta Sonny. — Alguma ideia do paradeiro?

— Até agora, nenhuma pista. Mas os oficiais de justiça vão ter acesso aos manifestos de passageiros e olhar um por um, isso presumindo que ele tenha ido de avião para algum lugar.

Stern refletiu de antemão sobre a pergunta da juíza e tem um bom palpite do paradeiro de Pafko, mas sua obrigação é relatar os fatos que conhece, e não trabalhar com achismos. Mesmo assim, a responsabilidade deles, como advogados, de ajudar na captura de seu cliente vem com uma consequência inevitável.

— Como agora somos testemunhas contra Kiril, vamos fazer um pedido formal para nos retirar do caso.

— Concedido — diz Sonny.

Ela faz um gesto e chama o escrivão. O rosto de Luis aparece em outra porta. De onde ela está, a juíza diz: "*Estados Unidos contra Pafko*: Pedido oral por parte de Stern & Stern para se retirarem do caso como advogados do réu Pafko." Ela não quer que nenhuma formalidade atrase os Stern no compartilhamento de informações com o Serviço de Delegados dos Estados Unidos, que vai começar a caçada imediatamente. Em seguida, a juíza chama a oficial de justiça, Ginny Taylor, e a informa do ocorrido.

A situação como um todo faz Sonny balançar sua cabeça grisalha. Stern sempre verá Sonny Klonsky como a mulher de beleza simples por quem, por um minuto no passado, esteve muito apaixonado. Apesar disso, agora, em outra parte de sua mente, ele sempre a chamará de "a juíza". De repente, Stern se lembra de um detalhe que Marta lhe contou: quando ele caiu desmaiado no chão, Sonny lhe fez respiração boca a boca uma ou duas vezes. Após todas essas décadas, seus lábios se tocaram de uma forma como nenhum deles jamais imaginaria: em seus lábios moles como cera. Seria cômico se não fosse trágico. Mas nós vivemos e nós mudamos. Faz parte da aventura que é a vida.

— Seu cliente parece ter uma péssima capacidade de julgamento — comenta Sonny. — Posso presumir com segurança que foi ideia dele ir a veredicto com esse júri?

— Não podemos comentar — diz Stern. — Apenas registrar mais uma vez a grande perspicácia da juíza.

Sonny se diverte com a delicadeza de Stern. Ele se inclina para a frente na cadeira, as mãos segurando o punho de marfim da bengala.

— O outro motivo da minha visita é pedir desculpas a você.

Ela dá uma risada e ergue a mão, encolhendo os ombros.

— Advogados são advogados, Sandy. E você sempre foi o melhor. Sinceramente, achei que você ia tirar o coelho da cartola dessa vez.

— Marta diz que minha tática de desmaiar não foi muito inteligente, porque deu a Moses mais tempo de se preparar para a tréplica.

— Ele fez um ótimo trabalho.

— Conversei com Moses no sábado — diz Stern. — Eu o parabenizei, e ele foi muito simpático. Vamos almoçar juntos qualquer dia desses. — Esse sempre foi o costume quando os Stern vão ao tribunal contra Moses. O perdedor do caso paga o almoço, uma aposta que favoreceu Moses ao longo dos anos, como deveria ser. — Mesmo assim, sei que coloquei você numa posição difícil em alguns momentos.

— Desculpas aceitas. Mas você sabe que nunca vai perder minha amizade. E, sinceramente, foi esta juíza aqui quem se colocou numa posição difícil. Eu fiquei incomodada porque sabia que deveria ter me afastado do caso. Vou precisar falar com Moses sobre como lidar com essas situações daqui para a frente. Quando este caso acabar. — Ela dá um sorriso largo. — E, para vocês dois, já acabou.

A cada passo do caminho, Stern disse a si mesmo que o fim estava se aproximando. Sua última inquirição. Suas últimas alegações finais. Mas, quando Sonny acenou para Luis agora há pouco para atender ao pedido dos Stern de se retirarem do caso, aquele pequeno gesto com a mão foi o cair da cortina da carreira de Stern. Agora, em todos os sentidos, ele é um ex-advogado. Assim como Marta.

A juíza leva os dois até a porta do gabinete e os abraça novamente. Acabou.

35. OUTRA CONVERSA COM A SRTA. FERNANDEZ

Na sexta-feira, uma semana após o veredicto, Stern se sente inquieto. Pinky e Marta estão no escritório, na árdua tarefa de devolver os arquivos aos ex-clientes que os queiram. Muitos ainda não responderam à carta dos Stern. Quando for ao escritório semana que vem, sua tarefa será ligar para os clientes que ainda não deram notícia. Ele está animado para entrar em contato com várias dessas pessoas. Juntos, eles viveram momentos tensos, embora, na advocacia criminal, seja natural que mesmo alguns dos que passaram ilesos e foram inocentados prefiram não ouvir o nome de Stern, por fazê-los lembrar de uma época de infâmia não merecida. Outros, que foram condenados, não vão sequer atender ao telefone porque, a essa altura, concluíram que todos os problemas que tiveram são culpa de Sandy.

Sem nada mais para fazer além de se indignar com o que vê nos jornais de sua TV a cabo, Stern não para de pensar no caso de Kiril. Está insatisfeito com a conclusão — não só com a fuga de Kiril, mas com tudo aquilo que não sabe. Após mais de um ano de trabalho árduo, Stern ainda sabe pouco do que realmente aconteceu nos dias quinze e dezesseis de setembro de 2016, quando a base de dados do ensaio clínico foi alterada. Ao longo de sua carreira, ele concluiu dezenas e dezenas de casos em que a falta de sinceridade do cliente, combinada com testemunhas de acusação dissimuladas e jogando a culpa em outras pessoas, o deixou basicamente no escuro. E, nesse caso específico, Stern podia aceitar o próprio conselho que deu ao júri no tribunal sobre como é difícil dizer "eu não sei". Mas Kiril é — ou era — seu amigo, portanto a desonestidade tem um traço pessoal, sobretudo considerando a previsão inicial de Marta, que logo no início do caso disse que Kiril escolheu Stern para poder mentir para seu advogado. Além disso, tem a pergunta que ninguém conseguiu responder ainda: quem tirou Stern da estrada intencionalmente?

Em um impulso, Stern telefona para a PT e pede para falar com Olga Fernandez. Quando a ligação é transferida, ele diz a ela que gostaria de fazer-lhe uma visita. Por um instante, parece que a linha fica muda.

— *Que pasa?* — pergunta ela finalmente.

— Umas pontas soltas... — responde ele.

— Pode vir. Quanto tempo isso vai levar?

Olga marca às 13h e reserva quinze minutos para ele. Stern liga para Ardent, que em breve se tornará um empregado particular seu.

Olga não se levanta para cumprimentá-lo, o que já era de esperar. Em vez disso, aponta para uma das modernas cadeiras de escritório à sua mesa. Depois de março, última vez que Stern a viu na empresa, ela foi tirada da sala ao lado da de Kiril, que antes era de Innis e onde o próprio Kiril a colocara. A nova sala tem paredes de vidro e é considera-velmente menor. Olga explica que, quando se tornou o CEO de fato, sem o adjetivo "interino" no nome do cargo, Lep promoveu Tanakawa a diretor de operações.

— E eu estou de saída — acrescenta ela. — Lep não me quer por perto.

O sucesso de Olga no trabalho de marketing do g-Livia rendeu a ela menções frequentes na imprensa especializada, mas, agora que está livre para comandar a empresa, aparentemente Lep não quer repetir a experiência que teve com Innis. Não vai tolerar ter que lidar diaria-mente com a amante do pai.

Quando Stern viu Olga no tribunal um dia desses, percebeu algo diferente nela, mas, empolgado com os registros telefônicos de Innis, não tentou identificar o que era. Agora que está menos estressado, percebe que ela está usando o equivalente atual do aparelho ortodôn-tico, aquela placa de acrílico que cobre os dentes. Sendo alguém que frequentemente sente vergonha da própria boca, Stern se solidariza com a mudança. Nas gerações de seus filhos e netos — pessoas da idade de Olga —, não existe marca mais nítida de classe social do que aquilo que as pessoas veem quando você sorri. Como sempre, ele dá crédito a Olga por sua ambição e seus esforços para melhorar.

— Você parece bem para um homem morto, Sandy.

— Pelo que dizem, foi uma partida temporária. Mas não acho que você sentiria saudade de mim, Olga.

— *Chacho!*

Ela inclina o corpo para trás com um olhar desconfiado. Com Stern, que é latino como ela, Olga fala várias palavras em espanhol, mas seu único objetivo é manter o controle da conversa. Por décadas, o desespero de Stern para se tornar um americano de verdade fez com que ele tentasse de tudo para eliminar o espanhol de sua mente. Ao passar muito tempo na casa de Marta, onde misturam inglês com espanhol o tempo inteiro, grande parte de sua capacidade de compreensão voltou, mas ele ainda precisa pensar na hora de falar. Em todo caso, Olga fala o espanhol dos *boricuas* — os porto-riquenhos —, em que metade das consoantes é engolida, e que em geral ele não entende mesmo.

— Nós somos inimigos, Sandy? Eu nunca pensei na gente dessa forma. Você veio aqui me perguntar onde ele está?

— Esse é um dos motivos da minha visita.

— Vou lhe dizer a mesma coisa que eu disse à oficial de justiça fulana de tal.

Olga inclina o corpo para a frente. Com a chegada do mês de dezembro, o tempo na região está esfriando, ficando raramente acima de zero grau — hoje faz dois graus negativos —, mas Olga mantém seu estilo, e a blusa que usa por baixo do grande crucifixo dourado está com alguns botões abertos, revelando um decote enorme e um bom pedaço de pele sardenta.

— Uma oficial de justiça esteve aqui?

— Na quarta. A oficial de justiça federal — explica Olga. — Sempre pensei que isso fosse coisa de filme.

— Eles são o braço direito dos juízes federais. Perseguem pessoas que descumprem a liberdade sob fiança e outros fugitivos.

— Interessante.

— E por que eles vieram falar com você?

— Parece que ele comprou uma passagem de avião para mim.

— Ah, então Kiril esperava que você fosse com ele?

Olga torce o nariz.

— Ele me ligou a caminho do aeroporto e me falou que teríamos uma vida maravilhosa juntos lá. Eu nem discuti com ele.

— Ele ficou magoado?

— Acho que ficou surpreso. Mas onde ele estava com a cabeça? Eu tenho três filhas. — Ela aponta para as fotos na estante. — A de catorze anos acabou de entrar no ensino médio. Tudo bem, eu sei que preciso sair da PT agora, mas sair do país? Calma lá...

— Mas pensei que você queria se casar com ele, não queria?

— Kiril lhe disse isso?

— Como você sabe, não posso revelar o que Kiril me disse. Mas tenho certeza de que você e Kiril tinham voltado a se ver. E de que a separação dele e de Donatella era sua condição para o relacionamento.

— Bem, então você não precisa ouvir nada de mim.

Stern ainda está tentando entender tudo isso. Os dois se encaram por um segundo, e Olga cede um pouco.

— Sandy, umas três semanas atrás ele me ligou e disse: "*Mi amor*, não aguento mais. Preciso ver você. Assim que o julgamento acabar, vou me casar com você. Eu juro."

Stern se pergunta se deveria acreditar nisso, que a volta dos dois era recente. A essa altura, é difícil enxergar algum motivo da parte de Olga para mentir.

— E a esposa dele?

— O casamento deles não é legal. Pelo menos, não segundo Kiril. Ele sempre disse que, quando se casou com Donatella, ela não estava legalmente divorciada. Demorou anos para a decisão judicial sair na Argentina. Depois disso, ela e Kiril não chegaram a ter uma segunda cerimônia. Ele disse que falou com um advogado. — Olga dá de ombros. O assunto já não tem muita importância. — Ele estava disposto a dar a Donatella tudo o que ela quisesse.

— Ele disse a Donatella que ia deixá-la?

— Essa foi a minha condição, Sandy. A gente não voltaria a se encontrar se ele não fizesse isso. Ele jurou que tinha falado com ela. Passou algumas noites no University Club, então eu tive certeza.

Stern assente. Isso explica por que Donatella parou de ir ao tribunal.

— Donatella disse que ele estava em casa pouco antes do veredicto.

— Ele me disse que dormiu no escritório, mas que precisava ir até lá procurar algumas coisas. Acho que ele queria arrumar as malas e fugir rápido, caso o júri tomasse a decisão errada. A oficial de justiça disse que ele comprou passagens aéreas com a data em aberto para nós dois três semanas atrás.

Stern para um momento a fim de absorver a informação. Mesmo antes do veredicto, Kiril tinha decidido, aos setenta e oito anos, recomeçar a vida na Argentina com Olga como sua mulher. Isso significa que ele esperava ser condenado? Depois de todo aquele otimismo?

— Mas, *mira* — continua Olga —, ele nunca disse que eu teria que me casar com ele em outro país.

Ela balança a cabeça com veemência, como se estivesse tentando compreender o plano de Kiril.

Agora que eles estão discutindo o possível casamento de Olga com Kiril, Stern conta a ela o que presumiu em suas ponderações recentes sobre o caso.

— Penso que você achava que ele seria condenado, certo?

— Não era isso que você achava? Para mim, qualquer resultado estava bom. Você tira Kiril da cadeia? *Está nítido.* — Está ótimo. — Estou feita. Incluindo aqui. — Ela bate o dedo na mesa, para esclarecer que está falando da empresa. — Mas, sim, eu achei que ele fosse se dar mal. Todo mundo disse que ele estava ferrado na acusação de informações privilegiadas.

Stern não consegue conter o sorriso. Ali está outro significado para o provérbio que diz que cada casamento é único. Para Olga, a ideia de um casamento feliz é ter o marido em uma penitenciária federal e uma herança de centenas de milhões de dólares quando ele morrer.

— Não me julgue, Sandy. Kiril é um velho muito charmoso. Eu gosto da companhia dele. E, se ele fosse pego, seriam o quê? Três, quatro meses antes de ele receber a sentença e ir para a cadeia? E eu garanto que ele se divertiria horrores até lá. Melhor do que ficar sentado em casa, ouvindo Donatella repetir a cada cinco minutos que ele é um belo de um idiota. Comparado a isso, a cadeia seria um alívio.

Ao longo das últimas décadas, Stern viu dezenas de relacionamentos relâmpagos nos círculos que costuma frequentar, com esposas-troféu chegando e, na maioria das vezes, partindo. Para ele, nesses relacionamentos, não importa o que o coração diz — ou as bolas —, os dois lados precisam compreender que o passado já determinou o futuro. Ele (geralmente é o homem) quer voltar a ser jovem, enquanto ela (embora às vezes ele também) busca uma velhice segura. Ambos os lados querem ludibriar o tempo. Depois de três casamentos fracassados, talvez Olga estivesse certa em querer se casar por motivos práticos. Séculos atrás, reis e rainhas — na verdade, a maioria dos ricos — se casavam por poder e dinheiro, e ninguém parecia julgá-los por isso.

— E qual era o destino da passagem aérea que ele comprou para você?

— Você não sabe?

— Eu chutaria Buenos Aires. Ali tem muito dinheiro de família que ele provavelmente jamais conseguiria expatriar.

— Então mais uma vez você não precisa que eu diga nada.

— Ele deu notícias desde que chegou?

— Sim, ligou uma vez. Foi rápido. Pedi a ele para não me ligar de novo, porque ele acabaria me trazendo problemas.

— Ele estava em Buenos Aires?

— Não perguntei. Uma pessoa inteligente não ficaria lá, não é? Não vão tentar trazê-lo de volta para cá?

— A extradição é um procedimento jurídico muito complicado, Olga. Primeiro, o crime de uso de informações deve estar dentro do escopo do tratado de extradição. Depois, as leis específicas daqui e da Argentina precisam ser mais ou menos parecidas. Com um réu de setenta e oito anos, não sei se o governo vai se dar o trabalho de travar uma batalha tão longa.

— Então ele fez a coisa certa.

— Não acho. Me parece que ele se condenou a morrer sozinho.

— Ele vai encontrar outra pessoa. Tem uma baita lábia. Não me entenda mal, Sandy. Eu gosto de Kiril. De verdade. Claro que, no começo, ele era só uma forma de eu conseguir o que eu queria. Eu admito. Mas sabe... Com o passar do tempo... — Ela faz uma careta: nada mal. — A paixão dele? *De verdad*. Você quer retribuir esse amor porque ele é muito real. Mas alguns homens... *precisam* estar apaixonados, sabe? — Ela dá de ombros diante da dura realidade.

Stern diz a Olga que não foi ali para conversar sobre a vida amorosa dela.

— *Que entonces?* Veio fazer o que então?

Ele se prepara para o que vai dizer e se inclina para a frente, apoiado na bengala.

— Eu vim aqui para olhar nos seus olhos, Olga, e perguntar se foi você que bateu no meu carro em março.

Stern imagina que Kiril já tenha alertado Olga sobre as suspeitas dele e de Pinky. Mas, ao ouvir Stern perguntar, Olga recua, em uma reação convincente de surpresa, e faz um comentário em voz baixa. A única palavra que ele entende é "*loco*".

— Você sabia que um carro me atingiu na estrada não muito longe daqui? — acrescenta Stern.

— *Por supuesto*, mas achei que tivesse sido um acidente.

Ele explica parte da pesquisa de Pinky sobre os Malibus brancos modelo 2017.

— Nós estabelecemos que você estava usando um desses veículos naquela semana.

— *Aiaiai*. E por causa disso você acha que fui eu? Todos os figurões da empresa pegavam esses carros de vez em quando.

— Mas eu tinha acabado de falar com você naquela tarde. E não foi uma conversa agradável. Talvez você se lembre. Eu saí daqui com a sensação de que você não tinha ido com a minha cara.

— Lembrar? Como eu poderia esquecer? Eu estava com medo de você me bater com essa bengala. Parecia que você não estava acreditando numa só palavra do que eu dizia. Você ficou me perguntando sobre o e-mail que Kiril me enviou com a captura de tela.

— E você me disse a verdade, Olga? Eu sempre tive a impressão de que você tinha muito mais a dizer.

— Eu não menti.

— Mas tinha mais a dizer, não tinha?

— Nessa vida, Sandy, sempre se tem mais a dizer, não é?

— Olga, você é uma pessoa muito competente, mas não a considero uma filósofa.

Olga ri. Pelo menos, tem senso de humor. Stern a encara até ela se dar por vencida novamente.

— Ok, Sandy. O que eu não disse não era tão importante assim. Mas eu estava com Kiril algumas horas antes de ele enviar o e-mail.

— Onde?

— Onde você acha? — Olga revira os olhos e o encara com um olhar levemente irritado. — No nosso *happy hour*. Na época, eu me encontrava com ele antes das cinco da tarde no condomínio da PT, no centro da cidade. Lá pelas seis, eu ia embora fazer o jantar das crianças. Geralmente, ele estava dormindo quando eu saía. Horas depois, eu recebi o e-mail. Ele não tinha dito que voltaria para o trabalho, mas, às vezes, quando ia me encontrar ali, usava o trem por causa do trânsito e voltava à PT mais tarde para pegar o carro. Na manhã seguinte, quando eu perguntei sobre o e-mail, ele se fez de desentendido. *Se lució el chayote!* — Stern não tem certeza se entendeu essa última expressão. Parece que ela está dizendo que ele se fez de idiota, de besta. — Mas quer saber o que eu realmente acho?

Stern gesticula, pedindo que ela continue.

— Não sei exatamente por que, mas eu sempre achei que ele queria mandar aquele e-mail para Innis. Sabe quando às vezes você chama a sua namorada pelo nome da sua esposa? Foi por isso que ele fez uma cena para dizer que não sabia do que eu estava falando.

Stern reflete novamente. Se Kiril tivesse falado com Innis para conseguir ajuda, isso explicaria por que ela sabia das mortes. Por mais furiosa que estivesse, Innis tinha interesse em resolver o problema para poder sair da PT com as ações ainda valorizadas. Ele pondera sobre isso, depois relembra o que Olga disse e se dá conta de que, aparentemente, ela tem certeza de que as alegações de inocência de Kiril eram falsas.

— Queria que você tivesse sido franca comigo, Olga. Talvez todo o caso tivesse tido um destino diferente se você tivesse me dito que achava que Innis tinha ajudado Kiril a alterar os dados.

— Ãh-ãh — diz Olga. — O Papi... Bem, o cara que eu chamava de Papi, sempre dizia: "Nunca conte os segredos dos outros." Mas não temos certeza de nada nessa vida, não é mesmo? Talvez eu esteja louca, sabe? Mas uma coisa é certa, *hombre*: eu sou a única pessoa aqui que nunca mentiu para você. *Verdad.* — Olga aproxima o queixo rechonchudo do peito e encara Stern fixamente com seus olhos pretos. — Sim, eu me lembro de falar com você naquele dia. Você ficou puto quando eu disse que não sabia interpretar os dados. Você perguntou: "Então quem interpreta os números para você?" Mas você me atacou mesmo quando eu disse que nunca falava com Lep.

Por mais improvável que pareça, Stern acha que consegue se lembrar desse momento. Já lhe disseram que, embora seja uma pessoa geralmente introvertida, Lep adora bancar o professor, guiar outras pessoas nas áreas onde é mestre. Por causa disso, todos iam até ele pedir ajuda para interpretar dados ou números de pesquisas. É lógico que Lep não gostava de ver Olga se exibindo com Kiril, mas a essa altura a relação deles já havia acabado (pelo menos é o que todos achavam), e Innis disse mais de uma vez que Lep era profissional no trabalho, por mais que não encontrasse muita utilidade para as namoradas do pai. No geral, Stern achou estranho quando Olga disse que nunca falava com Lep.

— Mas eu não tirei você da estrada, Sandy. Eu tinha uma reunião com um grupo de oncologia no Hotel Gresham. Foi como eu finalmente consegui tirar você da minha sala, porque eu tinha que sair.

Stern não se lembra desse detalhe. Olga pergunta qual foi o dia de março em que conversaram, digita no teclado e vira seu monitor enorme para mostrar a Stern seu relatório de despesas daquele dia. Stern pega os óculos e se inclina sobre a mesa para examinar os documentos digitalizados: um recibo de estacionamento do hotel localizado no centro da cidade. O horário de entrada tinha minutos de diferença para o momento em que ele foi atingido. Além disso, uma conta pelas bebidas que ela tomou no hotel. Olga pega o celular e mostra até uma foto datada em que ela própria está no pódio, falando com os médicos.

— Depois de conversar com você e com Lep separadamente, eu cheguei lá uns dez segundos antes da minha palestra.

Ela acabou de hesitar enquanto falava?

— Mas você não disse que não falava com Lep? — argumenta Stern.

Ela gesticula.

— Eu não saio no corredor e vou até ele pedir ajuda com meu dever de casa. Mas ele comanda a empresa, Sandy. Quando precisamos conversar, nós conversamos. É pá pum. Não falamos sobre bobagens, nem sobre o tempo lá fora. Só sobre trabalho.

— Mas você disse que quase perdeu a hora. Devia ser um assunto importante.

— Sei lá. *Quién sabe?* Não lembro. Devia ser importante, sim, para ele pedir para me ver.

Stern observa Olga, que balança a cabeça sem desviar o olhar. Como sempre, ele sabe que ela está escondendo alguma coisa.

O telefone toca, e ela atende. A próxima reunião está prestes a começar. Stern pega seu sobretudo, que está na outra cadeira.

— E quando você deve sair da PT, Olga?

— Mês que vem?

É difícil se preocupar com Olga. Ela com certeza sairá da empresa com um excelente acordo rescisório, que será ainda maior do que já seria por causa de seu caso extraconjugal com o presidente da empresa — reflexo da era #MeToo. E o mais importante: considerando o histórico de Olga na PT, ela certamente será requisitada por outras grandes empresas farmacêuticas. Disso Stern tem certeza.

Olga dá de ombros.

— Eu vou ficar bem. Só odeio ter que tirar minhas garotas da escola. Elas estão naquela idade, sabe? E eu queria muito estar aqui para o relançamento, quando o g-Livia voltar ao mercado. Mas Lep... Ele quer que eu saia o quanto antes.

Ela balança a mão fazendo pouco-caso, mas parece ficar vermelha, para a surpresa dele. Assim como Innis, parece que ela desenvolveu uma ligação profunda com a empresa. Stern tenta amenizar.

— Olga, você tem um futuro brilhante nessa indústria. E um histórico excelente aqui. Para ser sincero, eu não vou ficar surpreso se Lep encontrar resistência na diretoria quando anunciar a sua saída.

— Lep não vai mudar de ideia, Sandy. A essa altura, ele preferia não ter me conhecido.

Olga olha de canto de olho para Stern, e então foca na parede. Por um segundo, parece incapaz de falar. Então, de repente, seu rosto fica ainda mais vermelho, e, por incrível que pareça, Olga Fernandez está chorando. Os olhos ficam marejados, e as lágrimas, acinzentadas por causa da maquiagem, escorrem pelas bochechas.

— Ah, merda — diz ela, pressionando as costas da mão no nariz.

Stern tem dificuldade para entender o que está vendo. Olga chorando por causa de um trabalho? Mas então ele pensa no que ela falou, e seu detector de mentiras interno do qual ele sempre dependeu para captar a verdade começa a apitar e chiar. Agora ele sabe por que Olga não fala com Lep.

— Em algum momento você e Lep tiveram alguma coisa?

Olga se força a olhar lá para fora pela janela, para uma parte do jardim, que a essa altura está sem cor e desfolhado com a aproximação do inverno. No centro, há um laguinho, que em breve irá congelar. Mas ela não presta atenção na vista.

— Alguma coisa — responde ela. As lágrimas continuam escorrendo. Ela nem tentou secá-las. — Sabe, as pessoas dizem... Papi me disse: "Onde se ganha o pão não se come a carne." Mas você sabe como é, Sandy. Ele é *muito* legal. *Coño!* — esbraveja ela de repente. *Droga!* — Ele passou um trator por cima do meu coração, e eu estou aqui dizendo que ele é uma boa pessoa.

Olga dá uma risada amargurada, seguida por um suspiro involuntário. Depois, ela abre a gaveta, pega um guardanapo, daqueles que vêm nos pedidos de fast-food, e o passa no rosto todo.

— Foi culpa minha. Eu admito. Esse sempre foi o meu tipo, sabe? Garotos bonitinhos e tímidos. Quanto mais inteligentes, melhor. Ele vivia dizendo: "Não, não, não." Mas ele precisava, sabe? Eu sei que precisava. Ele está vivendo num caixão, rodeado por Kiril, Greta e Donatella. A vida dele era toda dedicada aos outros. Ele é uma pessoa tão doce... E se sentiu tão grato quando finalmente aconteceu... Foi muito especial. Um *fuego*. Eu também me apaixonei por ele, cara. Me apaixonei de verdade.

— Isso faz muito tempo?

— Começou em 2014. E, no Ano-Novo de 2016, eu finalmente disse a ele: "Cara, você tem que largar Greta. A gente não pode ficar se escondendo pelo resto da vida." Bem, ele nunca me disse que ia... largar a mulher. Ele nunca me enganou. Mas nós estávamos apaixonados. De verdade. E eu não queria terminar como Innis. Mas ele simplesmente não conseguiu fazer isso. Ele queria. Eu sabia que no fundo ele queria. Então eu pensei: "Bem, se eu pegar pesado com ele, ele vai mudar de ideia." — Ela seca as lágrimas novamente.

Stern pensa no que ela disse por um segundo, até que finalmente compreende.

— Então essa foi a gênese do seu relacionamento com Kiril? Como uma forma de forçar Lep a se separar de Greta?

Ela assente.

— E Kiril soube do seu caso com Lep em algum momento?

Olga o encara pela primeira vez, como se ele fosse idiota. Em seguida, seus olhos voltam a encarar a janela.

— Sabe, Sandy, pessoas como eu... A gente cresce sabendo que nunca vai conseguir o que quer. *La piña está agria. Siempre.* — O abacaxi está sempre azedo. — Então, se você não pode pegar o pão inteiro, pegue uma fatia. E o meu relacionamento com Kiril pelo menos significava que Lep não podia me demitir. Nem a pau que eu ia sair daqui antes de o g-Livia chegar ao mercado e eu poder vender minhas ações. Mas, acima de tudo, eu achei que podia trazer Lep de volta. Achei que ele nunca aguentaria me ver com o próprio pai.

Dessa vez, Olga leva as duas mãos aos olhos e as arrasta para baixo, tentando secar as lágrimas. Em seguida, olha para Stern novamente, aparentemente pedindo ajuda.

— É melhor eu ir embora mesmo, não é? Ele nunca vai mudar de ideia.

Stern não responde. Está tentando absorver o impacto emocional de todas essas informações.

— Então, no dia em que eu estava atormentando você na sua sala, ao sair, você parou na sala de Lep para dizer a ele que eu fiz várias perguntas sobre o relacionamento de vocês?

Ela faz que sim com a cabeça.

— O nosso relacionamento é o maior segredo dele. Porque, cara, se a Greta descobre, não vai ter "desculpa" nenhuma. Vai ser *adiós*. E eu sempre prometi que ficaria quieta, mesmo sabendo que o melhor para mim seria que Greta descobrisse. Nada do que eu fiz fez sentido nem para mim, mas eu sempre pensava: "Se eu provar que estou com ele de verdade, nós vamos ficar juntos." Ela sacode a cabeça. — Sandy, o amor é tão estranho, não acha?

Ele assente, lentamente, enquanto olha nos olhos de Olga. Está um pouco chocado pelo quanto lamenta a situação dela.

Olga pega seu celular que estava em cima da mesa e o aponta para seu rosto. Por já ter visto Pinky fazendo o mesmo, ele sabe que ela está usando a tela como espelho.

— *Wepa* — diz ela ao se olhar. Parabéns. Ironia pura. — Tem gente vindo para a minha sala, Sandy.

Stern pega seu sobretudo. Quer lhe dizer uma ou duas palavras reconfortantes, mas não diz nada ao sair pela porta.

36. DON JUAN NO INFERNO

Naquela noite, já em casa, Stern conta a Pinky um pouco sobre como foi sua visita a Olga, incluindo o fato de que ela estava no centro da cidade quando ele foi atingido na estrada.

— Então quem bateu no seu carro?

— Olga parece pensar que foi um acidente.

— Foi porra nenhuma — responde Pinky.

Mais uma vez, Stern lamenta que Pinky tenha desperdiçado a oportunidade na polícia, porque ela tem todos os instintos de policial, enxergando o mundo como um lugar de delitos até que se prove o contrário. Claro que, nesse caso, é quase certo que ela tenha razão. Mas Stern ainda não faz ideia de como prefere agir. Por isso, não vai dividir suas conclusões com Pinky, que provavelmente vai acabar agindo de cabeça quente.

Segunda de manhã, doze dias após a inserção do pequeno desfibrilador, Stern liga para Al e pergunta se pode viajar para a Flórida a fim de visitar Silvia, sua irmã.

— Sair dessa loucura aqui e relaxar? — pergunta Al. — Sou totalmente a favor. Pelo que fiquei sabendo, tem uma nevasca chegando sexta. Mas lembre-se das regras. Nada pesado. Movimentos dos braços limitados. Nada de carregar malas. Não pode nadar.

Considerando a reação de Al, Marta não pode fazer muitas objeções. Assim, na quinta-feira, Ardent deixa Stern no aeroporto. Como tem roupas na casa da irmã, ele só está levando o jornal e o tablet. O itinerário é exatamente o mesmo de quando foi à Flórida durante o julgamento. O avião pousa em Fort Myers, e o mesmo jovem, Cesar, está ali para recebê-lo em seu SUV preto lustroso que mais parece um sapo. Eles almoçam juntos no mesmo restaurante de caranguejo antes de pisar fundo na estrada rumo a Naples. Observando a sequência de shoppings, Stern se pergunta se a peça em que estava pensando da última vez em que esteve na Flórida era *Don Juan no Inferno*.

Cesar estaciona na entrada da garagem da casa de Innis, bem na frente dos degraus onde ela estava tão atraente contra as luzes da última vez. Stern toca a campainha. Há uma movimentação dentro da casa, e depois de um tempo ele ouve batidas na janela longa ao lado da linda porta entalhada. Maria, a governanta gorducha e de pele escura, aparece à janela em seu uniforme cinza enquanto balança a cabeça e repete várias vezes: "Não casa."

— *Muchas gracias. Esperaré* — responde Stern em voz alta.

Conhecendo o caminho, ele abre o portão e segue até os fundos da casa. Ele tira o paletó e afrouxa a gravata, e então se aproxima de uma cadeira que estava debaixo do sol no pátio aberto de ardósia. Um segundo depois, ele ouve as cortinas farfalharem e vê Maria olhando para o lado de fora de cara feia. Ele sorri e dá um "oi" animado com a mão, e a mulher desaparece. Tomara que ela tenha ido chamar sua chefe, e não a polícia.

O mar está tranquilo hoje, e as ondas quebram em intervalos regulares. Ali, à margem da praia, a brisa esfria a temperatura, e Stern resolve colocar o paletó de volta. Ele levou seu tablet e aproveitou para ler e responder a e-mails e mensagens de texto enviados por vários ex-clientes. A maioria é só sobre trabalho, mas outros parecem ter sido enviados da cadeia, entre eles, dois de homens perto do fim do tempo de confinamento na mesma prisão federal. Um deles diz que "o tédio é a punição".

Depois de um tempo, ele para e levanta o rosto para pegar um pouco de sol. A brisa do dia é saudável e revigorante. Até que ele fica extremamente envergonhado quando acorda e vê Innis de pé, em sua frente. Devia estar parecendo um homem muito velho, com a cabeça jogada para trás sobre as costas da cadeira de vime, mostrando os dentes e todas as obturações, não muito diferente desses moradores da Flórida meio desconectados do presente, que foram para o sul do país a fim de esperar na antessala da morte. Pela cara de surpresa e depois de alarme no rosto de Innis, ele tem a impressão imediata de que ela estava torcendo para que fosse um homem diferente insistindo que não ia embora.

— Que maravilha... — diz ela. — Que diabos você está fazendo aqui, Sandy?

Innis está com um traje de tenista: saia curta e blusa branca de gola. O estojo da raquete está pendurado no ombro, e os cachos de cabelo estão colados na testa por causa do suor. Ela obviamente saiu correndo para casa depois da última partida.

Stern se endireita lentamente. As costas estão piores a cada dia que passa.

— Eu queria ter uma conversa franca com você.

— Ah, eu duvido que isso vá acontecer, Sandy. Não tenho mais nada para falar com você. Sabia que eu posso parar na cadeia?

— Lamento ouvir isso, Innis, mas, em geral, quando você comete um crime federal, corre esse risco.

Innis comprime os lábios, irritada.

— Vá se ferrar, Sandy. Você vai embora por conta própria ou vou ter que chamar a polícia?

Ele assente, embora seu corpo não esteja disposto a se movimentar.

— E quem é seu advogado agora? — pergunta ele.

— Ainda não tenho. Rex diz que não deveria ser ele. — Innis está falando de Rex Halsey, que negociou o acordo de não persecução com o Ministério Público, o qual Innis violou arbitrariamente. O raciocínio de Rex claramente é que Moses e Feld jamais vão acreditar que ele tem qualquer controle sobre sua cliente. — Feld me deu até o fim do ano para encontrar outro advogado. Boas festas! — exclama Innis. — Tudo o que eu quero de Natal é um acordo. Vou a Nova York semana que vem conversar com alguns advogados.

Stern se pega balançando a cabeça por instinto.

— Péssima ideia, se me permite dizer.

Innis estala os dedos para fazê-lo falar logo.

— Como nem Moses nem Feld gostam de você nem acreditam na sua palavra a essa altura, você estaria muito mais bem representada por um ex-colega deles de Ministério Público, alguém que eles considerem uma pessoa íntegra. Se quiser, posso lhe dar alguns nomes.

Innis pensa.

— Entre um segundo, para que eu possa anotar.

Ela bate à porta dos fundos, e Maria a abre para que os dois entrem na varanda coberta. Innis chama Stern para a sala de estar, onde abre e fecha com força as gavetas de um móvel em busca de papel e caneta. Nesse meio-tempo, Stern admira a mobília tão bem pensada, cada peça tão requintada quanto uma joia. As paredes são revestidas por um escuro papel de parede metálico, e a luz intensa de pequenos spots de luz destaca adornos lindos nos aparadores e consoles espalhados pelo cômodo. Dois vasos chineses altos se impõem como guardas, um de cada lado do sofá.

— Imagino que seus amigos, os Neucriss, também devem ter algumas sugestões de advogados para você — diz Stern.

O olhar de Innis é carregado de vingança. Assim como o sarcasmo de Stern.

— Aparentemente, eles não estão atendendo aos telefones — diz Innis.

— Que surpresa! — diz Stern, em um tom longe de ser amigável.

— Innis, você sabe que eles vão dizer à promotoria e ao FBI que não faziam ideia do que você ia dizer no depoimento, não sabe?

— Ah, claro. Eu já fui atirada aos leões. Sabia que nas últimas duas semanas eu fui considerada ré em duas ações coletivas que, para começo de conversa, só foram abertas porque eu dei àqueles malditos as informações que ajudaram os amiguinhos deles a entrarem com a ação?

— Agora você está começando a entender por que os Neucriss sempre foram os queridinhos dos colegas de profissão no condado de Kindle.

Na festa de Natal que ocorre anualmente na associação de advogados do condado, sempre há pelo menos dez piadinhas sobre os Neucriss contadas no esquete, e nenhuma delas é minimamente lisonjeira. Stern guarda para si mesmo um pensamento sobre o gosto de Innis para homens. Se soubesse que o antigo namorado de Innis era Neucriss, talvez Sandy tivesse se dado conta de que ele não era canalha o suficiente — ou pelo menos o tipo certo de canalha — para despertar o interesse dela.

— Innis, sabia que nosso amigo em comum, Kiril, está foragido?

— Eu li os jornais.

— Fomos obrigados a renunciar como advogados dele. Então me dei conta de que você não tem um advogado e de que eu não tenho um cliente. Talvez pudéssemos conversar e chegar a um acordo de representação legal. Para mim, seria um privilégio.

— Isso seria aceito em tribunal?

Stern reflete sobre a pergunta.

— Muito provavelmente, sim — responde ele, por fim. Sua licença tem mais algumas semanas de validade.

— O problema é que você me odeia.

— Você está exagerando um pouco. Eu certamente entendo por que você estava com tanta sede de vingança em relação a Kiril.

— Ah, você não faz ideia.

— Certo. Minha proposta é a seguinte: você me conta toda a verdade, e eu vou ajudá-la a proceder da melhor forma possível assim que você encontrar seu novo advogado.

Innis levanta a cabeça para pensar, então dá uma risadinha.

— Umas seis pessoas já me disseram: "Que pena que você não pode contratar Sandy Stern."

Innis gesticula para que ele se sente em uma poltrona e chama Maria para trazer as bebidas. Ela pede vinho branco, e Stern, água com gás. A poltrona de Stern é forrada com um tecido brocado vermelho, e a mesinha de centro com tampo de vidro também tem um estilo chinês, de laca preta com um dragão cuspindo chamas. Tratando-se da Flórida, esse é um cômodo surpreendentemente escuro, provavelmente para preservar as obras de arte caras penduradas nas paredes.

— Aliás, como você sabia que eu estava na cidade? — pergunta Innis. — Estou sendo seguida?

— Nada tão intrépido assim. A tabela do torneio de fim de ano da Associação de Tênis do Sul da Flórida é publicada na internet. Parece que você está avançando conforme já esperava na categoria acima de setenta anos.

— Estou arrebentando. O troféu vai dar um belo toque na minha cela, não acha?

Stern sorri. Nas situações extremas, todos nós mostramos quem realmente somos, e esta tarde ele está tendo uma ideia muito mais precisa a respeito de Innis, que demonstra raiva, autopiedade e, até agora, nenhum sinal de vergonha pelo que fez. Muito mais rápido do que descobrir tudo isso após anos de relacionamento, pensa Stern de repente. A ideia quase o faz rir.

— "Ódio" é uma palavra muito forte. Admito que me senti um pouco humilhado pela facilidade com que você me manipulou. Sobretudo com o flerte. Você não hesitou em nenhum instante.

Innis sorri ao ouvir a descrição dos acontecimentos. Ela conhece a lição que aparece no noticiário algumas vezes por semana: um homem nunca é velho demais para pensar com a cabeça de baixo. É só ver o caso de Kiril com Olga. Stern não consegue lembrar o nome da pessoa, mas ele tinha um conhecido, um advogado mais velho do que ele é agora, que morreu ao cair do leito em uma clínica de fisioterapia enquanto tentava apalpar o traseiro de uma enfermeira.

— Mas qual era o objetivo, Innis? Você certamente não precisa de um paciente idoso com câncer e bengala para se convencer de que ainda é atraente.

— Eu preciso mesmo explicar? Eu queria fazer o feitiço virar contra o feiticeiro. Queria desapontar Kiril, o que seria um pequeno troco pela forma como ele me desapontou. Eu queria que ele acreditasse que eu teria misericórdia e, na hora H, me mostrar impiedosa. Eu conheço Kiril, Sandy. Ele estava louco para acreditar que eu ainda o amo. Mas eu não o amo mais.

Stern podia questionar essa afirmação, mas não ganharia nada com isso.

— Então eu fui um efeito colateral? — pergunta ele.

— Para pegar Kiril de surpresa, eu tinha que pegar você de surpresa, Sandy. Neucriss sempre me disse que a inquirição cruzada mais difícil é aquela em que a testemunha segue uma direção para a qual você está totalmente despreparado.

Stern entende a lógica de Innis. Mas ela também deve ter sentido algum prazer em ver como foi fácil enganá-lo.

— Então o que realmente aconteceu, Innis? Digo, em setembro de 2016. Você e Kiril planejaram juntos a alteração da base de dados?

Ela abre um sorriso triunfante para Stern.

— Eu sabia que ele era orgulhoso demais para lhe contar a verdade.

Stern reflete sobre o que Innis acaba de dizer — é uma variação do que Marta já disse antes. Ele era o advogado errado para Kiril, não só porque Pafko queria mentir para ele, mas porque relutaria em destruir a boa imagem que Stern tinha dele.

— Acredite, Sandy, ele merece tudo o que aconteceu com ele. Tudo.

— Talvez eu deva começar dizendo a você o que eu conjecturei, Innis.

Stern estaria disposto a desperdiçar um dia do tempo que lhe restava de vida apostando que Innis falaria no final. E agora ela parece ansiosa por ouvir a versão dos fatos que ele montou na cabeça.

— Innis, acho que você participou do que quer que tenha acontecido em setembro de 2016.

— Como você chegou a essa conclusão? — pergunta ela.

— Dedução. No tribunal, nós descobrimos que você sabia das complicações do g-Livia. E quando você descobriu essas complicações? Com certeza foi antes de sair da empresa, porque só você estava louca para vender todas as suas ações assim que pudesse em vez de as esperar subir. E duvido de que quem alterou os dados teria contado um segredo tão perigoso para qualquer um. Pela lógica, se você sabia, então você fez parte do que aconteceu desde o início.

— Continue.

— Mas você não poderia ter alterado os dados sozinha. Não que não tenha a capacidade técnica. A questão é que a informação inicial sobre os óbitos chegou por meio da equipe de pesquisa. Então você precisou da ajuda de alguém que tivesse autoridade para tranquilizar o Dr. Tanakawa: Lep. Ou Kiril. Ou ambos.

— Ok. — Ela toma metade da taça de vinho em uma golada só. — E tudo isso é sigiloso, certo? O que quer que eu diga, ninguém consegue arrancar de você.

— É sigiloso, sim. A não ser em caso de ordem judicial, isso vai comigo para o túmulo.

Sentada no sofá, ela observa Stern. Claramente, há muita coisa acontecendo dentro dela — a ansiedade do momento e uma grande parte da raiva que a impulsionou anteriormente.

— Você já teve um desses *tête-à-têtes* com Lep?

— Infelizmente, não. Os advogados dele ainda não querem que ele fale comigo.

— E Olga?

Stern fica surpreso ao ouvir o nome de Olga nessa parte da conversa.

— Conversei, sim. Está dizendo que ela teve algum papel na alteração dos dados?

— Eu lhe falei mês passado, Sandy. Tudo começa e termina com Olga. Se ela tivesse um pingo de vergonha na cara ou conseguisse manter as pernas fechadas, nada disso teria acontecido. Sabe, todo mundo adorava rir de Kiril pelas costas porque ele caía na conversa dela, mas ninguém nunca enxergou o óbvio. Nem você.

— E o que é esse óbvio?

— Se a garota vai transar com todo mundo até chegar ao topo, você acha que ela teria começado com Kiril? Ele é a opção mais atraente? Lep é bonito. Simpático. Um gênio. E prestes a ficar podre de rico. Eu dou crédito a Olga. Ela sabe armar um esquema. Sabe jogar pensando no longo prazo. Você acha que em algum momento Lep quis mesmo ser o presidente da PT? Ele quer continuar na pesquisa. Ficaria feliz se alguém em quem confiasse pudesse comandar a empresa assim que Kiril finalmente saísse.

— Então esse sempre foi o objetivo de Olga no longo prazo? Se tornar a presidente da empresa?

— Para mim, isso sempre esteve claro. Eu só não sabia que ela jogaria tão sujo quando Lep deu as costas para ela.

— Foi Lep quem contou a você sobre o relacionamento com Olga?

— Lep não me contou nada. Eu era chefe de Olga. Comecei a perceber que ela e Lep estavam sempre viajando a trabalho ao mesmo tempo. Sabe, numa empresa pequena, por mais que você seja discreto, as pessoas percebem as coisas. Eu me lembro de uma vez, anos atrás, que uma colega no laboratório em Easton me disse que sabia que eu estava tendo um caso com Kiril porque eu tinha parado de falar com ele no trabalho. — Ela sorri. Para Innis, essa ainda é uma lembrança doce a amarga ao mesmo tempo. — Não há como não lamentar por Lep. Tenho certeza de que Olga o atacou com todas as armas. Sabe, Sandy, fico espantada com a facilidade que os homens têm de cair nessa conversa-fiada. Uma mulher que as outras mulheres veem como uma vagabunda, usando roupas superapertadas... E vocês, idiotas, ficam ali, babando com a língua para fora. Olga não é uma pessoa sutil. Tenho certeza de que quando ela deu em cima dele também não foi nada sutil. Mas ela era capaz de ver como, naquele momento, Lep precisava de alguma coisa para aumentar a autoestima.

— E por quê? Ainda não estou entendendo.

— Eu já lhe disse antes: o g-Livia é obra de Lep. Uma pessoa egocêntrica como Kiril pode lhe explicar como as contribuições dele foram fundamentais, mas eu estava lá, Sandy. Lep Pafko é o principal criador do g-Livia. A descoberta revolucionária sobre o posicionamento das proteínas RAS e como virá-las ao contrário: tudo isso foi um trabalho de modelamento computacional. Assim que Lep publicar mais artigos explicando como fez isso, vai haver uma mudança na forma como os fármacos são descobertos.

— E Lep não ficou ressentido por Kiril ficar com o crédito?

— É isso que estou tentando dizer. Ele ficou furioso, o que é natural. Mas sofreu calado. — Por um instante, Stern observa Innis, inclinada para a frente do outro lado da mesinha de centro, se deixando levar pelo vulcão de emoções ainda em erupção dentro de si. — Provavelmente não existe nada na vida que Lep Pafko almeje mais do que a adulação do pai. O que ele nunca recebe. Tenho certeza de que, conforme a atenção foi crescendo em torno do g-Livia, Lep estava esperando que seu pai lhe permitisse receber alguns aplausos. Mas Kiril não é assim. Então essa era a situação de Lep em setembro de 2016. Kiril roubara sua descoberta... E depois sua namorada.

— Lep também não protestou em relação a isso na época?

— Não faço ideia. Nunca falei com Lep sobre Olga. E ele nunca abriu o bico para falar nada. Mas, quando Kiril começou a se engraçar com Olga, *eu* disse a ele: "Pergunte a sua namorada sobre o relacionamento dela com seu filho." Ele fez pouco-caso. "Então ela encontrou um homem melhor", foi o que ele disse. Dá para imaginar uma coisa dessas? Que pai é esse?

Quando Stern decidiu ir à Flórida, pôde apostar que era isso que faria Innis falar: o desejo que Stern soubesse como seu amigo Kiril Pafko é um merda completo. Não importa quão deturpada seja a lógica de Innis, ou quão profunda sejam sua raiva e sua vergonha, ela tinha necessidade de deixar claro para Stern que não fora a única a não enxergar Kiril como o ser humano infame que é.

— Então, nessa noite, quando tudo isso aconteceu... — diz Innis.

— Dia quinze de setembro?

— Isso. Eu vi Lep sentado na sala do pai.

— Que horas foi isso?

— Umas sete?

— Achei que ele estava a caminho do aeroporto.

— Ele estava com a mala dele. Ia de trem, são só quinze minutos até o aeroporto.

Os promotores jamais se perguntaram por que Lep voltaria para casa, meia hora de trajeto na direção errada em relação ao aeroporto. Mas a verdade é que nem ele nem Marta pensaram nisso.

— Ele estava um bagaço — revela Innis. — Quer dizer, o cara nunca parece feliz... talvez Olga tenha feito Lep sorrir, o que, sinceramente, ele merece. Mas, sei lá, pela cara dele parecia que o cachorro dele tinha morrido. Três cachorros. Eu perguntei, e ele respondeu: "Estamos ferrados com o Livia."

— E por que ele estava na sala de Kiril?

— Aparentemente ele tinha ido até lá com os códigos de quebra do cegamento dos dados para contar a Kiril sobre os alertas da Global a respeito do ensaio. Lep queria ser educado e dar ao pai a chance de examinarem os dados juntos. Mas, quando chegou à sala de Kiril, ele descobriu que o pai tinha saído sem dizer a ninguém aonde estava indo e não atendia ao celular. Ou seja, estava comendo Olga em algum lugar qualquer. Que momento maravilhoso para Lep, não acha?

É como dizem por aí: "Ninguém escolhe os pais que tem."

— Ele já tinha realizado a quebra do cegamento quando eu o vi lá — diz Innis.

— Lep?

— Estava ali na tela. Ele me mostrou. Aliás, isso é totalmente legítimo, considerando que tinha gente morrendo. É por isso que o patrocinador tem os códigos. O problema é que você precisa informar sobre as mortes. Enfim... olhar para aqueles números foi duro.

— Você se deu conta de que a sua rota de fuga tinha acabado de ser bloqueada?

— Foi a primeira coisa que eu pensei: "Estou ferrada." Eu tinha dado a minha vida à PT, e aquele remédio era todo o meu futuro. Ou eu ficava e via Kiril de caso com Olga ou ia embora para viver como uma velha com dinheiro apenas para se alimentar com comida de gato. Então eu fiquei e disse com todas as letras: "Vamos ferrar Kiril." Eu não fazia ideia de como Lep reagiria mesmo naquela situação, mas ele finalmente estava de saco cheio. A gente criou uma estratégia. Foi dele a ideia de ligar para Wendy Hoh e se passar por Kiril.

Stern franze o cenho.

— Eu pensei nisso, mas sei que Lep poderia ter bolado maneiras muito mais inteligentes de alterar os dados, que iam tanto enganar os monitores de segurança quanto satisfazer Wendy Hoh.

Innis dá uma risadinha.

— Claro. Mas a gente precisava fazer algo que fosse a cara de *Kiril*. Diante de um problema, o primeiro instinto de Kiril é sempre tentar enganar alguém. Na hora, nós dois achamos que seria muito improvável que Wendy alterasse os dados, mas, quando acreditou que estava falando com o mundialmente famoso Dr. Pafko, ela teria até dançado para deixá-lo feliz. Se Lep tivesse mandado Wendy Hoh mudar o próprio nome, ela teria obedecido.

— Então, em vez de outra viagem a Estocolmo para receber o Nobel, Kiril vai para a cadeia?

— Naquele momento, nós dois teríamos ficado felizes com isso. Mas a verdade, Sandy, é que nenhum de nós levou a sério a possibilidade de essas mortes serem provocadas por choque anafilático. Em geral, se um remédio gera reação alérgica, você imagina que vai ver isso acontecer com parte da população de pacientes muito antes de um ano de uso. Nós tínhamos 90% de certeza de que o problema era simples, solucionável... por exemplo, uma interação medicamentosa com algum remédio que esses pacientes tomaram ou algum problema de fabricação. Lep achou que a proteína estava desnaturando e se tornando tóxica, o que poderia ser evitado mantendo o g-Livia em refrigeração constante até ser administrado. Qualquer que fosse o problema, nós dois presumimos que poderíamos descobrir o que estava acontecendo e resolver rapidamente.

Stern não diz nada, mas não se esforça para esconder o ceticismo, e Innis se inclina para a frente a fim de ser mais persuasiva. Ela está muito diferente hoje, em comparação com a visita que Stern lhe fez mês passado. Na época, o jeito casual dela era mais controlado do que ele imaginava. Hoje, ele realmente a pegou desprevenida e consegue ver o que uma leve maquiagem escondeu durante a primeira conversa — a palidez e as manchas na pele. A postura de Innis não é mais aquela ensinada antigamente nos colégios internos — agora ela está com a coluna curvada. Mas é o ressentimento que provoca a mudança na aparência dela: os lábios comprimidos, o peso da raiva no rosto. No mês passado, Innis controlou todos os detalhes para encantar Stern o máximo possível. Ele lembra a si mesmo de que a mesma tática provavelmente vale para a história que ela está contando agora.

— Não quero fingir que não éramos adultos e profissionais — comenta Innis. — Nós sabíamos que a coisa certa a fazer era parar e investigar. Mas, como pesquisadores experientes, nenhum de nós viu muito mérito na possibilidade de, após um ano de uso, surgir uma nova letalidade inerente ao medicamento em si. E a outra coisa que você precisa entender, Sandy, é que nós fizemos tudo muito rápido. Não havia muito tempo para pensar. Lep tinha uns quarenta minutos antes de ter que ir para o aeroporto. Tudo foi feito em meia hora.

— E quanto aos pacientes que podiam morrer, Innis? Você se deu conta de que isso podia acontecer? Não pensou neles?

— Em comparação com o número de vidas prolongadas? O g-Livia é um medicamento maravilhoso. Você, mais que qualquer pessoa, não precisa ouvir essa explicação. No geral, acho que a FDA está numa situação em que vai acabar perdendo de qualquer forma, porque, para as pessoas, ela é a culpada, não importa o que faça. Mas, como sociedade, nós construímos estradas e dirigimos carros porque é conveniente, mesmo que quarenta mil pessoas morram todos os anos em acidentes de carro. E não vou nem falar das armas. Nós medimos os prós e os contras o tempo todo. Não me resta dúvida de que mais pessoas morreram porque a agência nos forçou a tirar o g-Livia do mercado do que por causa das reações alérgicas.

— Então, considerando que Lep tinha pegado um voo para Seattle, só pode ter sido você, Innis, que mandou o e-mail da captura de tela dos dados inalterados para Olga. Lep concordou com essa parte ou foi você que improvisou na hora?

— Eu fiz isso depois que ele saiu. — Os dentes de Innis são brancos e perfeitos, mas seu sorriso é desagradável e malicioso. — Eu entrei em contato com Lep pouco antes de o voo dele decolar. Queria que ele soubesse, para estar preparado caso Olga falasse com Kiril sobre os dados. De cara, Lep soltou uma gargalhada. Ele também não é muito fã de Olga. Só que, depois de pensar um pouco, ele ficou puto, disse que era um risco desnecessário. Por fim, nós concordamos que, se Kiril perguntasse sobre o e-mail, Lep diria que tinha sido uma brincadeira. As coisas estavam tão tensas entre Kiril, Olga e Lep que Kiril acreditaria que Lep estivesse fazendo uma brincadeira imatura para matar os dois do coração.

Mas a reação de Lep no avião foi correta. Enviar a versão incriminatória da base de dados foi um risco desnecessário — embora Stern não demore a perceber o objetivo de Innis.

— Assim, Innis, se os investigadores descobrissem tudo isso e Kiril fosse para a cadeia, talvez você tivesse o prazer de ver Olga na cela ao lado.

— Ela é uma babaca manipuladora, Sandy.

Stern não é muito de falar palavrões, mas, se fosse, não seria Olga quem ele chamaria assim. Avaliando a expressão no rosto de Stern, Innis acrescenta:

— Ela arruinou a minha vida, Sandy. Não me peça para lamentar por ela.

— E por que informar aos Neucriss, Innis? Só por despeito?

Ela franze as sobrancelhas, ofendida.

— É lógico que não. A FDA mantém uma base de dados de todos os relatórios de efeitos adversos para todos os remédios e produtos biológicos comercializados. É uma informação pública, mas longe de ser completa, porque a maioria dos médicos não se dá o trabalho de preencher o formulário quando um paciente tem uma experiência ruim. Mas, quando eu comecei a seguir os dados do g-Livia, cerca de um ano depois de sair da PT, tive uma sensação ruim. Vi que Lep e eu tínhamos minimizado o problema rápido demais. Havia relatos de um monte de mortes súbitas, e, sabendo como são esses relatórios, eu sabia que aquilo era só uma fração do que estava acontecendo de verdade. Havia até alguns patologistas que tinham visto os dados e estavam especulando sobre uma reação alérgica. Mas o que eu ia fazer? A única forma de corrigir a situação sem me dar mal era ligar para Anthony. Eu ensinei a ele como examinar essa base de dados e sugeri que eles ligassem para qualquer médico que tivesse relatado mais de um episódio de morte súbita. A maioria desligou na cara de Anthony, mas alguns gostaram de receber a ligação.

Stern toma um gole da água com gás para ter tempo de pensar na explicação de Innis. Ele suspeita de que a maior parte do que ela está dizendo não passa de justificativas depois de ocorrido o fato. Fica claro que Innis só passou a zelar pelo bem-estar público depois de vender todas as ações e colocar cerca de cem milhões de dólares na conta bancária. Se existisse um eletrocardiograma capaz de captar os sentimentos no coração das pessoas, quando Innis ligou para Anthony Neucriss pela primeira vez, provavelmente o aparelho revelaria que ela estava sendo movida por vingança, e não pela preocupação com a segurança dos pacientes. Ela estava cansada de esperar que o mundo de Kiril explodisse sozinho e decidiu adiantar o processo acendendo um fósforo.

— Então os Neucriss avisaram a você, em agosto do ano passado, que a Srta. Hartung entraria em contato com Kiril e que você deveria deixar o aplicativo de gravação de chamadas do celular preparado. Por que tinha tanta certeza de que Kiril ligaria para você?

— Porque o grande projeto dele estava em chamas! É óbvio que ele ia me ligar. Ele vai ligar para Olga e pedir conselhos durante uma crise capaz de mudar sua vida para sempre? Ou para Donatella, que daria pulinhos de alegria com mais uma oportunidade de lhe dizer que ele era um imbecil? E Lep é um gênio, mas não para lidar com uma situação dessas.

— O que você teria feito se Kiril dissesse que não sabia nada sobre as mortes súbitas enquanto você estava gravando tudo? Ou se ele tivesse perguntado se você sabia?

— Na verdade, era o que eu estava esperando.

Stern reflete sobre a resposta e abre um sorriso relutante.

— Você gravou o telefonema para ter sua própria resposta alegando desconhecer o problema quando os promotores batessem à sua porta?

Innis ergue as mãos: *voilà*. Ela havia feito a gravação não para pegar Kiril, e sim para limpar a própria barra. O FBI jamais aceitaria as negações de Kiril porque a prova de que ele sabia de tudo estava em seu computador. Além disso, quando ela dissesse que não sabia dessas mortes súbitas, Kiril, que realmente não sabia nada do acontecido, não seria capaz de contradizê-la. A gravação seria a prova definitiva de que ela não havia sido nenhuma participação na fraude.

Innis deve ter saboreado cada passo conforme o plano se desdobrava, com uma satisfação especial nas formas secretas com que tripudiou de Olga e Kiril, mandando o e-mail para Olga ou ligando para os Neucriss pelo telefone que Kiril e a PT ainda pagavam. Ambas as apostas eram arriscadas, mas certamente aumentaram a satisfação da vingança. Innis obviamente já vinha pensando em se vingar muito antes de ver Lep sentado na cadeira da sala do pai. Mesmo agora, considerando sua desinibição ao contar a história, Innis parece achar que seus atos são justificáveis. O que ela disse mesmo a Stern da última vez? Com Kiril, ela aceitou muito menos do que a maioria das pessoas deseja — e depois ele tirou até isso dela. Innis continua se enxergando como a maior vítima de toda essa saga e a pessoa que menos merecia o destino que teve.

— Bem pensado — diz Stern. Não é a primeira vez que ele elogia um criminoso.

— Obrigada. O problema foi quando começou a investigação criminal. Lep parecia morrer de medo de, aos poucos, Kiril se dar conta do que tinha acontecido. Mesmo depois de tudo, Lep ainda não queria confrontar o pai. Nós chegamos a nos encontrar em Oklahoma City. Passei um dia inteiro tentando acalmá-lo. Mas então tive uma inspiração.

— Qual?

— Disse a Lep para falar com Donatella.

Stern sente o maior choque de surpresa até agora. Seu copo de água com gás está no meio do caminho até seus lábios quando ele para. Segundos depois, percebe que está segurando o copo erguido enquanto encara Innis por cima da borda do recipiente.

— E qual foi o papel de Donatella?

— Não sei os detalhes. Isso você vai ter que perguntar a Lep. Mas tenho certeza de que Donatella jamais tomaria o partido de Kiril contra o próprio filho. Ela adora Lep.

E adora odiar Kiril, pensou Stern.

— Agora é sua vez de me dizer o que fazer — diz Innis. — Eu vou sair dessa?

Stern pensa por um tempo.

— Você tem chances muito boas — responde ele, embora não consiga tirar o leve tom de decepção da voz.

Ele tem várias ideias. Anota uma lista de advogados. Sua primeira escolha é o jovem Diaz, que tem trabalhado na antiga biblioteca de direito frequentada por Stern. Ele já foi chefe da Divisão de Crimes Graves do Ministério Público Federal, e Moses o acha muito bom.

Em termos de estratégia, o melhor que Innis tem a fazer é esperar. Talvez Feld jamais a coloque no banco dos réus enquanto Kiril estiver foragido, porque é difícil avaliar a punição de outra pessoa enquanto Pafko não tiver recebido a sentença. Depois disso, Innis tem que manter a calma. O que ela disse no depoimento não é suficiente para condená-la por perjúrio — ela se valeu da Quinta Emenda no momento certo. E não existe prova direta de seu papel na fraude. Se Moses quiser ouvir toda a história, ela só deve falar sob juramento com garantia legal de imunidade. Isso vai reduzir bastante qualquer chance de Moses processá-la por qualquer coisa, o que torna muito improvável que ele siga esse caminho.

— E quanto às mensagens de texto que eu troquei com Neucriss? — pergunta Innis.

— Hummm... Até onde eu sei, Moses estava tendo dificuldade para autenticá-las. Não sei os detalhes.

Muito provavelmente as mensagens já não existem mais. O FBI vai pressionar os Neucriss, mas, qualquer que seja a história que eles contem, eles vão proteger a própria liberdade e as licenças para advogar. Serão enfáticos ao dizer que não sabiam que Innis pretendia mentir sob juramento. A serpente que Eva encontrou no jardim do Éden teve aulas com os Neucriss.

— E quanto às ações cíveis? Eu vou perder a minha casa?

— Duvido. Os advogados especializados em ações coletivas que se metem com os Neucriss são uns abutres. Eles querem dinheiro, não justiça. Com o depoimento dado pela Dra. Robb no julgamento de Kiril e a pressão de pacientes e oncologistas, o g-Livia vai voltar ao mercado logo, logo. A PT vai ganhar bilhões, e a empresa vai fechar um acordo judicial em nome não só dela mesma, mas também dos diretores. Lep vai ficar feliz em pagar para tirar você do problema, porque vai fazer o mesmo por si próprio.

A avalição de Stern, totalmente sincera, deixa Innis animada pela primeira vez em mais de uma hora de conversa. O ar de vítima não combinava com ela, e, com um pouco mais de confiança, grande parte de seu vigor está de volta.

Stern termina de beber a água com gás. Innis o chama novamente até a sacada para assistir ao pôr do sol. Stern fica tentado, mas dessa vez diz: "Preciso ir." E se prepara para partir.

Ao contrário do que aconteceu com Olga, Stern não diria que sua conversa com Innis o fez ter uma opinião melhor sobre ela. Acima de tudo, ele está chocado com a perversidade de Innis, que é ampla e profunda. Mas, após três décadas, Kiril certamente sabia desse traço de Innis e, mesmo assim, passou por cima dela como um trator.

Innis o leva até a porta e surpreende Stern ao se aproximar novamente — por uma fração de segundo, ele sente novamente o gostinho da sensualidade de Innis quando ela o beija na bochecha.

— Eu realmente prefiro homens mais velhos — diz ela com um olhar divertido, e Stern segue em direção à limusine de Cesar, rindo, apesar de tudo.

37. UM JANTAR

O voo de West Palm Beach para o condado de Kindle pousa no fim da manhã de segunda-feira, após Stern passar mais um fim de semana relaxante com Silvia. Stern e sua irmã ficam sentados horas ao sol, olhando para o oceano Atlântico em um silêncio quase total e, no final, os dois se sentem profundamente fortalecidos.

Stern pega um táxi para o centro da cidade. No escritório da Stern & Stern, o processo de fechamento de portas está a todo o vapor. Os funcionários estão encaixotando arquivos e pastas para enviar aos clientes ou mandar para o depósito, e grande parte dos quadros foi retirada das paredes, deixando um retângulo mais claro onde estavam pendurados. Na recepção, parte da mobília será utilizada pelos novos donos do escritório. Há vários montes de poeira onde os móveis costumavam ficar, e por um breve instante Stern os confunde com ratos. O senhorio já realugou o espaço. A empresa vai vagar o local no dia 31 de dezembro, e Marta propôs um *open house* na tarde desse dia, uma última festa para seus inúmeros empregados e amigos leais, sejam eles da profissão ou não. Stern e sua filha gostam da ideia de comemorar o fim. Após muito pensar em Kiril e Lep, ele valoriza mais a parceria que tem com a filha. E a verdade é que grande parte do prazer que sente na prática da advocacia nasceu do sentimento de camaradagem com outros advogados, apesar dos aborrecimentos que teve com oponentes difíceis. O público geral despreza os advogados — a não ser o advogado deles próprios —, mas Stern sempre gostou da companhia de seus pares, do tipo particular de sabedoria que muitos compartilham. Para o bem ou para o mal, essa é a turma dele.

Uma conclusão a que Stern chegou no fim de semana foi a de que não pode esconder de Marta a conversa que teve com Innis, que continuará sendo confidencial dentro da empresa. Assim que fica sabendo que ele foi a Naples, ela fica irada.

— Você é pior que um adolescente — diz ela. — Será que eu vou ter que tirar os seus cartões de crédito de você? Não faz nem três semanas que você passou por uma cirurgia.

— E meu coração está mais forte do que já esteve em anos. É sério. Estou até pensando se devo reconsiderar a decisão de me aposentar — diz ele, só para provocá-la.

Marta começa a gritar até perceber que ele está sorrindo. Ela o expulsa de sua sala, mas aparece na porta dele minutos depois e se senta de frente para a mesa, querendo saber o que Innis disse. Por fim, após Stern revelar como foi a conversa, ela reflete lentamente sobre tudo.

— Quando você vai admitir que eu estava certa sobre Kiril e você estava errado?

— Nunca — responde Stern. Os dois sorriem.

— E por que Kiril não apontou o dedo para Innis e Lep? Ele deve ter imaginado pelo menos parte dessa história.

— Eu venho pensando nisso, Marta, mas não tenho resposta. Ele não poderia acusar Innis sem incluir Lep na história. Eu me perguntei se é possível que ele tenha decidido se tornar um bom pai e não sacrificar o filho em troca da própria liberdade.

Marta faz uma careta. No geral, sua antipatia por Kiril ganhou força ao longo dos últimos meses. Não que ela seja a única.

— Um cara que não abre mão da própria *chiquita* pelo filho também não vai para a cadeia por ele.

Há, claro, outra pergunta sem resposta. Assim que Marta sai da sala, Stern liga para Chicago. Seu telefone toca meia hora depois.

— Sandy, aqui é Pierce Shively. Passei sua pergunta para o meu cliente, e ele recusou educadamente. Lep quer deixar o julgamento do pai para trás.

— Você disse a ele que eu falei com Innis?

— Ele não tem ideia de que diferença isso deveria fazer.

— Tudo bem — diz Stern. Lep vai segurar a barra.

Ele começa a tirar da parede os diplomas, as licenças da Suprema Corte Estadual, da Corte Distrital Federal e da Suprema Corte dos Estados Unidos, onde argumentou uma vez. Perdeu por nove a zero, mas foi empolgante estar lá. Tudo o que ele toca faz lembranças virem à tona, a maioria delas é boa, mas até as ruins parecem muito mais inócuas, tendo em vista que sobreviveu a elas.

O devaneio é interrompido quando Vondra transfere uma ligação no fim da tarde. Donatella Pafko.

— Sei que está em cima da hora, Sandy, mas quero convidar você para jantar na minha casa hoje à noite.

— Uma jantar festivo?

— Não, seria só para nós dois. É o mínimo que eu posso fazer para demonstrar minha gratidão.

Stern chega às seis e meia com um pequeno buquê de flores, que Donatella recebe como se tivesse sido presenteada com um colar de diamantes. Eles saboreiam uma taça de champanhe na sala de estar inglesa e depois vão para a sala de jantar. A mesa está posta com elegância. Donatella ocupa a cabeceira, que era antes o lugar de Kiril, e Stern se senta imediatamente a sua esquerda. Os dois já não ouvem bem o suficiente para manter a formalidade de se sentarem cada um em uma ponta da mesa.

Stern permite que Donatella seja a primeira a mencionar Kiril.

— Você foi procurada pelos oficiais de justiça? — pergunta Stern.

— Eles falam comigo toda semana. Eu conto tudo a eles.

— E conta o quê, exatamente?

— Tudo o que Kiril diz quando me liga.

— Com que frequência isso acontece, Donatella?

Donatella inclina a cabeça de leve, dando a entender que o número de ligações não tem muita importância para ela. Ela está produzida para o jantar, com um corpete alto de renda e um colar pesado, cujas inúmeras pedras de tamanho imponente Stern suspeita serem reais.

— Uma ou duas vezes por semana. Ele vive me pedindo para ir ficar com ele. Tem um advogado que o convenceu de que o governo da Argentina jamais vai consentir com a extradição. Acha que isso é verdade?

Stern fez questão de não estudar o assunto. Mas seu palpite é de que, na lei que tipifica o uso ilegal de informações, a Argentina tem os mesmos tipos de exceção para gente rica que os Estados Unidos, e o fato de que só os netos foram beneficiados ou de que as informações já não eram mais confidenciais quando ele vendeu as ações servirá como matéria-prima suficiente para o argumento de que aquilo pelo qual Kiril foi condenado não é crime na Argentina ou não é coberto pelo tratado de extradição entre os dois países.

— Está pensando em ir? — pergunta Stern.

— Não — responde Donatella. — Como você sabe, nós sempre visitávamos a Argentina uma ou duas vezes por ano, e eu vou continuar fazendo isso. Cheguei a um ponto da minha vida em que alguns dias com Kiril vez ou outra serão suficientes.

Não é da conta de Stern saber por que só agora Donatella chegou a essa decisão. Ele teria imaginado que ela havia chegado ao limite anos atrás, quando Kiril anunciou que a abandonaria para ficar com Olga. Na época, Donatella pediu apenas para ser tratada com dignidade e respeito por fachada enquanto ele vadiava, e, no fim das contas, nem isso ele quis fazer por ela. Embora não tenha analisado a situação a fundo, Stern suspeita de que a decisão de Donatella de ficar ao lado de Kiril durante o julgamento pode ter mais a ver com uma proteção a Lep do que ao próprio marido.

Ainda assim, esse é um fim melancólico para o que foi um grande romance, pelo menos segundo Kiril contava a história. Anos antes, ele a contou a Stern durante um dos almoços anuais no Morgan Towers Club, na época das festas de fim de ano, quando os tribunais e o laboratório de Kiril estavam fechados. Kiril levou vinho do vinhedo da família em Mendoza, o qual eles beberam lentamente conforme a luz do inverno ficava mais fraca no salão e os funcionários arrumavam as outras mesas para o café da manhã.

— Eu fui um sem-vergonha — dissera Pafko na época, explicando que se recusou a aceitar a insistência de Donatella para que ele parasse de flertar, de vadiar. Ele a conhecera após ir a Buenos Aires como estudante de medicina, determinado a cair nas graças das famílias importantes da cidade. Ela era alta e linda, estava casada fazia seis anos e ainda não tinha filhos. O marido dela, um típico italiano, era duas décadas mais velho, e talvez Donatella já tivesse percebido que seu destino como mãe seria prejudicado devido a uma falha que não era dela. Certamente Ricardo, o então marido, não teve nenhum filho após o fim do casamento com Donatella. Kiril, com os instintos predatórios de uma pantera no que dizia respeito a romance, percebeu uma vulnerabilidade.

Mas, quando contou a história, Kiril revelou que estava sendo impulsionado por mais do que apenas o gostinho de uma conquista difícil. Ele rapidamente percebeu que Donatella e ele tinham uma sintonia única, um canal que só os dois eram capazes de ouvir, um canal que presumiram que ninguém mais era capaz de escutar. Ele inventou desculpas para ir vê-la, frequentando eventos aos quais sabia que ela compareceria. Quando Donatella ia guardar seu casaco, ele a seguia, se aproximava o máximo possível e sussurrava que ela precisava aceitar se encontrar com ele. Ou, em um salão lotado, quando todas as outras pessoas se afastavam e os deixavam a sós por um segundo, ele murmurava: "Estou doido por você." Ela revirava os olhos e pedia para ele parar, mas nunca envolveu nenhuma autoridade externa que seria difícil de ignorar nessa situação, como o marido ou o padre de sua paróquia. Kiril mandava flores que chegavam ao meio-dia, quando Ricardo estava no trabalho. Pedia a alguém na rua que a seguisse até uma loja e, então, colocasse um pequeno presente nas mãos dela: uma corrente fina, um frasco de perfume, algo pequeno demais para o marido notar.

— Eu a ganhei pelo cansaço. Demorei meses.

O dia em que Donatella aceitou um anel de pedra olho de tigre antigo foi o dia em que Kiril soube que em breve ela estaria em seus braços.

Segundo Kiril, ele percebeu que a essa altura uma pessoa com a inteligência e capacidade de Donatella estaria louca para escapar dos limites estreitos de um casamento que seus pais consideravam sábio, com um homem de outra família da elite de Buenos Aires, dono de enormes mausoléus no Cemitério de Recoleta. Kiril prometeu os Estados Unidos e uma vida na vanguarda da ciência. Eles fugiram juntos. Ele se casou com ela diante de um juiz no condado de Kindle, anos antes de Ricardo concordar com o divórcio.

Stern chegou à conclusão de que as esperanças que nós criamos ao amar alguém são, muitas vezes, ilusões. Casamentos felizes — e Stern teve pelo menos um — começam com um entendimento dos limites do que pode ser perguntado. Para Donatella, foi o acordo feito pelas mulheres ao longo dos tempos quando elas perceberam que teriam poucas chances de serem grandiosas por si mesmas. Mas Kiril cumpriu o que prometeu. Ela foi mulher de um vencedor do prêmio Nobel e em momento algum teve que abrir mão dessa distinção. Ele foi grande porque ela o ajudou a ser grande.

— Sempre que liga, Kiril pergunta se eu falei com você — diz Donatella agora. — Eu tenho um número caso queira falar com ele. Ele sabe que colocou você e Marta numa posição difícil ao fugir.

Stern dá de ombros.

— Ele não é o primeiro cliente a fazer mau uso do advogado. Desde o começo, Marta me disse que Kiril nos escolheu para representá-lo porque sabia que eu não contestaria as mentiras dele.

— Bem, Sandy, você é um velho amigo. E ainda é um advogado fora de série. Se quer saber, fui em que sugeri seu nome, e continuo convencida de que dei um excelente conselho a Kiril.

— Isso porque eu não exigiria que ele me contasse a verdade?

— Que verdade, Sandy?

— Sobre Lep, óbvio.

Donatella, que no geral é tão elegante, tenta não fraquejar, mas vira os olhos rapidamente ao ouvir Stern mencionar seu filho. Então passa o dedo na colher de prata posicionada sobre o prato de Limoges, que está ali para a sobremesa.

— Eu tenho um pedido, Sandy. Um pedido pessoal.

Agora nós chegamos ao objetivo do jantar, pensa Stern. Ele assente, dando a entender que vai escutar o que ela tem a dizer.

— Por favor, deixe o meu querido Lep em paz — pede a mãe dele. — Ele é um filho maravilhoso, um cientista maravilhoso, um pai maravilhoso. Tem vivido tempos horríveis já faz alguns anos.

Se o teto desabar sobre Innis e a acusação extrair a verdade dela, os momentos horríveis de Lep podem ficar consideravelmente piores. Mas Lep tem excelentes advogados, e, se ouvirem a história de Innis sobre Lep, eles vão saber que ela não tem corroboração e que é a palavra de alguém que pode ser facilmente chamada de perjura. Moses é responsável demais para fazer acusações com base nisso, desde que Lep seja inteligente o bastante para manter a tranquilidade e não se contradizer. Levando esses pontos em consideração, Stern entende por que os advogados de Lep o aconselharam a ficar longe dele.

Donatella observa Stern com avidez enquanto ele raciocina.

— Eu preciso falar sobre um assunto com Lep — diz ele, por fim. — Pelo meu próprio bem. Não preciso discutir nenhuma das provas contra Kiril... Nada sobre a base de dados, nada do tipo. Mas preciso ficar cara a cara com ele. E, com todo o respeito, eu exijo isso. Eu detestaria ter que mandar o delegado do condado de Greenwood bater na porta da casa de Lep. Ele vai entender o que eu quero dizer com isso. — Os olhos escuros de Donatella estão imóveis, revelando cautela e até mesmo alarme. Ele vê as palavras prestes a sair da boca dela e acrescenta: — Por favor, não me peça isso.

— Sandy, você pode prometer que não vai acontecer nada de ruim com Lep?

Uma pergunta difícil.

— Lamento, Donatella, mas só posso prometer o contrário. Se Lep se recusar a conversar comigo, então os problemas dele vão se multiplicar. Se ele aceitar, certamente não vou esquecer que ele é o filho de uma amiga muito querida e estimada. — Ele segura a mão idosa de Donatella ao dizer tudo isso, mas com uma pegada firme o suficiente para ser assertivo. — Mas, se Lep for evasivo ou não me contar a verdade, vou fazer o que ele teme.

Donatella assente devagar, e então olha para a chama das velas no centro da mesa, presas nos castiçais pesados de prata.

— Agora eu tenho uma pergunta para você, Donatella. Eu entendo que você me recomendou a Kiril imaginando que eu relutaria em aconselhá-lo a se voltar contra o próprio filho, a quem conheço desde criança. Mas isso não explica a complacência de Kiril com relação às acusações de homicídio, das quais ele sabia que era inocente. O que me deixa encucado é que, até então, ele demonstrava pouca capacidade de se conter pelo bem de Lep.

— Ah, isso, Sandy... Isso é simples.

Stern aguarda. Donatella olha para a colher novamente, girando-a de um lado para o outro entre os dedos, enquanto um sorriso se forma em seu rosto, um raro momento em que ela exibe um grande apreço por si mesma. O aquecedor central da casa é ligado, abafando a voz já baixa de Donatella. Stern se inclina para a frente a fim de ouvir melhor.

— Eu disse a Kiril que, se ele acusasse Lep de ter qualquer participação, eu ficaria do lado de Lep, mesmo que isso significasse ter que testemunhar contra ele, contra Kiril. Quanto à lei? Bem, eu não sei nada da lei. Mas a vingança de Lep contra o pai... Isso, Sandy, sinceramente foi muito bem merecido.

É claro que foi uma vingança também em nome da mãe, a quem Kiril planejava deixar já em idade avançada. Stern não tinha percebido essa parte da motivação de Lep antes, mas Donatella teria percebido de imediato.

— Eu faria juramento e corroboraria com o que quer que Lep alegasse para não ser responsabilizado. Diria que Kiril tinha me confessado tudo. Talvez um advogado brilhante fosse capaz de achar buracos na acusação do governo e pensar em um jeito de garantir a liberdade de Kiril. Mas ele jamais encontraria o caminho para sair desse labirinto às custas de Lep.

Conforme ela mesma disse, é bem simples — embora revele mais algumas verdades brutais sobre seu casamento com Kiril.

Já à porta, Stern a abraça. Com essa idade, ele costuma se perguntar se vai ver novamente os amigos de quem está se despedindo e, nesse caso, ele sabe que já testemunhou muita dor na vida de Donatella para saber que não vai buscar a companhia dela no futuro. Quando a porta se abre, Stern levanta a mão dela, a beija e diz, decidido:

— Adeus, minha querida Donatella.

38. O OUTRO DR. PAFKO

Na noite seguinte, Stern e Pinky acabaram de voltar do escritório e estão prestes a se sentar para tomar sopa quando a campainha toca. Pinky vai atender, mas Stern se levanta em seguida ao reconhecer a voz de Pafko, enquanto Pinky abre a porta que possui proteção contra tempestade. Lep está usando uma parca com capuz debruado de pelos. Pinky não diz nada, apenas roça um indicador no outro, como se estivesse fazendo fogo. O gesto parece cômico, mas Lep para na hora ao perceber o olhar feroz de Pinky. Stern afasta a neta da entrada, e Pinky sai batendo o pé sem dizer uma só palavra.

Stern conduz Lep até a sala de estar. Este é o único espaço da casa onde Stern se sente um pouco assombrado. Ele nunca se sentiu desconfortável por continuar habitando o lugar que dividiu com Helen ou usando a cama em que dormiam. Ele sente a presença dela e gosta disso. Mas a sala de estar é diferente. Mesmo quando Helen estava viva, o cômodo já tinha um ar de mausoléu. Era reservado para convidados e estava sempre impecável. Apesar de, juntos, os dois terem móveis para encher duas casas, Helen insistiu em redecorar o cômodo e, depois disso, quase nunca o usou. Helen nunca gostou de formalidades. Não havia um pingo disso dentro dela. Stern sempre adorou a resistência de Helen a se deixar guiar pelas expectativas sociais alheias, atitude que ela o ajudou a desenvolver também, até certo ponto.

Quanto à sala de estar, é um espaço confortável e agradável, com uma lareira de malaquita, mas ali Stern se sente um visitante na própria casa. Apesar disso, tendo em vista que Pinky está louca para esganar Lep, é uma escolha mais segura do que a sala usada pela família, atrás da cozinha, onde Lep sentiria o peso do olhar mortal de Pinky.

Ele oferece uma bebida a Lep, que pede só um copo de água sem gelo. Stern vai à cozinha pegar.

— Me dê só um minuto a sós com ele — diz Pinky, enquanto olha o celular. — Vou arrebentar aquele cientistazinho.

Pinky é pelo menos vinte centímetros mais baixa e trinta quilos mais leve que Lep, mas, se Stern tivesse que apostar no resultado dessa briga, seu dinheiro ia para a neta.

— Muito corajosa, Pinky. Se eu precisar de ajuda, te chamo.

Stern volta e coloca o copo de água na mesinha de centro diante de Lep. Com uma cara aflita, o cientista mais parece um prisioneiro que sabe que a qualquer momento o interrogatório pode descambar para a brutalidade. Ele se recusou a tirar o casaco, apenas tirou o capuz e abriu o zíper. Está sentado na ponta do sofá. Claramente não quer que nada o detenha se decidir sair correndo pela porta da frente.

— Donatella disse que você precisava falar comigo — diz Lep.

— E eu imagino que você saiba o motivo.

Apesar da boa aparência natural, o cabelo loiro e volumoso e o rosto de traços marcantes, Lep não passou pelo julgamento incólume, e não é para menos. Os olhos estão fundos, com olheiras, e as narinas parecem permanentemente vermelhas. Ele estava chorando? Provavelmente. Provavelmente está chorando há anos.

— Sandy, talvez seja melhor você me dizer logo o que tem em mente.

Lep não parece prestes a confessar nada, o que não é um início muito promissor.

— O que tenho em mente, Lep, é que você tentou me matar na estrada.

Presumindo que Donatella tenha mencionado o comentário de Stern sobre o delegado do condado de Greenwood, Lep chegou ali sabendo qual era o assunto da conversa, mas, mesmo assim, seus olhos estão imóveis e sua mandíbula se mexe inconscientemente.

— Você nega isso? — pergunta Stern.

Lep balança a cabeça, mas não diz nada.

Stern continua encarando Lep com um olhar duro e finalmente diz:

— Explique-se, por favor.

— Me explicar? — Ele faz um som que lembra uma risada irônica. — Sandy, já ouviu as pessoas dizerem que estão perdendo o controle? Eu perdi o meu há cinco anos. Em toda a minha vida, eu nunca fui uma pessoa impulsiva. Até na adolescência, eu olhava para o que os outros garotos faziam e achava tudo uma loucura. Escalar o castelo de água para escrever o próprio nome? Pular de paraquedas do alto das montanhas e pousar no condado? Para quê? Mas então eu me envolvi com ela. — Lep reluta até em pronunciar o nome de Olga. — Antes disso, eu achava que entendia como as coisas funcionavam. Você olha para uma mulher, mas está casado. Seu pai faz seu sangue ferver de raiva, mas todo mundo tem pai. Mas, desde que eu, sei lá... Desde que eu cedi, é como se existisse um vazamento dentro de mim em algum lugar. Alguma coisa acontece, e tem momentos em que eu não consigo recuar.

Muitas das pessoas que Stern representou ao longo da carreira poderiam ter dito o mesmo que Lep, mas a maioria não tinha autoconhecimento suficiente para reconhecer a situação. Depois que Clara morreu, Stern percebeu, chocado, que ficou fora de controle por um breve período. Ele se conteve porque era uma pessoa sábia, e não porque tinha medo. Mas Lep, até agora, parece não ter aprendido muitas lições.

— Você estava apaixonado por Olga, Lep?

Lep levanta a cabeça abruptamente. Foi como se Stern tivesse lhe dado um beliscão. Sandy se pergunta se é a primeira pessoa a fazer essa pergunta a Lep em voz alta. Na verdade, isso não é da conta de Stern, embora explique por que a raiva persistente de Lep em relação a Kiril finalmente tenha transbordado. Mas o jovem Dr. Pafko balança a cabeça várias vezes, com um ar de tristeza.

— Eu realmente não sei. Era excitante. Era muito, muito excitante. E era uma novidade. Ela dizia que estava apaixonada por mim. Mas eu amo minha família. Eu sempre soube que amava minha família.

Stern conclui que não tem o direito de fazer mais perguntas nesse sentido. Casos extraconjugais raramente seguem uma etiqueta estabelecida. Faz parte da natureza desse tipo de relação. Ele volta para o assunto que levou Lep até ali.

— E o que eu fiz para você querer me matar?

— Eu estava apavorado, Sandy. Completamente apavorado. Em março, naquela tarde, Olga foi à minha sala assim que você saiu. Nós não nos falávamos muito na época, então foi estranho vê-la ali, mas ela disse: "Só quero te avisar uma coisa: o advogado do seu pai me fez um monte de perguntas sobre o nosso relacionamento. Sobre mim e você." Ela me deu a impressão de que talvez você tivesse descoberto.

— E se eu tivesse? — questiona Stern.

— Então talvez acabasse descobrindo todo o resto depois.

Isso é verdade? Provavelmente, sim. Stern, sem dúvida, estaria no caminho certo assim que se desse conta do tamanho da raiva que Lep sentia por Kiril e da perversidade da situação entre pai e filho.

— Lep, eu não podia oferecer uma defesa que não fosse aprovada pelo seu pai.

— Eu não estava pensando nesse sentido. Além do mais, no fim das contas, Kiril sempre faz o que é melhor só para si mesmo. Achei que, se você sabia, cedo ou tarde, tudo viria à tona no tribunal. Eu perderia minha família. E talvez acabasse no banco dos réus também. — Lep bate os braços como um pássaro incapaz de voar. Não consegue sequer descrever os próprios medos, de fazer jus à sua magnitude. — Quer dizer, por dois anos e meio, eu esperei essa coisa toda se desenrolar. E então fiquei apavorado quando aconteceu. Eu mal conseguia me segurar só de ver Kiril sendo denunciado, e então, quando achei que você tinha descoberto tudo, eu realmente achei que era melhor simplesmente engolir um frasco inteiro de comprimidos.

Lep se inclina para a frente e toma alguns goles de água.

— Provavelmente, você nunca teve uma crise de pânico, Sandy, mas a verdade é que não necessariamente ela melhora quando você tem tempo para refletir sobre as coisas. Às vezes, quando você entra na sua própria mente, as suas fantasias se multiplicam. Eu estava ali, sentado, com o coração despedaçado uma hora depois de Olga sair da minha sala, até que vi você mancando em direção ao estacionamento.

— Então você registrou a retirada de um carro do estacionamento?

— Eu já estava com as chaves. Desde que me tornei presidente, digo, presidente de fato, às vezes passavam-se semanas inteiras em que eu ficava no escritório até depois do último trem. Quando isso acontecia, Oscar simplesmente registrava um carro no meu nome e levava as chaves até a minha sala. Quando minha agenda permitia, eu devolvia. Quando você é chefe, ninguém faz perguntas.

— Mas, olhando pela janela, você decidiu me matar?

— Eu decidi seguir você. Não tinha certeza do que eu ia fazer. Sei lá, talvez tenha pensado em fazer sinal para você parar e depois explicar toda a situação e pedir que você não abrisse o bico. Sei lá. Na hora do pânico, o raciocínio não tem muito espaço. Eu estava literalmente dirigindo a mais de 130km/h em uma rodovia, e então vi seu carro. E joguei o Malibu em cima de você. Mas, no último segundo, afastei o carro da porta do motorista, de verdade. E não posso nem descrever como me senti quando acertei você. Foi algo como: "Não, não, agora piorou tudo." Eu passei a ter um motivo bem pior para entrar em pânico. Fiquei muito feliz por você ter se recuperado. De verdade. Sei que é muito estúpido dizer isso agora, mas fiquei em êxtase quando soube que você ficaria bem.

— Ainda mais quando, depois da cirurgia no cérebro, eu tinha esquecido tudo sobre Olga e você. Imagino que você tenha levado o Malibu direto para uma oficina.

— Eu voltei dirigindo para Nearing. A cada segundo, eu só estava esperando a polícia me parar e me algemar. Mas cheguei a uma oficina do outro lado da cidade e disse ao cara que foi uma situação muito vergonhosa: eu era o chefão e tinha arrebentado um carro da empresa porque não estava prestando atenção e acertei uma mureta de proteção na rodovia.

— Então, se você conseguiu consertar o carro e Oscar não achou nada de mais você manter o Malibu por uma semana, por que se dar o trabalho de roubar os formulários de retirada de automóveis?

— Quando eu levei o carro de volta, soube por Kiril que você estava dizendo que o carro que acertou você na estrada tinha um adesivo da PT na janela traseira. Eu só queria garantir que não havia registros de que eu estava com um Malibu no dia da colisão. Imaginei que Oscar não conseguiria ter certeza de nada se não estivesse registrado no papel. Normalmente, metade das vezes, quando eu entrego um Malibu, Oscar está andando com o carrinho de golfe pelo estacionamento. Então eu simplesmente deixo as chaves na mesa dele, procuro o formulário e assino a devolução. No dia em que tirei o carro da oficina, eu passei algumas vezes na frente do estacionamento até ver que Oscar estava fazendo a ronda. Então entrei na guarita dele e fingi que estava registrando a devolução, quando na verdade estava amassando todos os formulários da semana em que tudo aconteceu.

Lep, que não tira os olhos do chão há vários minutos, estica o braço para pegar a água e toma outro gole. Olha para o copo por um tempo antes de continuar.

— Sandy, minha vida é um caos há cinco anos. Com Olga, eu cometi um deslize, eu errei, eu cedi, sei lá... qualquer que seja a merda de palavra que as pessoas usam, mas não consigo nem me lembrar de como era ser eu mesmo em 2013. Sério, eu não consigo. Talvez eu nunca mais consiga fazer um trabalho científico digno de ser discutido. Esse tipo de concentração é uma coisa que ficou no passado para mim. Mal consigo somar dois e dois. Tem dias em que eu fico pensando em um monte de coisas e no fim me dou conta de que passei o dia inteiro sentado numa cadeira, olhando pela janela. Kiril consegue deixar tudo de lado, ou pelo menos fingir que não tem nada acontecendo.

— Eu percebi. Tem falado com seu pai?

Lep fecha os olhos e balança a cabeça com veemência para indicar que não.

— Meu pai e eu não temos uma conversa de verdade há mais de três anos.

Stern faz as contas e pergunta:

— Imagino que vocês tiveram um desentendimento sobre Olga?

— Ela sabia que aquela situação estava me matando. O objetivo era esse, certo? Ela passava na frente da minha porta a caminho da sala de Kiril dez vezes por dia. Mas, por fim, depois de um tempo eu achei melhor contar a verdade a ele e pedir misericórdia. Nem era para que ele parasse de vê-la, só para tirá-la da empresa. Pagar uma rescisão astronômica e tirar toda aquela situação da minha frente.

— Ele não concordou?

Lep faz uma careta ao lembrar.

— Imagino que ele já soubesse sobre você e Olga, não? — pergunta Stern.

— Eu fiquei surpreso, mas acho que ela havia contado a ele. Kiril simplesmente deu de ombros e ignorou essa parte, mas olhou para mim e disse: "Se você criou uma situação que não é capaz de suportar, Lep, então talvez seja você quem deva sair." Foi quando eu soube qual era o ponto central de tudo aquilo. Quando o g-Livia fosse lançado dali a alguns meses, seria uma festa só. A atenção viria de todos os lados, e ele ficaria mais que feliz em ser o centro de todas as atenções, sem deixar nada para mim. Assim, poderia dizer a todos os jornalistas que foi ele quem basicamente fez tudo sozinho.

— Muito embora você merecesse a maior parte do crédito.

— A ciência é sempre colaborativa, Sandy. Não é como escrever um poema. Kiril fez grandes contribuições.

— Mas não tanto quanto as suas, Lep.

— Sabe, ele podia pelo menos ter dito que nós fizemos tudo juntos. Mas quando Kiril contou a própria versão da história, ele era o arquiteto, e eu, o carpinteiro.

É claro que existe uma grande justiça no que Lep fez com o pai. Se Kiril desejava ficar com todo o crédito pelo g-Livia, então também merecia ficar com toda a culpa pelos problemas.

— Então esse dia em que pediu que Kiril demitisse Olga foi a última vez que vocês se falaram?

— A conversa desandou, o que, de certa forma, foi culpa minha.

— Como?

— Eu não tenho habilidades sociais. Não mesmo. Tenho consciência disso.

— E o que isso quer dizer?

— Eu finalmente disse a ele: "Você entende que ela só está com você para tentar dar o troco em mim?"

— Ah — diz Stern. — Entendi.

— Ele só deu um sorrisinho e disse: "Pelo contrário, Lep. Ela parece muito feliz."

Stern não consegue conter um pequeno suspiro. Que cena horrível.

— Em toda a minha vida, eu nunca entendi meu pai de verdade — continua Lep. — Existe um Kiril diferente na minha cabeça, e esse Kiril nunca dá as caras. Mas naquele momento, quando eu pedi um pouco de empatia... ali foi o fim. Sabe, "culpa" não é a palavra certa para descrever o que eu senti pelo que fiz com ele. Porque mentir, essas coisas, isso não é do meu feitio. Mas eu nunca duvidei que ele merecia. Eu o abracei na frente do júri porque Feld me disse que seria um toque de mestre.

Lep bebe o resto da água e suspira fundo.

— Eu quero pedir que me perdoe, Sandy. Por favor, me perdoe.

Pela primeira vez Lep consegue olhar nos olhos de Stern, embora não por muito tempo. Está com os olhos tão vermelhos que parece um coelho.

Quando fala em particular sobre as sentenças, Sonny diz que sempre dá um crédito aos réus que se desculpam. Não que na maioria das vezes ela ache que eles estejam falando de coração. Mas, pelo menos, segundo ela, o pedido mostra que eles sabem como devem se comportar.

Neste caso, porém, Stern não duvida da sinceridade de Lep ou da autoanálise que ele fez, de sua vida emocional chafurdando no caos. E se Innis tem razão ao dizer que foi Lep quem fez os avanços mais importantes no desenvolvimento do g-Livia — algo que vários cientistas da PT também deram a entender —, então Stern se sente obrigado a dar a isso o devido valor. Sim, Lep pôs a vida de Stern em perigo. Mas, em seus melhores momentos, Lep teve um papel importante para manter Stern aqui na Terra.

— Você tem conversado com alguém, Lep?

Lep assente repetidamente, mas logo Stern percebe que o aparente sim na verdade significa não.

— Eu sei que preciso fazer isso. Já peguei alguns nomes. Mas a verdade é que nem sei por onde começar. Não consigo sequer me imaginar admitindo tudo isso para outra pessoa. Eu me sinto um louco só por estar aqui, sabendo que você sabe tudo o que eu sei. Já viu alguém surtando totalmente?

Lep tenta, porém mais uma vez não consegue erguer o rosto e encarar Stern.

Antes de Lep chegar, Stern considerou a fundo a hipótese de ir à polícia caso Lep mentisse ou fosse desonesto. Seria crueldade com Donatella, diante das circunstâncias. Mas muitas vezes há uma mãe desolada, chorando, quando alguém é merecidamente condenado. Só que o homem que está na sala de estar de Stern parece ter sido sincero — e receptivo —, e além disso Stern se comprometeu com a mãe de Lep a levar em conta sua situação.

— Minhas condições são as seguintes — diz Stern a Lep. — Eu vou guardar para mim mesmo tudo o que você disse, se você der passos concretos para se controlar. Você pode ir a um psiquiatra ou para a cadeia. E não estou falando de ir a uma ou duas consultas. Estou falando de um tratamento de verdade. Você vai autorizar qualquer psiquiatra que escolha a me informar a cada seis meses se continua comparecendo às consultas.

Quando se conheceram, Helen demonstrava muito mais fé que Stern na cura através da palavra. Mas, quando decidiram se casar, ele passou um bom tempo indo a um psicólogo para tentar compreender Clara, a morte de sua ex-mulher e sua própria família, sobretudo Peter. E a verdade é que isso ajudou. Não mudou tudo, mas ajudou.

Seja como for, a proposta que fez a Lep é uma que ele adoraria que um promotor sábio tivesse feito a dezenas de seus clientes ao longo dos anos. Claro que não a todos — muitos eram incorrigíveis e tinham errado tantas vezes que mereciam cumprir pena em uma penitenciária, só para garantir um alívio para o restante da humanidade. Mas vários de seus clientes se sentiram envergonhados do que fizeram, o suficiente para se esforçarem a fim de evitar repetir a má conduta. A punição por si só, para fazer as vítimas se sentirem melhores, também tinha um propósito. Mas não é o que Stern deseja, pelo menos não neste caso. Ao longo de quase seis décadas ele se colocou diante de juízes defendendo a necessidade de segundas chances. Vai dar uma a Lep.

39. A VOLTA

Como Stern talvez já tivesse imaginado, viajar com Pinky não é nada fácil. Embora isso tenha acontecido longe de sua presença, ele sabe que Marta — não totalmente de brincadeira — avisou à sobrinha que ela vai sofrer as torturas da Inquisição caso algo aconteça a ele durante a viagem. Na verdade, de início Marta foi totalmente contra a viagem, mesmo quando Stern propôs levar Pinky como companhia. Mas Al aprovou, e Marta se mostrou mais flexível quando seu pai disse: "Marta, você precisa entender o que significaria para mim, a essa altura da vida, ver Buenos Aires mais uma vez." Pinky e ele viajam na tarde do dia de Natal, e retornarão no dia 30 de dezembro, a tempo do grand finale da véspera de Ano-Novo na Stern & Stern.

A única outra criatura viva com quem Pinky assumiu um papel de cuidador foi o velho e imprestável Gomer, portanto ela não demonstra nenhuma sutileza ou prática ao cuidar do avô. Vendo a situação, os comissários de bordo parecem concluir que Stern é totalmente incapaz e falam com ele como se estivessem diante de uma criança no jardim de infância. Stern mal consegue manter a educação e sente-se aliviado pelo fato de Al ter lhe dado comprimidos para dormir por várias horas durante o trecho noturno do voo.

Enquanto isso, Pinky segue sendo ela mesma. A viagem dura mais ou menos quinze horas, incluindo a escala em Dallas, e, fora as perguntas a cada dez minutos para saber se Stern está bem, eles não têm conversas mais longas que três ou quatro frases. Só perto do fim da segunda perna do voo é que Stern percebe que ela não está vendo o mesmo filme repetidas vezes, mas, na verdade, vários filmes em sequência, nos quais o mesmo personagem com superpoderes salva o mundo em meio a muita destruição e explosões intensas.

Não é preciso dizer que Pinky e Stern não se parecem em nada. Por exemplo, ele já desistiu de tentar fazê-la se interessar por livros. Por outro lado, sempre dizem que os dois filhos de Marta parecem ter os mesmos gostos do avô, e ele é completamente louco por eles. Ainda assim, sabe-se lá o motivo, mas, se alguém apontasse uma arma para a sua cabeça e o fizesse escolher — e talvez ele não escolhesse mesmo assim —, Stern diria que, de todos os seus netos, ele é mais próximo de Pinky. Não só por causa de tudo o que aconteceu nos últimos tempos, mas também por causa da profundidade do entendimento entre eles e da aceitação mútua que surgiu desde então. Pela trilionésima vez em sua longa vida, Stern se pergunta se um dia vai, de fato, compreender o amor.

Observando Buenos Aires ao saírem de carro do aeroporto, Stern é capaz de sentir o poder do lugar quase com a mesma intensidade que vivenciou quando criança. Nas periferias, a arquitetura das moradias é quase stalinista, grandes quadrados de concreto, mas ele não se surpreende ao ver que, dentro dos limites da cidade, Buenos Aires ainda é um lugar de grande beleza e vibração, com suas avenidas de doze pistas, onde o trânsito avança a velocidades imprudentes, sem regras, e onde seus velhos e imponentes edifícios lembram Paris ou Madri, com seus detalhes elegantes, como as enormes janelas arqueadas e sacadas que dão para as ruas.

O agente de viagens reservou um hotel em Puerto Madero, a antiga região portuária que caiu em desuso e recentemente renasceu como uma área de arranha-céus de vidro e aço às margens do rio. O hotel, uma fábrica de grãos reformada, lembra um palácio. Os móveis no bar do lobby são parecidos com os de seu escritório, e ele decide tirar uma foto e mandar para Marta, com a mensagem "A explicação para o meu gosto". Mas é em sua mãe que Stern logo começa a pensar. Ela teria olhado pelas portas do hotel e feito um muxoxo, dizendo que não tinha roupas boas para sequer ousar pisar naquele saguão. Pobre mamãe, pensa Stern. Nunca teve a chance de descobrir tudo o que o dinheiro não é capaz de comprar.

Stern lava o rosto no quarto e manda uma mensagem de texto para Pinky, que está no quarto ao lado. Marta fez os dois jurarem que iriam descansar quando chegassem, mas Stern defende que o melhor jeito de curar o *jet lag* é sair à luz do dia. Quando ele se oferece para mostrar onde cresceu, Pinky fica entusiasmada.

Misteriosamente, o espanhol de Stern melhorou assim que a aeronave tocou o solo — *essa*, percebe Stern, é a língua que ele não compreende bem durante os sonhos, a língua murmurada por sua mãe, que muitas vezes se confunde com Clara. Ele pede que o taxista siga para o bairro de Balvanera, para onde os Stern se mudaram quando Alejandro tinha cinco anos. Eles chegaram ali após saírem de Entre Rios, um vilarejo de refugiados europeus onde o pai de Stern trabalhava como médico. De barba cheia e pincenê, seu pai seguia indianos descalços ao caminhar para a clínica todas as manhãs. Usava o jaleco branco, apesar da poeira, como se fosse incapaz de lembrar quem de fato era sem o respeito demonstrado pelos moradores do vilarejo, respeito esse suscitado pela peça de roupa. Mesmo quando criança, Stern sentia como o pai era ansioso. Depois que a família foi forçada a fugir da Alemanha em 1928, o homem parecia uma peça de cristal quebrada com os cacos colados. Em busca de segurança, ele levou a família para Buenos Aires, onde suas esperanças foram imediatamente por água abaixo. Os moradores da região os enxergavam como caipiras, e as inseguranças perceptíveis do pai de Stern dificultavam a tarefa de atrair pacientes e montar um consultório. Nunca havia nenhum dinheiro.

Na parte da cidade onde a família de Stern se assentou, a comunidade judaica somava cerca de trezentas mil pessoas. Até os gentios do bairro vizinho — para onde os Stern se mudaram tempos depois — chamavam o lugar de "Villa Kreplach", em vez de Villa Crespo. De certa forma, sua vida não tinha sido tão diferente da que os amigos americanos de Stern tiveram no Brooklyn ou no Lower East Side, em Manhattan. Havia três periódicos diários em iídiche, açougues e padarias kosher e pequenas sinagogas. Ali moravam pessoas pobres — lojistas e trabalhadores de chão de fábrica, estivadores e empacotadores de carne — que, conforme dizia a mãe de Stern, vendiam a mão de obra para sobreviver. Mas eles concebiam, assim como tinham concebido nos séculos anteriores em outros lugares do mundo, que em algum momento haveria um surto grotesco de antissemitismo, tal qual o que tinha acontecido na década anterior, quando bandidos perambulavam pelo bairro quebrando janelas e crânios com chaves de roda e pedaços de madeira. Durante a Segunda Guerra Mundial, quando a Argentina estava alinhada com o Eixo e havia gigantescos comícios nazistas no Estádio Luna Park, sua mãe guardava cobertores e enlatados em um armário de roupas, preparando-se para a noite em que seriam levados para os campos de concentração. Apesar de tudo que dissessem dele, Perón estava bem mais disposto a aceitar a comunidade judaica. Quando ainda criança, nos Estados Unidos, Stern tinha sido alvo de ofensas, mas nunca imaginou que ser judeu colocava sua existência em risco, algo que aconteceu durante a maior parte de sua criação na Argentina.

Com Pinky, ele caminha dois quarteirões a passos ligeiros, apesar da bengala e do calor. Faz mais de noventa graus americanos, como diria Stern — trinta e dois graus Celsius —, um tempo abafado e um sol forte o bastante para parecer ameaçador. Apesar de os médicos negarem, às vezes Stern tem a impressão de ouvir o som do pequeno dispositivo eletrônico instalado em seu peito em pleno funcionamento, dispositivo esse que aumentou dramaticamente sua disposição.

O bairro imundo mudou menos do que Stern havia imaginado. Muitos dos moradores agora são imigrantes peruanos, mas as ruas continuam cheias de *tiendas* caindo aos pedaços, com as fachadas lotadas de tecidos coloridos. Ele pede a Pinky que pare em frente ao Templo de Paso, a principal sinagoga asquenaze. Como já era de esperar, o edifício cinza agora parece ter a metade do tamanho e um décimo da grandeza que Stern via quando criança. Na verdade, o templo é uma miscelânea arquitetônica, com uma enorme estrela de Davi logo abaixo dos arcos da fachada — isso sem contar as câmeras de segurança proeminentes, provavelmente instaladas após o atentado a bomba iraniano a um centro comunitário judaico próximo dali vinte e cinco anos atrás.

Foi saindo daquele templo, em uma noite de sábado em 1944, que sua família — Stern, sua mãe, seu pai, seu irmão e sua irmã — caminharam juntos pela última vez. Pinky olha alarmada para Stern, que suspira e quase fica sem chão quando se recorda do amor que sente por eles.

— O que foi, vô?

— Eu estou me lembrando. Principalmente do meu irmão.

— *Irmão?* — grita Pinky. — Como assim? Você e tia Silvia tinham um irmão? Por que eu nunca soube disso?

Stern sente uma onda de aflição. Triste demais para tocar no assunto, aparentemente ele nunca falou muito sobre Jacobo. Apesar de sua serenidade diante da perspectiva da morte nos últimos tempos, a maneira como personagens importantes de sua vida, como Jacobo, podem simplesmente desaparecer da memória das gerações futuras o deixa desolado.

— Ele era extraordinário — diz Stern —, destinado a coisas grandes. Escrevia poemas que eram publicados nos jornais. Ganhava concursos de oratória. Ano após ano, tinha as notas mais altas em todas as matérias. E também era um pouco malandro. Esse era um traço importante da personalidade dele. Vivia se metendo em encrenca, roubando frutas das barraquinhas. — Stern para por um breve instante, pela primeira vez se dando conta de que seu interesse pelos malandros e espertalhões que representou durante décadas começou com seu amor pelo irmão. — Quando Jacobo tinha dezesseis anos, houve uma época em que escapava de casa no meio da noite para se encontrar com a mãe de um amigo.

Como já era de esperar, Pinky adora saber esse detalhe e solta uma gargalhada libidinosa.

— Parece que ele não era nada fácil — comenta ela.

— Ah, não era, mesmo — concorda Stern. — Era o garoto que o mundo adorava. Inclusive meus pais. Por eu ser o irmão mais novo, as conquistas dele eram um fardo terrível para mim, e também motivo de inveja.

Será que Stern teria alcançado tudo o que alcançou se Jacobo estivesse vivo? Intuitivamente, ele sabe que a resposta é não. Mas, mesmo assim, ele sente o vácuo gigantesco deixado pela perda do irmão.

— Quando ele morreu? — pergunta Pinky.

— Em mil novecentos e quarenta e quatro. Tinha dezessete anos.

— Meu Deus! — diz a neta e pergunta como isso aconteceu.

— Ele começou a andar com uns garotos judeus ricos. Minha mãe era uma alpinista social terrível e, no começo, ficou empolgada, até que descobriu que, influenciado por eles, Jacobo se tornou um sionista fervoroso. Ele decidiu ir para a Palestina lutar ao lado do Haganah. Meus pais nunca conseguiram controlá-lo. Jacobo subiu, mandando beijos, a passarela do navio que o levaria até lá. Isso aconteceu a, no máximo, um quarteirão do hotel onde nós nos hospedamos, Pinky. Nós passamos o dia inteiro naquela doca, com a minha mãe chorando e berrando que nunca mais o veria. E nunca mais o viu. Os Estados Unidos alegaram que o navio foi afundado por um submarino nazista, mas os alemães culparam os americanos. Eu tinha certeza de que a minha mãe ia morrer de tristeza, mas foi meu pai quem partiu menos de seis meses depois.

A família ficou sem um tostão. Mesmo pequeno, Stern percebia como sua mãe adorava as raras noites em que ela e seu pai conseguiam ir à ópera, onde podia exibir seu corpo farto em um vestido formal com um decote generoso. Provavelmente era um melodrama imaginar que ela fazia algo além de saborear os olhares de admiração de outros homens, mas o fato é que, com a morte do pai de Stern, surgiram pretendentes imediatos para sua mãe. Sem a bondade desses homens, talvez a família tivesse morrido de fome. O namorado mais sério, um advogado chamado Gruengehl, que representava um dos poucos sindicatos antiperonistas, acabou sendo a ruína da família e fazendo com que eles tivessem que fugir de novo, em 1947, quando Gruengehl foi preso. Com refugiados por toda a Europa implorando por um visto de entrada nos Estados Unidos e os laços diplomáticos da Argentina com o país sendo questionados após a guerra, a imigração legal era complicada. Assim, eles decidiram ir de trem até o ponto mais ao norte possível, em Monterrey, no México, de onde atravessaram a fronteira e entraram na cidade de Brownsville em um carro dirigido por um amigo do pai da época da faculdade de medicina. A tia da mãe os encontrou em San Antonio, e os levou para casa, novamente de trem, no condado de Kindle.

Sandy Stern, o Garoto Ilegal. Na época, o serviço de imigração não passava o pente-fino nas cidades em busca de infratores. Muitos de seus amigos irlandeses, poloneses e italianos tinham vivido o mesmo apuro. O melhor conselho era agir com toda a educação caso fosse preso e subornar o policial — o que, na época, era totalmente possível caso você tivesse cometido qualquer crime, exceto homicídio. Stern sempre andava com cinquenta dólares dentro do sapato. Quando foi convocado pelo Exército após a faculdade, não teve o ressentimento da maioria dos soldados com quem serviu. O jeito estúpido e teimoso dos militares era patético, mas ele acordava todas as manhãs sabendo que agora tinha a garantia de alcançar uma ambição implacável: ele se tornaria americano. Prestou juramento para se tornar cidadão com Silvia, que agora era sua dependente após a morte de sua mãe, que faleceu apenas dois meses após sua dispensa honrosa.

Por Deus, Stern ama os Estados Unidos. Viveu épocas difíceis quando jovem, e os terrores da pobreza e da falta de moradia ainda o atormentam, como se fizessem parte de cada pedaço do seu ser. Mas a América o acolheu, como tinha feito com todos desde o começo de sua existência, permitiu que um garoto estrangeiro amedrontado encontrasse seus talentos e prosperasse.

— Clarice — diz Stern, chamando Pinky pelo nome, algo que acontece, talvez, uma vez por ano quando ele quer atrair sua atenção. E ele a recebe. Pinky o encara com os olhos carregados de sombra e delineador preto que a fazem lembrar um guaxinim. — Nós vivemos em um país maravilhoso. Jamais menospreze isso. — Ele pensa um segundo sobre a pobre Argentina e acrescenta: — A democracia e o estado de direito são muito mais frágeis do que a maioria dos americanos imagina.

Ela assente, dando a entender que compreende.

Lentamente, a escuridão começa a cair sobre Buenos Aires, e Stern sente a exaustão tomar conta do corpo, como um massagista invisível relaxando seus membros. No táxi de volta para o hotel, ele mexe no celular até achar o número de Kiril.

— Pafko sabe que nós estamos aqui? — pergunta Pinky quando ele põe o telefone no ouvido.

— Pedi a Donatella que avisasse a ele.

Kiril responde entusiasmado quando ouve a voz de Stern.

— Ah, Sandy. Você está em Buenos Aires! Venha aqui amanhã. Vamos almoçar.

— Estou com Pinky.

— Minha salvadora! Quero fazer uma homenagem aos dois.

A conversa-fiada previsível de Kiril. Mesmo assim, Stern está ansioso para o encontro, como, aliás, tem estado ao longo de todo o planejamento para a viagem. Ele não sente como se tivesse que acertar contas com Kiril; por mais que tenham sido tolas, Pafko tinha direito a fazer as escolhas que fez. Mas Stern ainda precisa entender algo, apesar de ele próprio não saber exatamente o que é.

Tendo em vista que frequentemente viajam para Buenos Aires, os Pafko sempre mantiveram um apartamento na Recoleta, bairro onde, desde a infância de Stern, ainda vive a elite da cidade. O lugar tem um ar de Upper West Side, cheio de árvores altas, com lojinhas e cafés espalhados entre os prédios residenciais de seis ou sete andares com inúmeros aparelhos de ar-condicionado pingando na rua. O prédio dos Pafko tem porta de vidro e fica a um quarteirão do imponente e antigo Hotel Alvear. O porteiro idoso e simpático os leva ao elevador, e, à porta do apartamento de Kiril, eles são recebidos por uma jovem mais ou menos da idade de Pinky. Talvez seja peruana ou asiática. Está com calça cáqui e blusa polo. É possível que ela seja uma funcionária, uma empregada ou uma assistente — ou a substituta de Olga, conforme a própria Olga previu que aconteceria. A forma como a jovem os cumprimenta não dá nenhuma pista. Da porta, ela grita: *"Pafko! Sus visitantes!"*

Kiril insiste em abrir uma garrafa de espumante brasileiro para comemorar a reunião e diz que Stern parece ótimo. Mas é Kiril quem parece nitidamente melhor. Está com a pele queimada de sol pelo verão argentino e até parece um pouco mais magro, com uma calça de pregas azul-clara e uma camisa de botão branca de mangas curtas aberta no colarinho.

— Kiril, acho que mais uma vez estou em débito com sua atenção médica.

Kiril faz pouco, mas obviamente aprecia a gratidão de Stern. Isso o deixa em seu papel predileto, o de alguém muito importante. Pinky lança um olhar fulminante para Kiril ao perceber que o anfitrião não menciona seu papel fundamental ao encontrar o desfibrilador.

A sala de estar do apartamento é o completo oposto da casa no condado de Greenwood — muito mais contemporânea e italiana do que inglesa, o outro lado da herança de Donatella. As janelas altas da sala de estar estão com as cortinas abertas. A iluminação é ótima, e os móveis da sala, elegantes.

— E então, Sandy? O que você veio de tão longe me dizer?

— Kiril, eu me sinto obrigado a encorajá-lo a voltar para os Estados Unidos.

— E ir para a cadeia? Meu advogado daqui acha que eu posso evitar a extradição. E mesmo que não possa, ele diz que a justiça argentina avança com mais lentidão do que uma árvore cresce. Segundo ele, cedo ou tarde os americanos vão perder o interesse em mim.

— Mesmo agora, Kiril, acho que qualquer advogado que o represente nos Estados Unidos, sem ser eu e Marta, pode conseguir um excelente acordo para você. Moses quer encerrar logo esse caso. E ele sabe que a apelação seria complicada para a acusação.

— Não, não, Sandy. Não vou voltar. Eu tenho uma vida boa aqui.

— Em pouco tempo as pessoas aqui vão saber que você foi condenado nos Estados Unidos, Kiril.

— Por um crime financeiro? Por vender as ações dos meus netos? A Argentina é um país onde os generais que sumiram com milhares de pessoas foram recebidos na alta sociedade. Os argentinos não são idealistas como os americanos. Já esqueceu? Além dos mais, Sandy, eles são muito, muito orgulhosos dos poucos ganhadores do prêmio Nobel que têm. Aqui vou ser tratado como um herói voltando para casa. E tenho mais certeza de que ficarei livre aqui do que nos Estados Unidos, mesmo depois que eu saísse da cadeia.

— Como assim?

Ele abre os braços e sorri.

— Nada de Donatella.

Stern o encara.

— Ela diz que você implorou que ela viesse para cá.

— Que opção eu tinha? Se eu tivesse dito para Donatella ficar longe de mim, ela teria embarcado no primeiro avião para cá.

O palpite de Stern é que Kiril está um tanto decepcionado, sobretudo agora que Olga se recusou a se juntar a ele no exílio. Kiril e Donatella só conseguiram viver tanto tempo juntos porque o antagonismo entre eles foi um tema central do casamento. No entanto, por mais que digam que nunca se sabe como realmente é o casamento de outra pessoa, o fato é que, com sua elegância e sua boa educação, os Pafko foram capazes de esconder mais do que se costuma ver em um casamento normal, sobretudo o fato de que viviam em guerra declarada, da qual nenhum dos dois seria capaz de recuar, por medo de sair como o grande perdedor. Embora tenha sido necessário haver uma condenação criminal para separá-los, é possível que ambos vivam seus últimos anos mais felizes.

Enquanto refletia sobre a situação durante o voo para a Argentina, Stern concluiu que não há motivo capaz de fazer Pafko retornar aos Estados Unidos. O veredicto do júri exige que ele seja demitido pela PT, e, após os acontecimentos dos últimos anos, Kiril jamais terá um bom relacionamento com o filho, ou mesmo com as filhas de Lep. Dara, filha dele, pensa igual a Donatella e provavelmente já aceitou o ponto de vista da mãe há muito tempo.

— Eu lhe devo um agradecimento, Sandy. E a você também, minha querida.

Kiril ergue a taça de champanhe em direção a Pinky, que acabou de se levantar para se servir de mais uma taça. Stern suspeita de que Kiril esqueceu o nome dela, mas, seja como for, Pinky está se esforçando ao máximo para ignorar Kiril.

— Eu preferiria que você fosse totalmente inocentado, Kiril.

— Sim, eu também. Eu estava muito esperançoso. Mas você esteve ao meu lado em todos os momentos, Sandy. Percebi que você nunca perdeu a fé na minha inocência.

Stern assente em vez de dizer algo.

— Kiril, tenho minhas dúvidas se você não seria mais bem representado por outro advogado que não conhecesse sua família, e com quem você se sentisse mais à vontade para contar toda a verdade.

— Sandy, eu estava travado, independentemente de quem me representasse. Donatella percebeu isso. Eu disse que queria depor porque sabia que ela estava morrendo de medo da possibilidade de eu envolver Lep, seu filho precioso. Mas ela manteve a palavra final. Eu me dava conta disso sempre que parava para pensar. Ela teria ido ao banco das testemunhas para defender Lep. Mas, por favor, reconheça que eu nunca menti para você, Sandy.

— Sobre a culpa na fraude, tudo bem. Mas você não foi franco comigo sobre outros assuntos. Olga, por exemplo.

Pinky, que estava enrolando o cabelo, de repente fica em estado de alerta.

— Olga e eu não tínhamos nada um com o outro fazia quase dezoito meses — revela Kiril. — Foram as suas perguntas, mais que tudo, que me fizeram reconsiderar as perspectivas para nós dois.

Esse é um novo fundo do poço. Os clientes já culparam Stern por muita coisa ao longo de sua carreira — perder casos que deveriam ser vencidos ou não atacar a acusação —, mas nunca por suas próprias infidelidades. Até Kiril parece reconhecer que acabou de dizer um absurdo.

— Não estou querendo dizer que minhas decisões são culpa sua, Sandy. Só que foi nesse momento em que as peças se encaixaram e eu tive a ideia de recomeçar do zero aqui na Argentina com ela.

— Você estava planejando vir para cá com Olga mesmo que fosse inocentado?

— Exato. — Levar Olga e se casar com ela seria a vingança de Kiril contra Innis, Lep e Donatella, que o haviam punido pelo relacionamento com a porto-riquenha. — Depois de me decidir por um caminho, eu tinha que segui-lo. Uma anulação do julgamento e mais um ano queimando nas chamas da incerteza... eu não ia aguentar. Eu tinha a esperança de ser totalmente inocentado, talvez uma esperança até maior que a sua. E, lógico, eu preferiria ter a liberdade para ir e voltar entre meus dois países. Mas, mesmo que eu fosse inocentado, Sandy, demoraria anos, anos que eu não tenho, até as pessoas pararem de suspeitar de mim.

— Isso me surpreende, Kiril. Achei que permanecer no controle da PT era importante para você.

— Quando a PT era vista apenas como a fabricante de um medicamento que é um avanço revolucionário na luta contra o câncer, sim. Mas, na maior parte da próxima década, a empresa vai estar envolvida em disputas judiciais e problemas com a FDA. Essa foi a bagunça que Lep causou... então ele que fique com ela. E seja como for, o g-Livia será um legado meu. — Ele toma toda a taça de champanhe em um só gole, então olha para Stern e acrescenta: — É tudo uma mentira, sabia?

— Sobre a alteração dos dados do ensaio? Sim, eu sei.

— Não só os dados. O medicamento. O g-Livia? Há anos e anos Donatella me diz que eu não faço nada além de pegar carona no talento de Lep. E ela diria isso no tribunal. Mas meu filho estaria totalmente perdido sem as minhas contribuições. Acredite. O crédito pelo g-Livia deveria ser meu mesmo.

Quando Stern finalmente compreende, quase engasga. Porque só agora ele entende o motivo para Kiril aguentar as acusações falsas contra si e o tipo de acordo tácito que ele fechou com a esposa. Se Kiril envolvesse Lep, Donatella ia testemunhar e dizer que seu marido tinha uma inveja incontrolável do próprio filho, sabendo que cedo ou tarde o mundo científico reconheceria que Lep fez as principais descobertas que levaram à criação do g-Livia. Mãe e filho diriam que Kiril estava mentindo, não só para escapar da culpa de um crime, como também para desacreditar Lep e, com isso, consolidar sua falsa alegação sobre seus feitos científicos. Então, no fim, Kiril decidiu aceitar a denúncia e o julgamento em vez de perder os elogios que ele, mais uma vez, não merecia. Por mais de três décadas, a vida de Kiril Pafko tinha sido construída com base na mentira de que ele é um gênio, um homem digno do Nobel, e, portanto, capaz de formular o g-Livia. Ele preferia se arriscar a ir para a cadeia a abrir mão disso.

Após um almoço rápido — um peixe delicioso —, Pafko abraça Sandy à porta do apartamento. Está feliz. Isso é o que chama a atenção de Stern. Aos setenta e oito anos, Kiril — o poeta, como diz Innis — enxerga sua vida como um mar de possibilidades bem-vindas. Pinky levanta a mão sem grande animação, diz "tchau" e, sem olhar na direção de Kiril, sai do apartamento antes de Stern, para esperar pelo avô no elevador.

Lá fora deve estar fazendo quase quarenta graus. Eles procuram um táxi, mas Stern vê uma tabacaria na esquina. Na Argentina, assim como na Europa, é possível comprar charutos cubanos, que ainda são proibidos nos Estados Unidos por causa do embargo. Stern tinha parado de fumar como uma espécie de penitência pela morte de Clara, teve uma recaída tempos depois, mas finalmente parou de vez após o diagnóstico de câncer. Mas agora o desejo toma conta dele. Apesar dos protestos de Pinky, ele compra um Bolivar e um Robusto e vai para as mesinhas no pequeno pátio de chão ladrilhado adjacente à loja. Ali, Pinky e ele podem tomar café e comer doces enquanto ele fuma. À sombra do toldo preto da cafeteria, o calor é tolerável.

Helen sempre comentava que, considerando todos os homens que conhecia, Stern tinha poucos vícios. Ele não apostava, não era mulherengo, não bebia demais, não torrava dinheiro. Mas adorava tabaco. Mesmo agora, com a doença paralisada por causa do g-Livia, ele sabe que, em última análise, provavelmente um patologista concluiria que foram os charutos que o mataram. Mas ele saboreia o momento, ali em Buenos Aires, onde tudo começou, cedendo ao prazer, acompanhado de sua neta que alguns consideram uma pessoa sem futuro, mas a quem ama incondicionalmente.

Ela aponta para o charuto como se fosse o culpado por um crime.

— Se você voltar a fumar depois dessa viagem, a tia Marta vai ficar tão puta da vida que vai tentar arrancar minhas tatuagens com as próprias mãos.

— Pinky, minha querida, duvido que eu passe de três baforadas.

Com um primeiro fósforo, ele aquece o charuto, então, com outro, leva a chama à ponta. O simples toque da nicotina nas membranas frágeis de sua boca o deixam zonzo. Ele prende a fumaça e exala, então coloca o charuto em um cinzeiro, saboreando a riqueza do sabor. Só um vinho bordô envelhecido é capaz de proporcionar a mesma profundidade de sabores no paladar. Ele vai dar mais uma ou duas baforadas, assumindo que tem certeza de que conseguirá se levantar depois, e depois nunca mais. Ele tem dito isso sobre muitas coisas que lhe proporcionam felicidade, mas não se permite sentir qualquer emoção, qualquer tristeza.

Pinky, por outro lado, parece emburrada, balançando a cabeça quando Stern pega o charuto novamente. Ela toca a mão do avô, algo que tem feito com muito mais frequência nos últimos tempos, e diz:

— Não quero que você morra, vô.

Por incrível que pareça, ela está à beira das lágrimas.

De repente, Stern se lembra de Peter gritando a mesma coisa em pânico quando tinha uns cinco ou seis anos. Aquilo deixou Stern arrasado, porque ele queria acalmar o filho, mas não conseguiria fazer isso sem dizer alguma evasiva da qual Peter se ressentiria tempos depois.

Pinky, porém, não está pedindo que ele mude a própria natureza. Está apenas dizendo que vai sentir saudade. Stern põe a mão sobre a dela.

— O que você disse me toca profundamente, Pinky. Mas essa não é uma realidade que nós precisamos encarar agora.

Pinky observa o avô. Ela tem lindos olhos verdes. Na família, dizem que ela se parece com Clara, mas só agora, sentado em uma cafeteria em Buenos Aires, Stern percebe que os olhos dela são iguais aos de sua mãe, que tinham uma cor parecida com os de Clara.

— Está com medo, vô?

— De morrer? Bem, eu gosto de viver, então estou relutante em partir, mas não sei bem se é o mesmo que sentir medo. Lógico que eu aceito melhor essa realidade hoje, justamente por ter respondido à pergunta que me trouxe a Buenos Aires. Foi muito egoísmo da minha parte, eu sei.

— Como assim?

— Concluí que preferiria ter vivido minha própria vida do que a de Kiril. Mesmo com o prêmio Nobel.

— Fala sério — diz Pinky, que não tem a menor dificuldade para escolher Stern como melhor avô.

Apesar disso, o questionamento que ele se fez não é tão simples quanto Pinky acredita. Certa noite, enquanto Marta estava se preparando para outra longa noite de pesquisa para uma inquirição, ela comentou, com a maior naturalidade:

— Eu realmente perdi minha chance de vida com esta carreira. Com a advocacia.

Stern ficou petrificado ao ouvir a filha dizer isso, com medo de que, de alguma forma, tenha impedido que Marta descobrisse um destino melhor para si mesma.

— Como assim? — perguntou ele.

— Eu devia ter ido para a área da ciência — respondeu ela.

Quando entrou para a faculdade, Marta vinha seguindo o mesmo caminho de seu irmão mais velho e pretendia fazer medicina. Ela tinha a aptidão — talvez até mais que Peter —, mas na casa do pai ela desenvolveu um fascínio por separar o certo do errado e acabou mudando e cursando a faculdade de Teoria Política.

— A ciência é onde está a verdade no nosso mundo — disse ela aquela noite no escritório. — O que no passado pertenceu à religião e à filosofia agora é assunto da ciência. É através dela que vamos descobrir os segredos desconhecidos sobre estarmos aqui no planeta Terra.

Imediatamente Stern se deu conta de que ela estava certa.

— Não vou minimizar a importância das contribuições científicas de Kiril — diz Stern a Pinky —, mesmo que elas tenham sido bastante exageradas. É muito possível que os princípios e as descobertas que ele ajudou a desenvolver se tornem fundamentais para o curso da humanidade no próximo século, ou até depois. O mesmo jamais poderá ser dito sobre o meu trabalho.

"Pinky, uma das tragédias da vida de Kiril é que ele é um médico extremamente talentoso. Digo isso por experiência própria. Essa parte de Kiril sobre a qual pessoas como Innis e Donatella falam o tempo todo, esse talento enorme para convencer você do que ele quer que você acredite, dá a ele uma habilidade única para utilizar o elemento psicológico da cura. Ele poderia ter sido um guru ou um xamã, o médico que as pessoas viajavam milhares de quilômetros para se consultar. Mas eles não dão prêmios Nobel para isso, então, parece que essas habilidades não casavam com essa visão grandiosa que ele tinha de si mesmo.

"E é isso que mais me chama a atenção. Mesmo que Kiril tivesse direito a todos os prêmios que recebeu, fica óbvio que ele achou a própria vida decepcionante nas coisas mais básicas. O monte de amantes? A sede insaciável de reconhecimento? Pinky, ainda é verdade que nossos melhores esforços como seres humanos são os que fazemos para ajudar os outros, e, mesmo precisando do amor das pessoas, ainda assim vivemos sozinhos. E ao chegar a essa conclusão, acho que tive companhias melhores do que Kiril."

Embora muitas vezes tenha dificuldade com ironias, Pinky compreende perfeitamente o comentário de Stern e solta uma gargalhada, mas, logo em seguida, é tomada por uma tristeza que a faz baixar a cabeça e olhar para a superfície marcada da mesa preta e redonda do café. No minuto em que eles saíram pela porta do apartamento de Pafko, ela soltou um monte de palavrões. Stern sabe que não é fácil absorver tudo o que Kiril diz, especialmente para alguém como Pinky, que é muito mais protegida do que ela própria pensa. Ela já estrelou seus próprios vídeos pornográficos, mas ainda não aceitou que os seres humanos não são bons nem maus por natureza.

— Tem tanta gente como ele, vô, gente que faz um monte de merda e se safa. Quer dizer, esse caso terminou como um show de horrores. Eu venho escutando o que você disse nas últimas semanas. Sabe quem será a única pessoa que vai acabar presa?

Até onde ele se lembra, ninguém.

— Anahit — diz Pinky. — A corretora.

— Ah...

Stern está surpreso por perceber que Pinky compreende cada vez mais o mundo dele, e porque é muito provável que ela esteja certa. Quando Moses aceitar que não conseguirá extraditar Kiril e que não tem material suficiente contra Innis ou os Neucriss, vai se ver apenas com as provas incontestáveis contra a jovem Srta. Turchynov. E, para Moses, errado é errado.

— É isso mesmo, vô? Tudo bem para você se esse for o resultado do seu último caso?

Stern dá uma baforada final e, zonzo pelo efeito do charuto, conclui que sua resposta é sim. Ele está em paz com as limitações da lei. Não é injusto que Anahit Turchynov seja condenada, mesmo que a ambição dela seja muito menor que a de Innis, por exemplo, ou que suas mentiras e sua capacidade de fazer o mal não se comparem às de Lep. Apesar disso, Stern aceitou, muito tempo atrás, que mesmo a justiça perfeita não muda quem somos. A lei é construída com base em muitas ficções, e talvez a mais falsa delas é que todos os seres humanos são, em última análise, racionais. Sem dúvida, até onde podemos dizer, nossa vida é baseada em causa e efeito. É nisso que acredita a ciência. Mas nossas decisões mais íntimas raramente se baseiam nos cálculos de soma e subtração que Jeremy Bentham ou qualquer outro economista que pregue o livre mercado quis acreditar. Somos fundamentalmente criaturas emotivas. Nos assuntos mais importantes, atendemos aos apelos do coração, não da lei.

— Sei lá, não é justo, vô. A vida não é justa.

— Bem, minha querida Pinky — diz ele, segurando a mão da neta novamente —, ela foi muito mais justa comigo do que com muitas outras pessoas. E com você também, ouso dizer, embora nem sempre isso fique claro. Mas no fim, Pinky, devemos nos lembrar de um filósofo reverenciado cujo nome não me lembro agora, mas que certa vez ouviu um aluno perguntar se ele achava que a vida era justa.

— E o que ele respondeu?

Stern apaga o charuto e aperta de leve os dedos delicados de Pinky.

— Ele respondeu: "Em comparação com o quê?"

AGRADECIMENTOS

Por muitas razões, a estrutura regulatória que impera sobre os ensaios clínicos e a aprovação de novos medicamentos é de uma complexidade sem paralelo, que faz com que até o código da Receita Federal pareça simples e direto. O esquema regulatório farmacêutico desafia a compreensão, pelo menos a minha — e eu exerço a advocacia há mais de quarenta anos — e certamente a dos leitores, que estão em busca dos prazeres da ficção, e não de um texto árido. Meu objetivo foi evitar erros cabais e deturpações a respeito do processo, mas os leitores devem ter em mente que, nesta história, eu simplifiquei substancialmente o que acontece na prática.

Para compreender esse sistema, eu tive a ajuda de várias pessoas. Entre elas, devo um agradecimento especial a Shawn Hoskins, que foi generoso me doando seu tempo.

Fui beneficiado pelas leituras incisivas das versões anteriores deste livro com os comentários extensos de Rachel Turow e Julian Solotorovsky — e também da minha primeira leitora e minha defensora incansável, Adriane Turow. Dan Pastern, Duane Quaini, Stacee Solotorovsky e Eve Turow também foram gentis o bastante para ler o original e compartilhar comigo as reações que tiveram. Também estou em débito com Liz Turow, que deu opiniões preciosas sobre algumas questões.

Sou muito grato a meu editor na Grand Central, Ben Sevier, por ser meu guia paciente e por me dar sugestões confiáveis, conforme foi lendo meus vários manuscritos e me direcionando a escrever um livro melhor.

Também sou grato à sua primeira-tenente, Elizabeth Kulhanek, pela atenção cuidadosa que deu a inúmeros detalhes, inclusive pela edição zelosa do original. O copidesque, Rick Ball, e a produtora-chefe, Mari Okuda, me salvaram de várias gafes. (Aliás, quaisquer erros que tenham permanecido no texto — incluindo-se aí meu espanhol questionável — são exclusivamente minha culpa.) E, como sempre, fui beneficiado pela sabedoria da Melhor Agente Literária do Mundo, Gail Hochman.

Mais uma vez quero agradecer a meus amigos na Farrar, Straus and Giroux por me permitirem roubar de mim mesmo e republicar alguns trechos curtos — embora um pouco alterados — que originaram meu primeiro romance protagonizado por Sandy, *O ônus da prova*.

Comecei a escrever sobre Sandy Stern em meados dos anos 1980, e ele apareceu como personagem — às vezes como protagonista, mas na maioria das vezes como coadjuvante — em todos os romances que publiquei. Acho que também devo um agradecimento a ele, pelo prazer de viver novamente em sua pele.

Este livro foi composto na tipografia Minion Pro,
em corpo 11,5/15,2, e impresso em papel off-white,
no Sistema Cameron da Divisão Gráfica
da Distribuidora Record.